Het Bourne Testament

Van Robert Ludlum zijn verschenen:

De Scarlatti erfenis*
Het Osterman weekend*
Het Matlock document*
Het Rhinemann spel*
De Fontini strijders*
Het Parsifal mozaïek*
Het Trevayne verraad*
Het Hoover archief*
Het Holcroft pact*
Het Matarese mysterie*
Het Bourne bedrog*
Het Shepherd commando*
De Aquitaine samenzwering*
Het Jason dubbelspel*
Het Medusa ultimatum*
Het Omaha conflict*
De Scorpio obsessie*
De Icarus intrige*
De Daedalus dreiging*
Het Halidon complot*
De Matarese finale*
Het Prometheus project*
Het Sigma protocol*
De Tristan strategie

De Hades factor (met *Gayle Lynds*)*
De Armageddon machine (met *Gayle Lynds*)*
De Altman code (met *Gayle Lynds*)

Het Cassandra verbond (met *Philip Shelby*)*

*(Ook) in POEMA-POCKET verschenen

Robert Ludlum's

Het Bourne Testament

Eric van Lustbader

Uitgeverij Luitingh

Eerste druk april 2005
Tweede druk juni 2005

Oorspronkelijke titel: *The Bourne Legacy*
Vertaling: Frans van Delft
Omslagontwerp: Rob van Middendorp
Omslagfotografie: Lester Lekowitz en Cameron/Corbis/TCS

ISBN 90 245 5035 1
NUR 332

www.boekenwereld.com

Ter gedachtenis aan Bob

PROLOOG

Khalid Murat, de leider van de Tsjetsjeense rebellen, zat doodkalm in het middelste voertuig van het konvooi dat door de platgebombardeerde straten van Grozny reed. De gepantserde troepentransportwagens van het type BTR-60BP waren standaard Russisch materieel en daardoor niet te onderscheiden van alle andere konvooien die door de stad patrouilleerden. De zwaarbewapende mannen van Murat zaten in de twee volgepropte voertuigen die voor en achter Murats wagen reden. Ze waren op weg naar Ziekenhuis Negen, een van de zes of zeven verschillende schuilplaatsen die Murat gebruikte om de Russische troepen die naar hem zochten een paar stappen voor te zijn.

Murat, een man van rond de vijftig met een zwarte baard, had de robuuste houding van een beer en de felle ogen van een echte fanaticus. Al vroeg wist hij dat je alleen met ijzeren vuist leider kon zijn. Hij was erbij toen Dzjochar Doedajev vergeefs het islamitische recht probeerde in te voeren. Hij was getuige van de bloedige strijd die losbarstte toen het allemaal begon, toen de in Tsjetsjenië gestationeerde militaire leiders – buitenlandse bondgenoten van Osama bin Laden – Dagestan binnenvielen en een reeks bomaanslagen pleegden in Moskou en Volgodonsk, waarbij zo'n tweehonderd mensen omkwamen. Toen Tsjetsjeense rebellen ten onrechte de schuld kregen van deze terroristische aanslagen, begonnen de Russen met hun verwoestende bombardementen op Grozny en legden daarbij een groot deel van de stad in puin.

De lucht boven de Tsjetsjeense hoofdstad was vaag, schimmig geworden door de onophoudelijke aanvoer van as en rook en door een oplichtende gloed die zó fel was dat hij haast radioactief leek. Overal tussen de puinhopen in het landschap woedden door olie aangewakkerde branden.

Khalid Murat staarde door de geblindeerde ruit terwijl het konvooi langs een uitgebrand geraamte van een groot en log gebouw reed; het dakloze binnenste was gevuld met loeiende vlammen. Hij bromde wat, wendde zich tot zijn plaatsvervanger Hassan Arsenov en zei:'Vroeger was Grozny populair bij verliefde paartjes, die over de brede boulevards slenterden, en zag je moeders hun kinderwagens over de groene pleinen duwen. Het grote ronde plein stond elke avond vol met vrolijke, lachende mensen; vanuit de hele wereld trokken architecten als pelgrims naar de stad om de schitterende gebouwen te bekijken die Grozny ooit tot een van de mooiste steden ter wereld maakten.'

Hij schudde verdrietig zijn hoofd, sloeg zijn strijdmakker vriendschappelijk op zijn knie.'Allah, Hassan!' riep hij uit.'Kijk toch eens hoe de Russen alles wat goed en mooi is, hebben vernield!'

Hassan Arsenov knikte. Hij was een grote, energieke man, minstens tien jaar jonger dan Murat, een voormalig biatlonkampioen met de brede schouders en smalle heupen van een geboren atleet. Toen Murat als rebellenleider het initiatief nam, stond hij aan zijn kant. Nu wees hij Murat op de verkoolde resten van een gebouw, rechts van het konvooi.'Vóór de oorlog,' zei hij ernstig,'toen Grozny nog een belangrijk centrum was van de olieraffinage, zat daar het Olie Instituut. Mijn vader werkte daar. Nu leveren onze oliebronnen geen winst meer op, maar spugen ze vuur, dat de lucht en ons water vervuilt.'

De twee rebellen werden stil van alle platgebombardeerde gebouwen waar ze langsreden, van de lege straten waar alleen nog gedaanten ronddoolden, zowel menselijke als dierlijke, op zoek naar iets eetbaars. Een paar minuten later keken ze elkaar weer aan; de pijn over het leed van hun volk stond in hun ogen. Murat wilde iets zeggen, maar hield op toen ze het onmiskenbare geluid hoorden van kogels die op hun voertuig afketsten. Binnen een fractie van een seconde hadden ze door dat ze werden beschoten door kleine vuurwapens, die te zwak waren om door de zware bepantsering te dringen. Arsenov, als altijd waakzaam, greep naar de autotelefoon.

'Ik geef de lijfwachten in de andere voertuigen het bevel om terug te schieten.'

Murat schudde zijn hoofd. 'Stop, Hassan. Denk na. We dragen Russische legeruniformen en rijden rond in Russische pantservoertuigen. Wie er ook op ons schiet, het is waarschijnlijk eerder een bondgenoot dan een vijand. Dat moeten we uitzoeken voordat er onschuldig bloed aan onze handen kleeft.'

Hij pakte de hoorn van Arsenov af en gaf het konvooi bevel om te stoppen.

'Luitenant Gochijajev,' zei hij in de hoorn,'ga met je mannen op verkenning uit. Ik wil weten wie er op ons schiet, maar ik wil niet dat er iemand omkomt.'

Vanuit het voorste voortuig verzamelde Gochijajev zijn mannen en hij gaf hun het bevel zich te verspreiden vanachter de dekking van het bepantserde konvooi. Hij volgde hen door de puinhopen van de straat, zijn schouders opgetrokken tegen de bittere kou. Met nauwkeurige handgebaren liet hij zijn mannen links en rechts van hem samenkomen op de plek waar de schoten vandaan kwamen.

Zijn mannen waren goed getraind; ze verplaatsten zich snel en geruisloos van brok steen naar muurtje naar schroothoop, hurkten dan om zich zo klein mogelijk te maken voor hun belagers. Maar er werd niet meer geschoten. Plotseling voerden ze hun laatste manoeuvre uit, een tangbeweging waarmee ze de vijand met een venijnig spervuur klem konden zetten.

In het middelste voertuig hield Hassan Arsenov de plek in de gaten waar Gochijajev en zijn troepen waren samengekomen en wachtte hij op het geluid van geweerschoten, dat uitbleef. Wél verschenen in de verte het hoofd en de schouders van luitenant Gochijajev. Hij maakte met zijn arm een boogbeweging naar het middelste voertuig om aan te geven dat alles veilig was. Op dit teken schoof Khalid Murat langs Arsenov heen, stapte uit de transportwagen en liep door de bevroren puinhopen resoluut op zijn mannen af.

'Khalid Murat!' riep Arsenov geschrokken, terwijl hij achter zijn meerdere aan rende.

Duidelijk onverstoorbaar liep Murat naar een lage, afgebrokkelde stenen muur, de plek waar de schoten vandaan waren gekomen. Hij ving een glimp op van hopen afval; op een ervan lag een wasachtig, spierwit lijk dat al een poos geleden van zijn kleren was beroofd. Zelfs van een afstand was de ontbindingsstank niet te harden. Arsenov liep inmiddels naast hem en trok zijn revolver.

Toen Murat bij het muurtje was aangekomen, stonden zijn mannen links en rechts van hem, hun wapens op scherp. Het waaide hard, de wind jammerde en gierde door de ruïnes. De doffe, metaalgrijze lucht betrok nu nog meer en het begon te sneeuwen. Poedersneeuw bedekte Murats laarzen met een dun laagje en vormde een web in de sprietige wirwar van zijn baard.

'Luitenant Gochijajev, heb je de aanvallers gevonden?'

'Jazeker, meneer.'

'Allah heeft me in alles geleid; ook hierin zal hij me leiden. Laat ze maar aan me zien.'

'Het is er maar één,' antwoordde Gochijajev.

'Maar één?' riep Arsenov.'Wie? Weet hij dat we Tsjetsjenen zijn?'

'Zijn jullie Tsjetsjenen?' vroeg een zachte stem. Vanachter het muurtje verscheen het bleke gezicht van een jongetje van amper tien jaar oud. Hij droeg een vuile wollen muts, een tot op de draad versleten trui over een paar dunne katoenen shirts, een opgelapte broek en een paar gebarsten, veel te grote rubberlaarzen, waarschijnlijk ontfutseld aan een lijk. Hoewel nog een kind had hij de ogen van een volwassene, die alles bekeken met een combinatie van behoedzaamheid en wantrouwen. Hij verdedigde de resten van een niet-ontploft Russisch projectiel dat hij ergens had opgescharreld en zou kunnen ruilen voor brood, wellicht het enige dat hem en zijn familie voor de hongerdood behoedde. In zijn linkerhand hield hij een pistool, zijn rechterarm eindigde bij zijn pols. Murat keek meteen de andere kant op, maar Arsenov bleef staren.

'Een landmijn,' zei de jongen hartverscheurend zakelijk.'Door het Russische tuig gelegd.'

'Allah zij geprezen! Een jonge soldaat!' riep Murat uit, terwijl hij de jongen aankeek met zijn innemende, ontwapenende glimlach. Door die lach voelden zoveel mensen zich tot hem aangetrokken, als spijkers tot een magneet.'Kom, kom hier.' Hij wenkte en stak zijn lege handpalmen in de lucht.'Zoals je ziet zijn wij Tsjetsjenen, net als jij.'

'Als jullie zijn zoals ik,' zei de jongen,'waarom rijden jullie dan in Russische pantserwagens?'

'Hoe kunnen we ons beter verbergen voor de Russische wolf?' Murat kneep zijn ogen tot spleetjes, lachte toen hij zag dat de jongen een Gyurza bij zich droeg.'Dat is een wapen van de Russische commando's. Zoveel dapperheid verdient een beloning, of niet?'

Murat hurkte naast de jongen neer en vroeg hoe hij heette. Nadat de jongen had geantwoord, zei hij:'Aznor, weet jij wie ik ben? Ik ben Khalid Murat en ook ik wil van het Russische juk worden verlost. Met z'n allen kunnen we dit bereiken, toch?'

'Het was helemaal niet mijn bedoeling om op Tsjetsjenen te schieten,' zei Aznor. Met zijn stompje wees hij naar het konvooi.'Ik dacht dat het een *zachistka* was.' Hij doelde op de beestachtige zuiveringsoperaties die de Russische soldaten uitvoerden bij het opsporen van verdachte rebellen. Meer dan twaalfduizend Tsjetsjenen waren tijdens deze zachistka's omgebracht; tweeduizend mensen waren verdwenen, talloze anderen gewond geraakt, gemarteld, verminkt of verkracht.'De Russen hebben mijn vader en mijn ooms vermoord. Als jullie Russen waren had ik jullie allemaal afgemaakt.' Zijn gezicht vertrok van woede en frustratie.

'Dat geloof ik maar al te graag,' zei Murat ernstig. Hij zocht in zijn broekzak naar geld. De jongen moest zijn wapen in zijn broekband steken om het geld in zijn overgebleven hand aan te kunnen nemen. Vooroverbuigend naar de jongen zei Murat op vertrouwelijke fluistertoon:'Luister goed. Ik weet waar je munitie kunt kopen voor je Gyurza, zodat je goedbewapend bent als er nog eens een zachistka komt.'

'Dank u wel.' Aznors gezicht spleet open in een glimlach.

Khalid Murat fluisterde iets, deed een pas naar achter en woelde door het haar van de jongen.'Allah zij met je, kleine soldaat, bij alles wat je doet.'

De Tsjetsjeense leider en zijn plaatsvervanger keken hoe de kleine jongen over het puin klom met de onderdelen van het niet-geëxplodeerde projectiel stevig onder zijn arm geklemd. Toen liepen ze terug naar hun wagen. Grommend van walging trok Hassan met een klap het bepantserde portier dicht tegen de buitenwereld, de wereld van Aznor.'Doet het je niks om een kind zo de dood in te jagen?'

Murat wierp een vluchtige blik op hem. De sneeuw in zijn baard was gesmolten tot trillende druppels, waardoor hij er in de ogen van Arsenov eerder uitzag als een praktiserende imam dan als een militaire leider.'Ik heb dit kind, dat ervoor moet zorgen dat zijn familie dagelijks te eten en te drinken krijgt, dat als een volwassen man zijn familie moet beschermen – ik heb dit kind hoop gegeven, een bepaald doel. Ik heb hem kortom een bestaansreden gegeven.'

Arsenovs gezicht was stug en bleek geworden; zijn ogen hadden iets onheilspellends.'Hij zal door Russische kogels aan flarden worden geschoten.'

'Denk je dat echt, Hassan? Denk je dat Aznor stom is of, erger nog, onvoorzichtig?'

'Het is nog maar een kind.'

'Als het zaad is geplant, ontspruiten de loten, zelfs in de meest schrale grond. Dat is altijd zo geweest, Hassan. Het geloof en de moed van één schieten onherroepelijk wortel en breiden zich uit, en voor je het weet is die ene met tien, twintig, honderd, duizend anderen!'

'En ondertussen wordt ons volk uitgemoord, verkracht, mishandeld, uitgehongerd en vastgezet als vee. Het is niet genoeg, Khalid. Lang niet genoeg!'

'Dat jeugdige ongeduld ben je nog niet kwijt, Hassan.' Hij pakte hem bij zijn schouder.'Dat zou me tenminste niets moeten verbazen, of wel?'

Arsenov, die de blik van medelijden in de ogen van Murat zag, klemde zijn kaken op elkaar en keek de andere kant op. Sneeuwkrullen maakten de rukwinden zichtbaar die als Tsjetsjeense derwisjen in een extatische trance door de straten wervelden. Murat zag dit als een teken van het belang van wat hij zojuist had gedaan, van wat hij op het punt stond te zeggen.'Geloof in Allah,' zei hij op gedempte en tegelijk verheven toon,'en in die moedige jongen.'

Tien minuten later hield het konvooi halt voor Ziekenhuis Negen. Arsenov keek op zijn horloge.'Het is bijna tijd,' zei hij. Tegen de standaardveiligheidsregels in zaten ze beiden in hetzelfde voertuig vanwege het uiterst belangrijke telefoontje waar ze op wachtten.

Murat leunde voorover, drukte op een knop waarna de geluiddichte wand dichtschoof en hen afzonderde van de chauffeur en de vier lijfwachten die voorin zaten. Goed getraind als ze waren, bleven ze recht voor zich uit staren door het kogelvrije glas.

'Zeg eens eerlijk, Khalid, nu voor ons het moment van de waarheid is aangebroken, wat zijn je bedenkingen?'

Murat trok een borstelige wenkbrauw op, een vertoon van onbegrip dat volgens Arsenov tamelijk doorzichtig was.'Bedenkingen?'

'Wil je niet hebben wat jou toekomt, Khalid, waar wij volgens Allah recht op hebben?'

'Je hebt hooggestemde idealen, beste vriend. Dat weet ik maar al te goed. We hebben regelmatig zij aan zij gevochten... We hebben samen gedood en we hebben ons leven aan elkaar te danken, toch? Maar luister goed. Ik voel de pijn van ons volk. Hun leed vervult me met een woede die ik nauwelijks kan bedwingen. Jij weet dit misschien beter dan wie ook. Maar de geschiedenis toont aan dat men moet oppassen voor hetgeen men het meest begeert. De gevolgen van wat ons nu te wachten staat...'

'Van wat wij zelf hebben voorbereid!'

'Ja ja, van wat wij zelf hebben voorbereid,' zei Khalid Murat.'Maar we moeten ook aan de gevolgen denken.'

'Die voorzichtigheid,' bracht Arsenov bitter uit.'Altijd die voorzichtigheid.'

'Beste vriend.' Khalid Murat glimlachte terwijl hij zijn makker bij de schouders pakte.'Ik wil niet belazerd worden. De roekeloze vijand is het gemakkelijkst uit te schakelen. Jij moet leren van geduld een deugd te maken.'

'Geduld!' brieste Arsenov.'Die jongen van zonet, die hoefde zeker geen geduld te hebben. Je gaf hem geld, vertelde hoe hij aan munitie kon komen. Je zette hem op tegen de Russen. Elke dag die we afwachten, is weer een dag waarop duizenden jongens zoals hij het risico lopen om te worden vermoord. Niets minder dan de toekomst van Tsjetsjenië staat door ons besluit op het spel.'

Murat drukte zijn duimen in zijn ogen en draaide ze rond.'Er is nog een andere manier, Hassan. Er is altíjd nog een andere manier. We zouden misschien...'

'We hebben geen tijd meer. De aankondiging is gedaan, de datum is vastgesteld. De Sjeik heeft gelijk.'

'De Sjeik, ja.' Khalid Murat schudde zijn hoofd.'Altijd weer de Sjeik.'

Op dat moment ging de autotelefoon. Khalid Murat keek zijn vertrouwde compagnon vlug aan en schakelde rustig de speaker in.'Goedendag, Sjeik,' zei hij eerbiedig.'Hassan en ik zijn beiden gearriveerd. We wachten uw instructies af.'

Hoog boven de straat waar het konvooi stond te wachten, kroop iemand over een plat dak met zijn ellebogen langs een lage reling. In de lengte van die reling stond een Finse Sako TRG-41, een sluipschuttergeweer met grendel, een van de vele die hij zelf had aangepast. Dankzij de uit aluminium en polyurethaan vervaardigde geweerlade was het wapen even licht als dodelijk. De man droeg het camouflage-uniform van het Russische leger, dat niet misstond bij de gladde gelaatstrekken van zijn Aziatische uiterlijk. Over zijn uniform droeg hij een lichtgewicht kevlar harnas waaraan een ijzeren lus hing. Zijn rechterhand speelde met een klein dofzwart doosje, niet groter dan een pakje sigaretten. Het was een draadloos apparaatje met twee knoppen. Er hing een stilte om hem heen, een soort aura die mensen afschrikte. Het was alsof hij de stilte beheerste, die kon oproepen, manipuleren en inzetten als een wapen.

In zijn zwarte ogen werd de wereld heel, en de straat en de gebouwen waar hij nu op neerkeek, vormden slechts een decor. Hij telde de Tsjetsjeense soldaten die uit de voertuigen tevoorschijn kwamen. Het waren er achttien: de chauffeurs zaten nog achter het stuur en in het middelste voertuig zaten minstens vier lijfwachten bij hun meerderen.

Terwijl de rebellen de hoofdingang van het ziekenhuis binnenliepen om die te beveiligen, drukte hij de bovenste knop in van de draadloze afstandsbediening. Ladingen C4 ontploften en de ingang van het ziekenhuis stortte in. De hele straat schudde onder de explosie; de zware voertuigen schommelden op hun extra grote schokbrekers. De rebellen die direct door de ontploffing waren getroffen, vlogen ofwel in stukken uit elkaar of raakten verpletterd onder het gewicht van het instortende puin. Hij wist echter dat minstens een paar rebellen al ver genoeg de hal van het ziekenhuis waren binnengelopen en de explosie hadden overleefd, een factor waar hij in zijn plan rekening mee had gehouden.

Terwijl de eerste ontploffing nog nagalmde en het stof neerdaalde, keek de man naar het draadloze apparaatje in zijn hand en drukte op de onderste knop. De straat voor en achter het konvooi barstte open in een oorverdovende knal; het door granaatscherven doorzeefde beton stortte in.

Terwijl de mannen beneden uit alle macht probeerden greep te krijgen op het bloedbad dat onder hen was aangericht, pakte de moordenaar zijn Sako en richtte die met systematische, kalme precisie. Het wapen was geladen met speciale niet-vervormende kogels van het kleinste kaliber dat het geweer aankon. Door de infraroodgevoelige zoeker zag hij drie rebellen die de ontploffingen hadden overleefd met een paar kleine verwondingen. Ze renden naar het middelste voertuig, schreeuwden tegen de inzittenden dat ze eruit moesten voordat het voertuig door een volgende springlading zou worden vernietigd. Hij keek toe hoe ze de portieren aan de rechterkant openden en Hassan Arsenov en een bodyguard naar buiten lieten komen. Nu zaten alleen de chauffeur en de drie overige lijfwachten nog in de auto bij Khalid Murat. Toen Arsenov zich omdraaide, richtte hij op zijn hoofd. Door het vizier zag hij de beheerste uitdrukking gepleisterd op Arsenovs gezicht. Toen richtte hij met een soepele, geoefende beweging de loop van zijn geweer op het dijbeen van de Tsjetsjeen. Hij loste een schot: Arsenov greep naar zijn linkerbeen en viel schreeuwend neer. Een van de lijfwachten rende op Arsenov af en sleepte hem naar een veilige plek. De twee anderen bepaalden snel waar het schot vandaan kwam, renden de straat over naar het gebouw, richting het dak waarover de schutter sloop.

Toen er nog drie rebellen verschenen, rennend uit een zij-ingang van het ziekenhuis, liet de moordenaar de Sako zakken. Hij keek toe hoe het voertuig waarin Khalid Murat zat met een schok achteruit stoof. Voor en achter hem hoorde hij de rebellen de trappen op rennen die naar zijn hoge schuttersplekje leidden. Nog steeds zonder haast bevestigde hij punten van titanium en korund aan de hakken van zijn laarzen. Daarna pakte hij een composietkruisboog en schoot een koord in een paal vlak achter het middelste voertuig, waarna hij het touw vastmaakte zodat het strak stond. Schreeuwende mannenstemmen kwamen dichterbij. De rebellen zaten al op de verdieping beneden hem.

Het voertuig stond nu met zijn neus in zijn richting terwijl de chauffeur probeerde de wagen om de enorme brokken beton, graniet en macadam heen te manoeuvreren, die het gevolg waren van de ontploffing. De moordenaar keek naar de zachte glans op de uit twee delen bestaande voorruit. Dat was een van de problemen waar de Russen nog niet uit waren: kogelvrij glas was zó zwaar dat de voorruit uit twee stukken moest bestaan. De enige zwakke plek van de troepentransportwagen was het metaal daartussen.

Hij greep naar de stevige metalen lus die aan zijn vest zat en klikte zichzelf vast aan de strakke lijn. Op de achtergrond hoorde hij de rebellen de deur intrappen en zo'n dertig meter achter hem het dak opkomen. Toen zij de moordenaar zagen, renden ze al schietend op hem af en vielen daarbij over een struikeldraad. Onmiddellijk daarop werden ze overweldigd door de vuurzee van de explosie van het laatste pakje C4 dat de moordenaar de avond ervoor had geplaatst.

Zonder om te kijken naar het bloedbad achter zich testte de man de lijn en sprong van het dak af. Hij zoefde naar beneden en tilde zijn benen op zodat zijn hakken gericht waren op de scheiding tussen de twee voorruiten. Alles hing nu af van de snelheid en de hoek waarmee hij die metalen strip tussen de twee kogelvrije ruiten zou raken. Als hij er maar een beetje naast zat, zou de scheiding het houden en was de kans groot dat hij een been brak.

De kracht van de klap raasde door zijn benen en schokte zijn ruggengraat op het moment dat zijn door titanium en korund geharde punten door de scheiding sneden alsof die van blik was. Zonder deze steun zakten de twee ruiten scheef. De huurmoordenaar knalde door de voorruit de auto binnen en nam veel van het glas met zich mee. Een stuk daarvan raakte de chauffeur in zijn nek en sneed zijn hoofd er voor de helft af. De moordenaar draaide zich naar links. De lijfwacht op de voorbank zat onder het bloed van de chauffeur. Hij zocht nog naar zijn geweer toen de moordenaar zijn hoofd al tussen zijn twee sterke handen had genomen en zijn nek omdraaide.

De twee andere lijfwachten in de klapstoelen achter de chauffeur schoten als razenden op de moordenaar, die de lijfwacht met de gebroken nek naar voren duwde zodat diens lichaam alle kogels opving. Vanachter deze geïmproviseerde dekking pakte hij het wapen van de bodyguard en schoot uiterst trefzeker één kogel in het voorhoofd van elke lijfwacht.

Nu was alleen Khalid Murat nog over. De Tsjetsjeense leider – zijn gezicht vertrokken van haat – had het portier opengetrapt en schreeuwde om zijn mannen. De sluipmoordenaar stormde op Murat af en schudde de enorme kerel door elkaar alsof hij een waterrat was; Murat zette zijn tanden in het vlees van zijn tegenstander en beet hem bijna een oor af. Kalm, systematisch, bijna met plezier greep de man Murat bij zijn keel en terwijl hij de Tsjetsjeense leider recht in zijn ogen bleef aankijken stak hij zijn duim in het ringvormige kraakbeen van diens strottenhoofd. Onmiddellijk raakte Murats keel gevuld met bloed, dat hem deed stikken en hem van zijn krachten beroofde. Hij zwaaide met zijn armen, beukte met zijn handen op het hoofd en het gezicht van zijn moordenaar. Maar tevergeefs. Murat stikte in zijn eigen bloed. Zijn longen stroomden vol en zijn ademhaling werd onregelmatig, reutelend. Hij braakte bloed en zijn ogen rolden in hun kassen.

Nadat de moordenaar het slappe lichaam had laten vallen klom hij achter het stuur en slingerde het lichaam van de chauffeur naar buiten. Hortend en stotend reed hij weg en trapte op het gaspedaal voordat de overgebleven rebellen nog iets konden uitrichten. Het voertuig schoot naar voren als een renpaard uit zijn hok, hobbelde verder over het puin en het beton en ging in rook op toen het in het gat stortte dat door de explosies in het wegdek was ontstaan.

Onder de grond zette de moordenaar de wagen in een hogere versnelling. Hij racete door de nauwe ruimte van een riool voor stortregen dat door de Russen was verbreed, om het te gebruiken voor ondergrondse aanvallen op bolwerken van rebellen. Telkens als de metalen bumpers tegen de betonnen ronde wanden schraapten, vlogen de vonken ervan af. Maar ondanks alles was hij veilig. Zijn plan was geëindigd zoals het was begonnen: zo precies als een Zwitsers uurwerk.

Na middernacht trokken de zwarte wolken weg en was eindelijk de maan te zien. De door het puin vervuilde atmosfeer gaf er een rode gloed aan. Af en toe werd het zachte maanlicht verstoord door de nog steeds brandende vuren.

Midden op een ijzeren brug stonden twee mannen. Het kabbelende water onder hen weerspiegelde de verkoolde resten van een eindeloze oorlog.

'De klus is geklaard,' zei een van hen.'Khalid Murat is omgebracht op een manier die een maximaal effect zal hebben.'

'Ik had niets minder verwacht, Khan,' zei de ander.'Je hebt je reputatie van onfeilbaarheid grotendeels te danken aan de opdrachten die je van mij hebt gekregen.' Hij was ruim tien centimeter langer dan de huurmoordenaar, had brede schouders en lange benen. Het enige dat zijn uiterlijk ontsierde, was de vreemde glazige, compleet haarloze huid aan de linkerkant van zijn gezicht en nek. Hij had het charisma van de geboren leider, iemand met wie niet te spotten viel. Het was duidelijk dat hij zich op zijn gemak voelde bij de machtigen der aarde, op openbare forums, maar ook in duistere steegjes.

Khan dacht nog steeds terug aan de blik in Murats ogen toen die zijn laatste adem uitblies. Bij iedereen was die blik weer anders. Hij had geleerd dat er niet één noemer bestond, dat het leven van ieder mens uniek was, en hoewel iedereen zondigde, verschilde de corrosie die deze zonden veroorzaakten van mens tot mens, zoals de structuur van een sneeuwvlok uniek is. Wat viel er in de blik van Murat te lezen? Geen angst. Verbazing wél, woede, zeker, maar er was nog iets wat dieper lag – spijt dat hij zijn levenswerk niet had kunnen afmaken. De analyse van de laatste blik bleef altijd onvoltooid, peinsde Khan. Hij vroeg zich af of er verraad in het spel was geweest. Had Murat geweten wie opdracht had gegeven tot zijn eliminatie?

Hij keek naar Stepan Spalko, die een zware envelop met geld aanreikte.

'Je beloning,' zei Spalko.'Met een bonus.'

'Een bonus?' Door het onderwerp geld was Khans aandacht weer helemaal naar het hier en nu gebracht.'Daar was helemaal niet over gesproken.'

Spalko haalde zijn schouders op. Door het rode maanlicht glansden zijn wang en nek als rood vlees.'Khalid Murat was je vijfentwintigste opdracht voor mij. Zie het als een jubileumgeschenk.'

'Dat is bijzonder gul van u, meneer Spalko.' Khan stopte de envelop weg zonder naar de inhoud te kijken. Het zou uiterst slechtgemanierd zijn als hij dat wel deed.

'Ik heb je gevraagd om mij te tutoyeren. Dat doe ik jou ook.'

'Dat is iets anders.'

'Hoezo?'

Khan stond roerloos; de stilte omgaf hem en hoopte zich in hem op, waardoor hij langer, breder leek.

'Ik ben u geen verklaring verschuldigd.'

'Kom kom,' zei Spalko met een vertrouwelijk gebaar.'We zijn geen vreemden voor elkaar. We delen de intiemste geheimen.'

Het werd nog stiller. Ergens in de buitenwijken van Grozny werd de nachtelijke hemel verlicht door een explosie. Het geluid van licht geschut bereikte hen als geknetter van een zevenklapper.

Na een lange poos antwoordde Khan.'In de jungle heb ik twee cruciale lessen geleerd. Les één, om niemand anders dan alleen mezelf te vertrouwen. Les twee, om de etiquetteregels van de beschaving precies na te leven, want je plaats kennen in de wereld is het enige dat tussen jou en de anarchie van de jungle in staat.'

Spalko keek hem indringend aan. De grillige gloed van het vuurgevecht werd weerspiegeld in Khans ogen, waardoor hij er als een wilde uitzag. Spalko stelde hem voor alleen in de jungle, blootgesteld aan ontberingen, ten prooi aan hebzucht en ongecontroleerde moordlust. De jungle van Zuidoost-Azië was een wereld op zich. Een barbaars, pestilent gebied met zijn eigen wetten. Dat Khan daar niet alleen had kunnen overleven, maar zelfs opbloeide, was de kern van het mysterie dat hem omgaf, meende Spalko.

'Ik beschouw onze relatie liever als meer dan louter zakelijk.'

Khan schudde zijn hoofd.'De dood heeft een eigen geur. Ik kan hem bij u ruiken.'

'En ik bij jou.' Langzaam begon Spalko te glimlachen.'Je bent het dus met me eens dat wij iets bijzonders hebben.'

'Wij hebben zo onze geheimen,' zei Khan,'toch?'

'Wij vereren de dood; wij begrijpen de kracht ervan.' Spalko knikte instemmend.'Ik heb nog iets voor je.' Hij haalde een zwarte dossiermap tevoorschijn.

Khan keek even in Spalko's ogen. Er zat iets neerbuigends in zijn scherpzinnige karakter dat hij onvergeeflijk vond. Maar zoals hij lang geleden had geleerd, glimlachte hij om beledigingen en verborg hij zijn woede achter het ondoordringbare masker van zijn gezicht. Hij had namelijk nóg een les geleerd in de jungle: impulsief handelen als je bloed nog kookte, leidde vaak tot een onherstelbare fout; in de tijd die nodig was om rustig af te koelen, werd elke geslaagde wraakoefening uitgebroed. Hij nam de map aan en maakte het dossier open. Daarin zat een dun cellofaanvelletje met drie korte, in kleine letters getypte alinea's en een foto van een knap mannengezicht. Onder de foto stond een naam: David Webb. 'Is dit alles?'

'Uit vele bronnen verzameld. Het is alle informatie over hem die er is.' Spalko zei dit zó vlot dat Khan zeker wist dat hij dit antwoord had ingestudeerd.

'Maar dit is de man?'

Spalko knikte.

'Daar kan geen twijfel over bestaan?'

'Geen enkele.'

Te oordelen naar de feller wordende gloed waren de gevechten verhevigd. De vuurregens van het mortiergeschut waren van ver te horen. Boven leek het schijnsel van de maan nog feller rood.

Khan kneep zijn ogen toe en balde zijn rechterhand tot een vuist van haat. 'Ik kon nergens een spoor van hem vinden. Ik dacht dat hij al dood was.'

'In zekere zin,' zei Spalko, 'is hij dat ook.'

Hij zag Khan over de brug weglopen. Hij stak een sigaret op, zoog de rook diep in zijn longen en blies die met tegenzin weer uit. Toen Khan in de duisternis was verdwenen, pakte Spalko zijn gsm en draaide een overzees nummer. Nadat werd opgenomen zei hij: 'Het dossier is in zijn bezit. Is alles in orde?'

'Jazeker, meneer.'

'Goed zo. Om middernacht, plaatselijke tijd bij jou, zet je de operatie in gang.'

Deel een

I

David Webb, hoogleraar Taalwetenschap aan de Georgetown Universiteit, ging schuil achter een stapel nog na te kijken tentamens. Hij liep gehaast door de muffe gangen van de enorme Healy Hall naar de kamer van de decaan, Theodore Barton. Hij was te laat, vandaar dat hij zijn lang geleden al ontdekte sluiproute had genomen door nauwe, slechtverlichte gangetjes die maar weinig studenten kenden of wilden gebruiken.

Er zat een weldadige golfbeweging in zijn leven, die bepaald werd door zijn verplichtingen aan de universiteit. Zijn jaar was ingedeeld in de universitaire semesters van Georgetown. De koude winter waarmee die begonnen, maakte morrend plaats voor een prille lente, en het collegejaar eindigde in de hitte en benauwdheid van de laatste weken van het tweede semester. Een deel van hem vocht tegen deze ijzeren regelmaat, het deel dat terugverlangde naar zijn vorige leven bij de geheime dienst van de Amerikaanse overheid, het deel waaraan hij zijn vriendschap had overgehouden met zijn voormalige collega, Alexander Conklin.

Net toen hij de hoek om wilde gaan, hoorde hij een geschreeuw en spottend gelach. Hij zag een spel van dreigende schaduwen tegen de muur.

'Klootzak, we zullen die vuile tong van je eens terug je strot in duwen!'

Bourne liet de stapel papieren uit zijn handen vallen en sprintte de hoek om. Hij zag drie zwarte jongemannen in lange, tot aan de enkels reikende jassen dreigend in een halve kring om een Aziatische jongen staan, hem insluitend tegen de muur. Ze stonden er op een typerende manier bij: licht door de knieën gebogen, hun armen slungelig en los. Hun lichamen leken zo op vervaarlijke wapens die op scherp stonden. Tot zijn schrik zag hij dat het slachtoffer Rongsey Siv was, een van zijn favoriete studenten.

'Vuile klootzak,' gromde een van de belagers, een pezige jongen met een opgefokte, roekeloze uitdrukking op zijn arrogante gezicht, 'we komen ons spul ophalen dat we willen omzetten in *bling-bling.*'

'Want daar kunnen we niet genoeg van hebben,' zei een ander, die een tatoeage van een arend op zijn wang had. Hij schoof een grote hoekige gouden ring, een van de vele aan zijn rechterhand, heen en weer over zijn vinger. 'Of weet je niet wat bling-bling is, spleetoog?'

'Spleetoog, ja,' zei de opgefokte jongen met zijn holle ogen. 'Volgens mij weet jij geen ene moer.'

'Hij wil ons tegenhouden,' zei de ander, terwijl hij zich naar Rongsey vooroverboog. 'Ja, spleetoog, wat ben je van plan, je *kung fu* op ons uitproberen?'

Ze lachten schor, maakten met hun benen gestileerde schijnbewegingen naar Rongsey, die steeds dichter tegen de muur aan ging staan terwijl ze op hem afkwamen.

De derde zwarte man, zwaar gespierd en gezet, haalde een honkbalknuppel onder de vele plooien van zijn lange jas tevoorschijn. 'Ja, precies ja. Handen omhoog, klootzak. We zullen je vingerkootjes eens stevig bewerken.' Hij sloeg zijn knuppel in de kom van zijn hand. 'Hoe wil je het hebben: allemaal ineens of één voor één?'

'Ho,' riep het opgefokte bendelid, 'hij heeft niks te kiezen.' Hij pakte zijn eigen honkbalknuppel en stapte dreigend op Rongsey af.

Terwijl het opgefokte joch met zijn knuppel zwaaide, stapte Webb op hem af. Zó geruisloos was hij naar hen toe geslopen, en zó gefixeerd waren zij geweest op de klappen die ze wilden uitdelen, dat ze hem pas opmerkten toen hij hen aanviel.

Met zijn linkerhand hield hij de knuppel tegen van de opgefokte jongen toen die op Rongsey wilde losbeuken. De getatoeëerde wang, rechts van Webb, vloekte als een ketter en zwaaide met zijn gebalde vuist. Zijn knokkels, gericht op Webbs ribben, glinsterden van de scherp gerande ringen.

Op dat moment nam vanuit een donkere schuilhoek in Webbs bewustzijn de persoonlijkheid van Bourne de controle over. Webb wendde met zijn biceps de klap af van de getatoeëerde wang, deed een stap naar voren en plantte zijn elleboog tegen zijn borstbeen. Naar zijn borst grijpend viel de knul neer.

De derde kerel, die groter was dan de andere twee, liet vloekend zijn knuppel vallen en trok een stiletto. Hij haalde naar Webb uit, die meteen in de aanval ging en een snelle, venijnige tik gaf tegen de binnenzijde van de pols van zijn belager. De stiletto kletterde over de gladde gangvloer. Webb zette zijn linkervoet achter de enkel van zijn tegenstander en gaf een duw. De kerel viel achterover op zijn rug, draaide zich om en kroop weg.

Bourne trok de honkbalknuppel uit de vuist van het opgefokte bendelid. 'Vuile smeris', schreeuwde de jongen. Hij keek met verwijde pupillen glazig uit zijn ogen vanwege alle drugs die hij genomen had. Toen trok hij een pistool – een goedkoop pruldingen – en richtte dat op Webb.

Webb zwaaide met de knuppel en raakte de knul met feilloze precisie tussen zijn ogen. Schreeuwend wankelde hij achterover, zijn pistool slingerde door de lucht.

Afkomend op het lawaai kwamen twee beveiligingsagenten de hoek om gerend. Rakelings vlogen ze langs Webb en gingen achter de bendeleden aan, die zonder om te kijken wegvluchtten, waarbij de opgefokte jongen door zijn maten werd ondersteund. Ze renden door de achterdeur van het gebouw naar het felle zonlicht van de middag, op hun hielen gezeten door de agenten.

Ondanks de tussenkomst van de beveiligingsagenten voelde Webb sterk het verlangen van Bourne in zijn lijf om achter het tuig aan te gaan. Wat was Bourne toch snel uit zijn psychische slaap ontwaakt, en met hoeveel gemak had hij de controle overgenomen! Kwam dat omdat hij dat zo wilde? Webb slaakte een diepe zucht, deed alsof hij alles onder controle had en keek naar Rongsey Siv.

'Professor Webb!' Rongsey schraapte zijn keel. 'Ik weet niet...' Hij was nog helemaal van streek. Zijn grote zwarte ogen stonden wijd open achter zijn brillenglazen. Van zijn gezicht viel zoals gewoonlijk niets te lezen, maar in die ogen zag Webb alle angst van de wereld.

'Het is voorbij nu.' Webb legde zijn arm om Rongseys schouders. Zoals altijd kon hij zijn genegenheid voor deze Cambodjaanse vluchteling ondanks zijn professionele afstand niet verbergen. Hij kon het niet helpen. Rongsey had vele tegenslagen overwonnen; hij had bijna zijn hele familie tijdens de oorlog verloren. Webb was in dezelfde jungles in Zuidoost-Azië geweest als Rongsey, en al deed hij nog zo goed zijn best, hij kon zich niet helemaal losmaken van zijn hang naar die verzengende, klamme wereld. Het was een kwaal waar je nooit helemaal vanaf kwam. Hij huiverde van herkenning, alsof hij uit een dagdroom ontwaakte.

'*Loak soksapbaee chea tay?*' Hoe gaat het? vroeg hij in het Khmers.

'Goed, professor,' antwoordde Rongsey in dezelfde taal. 'Maar ik begrijp niet... Ik bedoel, hoe...?'

'Kom, laten we naar buiten gaan,' stelde Webb voor. Hij was nu echt te laat voor Bartons bespreking, maar dat kon hem niets meer schelen. Hij raapte de stiletto en het pistool op. Terwijl hij het mechaniek van het vuurwapen bestudeerde, brak de slagpin af. Hij smeet het waardeloze pistool in de vuilnisbak, maar het mes stopte hij bij zich.

Toen ze de hoek om waren hielp Rongsey hem de tentamens op te rapen. In stilte liepen ze verder door de gangen. Webb herkende het bijzondere karakter van deze stilte, de stroperige zwaarte van de tijd, die zich traag herstelt na een incident van gezamenlijk beleefd geweld. Het was iets van de oorlog, het hoorde bij de jungle; vreemd en verontrustend dat dit gebeurde op de overbevolkte campus van een grootstedelijke universiteit.

Ze liepen een van de vele gangetjes uit en mengden zich onder de studenten, die massaal door de hoofdingang van Healy Hall naar binnen stroomden. Vlak over de drempel, midden op de vloer, glansde het gewijde logo van de universiteit van Georgetown. De meeste studenten liepen er omheen, want volgens een legende zou je nooit afstuderen als je over het logo liep. Rongsey was een van de velen die er met een boog omheen liepen, maar Webb stapte er doodgemoedereerd overheen.

Buiten stonden ze in de zachte lentezon voor de bomen van het oude binnenplein de lentelucht op te snuiven, die geurde naar de uitbottende knoppen. Achter hen rees Healy Hall op met zijn indrukwekkende, uit rood baksteen opgetrokken façade, zijn negentiendeeeuwse dakvensters, leisteendak en zestig meter hoge klokkentoren in het midden.

De Cambodjaanse student richtte zich tot Webb. 'Dank u wel, professor. Als u er niet was geweest...'

'Rongsey,' zei Webb kalm, 'als je erover wilt praten...'

De student had donkere, onpeilbare ogen. 'Wat moet ik zeggen?'

'Dat weet jij beter dan ik.'

Rongsey haalde zijn schouders op. 'Maakt u zich om mij geen zorgen, professor. Het is niet voor het eerst keer dat ik word uitgescholden.'

Terwijl Webb naar Rongsey stond te kijken werd hij plotseling bevangen door een emotie die zijn ogen branderig maakten. Hij wilde de jongen in zijn armen nemen, hem stevig omhelzen en beloven dat hem niets ergs meer zou overkomen. Maar hij besefte dat Rongsey dit gebaar wegens zijn boeddhistische achtergrond nooit zou kunnen accepteren. Wie wist wat er omging achter dat ondoorgrondelijke gezicht? Webb had vele mensen zoals Rongsey gekend, die door oorlogen en culturele haat, gedwongen getuigen waren geweest van dood en verderf, de ineenstorting van hun beschaving – zulke tragedies konden de meeste Amerikanen niet bevatten. Hij voelde een sterke verwantschap met Rongsey, een emotionele band met een intrieste ondertoon, een herkenning van de wond in hem, die nooit helemaal zou genezen.

Al deze gevoelens stonden tussen hen in, werden hooguit stilzwijgend herkend, maar nooit uitgesproken. Met een korte, bijna tragische glimlach bedankte de beleefde Rongsey Webb nog eens, waarna ze afscheid namen van elkaar.

Webb stond alleen in de drukke menigte van studenten en wetenschappelijke medewerkers, en toch voelde hij zich niet alleen. Ondanks al zijn inspanningen had de agressieve persoonlijkheid van Bourne zich weer doen gelden. Hij haalde diep en langzaam adem, concentreerde zich, deed de mentale oefeningen die hij van zijn psychiater en vriend Mo Panov had geleerd om de persoonlijkheid van Bourne te onderdrukken. Eerst concentreerde hij zich op zijn omgeving, op het blauw en geel van de voorjaarsmiddag, het grijze cement en de rode bakstenen van de gebouwen aan de binnenplaats, de studentenmassa, de vrolijke gezichten van de meisjes, het gelach van de jongens, de ernstige discussies van de professoren. Elk element nam hij in zich op en pas daarna gaf hij zichzelf een plaats in tijd en ruimte. Pas toen, en niet eerder, kon hij de blik naar binnen richten.

Jaren geleden had hij voor de buitenlandse dienst in Phnom Penh gewerkt. Hij was toen niet getrouwd met Marie, zijn huidige echtgenote, maar met Dao, een Thaise vrouw. Ze hadden twee kinderen, Joshua en Alyssa, en woonden aan de rivieroever. Amerika voerde oorlog tegen Noord-Vietnam, maar ondertussen was ook Cambodja erbij betrokken. Op een middag toen hij aan het werk was, werden zijn vrouw en kinderen, die in de rivier hadden gezwommen, vanuit een vliegtuig beschoten en kwamen daarbij om.

Webb was bijna krankzinnig van verdriet. Nadat hij zijn huis en Phnom Penh was ontvlucht, kwam hij uiteindelijk aan in Saigon, als een man zonder verleden of toekomst. Het was Alex Conklin geweest die een neerslachtige, bijna krankzinnige David Webb van de straten van Saigon had geplukt om hem op te leiden tot eersteklas geheim agent. In Saigon had Webb leren doden, had hij zijn zelfhaat naar buiten gericht, zijn woede op anderen afgereageerd. Toen er iemand uit het team van Conklin – een kwaadaardige overloper die Jason Bourne heette – als spion werd ontmaskerd, was Webb degene geweest die hem had geëxecuteerd. Webb was de persoonlijkheid van Bourne gaan haten, ook al was die meer dan eens zijn redding geweest. Jason Bourne had het leven van Webb vaker gered dan hij zich kon herinneren. Een grappige gedachte, ware het niet dat die letterlijk waar was.

Jaren later, toen ze beiden weer in Washington woonden, had hij van Conklin een langetermijnopdracht gekregen. Webb was een *stille* geworden en opereerde onder de naam Jason Bourne, die door iedereen werd doodgewaand of was vergeten. Drie jaar lang wás Webb ook Bourne, had hij zich getransformeerd tot een internationale huurmoordenaar met een geduchte reputatie, die jacht maakte op een moeilijk grijpbare terrorist.

In Marseille was zijn missie gruwelijk misgelopen. Hij werd neergeschoten en voor dood in het zwarte water van de Middellandse Zee gegooid. Mannen op een vissersboot visten hem uit het water; in de haven werd hij door een alcoholische arts verzorgd totdat hij weer de oude was. Het enige probleem was, dat hij door deze schokkende bijna-doodervaring zijn geheugen had verloren. Wat langzaam terugkwam, waren de herinneringen van Bourne. Pas veel later, met behulp van zijn latere vrouw Marie, begon de waarheid, dat hij David Webb was, tot hem door te dringen. Maar inmiddels was de persoonlijkheid van Jason Bourne te diep ingekerfd, te sterk en te slim om het veld te ruimen.

Een gespleten persoonlijkheid was het gevolg: hij was én David Webb, de opnieuw getrouwde taalwetenschapper met twee nieuwe kinderen, én Jason Bourne, de door Alex Conklin opgeleide agent die uitgroeide tot een geduchte spion. In noodgevallen haalde Conklin Bournes expertise er weer bij, en vervulde Webb met tegenzin zijn plicht. Maar de waarheid was, dat Webb steeds minder controle had over de persoonlijkheid van Bourne in hem. Het voorval met Rongsey en de drie overvallers bewees dat weer eens. Bourne kon zich laten gelden op een manier die sterker was dan Webb, ondanks alle inspanningen die hij en Panov zich hadden getroost.

Nadat Khan vanaf de andere kant van het binnenplein David Webb en de Cambodjaanse student met elkaar had zien praten, dook hij een gebouw in schuin tegenover Healy Hall en liep de trap op naar de derde verdieping. Khan ging gekleed zoals de meeste studenten. Hij was zevenentwintig jaar maar leek jonger en viel niet op. Hij droeg een kakikleurige broek en een spijkerjack, om zijn schouders hing een grote rugzak. Geruisloos liep hij op zijn gymschoenen door de hal, langs de deuren van de leslokalen. In zijn hoofd had hij een duidelijk beeld van de binnenplaats. Hij calculeerde nog eens de hoeken, hield rekening met de hoge bomen die het zicht op zijn doelwit konden belemmeren.

Bij de zesde deur hield hij zijn pas in; vanuit het lokaal hoorde hij de stem van een docent. De discussie over ethiek veroorzaakte een geamuseerde glimlach op zijn gezicht. In zijn ervaring – en die was ruim en gevarieerd – was ethiek even dood en nutteloos als Latijn. Hij liep door naar het volgende lokaal, dat leegstond zoals hij al had gezien. Hij ging naar binnen.

Snel deed hij de deur achter zich op slot, liep door het lokaal naar de ramen die uitzicht boden op het binnenplein en ging aan de slag. Uit zijn rugzak haalde hij een 7.62mm SVD Dragunov, een sluipschutterswapen met inklapbare kolf. Hij schroefde het optische vizier erop en zette het wapen op de vensterbank. Turend door de zoeker vond hij David Webb, die nu alleen op het plein voor Healy Hall stond. Links van hem stonden een paar bomen. Af en toe ontnam een voorbijlopende student het zicht op hem. Khan haalde diep adem en blies die langzaam uit. Hij richtte op Webbs hoofd.

Webb wendde zijn hoofd af, schudde het effect dat zijn herinneringen op hem hadden van zich af en concentreerde zich weer op zijn directe omgeving. De bladeren ritselden in een steviger wordende bries en blikkerden in het zonlicht. Vlakbij moest een meisje, dat haar boeken tegen haar borst geklemd hield, lachen om de clou van een grap. Vanuit een open raam klonk een flard popmuziek. Webb, die dacht aan alle dingen die hij Rongsey nog had willen zeggen, wilde net de trappen van Healy Hall oplopen, toen hij een zacht *fwott!* hoorde. Instinctief ging hij in de schaduw onder de bomen staan.

Er wordt op je geschoten! schreeuwde de maar al te bekende stem van Bourne in hem. *Zoek dekking!* Webbs lichaam reageerde juist: hij ging rechtop staan toen er een tweede kogel, waarvan de knal door een geluiddemper werd onderdrukt, de boomschors naast zijn wang versplinterde.

Een eersteklas scherpschutter. Bournes gedachten begonnen Webbs hersenen te overspoelen, als een natuurlijke reactie van het belaagde lichaam.

De gewone wereld zat op Webbs netvlies, maar de buitengewone wereld die er parallel aan liep, de geheime, exclusieve, bevoorrechte, risicovolle wereld van Jason Bourne, vlamde als napalm op in zijn geest. Binnen een fractie van een seconde was hij uit het dagelijkse leven van David Webb getild, apart gezet van alles en iedereen waar hij van hield. Zelfs de toevallige ontmoeting met Rongsey leek een gebeurtenis uit een ander leven. Zich buiten het vizier houdend van de sluipschutter, zocht hij met de top van zijn wijsvinger in de schors naar de schaafwond die de kogel had achtergelaten. Hij keek omhoog. De persoonlijkheid van Jason Bourne leidde het traject van de kogel terug naar een raam op de derde verdieping van een gebouw aan de andere kant van het plein.

Overal om hem heen liepen, slenterden, praatten, redeneerden en discussieerden studenten. Uiteraard hadden zij niets in de gaten. Als er al iemand toevallig iets gehoord had, dan had dat geluid niets betekend en was het zo weer vergeten. Webb verliet zijn schuilplaats achter de boom en ging snel tussen een groepje studenten in lopen. Hij mengde zich onder hen, haastte zich, maar probeerde zoveel mogelijk hun tempo aan te houden. Ze vormden nu zijn beste dekking, want ze hielden Webb uit het zicht van de sluipschutter.

Het was alsof hij half bewusteloos was, een slaapwandelaar die desondanks alles met verruimd bewustzijn waarnam en voelde. Een deel van dit bewustzijn keek neer op de mensen die de gewone wereld bevolkten, ook op David Webb.

Na het tweede schot had Khan verward een stap achteruit gedaan. Verwarring was hem niet vertrouwd. Razendsnel dacht hij na, reconstrueerde hij wat er gebeurd was. Webb was niet in paniek geraakt en als een angsthaas terug het gebouw in gerend, zoals Khan had verwacht, maar hij was rustig onder de bladeren van de bomen gaan staan om Khans uitzicht te belemmeren. Dat was al onwaarschijnlijk genoeg en paste absoluut niet bij het type man dat zo bondig in Spalko's dossier stond beschreven, maar Webb had bovendien het spoor van de tweede kogel in de boom gebruikt om te kijken waar die vandaan was gekomen. En nu, ondergedoken in de studentenmassa, was hij zelfs onderweg naar dit gebouw. Hij sloeg niet op de vlucht, maar viel juist aan.

Enigszins overrompeld door deze onverwachte wending, klapte Khan snel zijn geweer in en borg het op. Webb was al bij de ingang van het gebouw. Hij kon er over een paar minuten zijn.

Bourne stapte uit de stroom voetgangers en rende naar het gebouw. Eenmaal binnen vloog hij de trappen op naar de derde verdieping. Hij sloeg links de gang in. Zevende deur aan de linkerkant: een leslokaal. In de gang klonk het geroezemoes van studenten uit alle delen van de wereld – Afrika, Azië, Latijns Amerika, Europa. Elk gezicht, hoe kort waargenomen ook, werd in het geheugen van Jason Bourne geregistreerd.

Het zachte gefluister van de studenten, hun plotselinge gelach, stonden in contrast met het gevaar dat in hun directe omgeving rondsloop. Terwijl hij naar de deur liep, klikte hij de stiletto open die hij in zijn zak had gestoken, balde er zijn vuist omheen zodat het lemmet als een spijker door zijn wijs- en middelvinger stak. Met een soepele beweging duwde hij de deur open, hurkte neer en maakte een koprol naar binnen. Hij kwam terecht achter het zware eikenhouten bureau, ongeveer tweeënhalve meter van de deurpost. Hij stak zijn hand met het mes in de lucht; hij was overal op voorbereid.

Voorzichtig stond hij op. Het klaslokaal, dat leeg was op het krijtstof en de vlakken zonlicht na, staarde hem grijnzend aan. Met opengesperde neusgaten keek hij rond, alsof hij de geur van de scherpschutter kon opsnuiven en zijn beeld zo uit het niets kon toveren. Hij liep naar de ramen. Een ervan stond open, het vierde raam van links. Hij stond erbij, keek naar de plek onder de boom waar hij zojuist nog met Rongsey had staan praten. Hier had de sluipschutter gestaan. Bourne zag voor zich hoe hij de loop van het geweer op de vensterbank legde, zijn oog voor het sterke vizier hield en over het binnenplein tuurde. Hij zag het spel van licht en schaduw, de overstekende studenten, hij hoorde plotseling gelach, een paar onvertogen woorden... Hij zag de vinger om de trekker, voelde de korte ruk waarmee die werd overgehaald. *Fwott! Fwott!* Een schot, en nog een.

Bourne bestudeerde de vensterbank. Hij keek om zich heen en liep naar het blik onder het schoolbord, waar hij wat krijtstof uitschepte. Terug bij het raam blies hij voorzichtig het stof van zijn vingers over de leistenen vensterbank. Er was niet één vingerafdruk te zien. De bank was schoongeveegd. Hij knielde neer en onderzocht de muur onder het raam, de vloer onder zijn voeten. Hij vond niets – geen veelzeggende peuk, geen plukje haar, geen kogelhulzen. De nauwgezette moordenaar was even deskundig verdwenen als hij was opgedaagd. Zijn hart klopte, zijn hersens kraakten. Wie wilde hem vermoorden? Het kon niemand uit zijn huidige leven zijn. Het ergste dat daarin was gebeurd, betrof het meningsverschil van afgelopen week met Bob Drake, hoofd van de faculteit Ethiek, wiens neiging om door te drammen over zijn eigen vakgebied even legendarisch als vervelend was. Nee, deze dreiging kwam uit de wereld van Jason Bourne. Ongetwijfeld waren er vele gegadigden uit zijn verleden, maar wie van hen was in staat Jason Bourne in David Webb terug te vinden? Want dat raadsel verontrustte hem nog het meest. Hoewel hij graag naar huis zou willen gaan om er met Marie over te praten, besefte hij dat de enige die hem kon helpen en genoeg wist over het duistere bestaan van Bourne, Alex Conklin was, de man die als een goochelaar Bourne uit zijn hoge hoed getoverd had.

Hij beende naar de telefoon aan de muur, pakte de hoorn en toetste de toegangscode in van zijn faculteit. Toen hij een buitenlijn te pakken had, draaide hij het privé-nummer van Alex Conklin. Conklin, de nu gedeeltelijk gepensioneerde CIA-agent, was waarschijnlijk thuis. Bourne kreeg een ingesprektoon.

Hij kon nu óf wachten tot Alex zou opnemen – wat, Alex kennende, een halfuur of langer kon duren – óf hij kon meteen naar hem toe gaan. Het open raam leek hem uit te lachen: het wist meer van het gebeurde af dan hij.

Bourne liep het leslokaal uit en ging dezelfde trappen af. Gedachteloos scande hij de mensen om hem heen, op zoek naar iemand die hij onderweg naar het lokaal gepasseerd zou kunnen zijn.

Hij haastte zich over de campus naar de parkeerplaats. Toen hij in zijn auto wilde stappen, bedacht hij zich. Snel inspecteerde hij de buitenkant en de motor van zijn wagen om te kijken of er niet mee was gerotzooid. Gerustgesteld ging hij achter het stuur zitten, startte de auto en reed het terrein af.

Alexander Conklin woonde op een landgoed in Manassas, Virginia. Toen Webb was aangekomen in de buitenwijken van Georgetown, werd de lucht warmer; een akelig soort stilte was neergedaald, alsof het voorbijsnellende landschap zijn adem inhield.

Niet alleen met Bourne, maar ook met Conklin had David Webb een haat-liefdeverhouding. Alex Conklin was zijn vader, zijn zielzorger, zijn bedenker en zijn opdrachtgever. Hij bezat de sleutel tot Bournes verleden. Hij móést met hem praten, want Alex was de enige die kon weten hoe iemand die achter Jason Bourne aanzat, David Webb had kunnen vinden op de campus van de universiteit van Georgetown.

Toen hij de stad uit was gereden en het platteland van Virginia bereikte, was het mooiste deel van de dag al om. Dikke wolken verduisterden de zon, rukwinden geselden de groene heuvels van Virginia. Hij drukte het gaspedaal verder in; ronkend schoot zijn auto met een schok vooruit.

Terwijl hij de bochtige bermen van de snelweg volgde, bedacht hij ineens dat hij al meer dan een maand niet meer bij Mo Panov was geweest. Mo was de psychiater bij de inlichtingendienst die Conklin hem had aanbevolen. Hij probeerde de stukken van Webbs geest aan elkaar te lijmen, de identiteit van Bourne voorgoed te onderdrukken en Webb te helpen zijn eigen verleden te hervinden. Dankzij Mo's technieken waren verloren gewaande delen uit Webbs geheugen weer terug in zijn bewustzijn. Maar de therapie was zwaar en afmattend. Op het eind van een semester, als het dagelijkse leven hem te veel in beslag nam, kwam het regelmatig voor dat Webb een sessie moest afbreken.

Hij verliet de snelweg en reed in noordwestelijke richting over een tweebaansweg. Waarom moest hij juist nu aan Panov denken? Bourne had geleerd om op zijn gevoel en intuïtie af te gaan. Dat hij ineens aan Mo moest denken, was een teken. Waarmee associeerde hij Panov? Met het geheugen, ja, maar met wat nog meer? Bourne dacht terug. Tijdens hun laatste sessie hadden ze het over stilte gehad. Mo had hem verteld dat de stilte een nuttig gereedschap was bij geheugentraining. De geest, die altijd op zoek is naar afleiding, hield niet van stilte. Als je maar genoeg stilte in je bewustzijn kon creëren, was het mogelijk dat je een verloren herinnering terugkreeg die die ruimte opvulde. *Oké,* dacht Bourne, *maar waarom moet ik juist nu aan stilte denken?*

Pas toen hij de lange, kronkelige statige oprijlaan van Conklin opreed, legde hij de verbinding. De scherpschutter had een geluiddemper gebruikt; het primaire doel daarvan was ervoor te zorgen dat de schutter onopgemerkt bleef. Maar een demper had nadelen. Op grote afstanden ging de precisie van een schot aanzienlijk achteruit. De sluipmoordenaar had op Bournes borst moeten richten en niet op zijn hoofd: vanwege het grotere lichaamsoppervlak had het schot dan meer kans van slagen gehad. Als je ervan uitging dat de scherpschutter Bourne had willen ombrengen, klopte er iets niet. Maar stel dat hij hem alleen maar bang had willen maken, of wilde waarschuwen – dat was een ander verhaal. Kennelijk had de onbekende schutter een ego, maar hij was geen charlatan; hij had geen spoor achtergelaten. En toch had hij een eigen agenda – zoveel was duidelijk.

Bourne reed voorbij de opdoemende, verzakte kolos van de oude schuur en andere, kleinere bijgebouwen – opbergschuurtjes, magazijnen, dat soort bouwsels. Toen kwam het huis zelf in zicht. Het stond tussen aangeplante hoge naaldbomen, groepjes beuken en blauwe ceders – hout dat bijna zestig jaar geleden was aangeplant, tien jaar voordat het stenen huis er kwam. Het landgoed was van een oude generaal geweest die nauwe banden had met de geheime dienst en betrokken was geweest bij nogal onsmakelijke activiteiten. Vandaar dat het landhuis – het hele landgoed eigenlijk – een heel netwerk had van ondergrondse tunnels, in- en uitgangen. Het moest Conklin goed doen om in een huis te wonen met zoveel geheimen, dacht Bourne.

Toen hij zijn auto parkeerde, zag hij niet alleen Conklins BMW 7-serie, maar ernaast ook de Jaguar van Mo Panov staan. Terwijl hij over de harde kiezels reed, voelde hij zich plotseling opgelucht. Zijn twee allerbeste vrienden – ieder op zijn eigen manier de bewaarder van zijn verleden – zaten binnen. Samen zouden zij het raadsel oplossen, zoals ze vroeger alle andere raadsels hadden opgelost. Hij liep de trappen naar de voordeur op en drukte op de bel. Er werd niet opengedaan. Met zijn oor tegen de gepolijste eikenhouten deur gedrukt, hoorde hij stemmen. Hij pakte de klink vast en ontdekte dat de deur open was.

In zijn hoofd ging een alarm af; even bleef hij achter de halfgeopende deur staan luisteren naar de geluiden. Ook al was hij op het platteland, waar zelden een misdrijf plaatsvond, oude gewoonten leerde je niet zomaar af. Conklin, met zijn overdreven gevoel voor veiligheid, zou de deur op slot hebben gedaan, of hij nu wel of niet thuis was. Met getrokken stiletto ging hij naar binnen, er rekening mee houdend dat er een moordenaar – iemand van het eliminatieteam dat hem wilde uitschakelen – door het huis sloop.

De hal met kroonluchter bood ruimte aan een brede, welvende trap van glanzend hout, die uitkwam op een open galerij over de gehele breedte van de hal. Rechts was de officiële woonkamer, links de clubhuisachtige tv-kamer met een bar en lage, lederen herenfauteuils. Meteen daarachter was een kleine, intieme ruimte waar Alex zijn studeerkamer van had gemaakt.

Bourne ging op het geluid af in de tv-kamer. Op het grote televisiescherm was een cameragenieke CNN-commentator te zien die voor het Oskjuhlid Hotel stond. De tekst onder in beeld meldde dat hij op locatie was in Reykjavik. '...de wankele basis van deze antiterrorismetop baart iedereen hier zorgen.'

Er zat niemand in de televisiekamer, maar wel stonden er twee ouderwetse whiskyglazen op de salontafel. Bourne pakte er een en rook eraan. Speyside single-malt, gerijpt in sherryvaten. Het complexe aroma van Conklins favoriete whisky bracht hem van zijn stuk, deed hem aan iets denken, aan Parijs. Het was herfst, ruisende bladeren van kastanjebomen dwarrelden neer over de Champs-Elysées. Hij keek uit het raam van een werkkamer. Hij worstelde met dit beeld, dat zo sterk was dat hij uit zichzelf getild leek te worden en zich werkelijk in Parijs bevond, maar grimmig bedacht hij dat hij in Manassas, Virginia, was, in het huis van Alex Conklin, waar iets vreemds aan de hand was. Met moeite probeerde hij zijn waakzaamheid, zijn scherpte te behouden, maar de herinnering die de whiskygeur had losgemaakt, was overweldigend en hij móést het weten nu, móést de leemte in zijn geheugen opvullen. Hij bevond zich dus in een werkkamer in Parijs. Wiens kamer? Niet van Conklin –

Alex had nooit kantoor gehouden in Parijs. Die geur... Hij stond niet alleen in die kamer. Hij draaide zich om, zag in een flits een gezicht dat hem vagelijk bekend voorkwam.

Met tegenzin keerde hij terug naar het heden. Ook al was het gekmakend een leven te hebben dat je je maar bij vlagen kon herinneren, hij mocht zich niet laten afleiden van alles wat er was gebeurd en van de abnormale situatie in Conklins huis. Waardoor konden volgens Mo die herinneringen weer boven komen drijven? Het kon zijn door iets wat hij zag, rook of hoorde, zelfs ook door een gevoel; wanneer de herinnering eenmaal was losgemaakt, kon hij hem er verder uitpeuteren door de stimulus te herhalen die hem had opgewekt. Maar nu niet. Nu moest hij Alex en Mo zoeken.

Hij keek omlaag, zag een notitieblokje op het tafelblad liggen en pakte het op. Het leek onbeschreven; het bovenste velletje was afgescheurd. Toen hij het blokje een beetje kantelde, zag hij vaag ingedrukte letters. Iemand – waarschijnlijk Conklin zelf – had 'NX 20' opgeschreven. Hij deed het blokje in zijn zak.

'Het aftellen is dus begonnen. Over vijf dagen zal de wereld weten of er een nieuwe tijd, een nieuwe wereldorde zal komen, of de gezagsgetrouwe volkeren in deze wereld met elkaar in vrede en harmonie kunnen leven.' De nieuwslezer draafde zo nog even door totdat het tijd was voor de reclame.

Met de afstandsbediening zette Bourne de televisie uit, en toen werd het stil. Misschien waren Conklin en Mo gaan wandelen, een van Panovs geliefde manieren om wat stoom af te blazen tijdens een gesprek, en ongetwijfeld wilde hij ook dat de oude man voldoende beweging kreeg. Maar daarmee was de open voordeur nog niet verklaard.

Bourne liep terug zoals hij was gekomen, ging terug de hal in en nam met twee treden tegelijk de trap. De twee logeerkamers waren leeg, vertoonden geen spoor van recente bezoekers, de ernaast gelegen badkamers al evenmin. Hij liep door naar het eind van de gang en ging de kamer binnen van de meester zelve, een Spartaanse ruimte die paste bij een oude soldaat. Het bed was klein en hard, niet meer dan een paar planken. Het was niet opgemaakt, Alex had er die nacht duidelijk in geslapen. Maar zoals het een meester in geheimen betaamde, viel er verder nauwelijks iets van zijn verleden in te bespeuren. Bourne pakte een zilveren fotolijstje met een foto van een vrouw. Ze had lang golvend haar, lichtblauwe ogen en een mild spottende glimlach. Hij herkende op de achtergrond de statige stenen leeuwen van de fontein bij Place Saint-Sulpice. Parijs. Bourne zette de foto terug, inspecteerde de badkamer. Vond daar niets van betekenis.

Weer beneden hoorde hij de klok in Conklins studeerkamer twee keer slaan. Het was een antieke scheepsklok die klonk als een carillon, melodieus. Maar deze slagen klonken Bourne alleen maar dreigend in de oren. In zijn oren galmde de klokslagen als zwarte golven door het huis. Zijn hart bonkte in zijn keel.

Hij ging terug naar de hal beneden en stak zijn hoofd door de keukendeur. Er stond een ketel op het fornuis, verder was het vlekkeloze roestvrijstalen aanrecht leeg. In de koelkast maalde de ijsmachine ijsklontjes. Toen zag hij het – Conklins wandelstok van gepolijst essenhout met aan het eind een handvat van zwart geworden zilver. Alex had een stijf been, een souvenir van een uitzonderlijk gewelddadige confrontatie in het buitenland; hij zou nooit zonder zijn stok de deur uitgaan.

De studeerkamer was links de gang in, een prettige, gelambriseerde ruimte in de hoek van het huis, met uitzicht op de overschaduwde laan en een terras van flagstones naast een zwembad. Daarachter begon het gemengde bos waaruit het landgoed vrijwel in zijn geheel bestond. Met een toenemend gevoel van paniek liep Bourne snel naar de studeerkamer. Bij binnenkomst bleef hij stokstijf staan.

Nog nooit was hij zich zó bewust geweest van zijn innerlijke tweespalt: een deel van hem was op slag een onthechte, objectieve commentator geworden. Dit puur analytische gedeelte van zijn hersens merkte op dat Alex Conklin en Mo Panov op een doorweekt Perzisch tapijt lagen. Het bloed dat uit hun hoofdwonden was gestroomd, doordrenkte het tapijt, sijpelde er hier en daar overheen en vormde op de geboende houten vloer een plas. Vers bloed, nog steeds glinsterend. Conklin staarde naar het plafond, met een waas voor zijn ogen. Zijn gezicht zag er verward en boos uit, alsof alle woede die hij in zijn lijf had opgekropt, aan de oppervlakte was gekomen. Mo's hoofd was afgewend, alsof hij nog achterom had willen kijken toen hij werd geveld. Er was onmiskenbaar angst van zijn gezicht te lezen. In zijn laatste ogenblikken had hij de dood zien aankomen.

Alex! Mo! Mijn god! Mijn god! Ineens brak de dam door van emoties en viel Bourne op zijn knieën. Het duizelde hem van schrik en angst. Zijn hele wereld stortte in. Alex en Mo waren dood – zelfs met de gruwelijke bewijzen voor zijn neus kon hij het nauwelijks geloven. Nooit meer met hen kunnen praten, geen gebruik meer kunnen maken van hun deskundigheid. Een stoet van beelden paradeerde voor zijn ogen – herinneringen aan Alex en Mo, de tijd die ze samen hadden doorgebracht, moeilijke tijden vol risico's en doodslag, die werden afgewisseld door tijden van luxe en de troostende intimiteit die men alleen maar na gezamenlijk beleefde gevaren kon voelen. Twee levens met geweld geveld, niets dan angst en woede achterlatend... Met een verbluffende onontkoombaarheid was de poort naar zijn verleden dichtgevallen. Zowel Bourne als Webb was in de rouw. Met moeite vermande Bourne zich, drukte hij Webbs hysterische emoties weg en hield hij zijn tranen in. Rouw was een luxe die hij zich nu niet kon veroorloven. Hij moest nadenken.

Bourne begon de moord in zich op te nemen, sloeg alle details ervan op in zijn geheugen, probeerde na te gaan wat er gebeurd was. Hij deed een stap naar voren, voorzichtig, want hij wilde niet in het bloed stappen of het tafereel anderszins verstoren. Alex en Mo waren neergeschoten, waarschijnlijk met het pistool dat tussen hen in lag op het tapijt. Ze hadden elk één schot gekregen. Dit was een professionele aanslag, geen inbraak. Ineens zag Bourne een mobiele telefoon in Alex' hand glanzen. Het zag eruit alsof hij in gesprek was op het moment dat hij werd neergeschoten. Was het gebeurd toen Bourne hem probeerde op te bellen? Dat was heel goed mogelijk. Aan het bloed te zien, de grauwheid van de twee lijken, de nog niet ingetreden rigor mortis in de vingers, was het duidelijk dat de moorden nog geen uur geleden hadden plaatsgevonden.

Vanuit de verte begon een vaag geluid zijn gedachten te verstoren. Sirenes! Bourne liep de studeerkamer uit en rende naar het raam in de voorgevel. Een stoet surveillancewagens van de politie van de staat Virginia denderde met zwaailichten over de oprijlaan. Bourne zat vast in een huis met de lichamen van twee zojuist vermoorde mannen en had geen geloofwaardig alibi. Hij was erin getuind. Hij voelde de tanden van een slimme val om zich dichtklappen.

2

Nu begreep hij het pas. De deskundig geloste schoten op het universiteitsterrein waren niet bedoeld om hem te doden, maar om hem te bewegen naar Conklin te gaan. Maar Conklin en Mo waren al vermoord. Er moest nog iemand in de buurt zijn die alles in de gaten hield en wachtte tot hij de politie kon bellen zodra Bourne kwam opdagen. Was het dezelfde man die op hem had geschoten?

Impulsief pakte Bourne de gsm van Alex en rende naar de keuken. Daar opende hij een smalle deur naar een steile keldertrap en keek het pikzwarte gat in. Hij hoorde de krakende autotelefoons al, het gesnerp van de kiezels en het bonzen op de voordeur. Er klonken opgewonden stemmen.

Bourne liep terug naar de keukenlades, graaide erin totdat hij Conklins zaklamp had gevonden en daalde het trapgat af; even stond hij in het duister. Met zijn zaklamp bescheen hij de traptreden; snel en stil liep hij naar beneden. Het rook naar beton, oud hout, naar lak en olie uit de oven. Onder de trap bevond zich een klep; Bourne trok hem open. Ooit had Conklin hem op een koude, witte wintermiddag de ondergrondse ingang laten zien die de generaal b.d. gebruikte om naar de landingsplaats van zijn privé-helikopter te gaan, naast de stallen. Bourne hoorde voetstappen over het plafond. De agenten waren binnen. Waarschijnlijk hadden ze de lichamen al gevonden. Drie auto's, twee doden. Het zou niet lang duren voordat ze het kenteken van zijn auto hadden getraceerd.

Hij liep gebogen door de lage gang nadat hij het deksel weer op zijn plaats had gelegd. Te laat dacht hij eraan dat hij het ouderwetse whiskyglas had vastgepakt. *Het forensisch team zal daar mijn vingerafdrukken wel op vinden,* dacht hij. *Dezelfde afdrukken als in de auto op de oprijlaan...*

Het had geen zin om daar nu aan te denken, hij moest verder! Voorovergebogen liep hij door de nauwe gang. Na drie meter werd die ruimer en kon hij rechtop lopen. De lucht werd vochtiger; van dichtbij hoorde hij langzaam druppelend water. Hij moest inmiddels voorbij de fundering van het huis zijn. Bourne versnelde zijn pas en nog geen drie minuten later kwam hij bij een andere trap. Deze was van metaal en legergroen. Hij klom naar boven en duwde met zijn schouders een ander luik open. Hij werd overweldigd door de frisse lucht, het zachte, gedempte licht, het gezoem van insecten. Hij stond aan de rand van de heliport van de generaal.

Het asfalt lag bezaaid met twijgjes en afgebroken dode takken. Een tijd geleden woonde er een familie wasberen onder het pannendak van het vervallen schuurtje aan de rand van het asfalt. Alles maakte een verlaten indruk. De heliport was echter niet zijn doel. Hij draaide er zijn rug naar toe en dook het dichtbegroeide naaldbomenbos in.

Zijn plan was om een grote boog te maken om het huis, het hele landgoed, en uit te komen bij de snelweg, ver voorbij het politiekordon dat om het landgoed zou worden getrokken. Allereerst moest hij echter het beekje vinden dat min of meer diagonaal door het landgoed stroomde. Het zou immers niet lang duren voordat de politie haar speurhonden zou inschakelen. Tegen de geur die hij op droog land zou achterlaten was niets te doen, maar in het stromende water zouden zelfs de speurhonden zijn spoor verliezen.

Hij baande zich een weg door de prikkende wirwar van het kreupelhout en stond even stil op een heuveltje tussen twee ceders om goed te luisteren. Het was van vitaal belang om de normale geluiden te registreren van deze specifieke omgeving, zodat hij alert kon zijn op het geluid van een indringer. Hij besefte terdege dat zijn vijand hoogstwaarschijnlijk dichtbij was – de moordenaar van zijn vrienden, van de schakels naar zijn vorige leven. Het verlangen om jacht te maken op die vijand, woog net niet op tegen de noodzaak te ontsnappen aan de politie. Hoe graag Bourne deze moordenaar ook wilde vangen, hij moest koste wat het kost eerst buiten de straal van het politiekordon zien te komen.

Op het moment dat Khan het dichtbegroeide bos inging van Alexander Conklins landgoed, was het alsof hij thuiskwam. Het donkergroene gewelf sloot zich boven hem af, waardoor het vroeg donker leek. Hij keek naar het zonlicht dat door het bladerdak werd gefilterd, waardoor beneden alles donker en mistroostig was – gunstige omstandigheden om zijn prooi te besluipen. Hij had Webb gevolgd vanaf het universiteitsterrein tot aan Conklins huis. Hij had wel eens van Alexander Conklin gehoord, kende hem als de legendarische meesterspion die hij was geweest. Wat hij zich afvroeg was, wat

Webb daar had te zoeken. Waar kende hij die Conklin van? En hoe was het mogelijk dat al na een paar minuten na zijn komst zo'n enorme politiemacht op de been was?

In de verte hoorde hij het geblaf van de speurhonden. Voor zich uit zag hij Webb door het bos lopen, alsof hij het goed kende. Alweer een vraag zonder antwoord. Khan versnelde zijn pas en vroeg zich af waarheen Webb op weg was. Toen hoorde hij het kabbelende beekje en ineens wist hij precies wat er in het hoofd van zijn prooi omging.

Khan liep snel verder totdat hij bij de beek was vóór Webb daar zou aankomen. Hij wist dat Webb stroomafwaarts zou vluchten, in tegengestelde richting van de speurhonden. Toen hij een enorme wilgenboom zag staan begon hij te grijnzen. Een stevige boom met een brede kruin van uitgestrekte takken was precies wat hij nodig had.

Het rozerode zonlicht van de invallende schemering stak als brandende naalden door de bomen. Bourne keek naar de dieprode vlekken aan de randen van de bladeren.

Aan de andere kant van de heuvel liep de grond steil af en werd het pad rotsachtig. Hij hoorde het zachte gekabbel van de beek en rende er snel naartoe. Het pak sneeuw van de afgelopen winter had samen met de eerste lenteregen de stroom doen wassen. Zonder aarzeling stapte hij in het koude water en waadde stroomafwaarts. Hoe langer hij in het water bleef hoe beter: de honden zouden het spoor bijster raken, en hoe groter de afstand die hij in het water zou afleggen, hoe moeilijker de honden zijn geur zouden kunnen terugvinden.

Nu hij veilig was, dacht hij aan zijn vrouw Marie. Hij moest met haar in contact komen. Naar huis gaan was geen optie; dat zou hen onmiddellijk in gevaar brengen. Maar hij moest contact met Marie opnemen, haar waarschuwen. De inlichtingendienst zou zijn huis vast en zeker bezoeken, en als ze hem daar niet vonden, zouden ze ongetwijfeld Marie arresteren, haar ondervragen en ervan uitgaan dat zij wist waar hij was. Daarnaast vreesde hij nog iets veel ergers: dat degene die hem in de val had gelokt, hem nu via zijn familie wilde pakken. Plotseling pakte hij zwetend van paniek Conklins telefoon. Hij draaide het nummer van Maries gsm en tikte een tekstbericht in. Het was maar één woord: *Diamond.* Dit codewoord had hij met Marie afgesproken en mocht alleen in noodgevallen worden gebruikt. Op dit teken zou zij met de kinderen onmiddellijk naar hun onderduikadres vertrekken. Daar, afgeschermd van de buitenwereld, konden ze schuilen totdat Bourne aan Marie het teken 'alles veilig' gaf. De telefoon van Alex gaf een zoemsignaal en Bourne las Maries tekst: *Herhalen aub*. Dat was niet het gewenste antwoord. Toen besefte hij dat ze niet zeker van haar zaak was. Hij had haar immers met de telefoon van Alex gebeld. Hij herhaalde de boodschap: DIAMOND, typte hij nu in hoofdletters. Ademloos wachtte hij het antwoord van zijn vrouw af: *hourglass*. Bourne slaakte een zucht van verlichting. Zijn vrouw had het begrepen; hij wist dat de boodschap authentiek was. Ze zou meteen de kinderen gaan zoeken, hen in de stationcar zetten en wegrijden, alles achter zich latend.

Toch was hij nog niet helemaal gerust. Hij zou zich een stuk beter voelen als hij haar stem zou horen, haar kon uitleggen wat er was gebeurd en kon zeggen dat alles goed was. Maar alles was niet goed. De man die ze kende – David Webb – was weer in Bourne veranderd. Marie haatte Jason Bourne en was bang voor hem. Terecht. Het kon best zijn dat Bourne op een dag de enige overgebleven persoonlijkheid was in het lichaam van David Webb. En wie was daarvoor verantwoordelijk? Alexander Conklin.

Het verbijsterde hem en leek hem uiterst onwaarschijnlijk, dat ze tegelijk van deze man kon houden én hem haatte. Het menselijk brein, dat zulke tegenstrijdige emoties kon bevatten, dat slechte kwaliteiten kon wegrationaliseren om maar affectie te kunnen voelen, bleef een mysterie. Maar Bourne wist dat de behoefte om liefde te geven en te ontvangen, een menselijke noodzaak was.

Over dit soort zaken dacht hij na terwijl hij met de stroom meeging, die ondanks het fonkelende schuim opvallend helder was. Kleine visjes schoten alle kanten op, geschrokken door zijn komst. Een paar keer zag hij de zilveren schim van een forel die zijn bek licht opensperde alsof hij naar iets zocht. Hij kwam bij een bocht waar een grote wilg stond. De gulzige boomwortels kronkelden over de oever. Ondanks zijn gespitstheid op elk geluid, op elk teken van zijn achtervolgers, hoorde Bourne alleen maar het ruisen van de beek.

De aanval kwam van boven. Hij hoorde niets, maar voelde eerst een verandering van perspectief en daarna een gewicht dat hem naar beneden duwde vlak voordat hij onder water ging. Daar voelde hij het verpletterende gewicht van een lichaam op zijn middenrif en zijn longen drukken. Terwijl hij naar adem snakte, sloeg zijn aanvaller zijn hoofd tegen de gladde stenen van de oever. Hij voelde een stomp in zijn nier en kon even niet meer ademen.

In plaats van zich tegen de aanval te verzetten, liet Bourne zijn lichaam verslappen. Hij liet zijn ellebogen langs zijn lichaam drijven, gaf er geen por mee, en op het moment dat zijn lichaam bijna totaal ontspannen was, duwde hij zichzelf op zijn ellebogen omhoog en draaide hij zijn bovenlichaam om. Terwijl hij zijn torso woest rondslingerde, deelde hij met zijn vuist een klap uit. Meteen nadat het gewicht van hem afviel, hapte hij naar lucht. Er stroomde water over zijn gezicht waardoor hij niet goed kon zien, hooguit de contouren van zijn aanvaller. Fel haalde hij nog eens naar hem uit, maar het was slechts een slag in de lucht.

De aanvaller was even snel verdwenen als hij was gekomen.

Khan kroop hijgend en brakend over de oever en probeerde lucht te persen langs de verkrampte spieren en het gekneusde strottenhoofd van zijn hals. Verbijsterd en woedend bereikte hij het kreupelhout en meteen daarna was hij verdwenen in de wirwar van het bos. Terwijl hij probeerde normaal adem te halen wreef hij voorzichtig over het pijnlijke gebied dat Webb had geraakt. Dat was geen toevalstreffer geweest, maar een goed doordachte, deskundige tegenaanval. Khan was in de war, een rilling van angst voer door zijn lijf. Webb was een gevaarlijke man – veel gevaarlijker dan een academicus kon zijn. Er was vaker op hem geschoten; hij kon het traject van een kogel herleiden, zich oriënteren in de wildernis, vechten met zijn blote handen. En bij het eerste teken van moeilijkheden was hij naar Alexander Conklin gegaan. Wie was die Webb toch? vroeg Khan zich af. Eén ding was zeker, hij zou hem niet meer onderschatten. Hij zou hem weer opsporen, zijn psychologische voorsprong heroveren. Voordat Webb er onvermijdelijk aan moest geloven, wilde hij hem eerst bang maken.

Martin Lindros, adjunct-directeur van de CIA, kwam precies om zes over zes aan op het landgoed in Manassas van wijlen Alexander Conklin. Hij werd ontvangen door een vooraanstaand rechercheur van de staatspolitie van Virginia, een slonzig uitziende, kalende man die Harris heette en probeerde te bemiddelen in het territoriumgevecht dat was ontstaan tussen de staatspolitie, het districtskantoor van de sheriff en de FBI. Zodra de identiteit van de slachtoffers bekend was, wilde iedereen de zaak onder zijn verantwoordelijkheid krijgen. Toen Lindros uit zijn wagen stapte, zag hij een stuk of tien auto's staan en drie keer zoveel mensen. Orde en een plan van aanpak waren nu vereist.

Toen hij de hand van Harris schudde, keek hij hem recht in zijn ogen aan en zei: 'Rechercheur Harris, de FBI doet niet meer mee. Wij zullen deze dubbele moord samen moeten oplossen.'

'Geen probleem, meneer Lindros,' antwoordde Harris beleefd. Hij was een lange man die, misschien om zijn lengte te verdoezelen, een beetje krom liep, waardoor hij er met zijn grote waterige ogen en ietwat mistroostige gezicht uitzag alsof hij chronisch aan uitputting leed. 'Dank u wel. Ik heb hier...'

'Je hoeft me nergens voor te bedanken Harris. Ik verzeker je dat dit een pittig zaakje wordt.' Hij stuurde zijn assistent naar de FBI en het personeel van de sheriff. 'Al een teken van David Webb?' Toen hij werd doorverbonden met de FBI had hij al gehoord dat ze Webbs auto voor het huis van Conklin hadden gevonden. Niet van Webb, maar van Jason Bourne dus. Daarom had de directeur van de CIA Lindros gestuurd om persoonlijk het onderzoek over te nemen.

'Nog niet,' antwoordde Harris. 'Maar we hebben de honden al ingezet.'

'Mooi zo. Heb je de omtrek van het kordon al bepaald?'

'Ik heb geprobeerd al mijn mannen in te zetten, maar toen kwam de FBI ertussen...' Harris schudde zijn hoofd. 'Ik zei nog dat we geen tijd mochten verliezen.'

Lindros keek op zijn horloge. 'Een omtrek van een kilometer. En zet je eigen personeel in om nog een kordon te leggen met een straal van een halve kilometer. Misschien vinden ze iets nuttigs. Schakel extra personeel in als het moet.'

Terwijl Harris in zijn mobilofoon praatte, nam Lindros hem in zich op. 'Wat is je voornaam?' vroeg hij, nadat de rechercheur zijn instructies had gegeven.

De man keek hem verlegen aan. 'Harry.'

'Harry Harris. Dat meen je niet!'

'Ik ben bang van wel.'

'Wat ging er in het hoofd van je ouders om?'

'Niets, denk ik.'

'Oké, Harry. Laat me eens kijken wat we hier hebben.' Lindros was achter in de dertig, een knappe, blonde man die meteen na zijn opleiding aan een topuniversiteit door de CIA was aangenomen. Lindros' vader was een eigengereide man geweest die zei wat hij vond en zo zijn nukken had. De jonge Martin had die koppige eigenzinnigheid van hem overgenomen, evenals een groot, patriottisch plichtsgevoel. Het waren deze eigenschappen, meende Lindros, die destijds de aandacht hadden getrokken van de directeur van de CIA.

Harris nam hem mee naar de studeerkamer, maar niet dan nadat Lindros de twee ouderwetse whiskyglazen op het salontafeltje in de televisiekamer had zien staan. 'Heeft iemand daaraan gezeten?'

'Bij mijn weten niet, meneer Lindros.'

'Tutoyeer me alsjeblieft gewoon. We zullen elkaar snel genoeg echt leren kennen.' Glimlachend keek hij op naar Harris om hem op zijn gemak te stellen. De manier waarop hij het gewicht van de CIA had ingebracht, was zorgvuldig afgewogen. Terwijl hij enerzijds de andere ordehandhavende instellingen er buiten had weten te houden, had hij Harris juist naar zich toegetrokken. Hij vermoedde dat hij zo'n volgzame rechercheur wel kon gebruiken. 'Heeft het onderzoeksteam deze glazen al op vingerafdrukken onderzocht?'

'Meteen.'

'Dan is het nu tijd voor een praatje met de lijkschouwer.'

Hoog boven de weg die over de heuvelrug langs het landgoed kronkelde, stond een gezette man door een sterke nachtkijker naar Bourne te kijken. Hij had een breed en rond, onmiskenbaar Slavisch gezicht. De vingertoppen van zijn linkerhand waren geel van het kettingroken. Achter hem stond een grote zwarte terreinwagen geparkeerd bij een uitzichtpunt. Iedereen die voorbijreed, zou denken dat het een toerist was. Verderop zag hij Khan door de bossen sluipen achter het spoor van Bourne aan. Terwijl hij Khans voortgang in de gaten hield, klapte hij zijn gsm open en drukte een overzees telefoonnummer in.

Stepan Spalko antwoordde meteen.

'De val is opengeklapt,' zei de zwaargebouwde Slavische man. 'Onze prooi is op de vlucht. Hij is zowel aan de politie als aan Khan ontsnapt.'

'Verdomme!' schreeuwde Spalko. 'En wat doet Khan?'

'Zal ik dat voor u uitzoeken?' vroeg de man koel en terloops.

'Nee, je blijft zo ver mogelijk uit zijn buurt,' antwoordde Spalko, 'maak dat je onmiddellijk wegkomt.'

Bourne wankelde naar de oever en ging zitten. Hij veegde zijn haren uit zijn gezicht. Zijn lichaam deed overal pijn en zijn longen leken in brand te staan. In gedachten zag hij allerlei explosies en werd hij teruggevoerd naar Tam Quan, naar de missies die hij in opdracht van Alexander Conklin had uitgevoerd, missies die door het opperbevel in Saigon zowel werden gesanctioneerd als ontkend, krankzinnige missies die zó moeilijk en gevaarlijk waren dat ze nooit met het Amerikaanse leger mochten worden geassocieerd.

In het zwakke licht van de lenteavond besefte Bourne dat hij nu in een vergelijkbare situatie zat. Hij bevond zich in de zogenaamde rode zone – een gebied dat onder controle stond van de vijand. Het probleem was dat hij geen idee had wie de vijand was of wat hij van plan was. Werd hij ook nu weer een bepaalde kant opgedreven, net als toen hij op de campus werd beschoten, of was de vijand begonnen aan een nieuwe fase van zijn plan?

In de verte hoorde hij honden blaffen en toen ineens, schrikbarend dichtbij, het korte, duidelijke gekraak van een brekend takje. Was het een dier of zijn belager? Zijn oorspronkelijke plan was gewijzigd. Hij probeerde nog steeds te ontkomen aan het net dat de politie om hem spande, maar tegelijk probeerde hij de rollen om te draaien met zijn aanvaller. Het probleem was, dat hij zijn belager moest vinden voordat deze hem weer zou aanvallen. Als het een en dezelfde persoon was, dan was hij niet alleen een topschutter maar ook een vaardige guerrillastrijder. In zekere zin deed het Bourne goed om al zoveel over zijn vijand te weten. Hij leerde zijn tegenstander kennen. Nu moest hij voorkomen dat die hém goed genoeg zou leren kennen om hem te kunnen verrassen...

De zon was achter de horizon verdwenen en gaf de lucht de kleur van smeulend vuur. Een koude windvlaag deed Bourne rillen in zijn natte kleren. Hij stond op en kwam in beweging, zowel om zijn stijve spieren los te maken als om zich op te warmen. Het bos ging gehuld in een blauw waas, maar toch had hij het gevoel alsof hij in een kale vlakte onder een wolkeloze lucht stond.

In Tam Quan zou hij wel weten wat hij moest doen: een schuilplaats zoeken, een plek waar hij kon nadenken over zijn volgende stap. Maar een schuilplaats zoeken in een rode zone was gevaarlijk; je kon zo in een val lopen. Hij liep langzaam en behoedzaam door het bos, scande elke boomstam, totdat hij vond waarnaar hij zocht: de Virginia-klimplant. Hij stond nog niet in bloei, maar de glanzende, vijflobbige blaadjes waren onmiskenbaar. Met behulp van zijn zakmes trok hij voorzichtig een paar lange en stevige uitlopers los.

Even nadat hij hiermee klaar was, spitste hij zijn oren. Afgaand op een vaag geluid richtte hij zijn blik op een kleine open plek. Daar! Een hert! Het was een middelgroot mannetjeshert. Hij stak zijn kop in de lucht, proefde met zijn zwarte neusgaten de lucht. Had het dier hem geroken? Nee. Het was op zoek naar...

Het hert rende weg en Bourne ging er achter aan. Vrijwel geruisloos snelde hij door het bos, parallel aan het hert. Toen de wind draaide moest hij van koers veranderen, anders zou het dier hem kunnen ruiken. Ze hadden zo misschien een halve kilometer gerend toen het dier stapvoets verderging. De bodem was steiler geworden, harder en compacter. Ze waren nu ver van de beek verwijderd, stonden aan de rand van het landgoed. Het hert maakte een sprongetje over de stenen muur die de hoek vormde in het noordwesten van het park. Bourne was nog net op tijd over de muur geklauterd om te zien dat het hert hem naar een liksteen had gelokt. Liksteen wees op rotsen en waar rotsen waren, waren grotten. Ooit had Conklin hem verteld dat er in het noordwesten van het landgoed een groep grotten waren met een netwerk van schoorstenen, natuurlijke verticale gaten die de indianen vroeger gebruikten als trekgaten voor hun kookvuur. Zo'n grot was net iets wat hij nodig had – een tijdelijke schuilplaats, die dankzij twee uitgangen geen val zou zijn.

Nu heb ik hem, dacht Khan. Webb maakte een grote fout – hij was de verkeerde grot ingegaan, een grot zonder tweede opening. Khan kwam onder zijn dekking uit, sloop stil over de kleine open plek, en kroop door de zwarte rotsopening.

Terwijl hij naar voren schuifelde, voelde hij ineens de aanwezigheid van Webb in het donker voor hem. Khan kon ruiken dat dit geen diepe grot was. Er hing niet de vochtige, penetrante geur van organisch materiaal dat zich had opgehoopt in een grot die diep het gesteente inging.

Even verderop in de grot had Webb zijn zaklamp aangedaan. Nog even en hij zou zien dat er geen schoorsteen, geen uitweg was. Hij moest nú aanvallen! Khan dook naar zijn tegenstander en raakte hem midden in zijn gezicht.

Bourne viel op de grond, zijn zaklamp kletterde over de rotsbodem, de kegelvormige lichtstraal danste alle kanten op. Tegelijkertijd voelde hij de verplaatsing van lucht, afkomstig van de gebalde vuist die op hem af flitste. Hij incasseerde de klap en terwijl de arm van zijn tegenstander helemaal was uitgestrekt, gaf hij een felle stoot tegen de onbeschermde, kwetsbare biceps.

Naar voren uitvallend ramde hij met zijn schouder het borstbeen van de ander. Daarvoor kreeg hij een knietje terug, aan de binnenkant van zijn dijbeen. Bourne voelde de pijn door zijn lichaam trekken. Met beide handen trok hij aan een kledingstuk en slingerde hij de ander tegen de rotswand aan. Die veerde terug, beukte op hem in en duwde hem om. Worstelend rolden ze nu verder over de grond. Hij hoorde zijn tegenstander ademen, een vreemd, bijna ongepast intiem geluid, alsof hij luisterde naar de adem van een kind aan zijn borst.

Terwijl Bourne werd vastgeklemd, kon hij het complexe aroma opsnuiven van de ander. Het deed hem denken aan de damp boven een zonovergoten moeras, waardoor de jungle van Tam Quan weer terug in zijn gedachten kwam. Op dat moment voelde hij dat er een stang tegen zijn strottenhoofd werd geduwd. Hij werd naar achteren getrokken.

'Ik zal je niet afmaken,' hijgde iemand in zijn oor. 'Nog niet tenminste.'

Bourne gaf een achterwaartse stomp met zijn elleboog, maar werd beloond met een knietje in zijn toch al pijnlijke nier. Hij sloeg voorover maar werd door de stang tegen zijn luchtpijp pijnlijk rechtop getrokken.

'Ik kan je nu vermoorden, maar dat doe ik niet,' zei de man. 'Ik heb licht nodig, zodat ik je kan aankijken als je sterft.'

'Was het echt nodig om twee keurige, onschuldige mannen te vermoorden om mij te pakken?' vroeg Bourne.

'Waar heb je het over?'

'Over die twee die je in dat huis hebt neergeschoten.'

'Dat was niet mijn werk. En trouwens: mijn slachtoffers zijn nooit onschuldig.' Hij hoorde een gegrinnik. 'Anderzijds: ik weet niet of je mensen die Alexander Conklin kennen, wel onschuldig kunt noemen.'

'Maar je hebt me ernaartoe gelokt,' zei Bourne. 'Eerst beschoot je me zodat ik naar Conklin zou vluchten, en toen...'

'Wat een onzin, ik heb je alleen maar achtervolgd.'

'Hoe wist je dan waar dat politiekorps moest zijn?' vroeg Bourne.

'Waarom zou ík die bellen?' fluisterde de man honend.

Hoe verrassend deze informatie ook was, Bourne luisterde maar half. Hij had zich tijdens dit gesprekje iets kunnen ontspannen en leunde achterover. Hierdoor was een heel klein beetje speling tussen de stang en zijn hals ontstaan. Bourne ging op zijn tenen staan, waarbij hij een van zijn schouders liet hangen zodat zijn tegenstander zijn aandacht nodig had om de stang op zijn plaats te houden. Precies op dat moment gaf Bourne met de muis van zijn hand een korte felle tik achter het oor van zijn tegenstander. Die viel met zijn lichaam hard neer; de stang kletterde hol over de stenen bodem.

Bourne haalde enkele keren diep adem en probeerde na te denken, al was hij nog steeds duizelig door het tekort aan zuurstof. Hij raapte de zaklamp op, bescheen de plek waar zijn aanvaller was neergevallen, maar zag niets. Hij hoorde iets, een geluid nog zachter dan gefluister, en richtte de lichtstraal van de lamp omhoog. Toen de aanvaller in het licht stond, draaide hij zich om en ving Bourne een glimp van zijn gezicht op, voordat de man in het bos was verdwenen.

Bourne rende achter hem aan. Ineens hoorde hij een knappend geluid en meteen daarna een geruis. Er suisde iets naar boven; Bourne sleepte zich door het kreupelhout naar de plek waar hij zijn val had gezet. Van de takken van de klimplant had hij een net geweven, en dat aan een grote tak gebonden, die hij bijna helemaal had omgebogen. Zijn aanvaller was erin gelopen. De jager was nu prooi geworden. Bourne haastte zich naar de bomen, bereidde zich voor op de confrontatie met zijn belager en sneed het net los. Maar het was leeg.

Leeg! Hij raapte het op, zag de scheur die zijn prooi in het bovenste gedeelte had gemaakt. Hij was snel, slim en goed voorbereid te werk gegaan; het zou nu nog moeilijker zijn om hem een volgende keer te verrassen.

Bourne keek naar boven, bescheen met zijn zaklamp het web van boomtakken. Ondanks alles kreeg hij steeds meer bewondering voor zijn kundige en vindingrijke tegenstander. Hij deed zijn zaklamp uit en was nu alleen in het duister van de avond. Een nachtzwaluw krijste luid; na een lange stilte klonk door de beboste heuvels de treurige echo van de roep van een uil.

Hij gooide zijn hoofd in zijn nek en slaakte een diepe zucht. Op het scherm van zijn gedachten projecteerde hij de platte vlakken en donkere ogen van het gezicht. Even wist hij zeker dat het beeld overeenkwam met een van de studenten die hij had gezien toen hij naar het leslokaal liep vanwaar de schutter op hem had geschoten.

Eindelijk had zijn vijand een gezicht. En een stem.

'Ik kan je nu vermoorden, maar dat doe ik niet. Ik heb licht nodig, zodat ik je kan aankijken als je sterft.'

3

Het hoofdkwartier van Humanistas, Ltd., een internationale mensenrechtenorganisatie die wereldwijd bekend was om haar humanitaire hulpverlening, stond op de groene westelijke helling van de Gellért-heuvel in Boedapest. Vanaf deze bevoorrechte positie stond Stepan Spalko achter een enorme schuine glazen wand naar buiten te kijken, alsof de Donau en de hele stad aan zijn voeten lagen.

Vanachter zijn grote bureau was hij opgestaan en op een pluchen stoel tegenover de zeer donkere Keniaanse president gaan zitten. Aan weerszijden van de deur stonden Keniaanse lijfwachten, met hun handen voor hun kruis en de lege blik in hun ogen die besmettelijk lijkt in deze beroepsgroep. In de muur boven hen was een reliëf gemetseld van een groen kruis in de palm van een hand, het overbekende logo van Humanistas. De president van Kenia heette Jomo; hij was afkomstig van de grootste etnische stam van Kenia, de Kikuyu, en een directe afstammeling van Jomo Kenyatta, de eerste president van de Republiek. Net als zijn beroemde voorganger was hij een *mzee*, wat in het Swahili 'respectabele oudere' betekent. Tussen hen in stond een fraai zilveren theeservies dat uit de achttiende eeuw stamde. Er werd dure zwarte thee geschonken, waarbij biscuitjes en smakelijke kleine broodjes werden geserveerd, charmant gepresenteerd op een geciseleerde ovale schaal. De mannen spraken zacht en monotoon.

'Wij kunnen u niet genoeg bedanken voor de generositeit die u en uw organisatie ons betoond hebben,' zei Jomo. Hij zat kaarsrecht, met zijn houterige rug iets van de comfortabele pluchen leuning verwijderd. De tijd en de omstandigheden hadden zijn gezicht van zijn jeugdige vitaliteit beroofd. Onder de glans van zijn huid school een grauwe bleekheid. Zijn gelaatstrekken leken samengeperst, waren verdord door de ontberingen en de volharding onder grote tegenslagen. Hij leek op een krijger die moe was van de strijd. Hij hield zijn benen tegen elkaar, zijn knieën waren gebogen in een hoek van negentig graden. Op zijn schoot hield hij een lange, glanzende kist van bewerkt bubingahout. Bijna verlegen overhandigde hij Spalko het kistje. 'Met de welgemeende dank van heel het Keniaanse volk. Dit is voor u.'

'Dank u wel, meneer de president. U bent veel te goed,' antwoordde Spalko hoffelijk.

'De goedheid komt helemaal van uw kant.' Jomo keek geïnteresseerd toe hoe Spalko de kist openmaakte. Er zat een mes in met een plat lemmet, en een edelsteen met een min of meer ovale vorm en een afgeplatte onder- en bovenkant.

'Mijn hemel, dit is toch niet de *githathi*?'

'Jazeker, meneer,' zei Jomo zichtbaar opgetogen. 'Hij komt oorspronkelijk uit mijn geboortedorp, was van de *kiama* waartoe ik nog steeds behoor.'

Spalko wist dat Jomo het had over de raad van ouderen. De *githathi* was van ongekende waarde voor de stamleden. Als er met de raad onenigheid bestond die op geen andere manier kon worden rechtgezet, werd met de hand op deze steen een eed afgelegd. Spalko pakte het handvat van het mes, dat uit kormalijnhout was gesneden. Ook dit mes had een ceremonieel doel. Als het ging om zaken van leven en dood, werd het lemmet eerst verhit en vervolgens op de tong gelegd van de twistende partijen. De grootte van de blaren op de tong wees uit of iemand schuldig was of niet.

'Ik vraag me af, meneer de president,' zei Spalko met iets van ondeugd in zijn stem, 'of de *githathi* afkomstig is van uw *kiama* of uw *njama*.'

Jomo lachte een bulderende lach die zijn kleine oren deed trillen. Hij had tegenwoordig zelden reden om te lachen. Hij wist niet meer wanneer dat voor het laatst was geweest. 'Dus u hebt gehoord van onze geheime bijeenkomsten? Ik moet zeggen dat uw kennis over onze gewoonten en geschiedenis inderdaad voortreffelijk is.'

'De geschiedenis van Kenia is oud en bloederig, meneer de president. Ik ben ervan overtuigd dat we onze belangrijkste lessen leren uit onze geschiedenis.'

Jomo knikte. 'Dat ben ik met u eens. Ik ben u zeer erkentelijk en moet hierbij opmerken dat ik me niet kan voorstellen hoe onze republiek er nu aan toe zou zijn zonder uw artsen en hun vaccinaties.'

'Er bestaat geen vaccin tegen aids.' Spalko's stem klonk vriendelijk maar gedecideerd. 'De moderne geneeskunde kan met medicijncocktails de gevolgen en het aantal doden van de ziekte inperken, maar de verspreiding kan alleen maar effectief worden tegengegaan door consequent condoomgebruik of seksuele onthouding.'

'Natuurlijk, natuurlijk.' Jomo veegde nauwgezet zijn lippen af. Hij vond het verschrikkelijk dat hij zo nederig om hulp moest vragen bij deze man die zijn volk al zo royaal geholpen had, maar wat kon hij anders? De aids-epidemie decimeerde de Republiek. Zijn volk leed, lag op sterven. 'We hebben nóg meer medicijnen nodig. U heeft al zoveel gedaan om de noden van mijn land te verlichten. Maar nog steeds hebben velen hulp nodig.'

'Meneer de president.' Spalko boog zich voorover, Jomo boog mee. Spalko's hoofd bevond zich nu in het zonlicht dat door de hoge ramen naar binnen viel, waardoor hij haast bovennatuurlijk ging glanzen. Het licht bescheen de glanzende, poriënloze huid aan de linkerkant van zijn gezicht. De accentuering van die mismaaktheid bracht Jomo een beetje van zijn stuk; het leidde af van zijn oorspronkelijke plan. 'Humanistas is bereid om twee keer zoveel artsen naar Kenia te sturen en om de hoeveelheid medicijnen te verdubbelen. Maar daarvoor moet u – uw regering – wel iets terugdoen.'

Op dat moment besefte Jomo dat Spalko heel wat anders van hem verlangde dan het stimuleren van cursussen safe seks en het verspreiden van condooms. Plotseling draaide hij zich om en stuurde zijn twee lijfwachten weg. Toen die de deur achter zich hadden gesloten, zei hij: 'Helaas heb je ze nodig in deze gevaarlijke tijden, maar soms wil een mens even alleen zijn.'

Spalko glimlachte. Omdat hij veel wist over de Keniaanse geschiedenis en stamgewoonten, kon hij de woorden van de president onmogelijk lichtvaardig opvatten, zoals anderen mogelijk zouden doen. Hoe ernstig de situatie ook was, misbruik maken van Jomo was uit den boze. De Kikuyu waren een trots volk, een eigenschap om rekening mee te houden, want het was bijna het enige waardevolle dat ze bezaten.

Spalko boog zich voorover, opende een sigarenkist, bood Jomo een Cubaanse Cohiba aan en nam er zelf ook een. Ze stonden op, staken hun sigaar op, liepen over het tapijt naar het raam en keken uit over de Donau die glinsterend in de zon kabbelde.

'Wat een prachtige locatie,' zei Spalko om het gesprek te openen.

'Inderdaad,' bevestigde Jomo.

'Zo sereen.' Spalko blies een blauw wolkje rook uit. 'Het is moeilijk om vrede te hebben met het lijden in zoveel andere delen van de wereld.' Hij wendde zich tot Jomo. 'Meneer de president, ik zou het als een grote persoonlijke gunst beschouwen als u me zeven dagen lang onbeperkte toegang gaf tot het Keniaanse luchtruim.'

'Onbeperkt?'

'In- en uitvliegen, landingen. Geen douane, vreemdelingenpolitie, inspecties, niets dat vertraging oplevert.'

Jomo dacht rustig na. Hij nam een trek van zijn Cohiba, maar Spalko zag dat hij daar niet van genoot. 'Ik kan u maar drie dagen geven,' zei Jomo op het laatst. 'Meer zou de tongen losmaken.'

'Dat moet dan maar voldoende zijn.' Drie dagen was precies wat Spalko nodig had. Hij had op zeven dagen kunnen aandringen, maar daarmee zou hij Jomo van zijn trots hebben beroofd. Een domme en mogelijk kostbare vergissing in het licht van wat er ging gebeuren. Hoe dan ook, het was zijn taak om goodwill te kweken, geen vijandschap. Hij stak zijn hand uit en Jomo gaf hem zijn droge, zware eelthand. Spalko mocht die hand wel; het was de hand van een harde werker, van iemand die niet bang was om zijn handen vuil te maken.

Nadat Jomo met zijn gevolg was vertrokken, werd het tijd om de nieuwe medewerker Ethan Hearn een rondleiding te geven. Spalko had dit aan iedere willekeurige werknemer kunnen overlaten, maar hij was er trots op dat hij er persoonlijk op toezag dat al zijn nieuwe werknemers een goede introductie kregen. Hearn was een briljante jongeman die had gewerkt voor Eurocenter Bio-I Kliniek aan de andere kant van de stad. Hij was een zeer geslaagde fondsenwerver en had connecties met de rijke elite van Europa. Spalko vond hem welbespraakt, persoonlijk en empathisch – kortom een geboren mensenrechtenlobbyist, precies wat hij nodig had om de reputatie van Humanistas hoog te houden. Afgezien van dit alles mocht hij Hearn oprecht. Hij deed hem aan hemzelf denken toen hij nog jong was, vóór het incident waarbij hij de helft van zijn gezicht verbrandde.

Hij liet Hearn de zeven verdiepingen van het kantoor zien, de laboratoria, de afdelingen waar de statistieken werden gemaakt die de mensen van Ontwikkeling gebruikten bij het werven van fondsen, de levensader voor organisaties als Humanistas, en verder ook de afdelingen Accounting, Acquisitie, Human Resources, Reizen, en de onderhoudsloods voor de vloot privé-vliegtuigen, transportvliegtuigen, schepen en helikopters. De laatste stop was de afdeling Ontwikkeling, waar Hearns nieuwe kamer op hem wachtte. Op dat moment stond de kamer leeg, op een bureau, draaistoel, computer en telefoon na.

'De rest van de meubels,' zei Spalko, 'komt in de loop van deze week.'

'Dat geeft niet. Een computer en een telefoon, meer heb ik eigenlijk niet nodig.'

'Nog een waarschuwing,' zei Spalko. 'We werken hier lang door, en soms wordt van je verlangd dat je 's avonds overwerkt. Maar we zijn geen onmensen. De bank die je krijgt kun je uitklappen tot een bed.'

Hearn glimlachte. 'Maakt u zich geen zorgen. Ik ben gewend om lang door te werken.'

'Tutoyeer me alsjeblieft.' Stepan Spalko hield de hand van de jongeman vast. 'Dat doet hier iedereen.'

De directeur van de inlichtingendienst was bezig een arm te solderen aan een gelakt tinnen soldaatje – een Britse roodjas uit de Revolutieoorlog – toen de telefoon ging. Eerst wilde hij de telefoon met een pervers genoegen laten overgaan, ook al wist hij wie er belde. Eigenlijk, dacht hij, wilde hij helemaal niet horen wat zijn adjunct te vertellen had. Lindros dacht dat de directeur hem naar de plaats van het misdrijf had gestuurd omdat de slachtoffers belangrijke figuren waren binnen de CIA. Dat was ten dele waar. Maar de echte reden was dat de directeur het zelf niet aankon om te gaan kijken. Het idee om het dode gezicht van Alex Conklin te zien, was al te veel voor hem.

Hij zat op een kruk in zijn kamer in de kelder, een kleine, gesloten, perfect geordende omgeving met opgestapelde laatjes, tegen elkaar geschoven kastjes, een wereld op zich, verboden terrein voor zijn vrouw en kinderen – toen die nog thuis woonden.

Zijn vrouw, Madeleine, stak haar hoofd door de open deur naar de kelder. 'Kurt, de telefoon,' meldde ze overbodig.

Hij pikte een armpje uit de houten bak met lichaamsdelen en bestudeerde het. Hij had een groot hoofd en de lok wit haar die over zijn brede ronde voorhoofd naar achteren was gekamd, gaf hem het aanzien van een wijs man, zelfs van een profeet. Zijn staalblauwe ogen keken als altijd berekenend, maar de groeven bij zijn mondhoeken waren dieper geworden, trokken die neerwaarts in een permanente pruilstand.

'Kurt, hoor je me?'

'Ik ben niet doof.' De vingers aan het uiteinde van de arm stonden een beetje krom, alsof de hand iets onnoembaars en onbekends wilde aannemen.

'Neem je nog op of hoe zit dat?' riep Madeleine naar beneden.

'Of ik opneem of niet gaat je helemaal niks aan!' schreeuwde hij hard terug. 'Ga toch naar bed.' Even later hoorde hij tevreden de kelderdeur zachtjes dichtgaan. Waarom kon ze hem niet met rust laten, dacht hij. Na dertig jaar huwelijk zou je denken dat ze beter wist.

Hij ging weer verder met zijn hobby, paste het armpje met de gekromde hand aan de schouder van het bovenlijf, rood op rood, en bepaalde uiteindelijk de positie. Zo ging de directeur om met situaties waar hij geen controle over had. Met zijn tinnen soldaatjes speelde hij voor God. Hij kocht ze zelf, sneed ze in stukken en reconstrueerde ze dan later weer in de posities die hem het beste uitkwamen. Hier, in deze wereld die hij zelf geschapen had, beheerste hij alles en iedereen.

De telefoon bleef mechanisch en monotoon doorrinkelen. De directeur knarste met zijn tanden, alsof het geluid hem persoonlijk kwetste. Wat een geweldige daden hadden Alex en hij verricht toen ze nog jong waren! De missie in Rusland, waarbij ze bijna in de Lubyanka-gevangenis waren beland en over de Berlijnse muur vluchtten met geheimen van de Stasi, in Wenen op een veilig adres een overloper van de KGB doorlichtten en ontdekten dat hij een dubbelspion was. De eliminatie van Bernd, hun levenslange contact, de belofte aan zijn vrouw dat ze voor Dieter, Bernds zoon, zouden zorgen, hem mee naar de Verenigde Staten zouden nemen en hem daar naar school zouden laten gaan. Die belofte waren ze inderdaad nagekomen en hun gulheid werd beloond. Dieter is nooit meer naar zijn moeder teruggegaan. In plaats daarvan ging hij voor de geheime dienst werken, waar hij jarenlang directeur was geweest van het Directoraat Wetenschap en Technologie, tot het fatale motorongeluk.

Waar was die tijd gebleven? Te ruste gelegd in het graf van Bernd, van Dieter – en nu van Alex. Hoe kon het verleden zo snel gereduceerd zijn tot flitsen in het geheugen? De tijd en de verantwoordelijkheden hadden hem zonder meer verzwakt. Hij was nu een oude man, in sommige opzichten met meer macht, dat wel, maar de dappere daden van weleer, het elan waarmee hij en Alex zich in de geheime wereld ophielden en het lot van naties veranderden, daar was niets meer van over en dat kwam nooit meer terug.

Met zijn vuist sloeg de directeur het tinnen soldaatje tot een invalide. Pas toen nam hij de telefoon op.

'Dag, Martin.'

Er lag een verveeldheid in zijn stem die Lindros meteen opving. 'Gaat het wel goed met u?'

'Nee, verdomme, het gaat helemaal niet goed met mij!' Dit was precies wat de directeur nodig had. De gelegenheid om zijn woede en frustratie te uiten. 'Hoe zou het onder deze omstandigheden goed met mij kunnen gaan?'

'Het spijt me.'

'Het spijt je niks,' reageerde de directeur geïrriteerd. 'Dat kan ook niet. Je weet niet waar je het over hebt.' Hij staarde naar het soldaatje dat hij had vermorzeld, dacht terug aan de voorbije glorie. 'Waar bel je voor?'

'U wilde een update.'

'Is dat zo?' Hij legde zijn hoofd in zijn hand. 'Ach ja, daar zal ik wel om gevraagd hebben. Wat heb je?'

'De derde auto op Conklins oprijlaan was van David Webb.'

Het scherpe gehoor van de directeur bespeurde een bepaalde toon in de stem van Lindros. 'Maar?'

'Maar geen spoor van Webb.'

'Nee, natuurlijk niet.'

'Hij moet er wel geweest zijn. We lieten de honden zijn auto besnuffelen. Zijn geurspoor op het landgoed werd gevonden en gevolgd, maar raakte verloren in een beek.'

De directeur deed zijn ogen dicht. Alexander Conklin en Morris Panov doodgeschoten, Jason Bourne verdwenen en op de vlucht vijf dagen voor de antiterrorismetop, de belangrijkste internationale bijeenkomst van de eeuw. Hij sidderde ervan. Hij had een hekel aan losse eindjes, maar niet zo erg als Roberta Alonzo-Ortiz, de nationale veiligheidsadviseur, die tegenwoordig het heft in handen had. 'Ballistische kenmerken? Forensisch rapport?'

'Krijgt u morgenvroeg,' antwoordde Lindros. 'Meer heb ik nog niet van ze gedaan gekregen.'

'Wat betreft de FBI en andere overheidsinstanties...'

'Die heb ik al buiten spel gezet. De kust is vrij.'

De directeur slaakte een zucht. Hij waardeerde het initiatief van zijn adjunct, maar liet zich niet graag in de rede vallen. 'Ga snel weer aan de slag,' zei hij humeurig voordat hij oplegde.

Nog lang zat hij naar de houten bak te staren, luisterend naar het gekreun van het huis. Het klonk als een oude man. De planken kraakten, even vertrouwd als de stem van een oude vriend. Madeleine staat nu waarschijnlijk warme chocolademelk te maken, haar beproefde slaapdrankje. Hij hoorde de corgi van de buren blaffen, en waarom wist hij niet, maar het klonk treurig, vol verdriet en verslagenheid. Uiteindelijk reikte hij naar de bak, pakte er een torso uit, ditmaal gehuld in het grijs van de Burgeroorlog, en maakte een nieuw tinnen soldaatje.

4

'U ziet eruit alsof u een ongeluk hebt gehad,' zei Jack Kerry.

'Niet echt, alleen een lekke band,' antwoordde Bourne snel. 'Maar ik had geen reservewiel, en toen struikelde ik ergens over, een boomwortel geloof ik. Ik ben nog een flink eind naar beneden gevallen, in de beek.' Hij maakte een verontschuldigend gebaar. 'Ik ben niet zo handig.'

'Dan kunnen we elkaar de hand schudden,' zei Kerry. Hij was een lange, zware man met een onderkin en te veel vet om zijn middel. Hij had Bourne een kilometer terug opgepikt. 'Mijn vrouw vroeg me een keer om de vaatwasser aan te zetten, ik deed er waspoeder in. Jezus, je had dat schuim moeten zien!' Hij lachte vrolijk.

De avondlucht was gitzwart, zonder maan of sterren. Het was gaan motregenen en Kerry had de ruitenwissers aangezet. Bourne rilde in zijn natte kleren. Hij wist dat hij zich moest concentreren, maar telkens als hij zijn ogen dichtdeed, zag hij beelden van Alex en Mo, het sijpelende bloed, stukjes schedel en hersenflarden. Hij kromde zijn vingers, balde zijn hand tot een vuist.

'En wat doet u voor de kost, meneer Little?'

Bourne had zich Dan Little genoemd nadat Kerry zich had voorgesteld. Kerry leek een traditionele man die veel energie stak in de regels van de etiquette.

'Ik ben accountant.'

'Ik ontwerp installaties voor nucleair afval. Reis door het hele land, meneertje.' Kerry keek hem even schuin aan, er weerkaatste licht van zijn brillenglazen. 'Maar hé, u ziet er helemaal niet uit als een accountant, als ik dat mag opmerken.'

Bourne begon gemaakt te lachen. 'Dat zegt iedereen. Ik zat in het footballteam van de universiteit.'

'Dan bent u niet te dik geworden zoals zoveel ex-sporters,' merkte Kerry op. Hij klopte op zijn ronde buikje. 'Ik wel. Al heb ik nooit aan sport gedaan. Ik heb het wel geprobeerd, maar ik wist nooit welke kant ik op moest rennen. Werd uitgekafferd door de coach. Ik werd een keer goed getackeld.' Hij schudde zijn hoofd. 'Toen had ik het gehad. Ik ben meer een genieter dan een vechtjas.' Hij keek opnieuw naar Bourne. 'Heeft u een gezin?'

Bourne aarzelde even. 'Ja, en twee kinderen.'

'Gelukkig, of niet?'

Een wig van zwarte bomen schoot langs, een telefoonpaal zwiepte in de wind, een verlaten schuurtje, overwoekerd door doornige klimplanten, werd teruggegeven aan de natuur. Bourne deed zijn ogen dicht. 'Heel gelukkig.'

Kerry nam een scherpe bocht. Eén ding was tenminste zeker – hij was een uitstekende chauffeur. 'Ik ben gescheiden. Dat was een bittere pil. Mijn vrouw heeft me verlaten en nam mijn zoontje van drie mee. Tien jaar geleden inmiddels.' Hij bedacht zich. 'Of elf? Hoe dan ook, ik heb daarna nooit meer iets van haar of mijn zoontje gehoord.'

Bourne sperde zijn ogen. 'U hebt geen contact meer met uw zoon?'

'Ik heb het nog wel geprobeerd.' Kerry's stem klonk verongelijkt toen hij zich begon te verdedigen. 'Een tijd lang belde ik elke week, stuurde brieven en geld, weet je, waar hij iets leuks van kon kopen, een fiets of zoiets. Daar heb ik nooit een reactie op gekregen.'

'Waarom zocht u hem niet op?'

Kerry haalde zijn schouders op. 'Uiteindelijk kreeg ik antwoord: hij wilde niks meer van me weten.'

'Dat was de boodschap van uw vrouw,' zei Bourne. 'Uw zoontje is nog maar een kind. Hij weet nog niet wat hij wil. Hoe kan dat ook? Hij kent zijn eigen vader nauwelijks.'

Kerry gromde. 'U hebt gemakkelijk praten. U hebt een warme basis thuis, een gelukkig gezin dat elke avond op u wacht.'

'Dat is precies omdat ik weet hoe dierbaar mijn kinderen me zijn,' zei Bourne. 'Als het mijn zoon was, zou ik alles doen om hem te leren kennen en hem in mijn leven terug te krijgen.'

Ze waren aangekomen in een gebied dat meer bewoond werd. Bourne zag een motel, een promenade met gesloten winkels. In de verte zag hij een rode flits en toen nog een. Ginds was een wegversperring en zo te zien een flinke. Hij telde in totaal acht politieauto's, in twee rijtjes van vier, die in een hoek van vijfenveertig graden naar de snelweg stonden zodat de inzittenden optimaal werden beschermd en indien nodig snel in een gesloten rij konden wegrijden. Bourne wist dat hij niet in de buurt van die versperring mocht komen, tenminste niet zichtbaar voorin in de auto zittend. Hij moest een manier bedenken om daar doorheen te komen.

Plotseling verscheen het neonlicht van een nachtwinkel in de duisternis.

'Hier moet ik volgens mij zijn.'

'Zeker weten? Het is hier behoorlijk verlaten.'

'Maakt u zich geen zorgen. Mijn vrouw komt me zo ophalen. We wonen hier niet ver vandaan.'

'Maar dan kan ik u thuis afzetten.'

'Dat hoeft echt niet; het is goed zo.'

Kerry remde af en reed zachtjes tot net voorbij de winkel. Bourne stapte uit.

'Bedankt voor de lift.'

'Graag gedaan.' Kerry glimlachte. 'En nog bedankt voor het advies. Ik zal erover nadenken.'

Bourne keek toe hoe Kerry wegreed, draaide zich toen om en liep de winkel in. Het felle licht van de tl-buizen deed pijn aan zijn ogen. De bediende, een puisterige jongen met lang haar en rode ogen, zat rokend in een pocketboek te lezen. Hij keek even op toen Bourne binnenkwam, knikte ongeïnteresseerd en ging verder met lezen. Er stond een radio aan, iemand zong 'Yesterday's Gone' op een vermoeide, melancholische toon. Misschien werd het wel voor Bourne gezongen.

Een blik op de schappen herinnerde hem eraan dat hij nog niet had gegeten. Hij nam een pot pindakaas, een pak crackers, een gedroogde worst, jus d'orange en water. Proteïnen en vitaminen had hij nodig. Ook kocht hij een T-shirt met lange mouwen en strepen, een scheermes en scheerschuim en andere dingen waarvan hij uit ervaring wist dat hij ze nodig zou hebben.

Bourne liep naar de kassa, de bediende legde zijn beduimelde boek neer. *Dhalgren* van Samuel R. Delany. Bourne had het zelf ook gelezen, kort nadat hij uit Nam was teruggekeerd; een boek even hallucinatoir als de oorlog. Fragmenten uit zijn leven kwamen plotseling terug – het bloed, de dood, de woede, de meedogenloze moorden, dit alles om de ondraaglijke, eeuwige pijn uit te wissen om wat er gebeurd was in de rivier net buiten zijn huis in Phnom Penh. *'Jij hebt een warme basis thuis, een gelukkig gezin dat elke avond op je wacht,'* had Kerry gezegd. Hij moest eens weten.

'Verder nog iets?' vroeg de puisterige jongeman.

Bourne knipperde met zijn ogen, was weer terug in het heden. 'Ik zoek een oplader voor mijn mobiele telefoon.'

'Helaas, die zijn uitverkocht.'

Bourne betaalde contant, pakte de bruine papieren zak onder zijn arm en vertrok. Tien minuten later was hij bij het motel aangekomen. Er stonden een paar auto's. Een vrachtwagen stond naast het motel geparkeerd. Te oordelen aan de compressor op het dak was het een vrachtwagen met ijskoeling. Op het kantoor kwam vanachter de balie een spichtige man aangeschuifeld met het grauwe gezicht van een begrafenisondernemer; hij zat naar een antieke draagbare zwartwit-televisie te kijken. Bourne checkte in onder een valse naam en betaalde contant. Hij had nog precies zevenenzestig dollar over.

'Het is een enge, gekke avond,' zei de spichtige man schor.

'Hoezo?'

De ogen van de man begonnen te glanzen. 'Heb je nog niet gehoord van die dubbele moord?'

Bourne schudde nee.

'Amper dertig kilometer hiervandaan.' De spichtige man leunde over de balie. Zijn adem rook onaangenaam naar koffie en gal. 'Twee mannen, hoge heren, niemand weet iets zogenaamd, en dat zegt al genoeg: psst-psst, achterkamertjes, spionage, wie weet wat zich daar allemaal afspeelt. Kijk naar CNN op je kamer, we hebben kabel en ontvangen alle zenders.' Hij gaf Bourne de sleutel. 'Ik zet je in een kamer tegenover Guy – dat is de vrachtwagenchauffeur; je hebt zijn truck waarschijnlijk al gezien toen je aankwam. Guy rijdt van Florida naar Washington; hij vertrekt al om vijf uur en zo vroeg wilt u vast niet worden gewekt, of wel?'

De kamer was vaalbruin, verwaarloosd. Zelfs de geur van chemische schoonmaakmiddelen kon de stank van het verval niet helemaal uitwissen. Bourne zette de tv aan, zapte wat. Hij smeerde de pindakaas op de crackers en begon te eten.

'Ongetwijfeld maakt dit moedige, visionaire initiatief van de president de weg vrij naar een vrediger toekomst,' zei de nieuwslezeres van CNN. Achter haar rolde schreeuwend rode letters over het scherm: ANTITERRORISMETOP, stond er, met de subtiliteit van een Engels roddelblad. 'Naast onze president zullen de president van Rusland en de leiders van de belangrijkste Arabische staten aanwezig zijn. In de loop van de komende week doet Wolf Blitzer verslag over de ploeg van onze president, en Christiana Amanpour volgt de Russische en Arabische leiders voor achtergrondcommentaar. De top zal ongetwijfeld het belangrijkste nieuws worden van het jaar. Voor de laatste ontwikkelingen schakelen we over naar Reykjavik, IJsland...'

Het beeld werd vervangen door de voorgevel van het Oskjuhlid Hotel, waar de top over vijf dagen zou plaatsvinden. Een zeer ernstige CNN-verslaggever interviewde het hoofd van de Amerikaanse veiligheidsdienst, Jamie Hull. Bourne staarde naar Hulls hoekige kaken, zijn korte, borstelige haar, rossige snor en kille blauwe ogen. Hij schrok op. Hull was van de CIA en had kennelijk een hoge functie gekregen bij het Centrum Antiterrorisme. Hij en Conklin hadden regelmatig ruzie gehad. Hull was een sluw politiek dier; hij likte de hielen van iedereen die ertoe deed. Maar hij ging volgens het boekje te werk, ook in situaties die een meer flexibele aanpak vereisten. Conklin zou een beroerte hebben gekregen als hij hoorde dat hij nu was benoemd als hoofd van de Amerikaanse beveiliging van de top.

Terwijl Bourne dit bedacht, rolde er een nieuwe nieuwsupdate over het scherm. Het ging over de moord op Alexander Conklin en dr. Morris Panov, beiden, volgens de tekst, hoge ambtenaren. Ineens verschenen er nieuwe beelden en flitste de tekst: LAATSTE NIEUWS op het scherm, gevolgd door DUBBELE MOORD IN MANASSAS, die werd geprojecteerd boven een officiële foto van David Webb die bijna het hele scherm in beslag nam. De nieuwslezeres las het laatste nieuws voor over de brute moorden op Alex Conklin en dr. Morris Panov. 'Ieder kreeg één schot door het hoofd,' zei ze met het grimmige genoegen van haar beroepsgroep, 'wat wijst op het werk van een professionele moordenaar. De hoofdverdachte is deze man, David Webb. Webb kan een schuilnaam gebruiken, Jason Bourne. Volgens betrouwbare bronnen uit de hoogste ambtelijke kringen lijdt Webb, ofwel Bourne, aan waanvoorstellingen en is hij levensgevaarlijk. Als u deze man ziet, ga dan niet op hem af. Bel het nummer dat onder aan het scherm verschijnt...'

Bourne zette het geluid uit. Jezus, de hel was nu echt losgebroken. Geen wonder dat die versperring er zo goed georganiseerd had uitgezien – die was van de CIA, niet van de lokale politie.

Hij kon maar beter meteen aan de slag gaan. Terwijl hij de kruimels van zijn schoot afveegde, pakte hij Conklins telefoon. Het werd tijd om uit te zoeken met wie Alex belde toen hij werd neergeschoten. Hij drukte op de toets Automatisch terugbellen, luisterde hoe de telefoon overging. Hij kreeg een antwoordapparaat. Dit was geen particulier nummer, dit was een onderneming: Lincoln Fine Tailors, een kleermakerij. De gedachte dat Conklin met zijn kleermaker praatte toen hij werd neergeschoten, was zonder meer deprimerend. Zo kwam een meesterspion niet aan zijn eind.

Hij zocht het laatste binnengekomen gesprek, dat dateerde van de avond daarvoor. Dat was van het hoofd van de CIA. *Doodlopend spoor,* dacht Bourne. Hij stond op. Terwijl hij naar de badkamer liep, trok hij zijn kleren uit. Hij bleef lang onder de warme douchestraal staan, dacht met opzet nergens aan terwijl hij het vuil en het zweet van zijn huid schrobde. Het voelde goed om warm en schoon te zijn. Had hij nu maar een paar schone kleren. Ineens keek hij op. Hij veegde water uit zijn ogen en zijn hart klopte snel; hij was er met zijn hoofd weer helemaal bij. Conklin liet zijn kleding maken bij Old World Tailors, naast M Street; Alex kwam daar al jaren. Hij ging zelfs met de eigenaar, een Russische immigrant, een of twee keer per jaar uit eten.

Opgewonden droogde Bourne zich af, pakte Conklins telefoon weer en draaide Inlichtingen. Nadat hij achter het adres was gekomen van Lincoln Fine Tailors in Alexandria, ging hij op bed zitten en staarde voor zich uit. Hij was benieuwd wat ze nog meer deden bij Lincoln Fine Tailors, afgezien van patronen knippen en zomen naaien.

Hassan Arsenov hield van Boedapest op een manier waarop Khalid Murat dat nooit zou hebben gekund. Dat beweerde hij tenminste tegen Zina Hasiyev toen ze door de paspoortcontrole gingen.

'Arme Murat,' zei ze. 'Een moedige man, een dappere strijder voor de onafhankelijkheid, maar in zijn denken was hij strikt negentiende-eeuws.' Zina, Arsenovs trouwe luitenante en geliefde, was klein en tenger, net zo atletisch als Arsenov. Haar lange, gitzwarte haar zat als een krans om haar hoofd. Haar grote mond en donkere stralende ogen maakten van haar een wilde, zigeunerachtige verschijning, maar innerlijk kon ze zo afstandelijk en berekenend zijn als een advocate. Ze was zo koud als steen en onbevreesd.

Arsenov kreunde van de pijn toen hij achter in de klaarstaande limousine ging zitten. De huurmoordenaar had perfect gemikt, alleen zijn spierweefsel was geraakt, de kogel was even schoon zijn dijbeen uitgegaan als hij erin was gekomen. Toch deed de wond pijn, maar het was het waard, dacht Arsenov toen hij naast zijn luitenante ging zitten. Niemand verdacht hem; zelfs Zina had geen idee dat hij betrokken was geweest bij de moord op Murat. Maar welke keuze had hij? Murat begon steeds nerveuzer te worden als hij dacht aan de gevolgen van het plan van de Sjeik. Hij had niet de visie van Arsenov, noch diens onverzettelijke rechtvaardigheidsgevoel. Hij zou al tevreden zijn geweest met de onafhankelijkheid van Tsjetsjenië, ook al keerde de wereld vol minachting het land de rug toe.

Toen daarentegen de Sjeik zijn gedurfde en moedige plan ontvouwde, was dat voor Arsenov een openbaring. Hij zag de toekomst, die de Sjeik hem als rijp fruit voorhield, duidelijk voor zich. In de ban van een sublieme verlichting, had hij in Khalids blik gezocht naar bevestiging, maar vond daarin slechts de bittere waarheid. Khalid kon niet voorbij de grenzen van zijn land kijken, begreep niet dat het heroveren van het thuisland eigenlijk een secundair doel was. Arsenov besefte dat de Tsjetsjenen aan kracht moesten winnen, niet alleen om zich van het juk van de Russische ongelovigen te bevrijden, maar ook om een plek te veroveren binnen de islamitische wereld, om respect af te dwingen bij de andere moslimlanden. De Tsjetsjenen waren soennieten die de leer van de soefi-mystici omarmden, gepersonifieerd door de *zikr*, de eredienst aan God, het dagelijkse ritueel met monotoon gezang en ritmische danspassen waarbij een gezamenlijke trance wordt bereikt waarin het oog van God aan de gemeenschap verschijnt. De soennieten, die net als andere aanhangers van monotheïstische godsdiensten in één God geloven, verafschuwden, vreesden en beschimpten iedereen die ook maar een beetje van de strenge doctrine afweek. Mysticisme, goddelijk of anderszins, was taboe. *Negentiende-eeuws denken, in elke betekenis van het woord,* dacht Arsenov.

Sinds de dag van de moord, het langgekoesterde moment waarop hij de nieuwe leider werd van de Tsjetsjeense vrijheidsstrijders, verkeerde Arsenov in een koortsachtige, bijna hallucinatoire staat. Hij sliep diep maar niet rustig, want in zijn slaap werd hij geplaagd door nachtmerries waarin hij probeerde iets of iemand in een doolhof van puinhopen te vinden, wat maar niet lukte. Als gevolg hiervan was hij prikkelbaar en kortaf tegenover zijn ondergeschikten: hij tolereerde geen enkel excuus. Alleen Zina kon hem tot rust brengen; haar betoverende aanraking haalde hem weer uit dat vreemde helse voorportaal waarin hij zich had teruggetrokken.

De steek in zijn wond herinnerde hem aan het hier en nu. Hij staarde uit het raam naar de oude straatjes, keek met een afgunst die grensde aan pijn naar de mensen die ongehinderd hun gang gingen, zonder een spoor van angst. Hij haatte ze, hij haatte iedereen die in de loop van zijn vrije en comfortabele leventje niet één gedachte wijdde aan de wanhopige strijd waar hij en zijn volk al sinds de achttiende eeuw in verwikkeld waren.

'Wat is er toch, lieveling?' Zina keek hem bezorgd aan.

'Ik heb pijn in mijn benen. Ik word moe van al dat zitten, meer niet.'

'Ik ken je. Je bent nog niet over de tragedie van de moord op Murat heen, ondanks onze wraak. Vijfendertig Russische soldaten liggen in het graf als represaille voor de moord op Khalid Murat.'

'Niet alleen op die van Murat,' zei Arsenov. 'Op die van al onze mannen. We hebben er zeventien verloren door het Russische verraad.'

'Je hebt de verrader uitgeschakeld; je hebt hem zelf neergeschoten waar je ondergeschikten bijstonden.'

'Om te laten zien wat er gebeurt met mensen die onze zaak verraden. Het vonnis viel snel, de straf was zwaar. Dat is ons lot, Zina. Er zijn nog niet genoeg tranen om ons volk geplengd. Kijk naar ons. Verloren en verdreven, verscholen in de Kaukasus, meer dan honderdvijftigduizend Tsjetsjenen leven als vluchtelingen.'

Zina hield Hassan niet tegen toen hij hun pijnlijke geschiedenis weer opdreunde, omdat deze verhalen niet vaak genoeg verteld konden worden. Ze vormden de geschiedenis van de Tsjetsjenen.

Arsenovs vuisten werden wit, zijn nagels lieten halvemaantjes achter in de huid van zijn handpalmen. 'Hadden we maar een wapen dat dodelijker is dan een AK-47, nog krachtiger dan een pakje C4.'

'Heb nog even geduld, mijn lief,' zei Zina zacht met haar zwoele, zangerige stem. 'De Sjeik is onze beste vriend. Kijk eens hoe hij ons volk het afgelopen halfjaar heeft geholpen; kijk naar alle aandacht die we dankzij zijn contacten in de internationale pers hebben gekregen.'

'En nog steeds gaan we gebukt onder het Russische juk,' gromde Arsenov. 'Nog steeds worden we met honderden tegelijk over de kling gejaagd.'

'De Sjeik heeft ons een wapen beloofd dat hierin verandering brengt.'

'Hij heeft ons de hele wereld beloofd.' Arsenov veegde een korrel uit zijn ogen. 'De tijd van beloften is voorbij. Laat mij het bewijs van zijn belofte maar eens zien.'

De limousine die de Sjeik had laten komen voor de Tsjetsjenen ging bij de Kalmankrt Boulevard de snelweg af en reed over de Arpad Brug, duizelingwekkend hoog boven de Donau met zijn zware vrachtschepen en vrolijk gekleurde plezierboten. Zina keek naar beneden. Aan de ene kant zag ze de schitterende koepel en spitse torens van de middeleeuwse parlementsgebouwen; aan de andere kant het dichtbeboste Margaret-eiland met het luxe Danubius Grand Hotel, waar hun schone witte lakens en een dik warm donsdekbed wachtten. Zina, die overdag keihard was, genoot van haar nachten in Boedapest, vooral van het enorme luxueuze hotelbed. Ze zag in dit feest van genot geen verraad aan haar ascetische bestaan, maar eerder een kort respijt van al het afzien en de vernederingen, een beloning die als een Belgische chocoladewafel onder haar tong heimelijk wachtte om in een wolk van extase weg te smelten.

De limousine dook de parkeergarage in onder het gebouw van

Humanistas. Toen ze uit de auto stapten, pakte Zina een groot langwerpig pakket aan van de chauffeur. Geüniformeerde wachten vergeleken de paspoortfoto's van het paar met afbeeldingen in de databank van hun computer, gaven hun ID-pasjes en verwezen hen naar een indrukwekkende lift van brons en glas.

Spalko ontving hen op zijn kamer. De zon stond inmiddels hoog aan de hemel en verwarmde de rivier tot een lint van gesmolten koper. Hij omhelsde zijn gasten, vroeg hoe hun vlucht was geweest, de rit vanaf de luchthaven Ferihegy en hoe het met Arsenovs kogelwond was gesteld. Nadat alle beleefdheden waren uitgewisseld liepen ze naar de aangrenzende kamer, gelambriseerd met honingkleurig notenhout, waar een tafel met een kraakhelder laken en een schitterend servies gedekt stond. Spalko had een maaltijd van westers voedsel laten maken. Biefstuk, krab, drie verschillende groenten – favoriet voedsel van de Tsjetsjenen. Er was geen aardappel te bekennen. Aardappels waren soms dagenlang het enige dat op het menu van Arsenov en Zina stond. Zina legde haar pakket over een lege stoel en daarna ging iedereen aan tafel.

'Sjeik,' zei Arsenov, 'zoals altijd worden we overweldigd door uw gulle gastvrijheid.'

Spalko knikte. Hij was tevreden met de naam die hij zichzelf had gegeven. Het betekende heilige, vriend van God. Het zette precies de toon van eerbied en verering voor een herder die boven zijn kudde stond.

Hij stond op en maakte een fles sterke Poolse wodka open en schonk drie glazen in. Hij pakte zijn glaasje en zijn gasten volgden zijn voorbeeld. 'Ter nagedachtenis aan Khalid Murat, een groot leider, een sterke vechter, een geduchte tegenstander,' zei hij op plechtige toon in het Tsjetsjeens. 'Moge Allah hem de eer geven die hij met zijn bloed en zijn moedige gedrag verdiend heeft. Moge de verhalen over zijn moed als leider en als mens onder alle gelovigen worden verteld en herverteld.' Ze dronken hun glas in een teug leeg.

Arsenov stond op en schonk de glazen weer vol. Hij hief zijn glas, de anderen deden hem na. 'Op de Sjeik, vriend van de Tsjetsjenen, die ons naar onze rechtmatige plek in de nieuwe wereldorde zal brengen.' Ze sloegen hun glas weer achterover.

Zina wilde opstaan, ongetwijfeld om ook een toast uit te brengen, maar Arsenov hield haar tegen met zijn hand op haar arm. Dit beperkende gebaar was niet aan Spalko's aandacht ontsnapt. Wat hem het meest interesseerde was Zina's reactie. Hij kon door haar versluierende gezichtsuitdrukking haar woedende kern zien. Hij wist dat er veel onrecht was in de wereld, in elke denkbare gradatie. Hij vond het vreemd en ongekend pervers dat mensen woedend konden worden om onrecht op grote schaal, maar ondertussen geen oog hadden voor het kleine onrecht dat individuen dagelijks werd aangedaan. Zina vocht zij aan zij met de mannen. Waarom mocht zij dan niet haar stem laten horen en een toast uitbrengen? Vanbinnen was ze razend; Spalko hield daarvan – hij wist hoe hij de woede van een ander kon gebruiken.

'Mijn landgenoten, mijn vrienden.' Zijn ogen schitterden vol overtuigingskracht. 'Op het samenvallen van het pijnlijke verleden, het hopeloze heden en de glorieuze toekomst. We staan op de rand van morgen!'

Ze begonnen te eten, spraken over algemene en onbenullige onderwerpen alsof het een gewoon vriendschappelijk etentje was. En toch zat er hoop op een nieuw begin in de lucht. Ze hielden hun ogen op hun bord of op elkaar gericht, alsof ze, nu het uur U dichterbij kwam, de aankomende storm die hen neerdrukte niet onder ogen wilden zien. Eindelijk waren ze klaar met eten.

'Het is tijd,' zei de Sjeik. Arsenov en Zina gingen voor hem staan.

Arsenov boog zijn hoofd. 'Iemand die sterft uit liefde voor de materiële wereld, sterft als een huichelaar. Iemand die sterft uit liefde voor het hiernamaals, sterft als een asceet. Maar iemand die sterft uit liefde voor de Waarheid, sterft als een soefi.'

Hij draaide zich om naar Zina, die het pakket opende dat ze vanuit Grozny had meegenomen. Er zaten drie mantels in. Ze gaf er een aan Arsenov, die hem aantrok, en trok toen die van haar aan. Arsenov hield de derde mantel plechtig in zijn handen en keek de Sjeik aan.

'De *kherqeh* is het eregewaad van de derwisj,' zei Arsenov ernstig. 'Het symboliseert de goddelijke natuur en attributen.'

Zina zei: 'De mantel is genaaid met de naald van toewijding en met de draad van de onbaatzuchtige eer aan god.'

De Sjeik boog zijn hoofd en zei: '*La illaha ill Allah.*' Er is geen andere God dan God, die één is.

Arsenov en Zina herhaalden nog eens, '*La illaha ill Allah.*' Toen trok de Tsjetsjeense rebellenleider de *kherqeh* over de schouders van de Sjeik. 'Voor de meeste mensen volstaat het om te leven volgens de shariah, het islamitisch recht, en zich over te geven aan de goddelijke wil, om in vrede te sterven en het Paradijs in te gaan,' zei hij. 'Maar sommigen onder ons verlangen naar het goddelijke hier en nu en hun liefde voor God dwingt ons het innerlijke pad te zoeken. Wij zijn soefi's.'

Spalko voelde het gewicht van de derwisjmantel en zei: 'Gij zielen, die in vrede zijt, keer terug naar uw Heer, wees blij dat Hij in u is, en u in Hem. Kom binnen, mijn Slaven. Kom binnen in mijn Paradijs.'

Arsenov, ontroerd door dit citaat uit de koran, nam Zina bij de hand, en samen knielden ze voor de Sjeik neer. In een zang en tegenzang van meer dan drie eeuwen oud, reciteerden zij de plechtige gelofte van gehoorzaamheid. Spalko haalde een mes tevoorschijn en gaf het aan hen. Ze maakte beiden een sneetje in zichzelf en boden hem in een glas op een steel hun bloed aan. Zo werden zij *muriden*, discipelen van de Sjeik, in woord en daad aan hem gebonden.

Daarna zaten ze, ook al voelde Arsenov de pijn in zijn gewonde dijbeen, met gekruiste benen tegenover elkaar en voerden ze op de wijze van de Naqshibandi-soefi's de *zikr* uit, de extatische vereniging met God. Ze legden hun rechterhand op hun linkerdij, de linkerhand op de rechterpols. Arsenov begon zijn hoofd en hals naar rechts te draaien in een halve cirkel; Zina en Spalko volgende precies in de maat Arsenovs zachte, bijna sensuele gezang: 'Verlos mij, Heer, van het boze oog der afgunst en jaloezie, dat valt op Uw goede Geschenken.' Toen maakten ze dezelfde beweging naar links. 'Verlos mij, Heer, dat ik niet zwicht voor de speelse kinderen der aarde, opdat ze mij niet met hun spelletjes misbruiken; ze willen misschien wel met me spelen en me dan stukmaken, zoals kinderen met hun speelgoed doen.' Heen en weer, heen en weer. 'Verlos mij, Heer, van alle kwetsuren mij aangedaan door bitterheid van vijanden of door onwetendheid van liefhebbende vrienden.'

Het monotone gezang werd één met de dans, versmolt tot een extatisch geheel in de aanwezigheid van God...

Veel later bracht Spalko hen via een achtergang naar een kleine, glanzende stalen lift, die hen terug naar de kelder bracht tot aan het fundament waarop het gebouw stond.

Ze kwamen in een gewelfde, hoge ruimte, die werd gestut door gietijzeren steunpilaren. Het lage gebrom van de klimaatregeling was het enige dat ze hoorden. Tegen een muur stonden kisten opgestapeld. Spalko leidde hen daar naartoe. Hij gaf Arsenov een koevoet en keek tevreden toe hoe de terroristenleider een van de kisten openwrikte en naar de glimmende verzameling wapens van het type AK-47 keek. Zina pakte er een vast en bestudeerde die zorgvuldig en exact. Ze knikte naar Arsenov, die ook een kist opende, waarin twaalf draagbare mortieren zaten.

'Dit is het meest geavanceerde geschut van het Russische wapenarsenaal,' zei Spalko.

'Maar wat kost het?' vroeg Arsenov.

Spalko spreidde zijn handen. 'Wat heb je er voor over als deze wapens je helpen je vrijheid terug te winnen?'

'Hoe kun je een prijs zetten op vrijheid?' vroeg Arsenov met een frons.

'Het antwoord is: niet. Hassan, er hangt geen prijskaartje aan vrijheid. Het is betaald met het bloed en het ontembare temperament van mensen zoals jij.' Hij wendde zich tot Zina. 'Ze zijn van jullie – allemaal – om naar eigen goeddunken te gebruiken in de verdediging van jullie grenzen. Zorg dat jullie mensen het weten.' Nu pas keek Zina hem door haar lange wimpers aan. Hun ogen vonkten, maar verder bleef hun gezichtsuitdrukking onbewogen.

Alsof ze reageerde op Spalko's kritische blik, zei Zina: 'Maar zelfs deze wapens geven ons geen toegang tot de top in Reykjavik.'

Spalko knikte, de hoeken van zijn monden licht opgekruld. 'Dat is waar. De internationale beveiliging is veel te streng. Bij een gewapende overval vallen hooguit doden onder onszelf. Maar ik heb een plan bedacht waarmee we niet alleen het Oskjuhlid Hotel in kunnen komen, maar ook alle aanwezigen kunnen ombrengen zonder onszelf te verraden. Binnen een paar uur na de start, zal alles waar jullie eeuwenlang over hebben gedroomd, van jullie zijn.'

'Khalid Murat was bang voor de toekomst, bang voor wat wij als Tsjetsjenen kunnen bereiken.' De gloed van rechtvaardigheid kleurde Arsenovs wangen. 'We worden al te lang door de wereld genegeerd. De Russen vertrappen ons terwijl hun wapenbroeders, de Amerikanen, toekijken en niets doen om ons te redden. Miljarden Amerikaanse dollars stromen naar het Midden-Oosten, maar naar Tsjetsjenië geen roebel!'

Spalko was er bij gaan staan als een zelfgenoegzame leraar die zijn modelleerling zag excelleren. Zijn ogen glansden onheilspellend. 'Dit zal allemaal anders worden. Over vijf dagen zal heel de wereld aan jullie voeten liggen. Jullie zullen macht krijgen en het respect van degenen die jullie hebben beschimpt en in de steek gelaten. Van Rusland, de islamitische wereld en het hele Westen, vooral van de Verenigde Staten!'

'We hebben het over een omwenteling van de wereldorde, Zina,' schreeuwde Arsenov bijna.

'Maar hoe dan?' vroeg Zina. 'Hoe kan dat?'

'Zoek me over drie dagen op in Nairobi,' antwoordde Spalko, 'dan zie je het met je eigen ogen.'

Het water, donker, diep, vol onbekende gevaren, sluit zich boven zijn hoofd af. Hij tuimelt naar beneden. Hoe hij ook tegenspartelt, hoe hij ook naar het wateroppervlak reikt, hij zakt steeds verder naar beneden, alsof hij met lood is verzwaard. Dan kijkt hij naar beneden en ziet een dik stuk touw, slijmerig van het zeewier, dat om zijn linkerenkel is gebonden. Hij kan het andere eind van het touw niet zien, want dat verdwijnt in de duisternis ver beneden hem. Maar het moet iets zwaars zijn, iets dat hem naar beneden trekt, want het touw staat strak. Wanhopig reikt hij naar beneden, probeert hij het touw met opgezwollen vingers los te maken, terwijl het boeddhabeeldje van hem weg drijft en langzaam tollend de onpeilbare duisternis in verdwijnt...

Khan schrok wakker, zoals altijd gekweld door een afschuwelijk gevoel van verlies. Hij lag onder een kluwen klamme lakens. Een tijd lang bleef de terugkerende nachtmerrie hem nog kwaadaardig achtervolgen. Voorovergebogen tastte hij over zijn linkerenkel alsof hij er zeker van wilde zijn dat het touw er niet meer zat. Toen streelde hij zacht, bijna respectvol, over zijn strakke, gladde buik- en borstspieren totdat hij de kleine, stenen Boeddha voelde die aan een dunne gouden ketting om zijn hals hing. Die deed hij nooit af, ook niet als hij sliep. Natuurlijk zat die er nog. Het was zijn talisman, ook al had hij geprobeerd zichzelf ervan te overtuigen dat hij niet bijgelovig was.

Grommend van tegenzin stond hij op, liep naar de badkamer en hield zijn hoofd onder de koude kraan. Hij deed het licht aan, dat even knipperde. Terwijl hij zijn gezicht vlak bij de spiegel hield, inspecteerde hij zijn spiegelbeeld, alsof hij zichzelf voor het eerst bekeek. Hij gromde en friste zich op; toen deed hij de tafellamp aan en ging op de rand van het bed zitten, waar hij het magere dossier herlas dat Spalko hem had gegeven. Er stond helemaal niets in dat wees op de kwaliteiten die David Webb bleek te bezitten. Hij wreef over de blauwe plek in zijn hals, dacht aan het net van klimplanten dat Webb had gemaakt en zo slim had gebruikt. Hij verscheurde het velletje waaruit het hele dossier bestond. Het was nutteloos, nee, erger dan dat, want het had ertoe geleid dat hij zijn prooi had onderschat. En het verried nog iets ernstigers. Spalko had hem informatie gegeven die ofwel incompleet ofwel incorrect was.

Hij vermoedde dat Spalko precies wist wie en wat David Webb was. Khan wilde erachter komen of Spalko een bepaalde bedoeling met Webb had. Zelf had hij zo zijn eigen plannen met David Webb en hij wilde zich daarvan door niemand – ook niet door Stepan Spalko – laten weerhouden.

Met een zucht deed hij het licht uit en probeerde weer de slaap te vatten, al was hij klaarwakker. Zijn hele lichaam was gespannen van speculatie. Voordat hij zijn deal met Spalko had gesloten voor zijn laatste opdracht, wist hij niets van deze David Webb af, laat staan of die nog in leven was. Hij vroeg zich af of hij de opdracht had aangenomen als Spalko hem deze Webb niet had voorgehouden. Spalko moest hebben aangevoeld dat hij het vooruitzicht om deze man te vinden onweerstaanbaar zou vinden. Al een tijdje voelde Khan zich ongemakkelijk bij Spalko. Die gedroeg zich steeds meer alsof hij hem in zijn bezit had, en Spalko, dat wist Khan zeker, was megalomaan.

In de jungle van Cambodja, waar hij als kind en tiener moest overleven, had hij genoeg ervaringen opgedaan met mensen die aan grootheidswaan leden. Het warme, vochtige weer, de constante chaos van de oorlog, de onzekerheden van het dagelijks bestaan, dat alles bracht mensen tot de rand van krankzinnigheid. In die pestilente omgeving stierven de zwakken, bleven de sterken over; het veranderde iedereen tot in de kern.

In bed liggend ging Khan met zijn vingertoppen over de littekens op zijn lichaam. Het was een ritueel, een vorm van bijgeloof misschien, een manier om zichzelf tegen pijn te beschermen – niet tegen het geweld dat de ene volwassene de ander aandoet, maar tegen de sluipende, naamloze angst die een kind voelt in de stilte van de nacht. Kinderen die uit dit soort nachtmerries ontwaken, rennen meestal naar hun ouders, nestelen zich in de warmte en geborgenheid van hun bed en vallen dan snel in slaap. Maar Khan had geen ouders, niemand die hem troostte. Integendeel, hij moest zich voortdurend loswurmen uit de klauwen van gestoorde volwassenen die in hem alleen maar een bron van winst of seks zagen. Hij had jarenlange slavernij gekend, zowel onder de blanken als de Aziaten die hij ongelukkigerwijs tegenkwam. Hij hoorde bij geen van die twee werelden en zij wisten dat. Hij was een halfbloed en werd als zodanig beschimpt, uitgescholden, geslagen, misbruikt en verworpen op alle manieren waarop een mens maar kan worden vernederd.

Toch had hij standgehouden. Zijn doel van dag tot dag was simpelweg: overleven. Maar uit bittere ervaring wist hij dat ontsnappen niet genoeg was, dat degenen die hem tot slaaf hadden gemaakt, achter hem aan zouden komen, hem zwaar zouden straffen. Twee keer was hij bijna omgekomen. Toen begreep hij dat er meer van hem verlangd werd dan louter overleven. Hij moest zelf doden, anders zou hijzelf uiteindelijk worden vermoord.

Vlak voor vijven was het aanvalsteam van de CIA vanuit hun positie bij de wegversperring het motel binnengeslopen. Ze waren gealarmeerd door de nachtportier van het motel, die wakker was geworden uit een door slaappillen geforceerde slaap en Bournes gezicht op de tv had gezien. Zichzelf knijpend moest hij vaststellen dat hij niet droomde, waarna hij nog een slok goedkope whisky nam en de telefoon pakte.

De teamleider had gevraagd of het nachtlicht van het motel uit kon, zodat het team in het duister aan kon komen sluipen. Maar terwijl ze hun posities innamen, werd de truck aan de andere kant van het motel gestart en sprongen de koplampen aan, fel schijnend op een paar agenten. De leider van het team gebaarde als een razende naar de nietsvermoedende chauffeur, rende op hem af om hem te zeggen dat hij meteen moest oprotten. De truckchauffeur, die verbaasd het hele team aanschouwde, gehoorzaamde, deed zijn lampen uit totdat hij vanaf de parkeerplaats de snelweg opdenderde.

De teamleider gebaarde naar zijn mannen, die meteen de richting van Bournes kamer opgingen. Op zijn onhoorbare commando slopen er twee naar de achterkant. De leider gaf hun twintig seconden om hun posities in te nemen voordat hij hen het bevel gaf om hun gasmaskers om te doen. Twee van zijn mannen knielden neer, vuurden traangasgranaten door de voorruit van de kamer. De leider liet zijn gestrekte arm zakken, waarop de mannen de kamer bestormden en de deur intrapten. Het gas siste uit de granaten toen ze met hun machinepistolen binnenvielen. De tv stond geluidloos aan. CNN toonde het gezicht van de man die ze zochten. De resten van een snel maal lagen over het vieze, sleetse tapijt, het bed was afgehaald. De kamer was verlaten.

In de koelvrachtwagen die van het motel wegreed, lag Bourne onder de dekens, tussen houten kratten met aardbeiendoosjes die tot aan het dak waren opgestapeld. Hij had een plekje kunnen vinden op een van de kratten. Nadat hij achter in de vrachtauto was geklommen, had hij de deur achter zich dicht gedaan. Dit soort koelwagens had meestal een beveiligingsmechanisme waarmee de achterdeur vanbinnen open- en dichtgedaan kon worden zodat niemand zich ongewild opsloot. Hij had zijn zaklamp even aangedaan en gezien dat er in het midden een pad was waar je doorheen kon lopen. Rechtsboven in de wand zat het uitlaatrooster van de compressor.

Hij schrok en hield zijn adem in. De truck was langzamer gaan rijden en bij de wegversperring aangekomen. Hij kwam tot stilstand. Dit was een uiterst gevaarlijk moment.

Een minuut of vijf was het helemaal stil, toen volgde het lawaai van de achterdeur die werd geopend. Hij hoorde stemmen. 'Toevallig nog lifters meegenomen?' vroeg een agent.

'Eh, nee,' antwoordde Guy, de vrachtwagenchauffeur.

'Bekijk deze foto eens. Ben je toevallig deze kerel onderweg tegengekomen?'

'Nee, agent. Ik heb deze man nog nooit gezien. Wat heeft-ie op zijn geweten?'

'Wat zijn dat daar?' vroeg een andere agent.

'Verse aardbeien,' antwoordde Guy. 'Alstublieft, strijk over uw hart. De deur hoeft maar even open te staan of de aardbeien beginnen te rotten. De rotte aardbeien gaan van mijn salaris af.'

Er werd gemopperd. Een felle zaklampstraal danste door het gangpad, streek over de bodem, net onder de plek waar Bourne tussen de aardbeien lag.

'Oké,' zei de eerste agent, 'doe maar weer dicht.'

Het licht ging uit, de deur viel met een klap dicht.

Bourne wachtte totdat de truck overschakelde naar een hogere versnelling en over de snelweg naar Washington denderde, en strekte zich toen pas uit. Zijn hoofd bonkte. De agenten moeten Guy dezelfde foto van Webb hebben laten zien die door CNN werd getoond.

Na een halfuur reden ze niet meer over de snelweg; de truck moest voortdurend stoppen voor verkeerslichten. Ze waren in de stad – tijd om de truck te verlaten. Bourne liep naar de deur, duwde de beveiligingsboom omlaag. Hij zat vast! Hij probeerde het nog eens, nu met meer kracht. Binnensmonds vloekend deed hij de zaklamp aan die hij uit Conklins huis had meegenomen. In de felle cirkel van de lichtstraal zag hij dat het mechanisme geblokkeerd was. Hij zat opgesloten.

5

De directeur van de CIA zat in een ochtendvergadering met Roberta Alonzo-Ortiz, de Nationale Veiligheidsadviseur. Ze kwamen bijeen in de presidentiële Situation Room, een ronde ruimte in de kelders van het Witte Huis. Vele verdiepingen boven hen waren de gelambriseerde, neoklassieke kamers waarmee de meeste mensen dit gelaagde, historische gebouw associëren, maar in de kelder heerste de macht van het voltallige team van oligarchen van het Pentagon. Net als de majestueuze tempels van antieke beschavingen was de *Sit Room* gebouwd om eeuwen te trotseren. De ruimte was gecreëerd in de diepste kelders en indrukwekkend groot, zoals dat hoort bij een monument van onoverwinnelijkheid.

Alonzo-Ortiz, de directeur van de CIA en hun respectieve staven – plus een select gezelschap van de Geheime Dienst – gingen voor de honderdste keer nog eens door de beveiligingsplannen voor de terrorismetop in Reykjavik. Gedetailleerde tekeningen van het Oskjuhlid Hotel werden op een scherm geprojecteerd, met aantekeningen over beveiligingskwesties bij in- en uitgangen, liften, het dak, ramen enzovoorts. Er was een directe videoverbinding met het hotel, zodat Jamie Hull, de plaatsvervanger ter plekke van de directeur van de inlichtingendienst, de vergadering kon bijwonen.

'We tolereren geen fouten,' zei Alonzo-Ortiz, een ontzagwekkend uitziende vrouw met inktzwart haar en heldere, felle ogen. 'Deze top moet op rolletjes lopen,' ging ze verder. 'Elke inbreuk op de veiligheid, hoe klein ook, zal desastreuze gevolgen hebben. Het zal iedere inspanning teniet doen die de president zich de afgelopen achttien maanden heeft getroost om een band op te bouwen met de belangrijkste moslimlanden. Ik hoef jullie niet te zeggen dat achter die façade van samenwerkingsgezindheid een koppig wantrouwen schuilgaat tegenover westerse waarden, het joods-christelijke ethos en alles wat dat vertegenwoordigt. Het minste vermoeden dat de president hen heeft bedrogen, zal meteen de vreselijkste gevolgen hebben.' Ze keek langzaam de tafel rond. Een van haar gaven was, dat, wanneer ze een groep toesprak, ze elk lid het idee gaf hem persoonlijk toe te spreken. 'Fouten maken is verboden, mijne heren. We hebben het hier over een wereldoorlog, een massale *jihad* zoals we die nog nooit hebben meegemaakt en die we ons onmogelijk kunnen voorstellen.'

Ze stond op het punt het woord te geven aan Jamie Hull toen een jonge, slanke jongeman de ruimte binnenkwam, stil op de directeur afliep en hem een verzegelde envelop gaf.

'Ik moet me verontschuldigen, mevrouw Alonzo-Ortiz,' zei hij terwijl hij de envelop opende. Onbewogen las hij de inhoud, hoewel zijn hartslag was verdubbeld. De nationale veiligheidsadviseur wilde niet graag dat haar vergaderingen werden verstoord. Zich bewust van haar woedende blik schoof hij zijn stoel naar achteren en stond op.

Terwijl Alonzo-Ortiz hem glimlachend aankeek perste ze haar lippen zo op elkaar dat ze bijna verdwenen. 'Ik neem aan dat er voldoende reden is om zo abrupt de vergadering uit te lopen.'

'Die is er inderdaad, mevrouw Alonzo-Ortiz.' De directeur, hoewel een ouwe rot in het vak en om die reden een machtsfactor van belang, bedacht zich wel twee keer voor hij ruzie ging maken met de persoon in wie de president het meeste vertrouwen had. Hij bleef uiterst voorkomend, ook al had hij een grondige hekel aan Roberta Alonzo-Ortiz: én omdat zij zijn traditionele rol met de president had overgenomen én omdat ze vrouw was. Om die redenen wendde hij elk beetje macht aan waarover hij nog beschikte – het achterhouden van wat ze nu al te graag wilde weten: de aard van het noodgeval dat zó ernstig was dat hij uit haar vergadering moest weglopen.

De glimlach van de Nationale Veiligheidsadviseur werd nog strakker. 'In dat geval zou ik het op prijs stellen om later te worden bijgepraat over deze crisis, wat het ook is.'

'Maar natuurlijk,' zei de directeur, die zich snel terugtrok. Terwijl de zware deur van de Sit Room achter hem dichtviel, voegde hij er droogjes 'Uwe Majesteit' aan toe. De medewerker die was ingehuurd om als boodschapper te fungeren, schoot in de lach.

Het kostte de directeur nog geen vijftien minuten om op het hoofdkwartier te arriveren, waar hij werd verwacht op een vergadering van directoraathoofden van de inlichtingendienst. Het onderwerp: de moord op Alexander Conklin en dr. Morris Panov. De hoofdverdachte: Jason Bourne. Het waren mannen met grauwe gezichten in onberispelijk gesneden, conservatieve pakken, met republikeinse stropdassen en gepoetste brogues. Voor hen geen gestreepte overhemden, gekleurde boorden of andere grillen van de laatste mode. Ze hielden zich doorgaans op in het centrum van Washington en waren net zo onveranderlijk als hun outfit. Het waren conservatieve denkers, afkomstig van conservatieve universiteiten, zonen uit nette families die van kindsbeen af door hun vaders naar hun huidige posten waren begeleid, en daardoor het vertrouwen genoten van de juiste mensen – leiders met visie en energie die hun vak verstonden. Het labyrint waarin ze zich begaven was een kleine geheime wereld, maar met gangen die tot in de verste uithoeken liepen.

Zodra de directeur de vergaderruimte binnenliep, werden de lampen gedimd. Op een scherm verschenen de forensische foto's van de lijken ter plekke.

'Jezus zeg, weg daarmee!' schreeuwde de directeur. 'Weg met die obscene foto's! Deze mannen verdienen het niet om zo te worden gezien.'

Martin Lindros, de adjunct-directeur, drukte op een knop waarna het scherm wit werd. 'Het laatste nieuws is, dat gisteren werd bevestigd dat de derde auto op de oprijlaan van David Webb is.' Hij stopte even omdat de Oude Rot zijn keel schraapte.

'Laten we elkaar geen mietje noemen.' De directeur leunde voorover met zijn vuisten op de glimmende tafel. 'In de gewone wereld staat deze... deze man misschien bekend als David Webb, maar hier kennen we hem als Jason Bourne. Laten we hem zo noemen.'

'Akkoord,' zei Lindros, die niet tegen de directeur wilde ingaan, wiens stemming steeds grimmiger werd. Hij had zijn aantekeningen nauwelijks nodig, zo vers en levendig zaten de bevindingen in zijn hoofd. 'W... Bourne werd voor het laatst gesignaleerd op de campus van Georgetown ongeveer een uur voor de moorden. Een getuige zag hem naar zijn auto hollen. We mogen aannemen dat hij direct naar Conklin reed. Bourne bevond zich ongetwijfeld in het huis tijdens of rondom het tijdstip van de moorden. Zijn vingerafdrukken zijn gevonden op een half leeggedronken whiskyglas in de televisiekamer.'

'En het pistool?' vroeg de Directeur. 'Is dat het moordwapen?'

Lindros knikte. 'Dat is met zekerheid bevestigd door de afdeling ballistiek.'

'En het is van Bourne, dat weet je zeker, Martin?'

Lindros raadpleegde een fotokopietje, gaf het over de tafel door aan de directeur. 'De centrale registratie bevestigt dat het moordwapen van David Webb is. Onze David Webb.'

'Vuile klootzak!' De handen van de directeur trilden. 'Zitten er vingerafdrukken van de klootzak op?'

'Het wapen was schoongeveegd,' las Lindros van een ander vel af. 'Helemaal geen vingerafdrukken.'

'Het werk van een professional.' Ineens leek de directeur doodvermoeid. Het viel niet mee een oude vriend te verliezen.

'O ja, absoluut.'

'En Bourne?' gromde de Directeur. Hij leek met moeite zijn naam uit te kunnen spreken.

'Vanochtend vroeg kregen we een tip dat Bourne zich had verschanst in een motel in Virginia bij een van de versperringen,' antwoordde Lindros. 'Er werd onmiddellijk een kordon om het terrein gelegd, een aanvalsteam werd op het motel afgestuurd. Als Bourne daar werkelijk was geweest, dan was hij inmiddels al ontsnapt, door het kordon geglipt. Er is geen spoor van hem.'

'Verdomme!' De wangen van de directeur waren rood aangelopen.

Stil kwam een assistent van Lindros binnen, die hem een vel papier gaf. Hij las het snel en keek op. 'Ik had een team naar het huis van Webb gestuurd, mocht hij daar opduiken of contact hebben opgenomen met zijn vrouw. Het team trof een leeg en afgesloten huis aan. Geen spoor van Bournes vrouw of zijn twee kinderen. Uit navraag bleek dat ze naar school is gegaan en haar kinderen zonder uitleg uit de klas heeft gehaald.'

'Dat maakt de zaak rond!' De directeur leek bijna een beroerte te krijgen. 'Hij is ons telkens een stap voor omdat hij deze moorden zorgvuldig heeft gepland!' Tijdens de korte, snelle rit naar Langley had hij zijn emoties in bedwang kunnen houden. Ziedend van woede was hij naar de vergadering van de CIA gegaan, ten eerste wegens de moord op Alex, en ten tweede door het bazige gedrag van Alonzo-Ortiz. Nu hij met het forensisch bewijs werd geconfronteerd, wilde hij maar al te graag iemand beschuldigen.

'Het is duidelijk dat Jason Bourne het verkeerde pad is opgegaan.' De Oude Rot, nog steeds rechtop staand, trilde nu duidelijk. 'Alexander Conklin was een oude en goede vriend. Ik kan me niet meer herinneren hoe vaak hij zijn reputatie – zijn leven zelfs – op het spel heeft gezet voor onze organisatie, voor ons land. Hij hield van zijn vaderland, in alle betekenissen van het woord; hij was een man op wie we allen trots kunnen zijn.'

Lindros moest denken aan al die keren dat de Oude Rot tekeer was gegaan tegen Conklins cowboytactieken, zijn illegale missies en geheime agenda's; hij kon zich dat nog heel goed herinneren. Over de doden niets dan goeds, maar in deze business was het ronduit stom om de gevaarlijke trekjes van oude en nieuwe agenten te ontkennen. Dat gold natuurlijk ook voor Jason Bourne. Bourne was een stille spion, de gevaarlijkste soort in feite – iemand die je niet volledig onder controle had. In het verleden werd hij ingeschakeld als dat zo uitkwam; Bourne zelf had daar niets over te zeggen. Lindros wist heel weinig over Jason Bourne, een lacune die hij na afloop van deze vergadering meteen zou opvullen.

'Als Alexander Conklin een zwakke plek had, een blinde vlek, dan was dat Jason Bourne,' ging de directeur verder. 'Lang voordat hij zijn huidige vrouw Marie ontmoette en met haar trouwde, had hij zijn eerste gezin, zijn Thaise vrouw en twee kinderen, verloren tijdens een aanval op Phnom Penh. De man was bijna krankzinnig van verdriet en woede toen Alex hem van de straten in Saigon plukte en ging opleiden. Jaren later, zelfs nadat Alex de hulp van Morris had ingeschakeld, waren er problemen met de beheersing van deze aanwinst, ondanks dr. Panovs regelmatige verslagen die het tegendeel beweerden. Ook Panov werd om de een of andere manier door Jason Bourne beïnvloed.

'Ik bleef Alex waarschuwen, smeekte hem om Bourne te laten opnemen en door ons team van forensische psychiaters te laten onderzoeken, maar hij weigerde. Alex, God hebbe zijn ziel, kon koppig zijn. Hij had een rotsvast vertrouwen in Bourne.'

Het gezicht van de directeur was bezweet, zijn ogen stonden wijd open toen hij om zich heen keek. 'En je ziet maar wat daar van komt! Beide mannen zijn als honden afgemaakt door precies die man die ze onder controle wilden krijgen. De simpele waarheid is, dat Bourne onbeheersbaar is. En hij is zo dodelijk als een giftige adder.' De directeur sloeg met zijn vuist op de vergadertafel. 'Ik wil niet dat deze gruwelijke, in koelen bloede gepleegde, moorden ongestraft blijven. Ik vaardig een wereldwijd opsporingsbevel uit, met toestemming tot Bournes onmiddellijke terechtstelling.'

Bourne huiverde, hij was tot op het bot verkleumd. Hij keek naar boven, speelde met de lichtbundel over de uitlaat van het koelsysteem. Hij sprong over het middenpad naar de andere kant en klauterde op de kratten tegen de rechter zijwand naar het rooster. Hij klapte zijn stiletto open en met het lemmet schroefde hij het rooster los. Zacht avondlicht viel naar binnen. Misschien kon hij er net doorheen. Hoopte hij.

Hij duwde zijn schouders door het gat tot aan zijn borst, wurmde zich verder door de opening en probeerde zichzelf naar buiten te kronkelen. De eerste paar decimeters ging alles nog goed, maar toen kwam aan zijn voortgang abrupt een einde. Hij probeerde verder te komen, maar dat ging niet meer. Hij zat vast. Hij blies alle lucht uit zijn longen en liet zijn bovenlichaam slap worden. Met zijn voeten en benen zette hij zich tegen een pallet af. Deze begon te schuiven en viel op de grond, maar toch was hij een paar centimeter vooruitgeschoven. Hij liet zijn benen zakken totdat zijn voeten steun vonden op de omgevallen kratjes. Hij zette zijn hakken klem tegen het bovenste krat en duwde zich omhoog totdat er weer in beweging in zijn lichaam kwam. Door dit langzaam en voorzichtig te herhalen kreeg hij hoofd en schouders helemaal door het gat. Zijn ogen knipperden tegen de suikerspinroze lucht, waar wattige wolken opstegen en van vorm veranderden terwijl hij onder het wolkendek voortraasde. Toen hij rechtop zat, trok hij zich op aan de hoek van het dak en duwde zichzelf zo het dak op.

Bij het eerstvolgende stoplicht sprong hij van de truck af. Hij viel op zijn schouder en rolde van het wegdek af. Hij stond op, liep naar de stoep en klopte zich af. De straat was verlaten. Kort groette hij de nietsvermoedende Guy, die gewoon was doorgereden en in een blauwe wolk van dieseldampen verdween.

Hij bevond zich in de buitenwijken van Washington, in het arme noordoostelijke gedeelte. Een straal zonlicht stak door het wolkendek, de lange schaduwen van de schemering strekten zich voor de zon uit. In de verte hoorde je het voorbijrazende verkeer en af en toe een jankende sirene. Hij zuchtte diep. Ondanks de stank van de stad had de lucht voor hem iets fris: hij ervoer zijn vrijheid na deze lange nachtelijke strijd om niet te worden opgepakt.

Hij liep door totdat hij vergane rood-wit-blauwe vlaggetjes zag wapperen. Het terrein van de occasiondealer was 's avonds gesloten. Hij ging het verlaten terrein op, liep naar een willekeurige auto en wisselde de nummerplaten om met de wagen ernaast. Hij forceerde het slot, opende het portier en startte zonder contactsleutel de auto. Even later reed hij de straat op.

Hij parkeerde voor een cafetaria met een chromen pui die dateerde uit de jaren vijftig. Er stond een enorme kop koffie op het dak, het neonlicht was al lang geleden kapotgegaan. Binnen hing een geur van koffiedik vermengd met baklucht. Aan de linkerkant stond een lange formicabar en een rij chromen krukken met een zitting van vinyl; rechts, bij de ramen waar het zonlicht over streek, waren afgescheiden zithoekjes, elk met een jukebox waarin je voor een kwartje je favoriete nummer kon laten spelen.

Bournes blanke huid werd in stilte becommentarieerd door de donkere gezichten die zich omdraaiden toen de deur met enig belgerinkel achter hem dichtviel. Niemand glimlachte naar hem terug. Sommigen keken onverschillig; andere gasten met een ander karakter zagen in Bournes aanwezigheid een slecht voorteken.

Zich bewust van de vijandige blikken, glipte hij in een ranzig zitje. Een serveerster met oranje kroeshaar en een gezicht als dat van Eartha Kitt zette een smerig menu voor hem neer en vulde zijn mok met dampende koffie. Heldere, zwaar opgemaakte ogen in een door zorgen getekend gezicht keken hem aan met een mengelmoes van nieuwsgierigheid en nog iets – medelijden misschien. 'Ze staren je aan, schatje,' zei ze zacht, 'maar dat komt omdat ze bang voor je zijn.'

Hij nam een bescheiden ontbijt van eieren, bacon en zelfgemaakte frietjes, en spoelde dat weg met sterke koffie. Maar dankzij de proteïnen en de cafeïne vergat hij zijn gevoel van uitputting, tenminste even.

De serveerster schonk zijn kop weer vol. Hij nam een slok en wachtte tot Lincoln Fine Tailors openging. Ondertussen ging hij verder met zijn onderzoek. Hij pakte het notitieblokje erbij dat op de salontafel in Conklins tv-kamer lag, en keek weer naar de ingedrukte letters op het bovenste velletje. NX 20. Het klonk als een onheilspellend experiment, maar kon in feite van alles zijn, een nieuw computerprogramma bijvoorbeeld.

Hij keek naar de buurtbewoners die naar binnen en buiten schuifelden en klaagden over uitkeringen, drugs, mishandeling door de politie, de plotselinge dood van familieleden of zieke vrienden in de gevangenis. Dat was hun leven. Het stond verder van hem af dan het leven in Azië of Micronesië. De sfeer in de cafetaria was somber door hun woede en verdriet.

Ineens kwam er een politiewagen traag voorbijrijden, als een haai langs de rand van een rif. Iedereen in de cafetaria stond stil, alsof dit spannende moment was vastgelegd door de lens van een camera. Bourne draaide zich om en zocht naar de serveerster. Die stond nog te staren naar de achterlichten van de politiewagen totdat die de hoek omsloeg. Er ging hoorbaar een zucht van verlichting door het etablissement. Ook Bourne voelde zich opgelucht. Zo bleek hij alsnog onder bondgenoten te zijn.

Zijn gedachten gingen terug naar de man die hem achtervolgde. Hij had een Aziatisch gezicht, maar toch niet helemaal. Zijn gezicht kwam hem bekend voor, de ronde vorm van zijn neus bijvoorbeeld, die helemaal niet Aziatisch was. Of was het de vorm van zijn volle lippen, die dat weer wel waren? Was hij iemand uit Bournes verleden, uit Vietnam? Ach nee, dat kon niet. Hij leek hooguit achter in de twintig en kon dus niet meer dan een jaar of zes zijn geweest toen

Bourne daar wegging. Wie was hij dan wel, en wat wilde hij? Deze vragen bleven Bourne achtervolgen. Ineens zette hij zijn halfvolle mok neer. De koffie leek een gat te branden in zijn maag.

Niet lang daarna ging hij terug naar zijn gestolen auto, zette de radio aan, zocht naar een zender totdat hij een nieuwslezer hoorde praten over de antiterrorismetop. Daarop volgde een kort overzicht van eerst het landelijke, en daarna het plaatselijke nieuws. Eerst kwam de moord op Alex Conklin en Mo Panov aan bod, maar vreemd genoeg was er verder geen nieuws over.

'Meer nieuws later,' zei de nieuwslezer, 'maar eerst deze belangrijke mededeling...'

'... *deze belangrijke mededeling.*' Op dat moment kwam de Parijse werkkamer met uitzicht op de Champs-Elysées en de Arc de Triomphe in zijn geheugen terug, en deze herinnering drukte de cafetaria en alle aanwezigen naar de achtergrond. Er stond een chocoladebruine stoel naast hem waaruit hij zojuist was opgestaan. In zijn rechterhand hield hij een fraai bewerkt, halfgevuld whiskyglas. Een diepe, volle en melodieuze stem had het over de tijd die nodig was om Bourne te geven wat hij nodig had. 'Maak je geen zorgen, mon ami,' zei de man met een zwaar Frans accent. 'Ik ben ier om u deze belangrijke boodschap te geven.'

Hij draaide zich om want hij wilde het gezicht zien van de man die aan het woord was, maar hij zag alleen een lege muur. De herinnering was vervlogen als de geur van whisky; Bourne bleef alleen achter en staarde zwijgend naar buiten naar de vette ramen van de aftandse eetgelegenheid.

Woedend pakte Khan zijn mobiele telefoon om Spalko te bellen. Het duurde even en hij moest er heel wat voor doen, maar uiteindelijk kreeg hij hem aan de lijn.

'Waar heb ik de eer aan te danken, Khan?' antwoordde Spalko. Khan luisterde geconcentreerd, hoorde iets slepends in zijn stem en concludeerde dat hij had gedronken. Zijn kennis over de gewoonten van zijn opdrachtgever ging verder dan Spalko misschien besefte, als die al de moeite nam daarover na te denken. Hij wist bijvoorbeeld dat Spalko van drank, tabak en vrouwen hield, niet noodzakelijkerwijs in die volgorde, maar zijn liefde voor deze drie was groot. Khan dacht dat hij nu, ook al was Spalko hooguit een beetje aangeschoten, in het voordeel was. Maar dat was men bij Spalko haast nooit.

'Het dossier dat u me hebt gegeven blijkt niet te kloppen of is op zijn minst niet compleet.'

'En wat heeft jou tot deze treurige conclusie gebracht?' Spalko's stem klonk nu hard en was van water in ijs veranderd. Te laat besefte Khan dat zijn woordkeus te direct was geweest. Spalko mocht dan een groot denker zijn – met een vooruitziende blik zoals hij ongetwijfeld zelf dacht – in wezen handelde hij intuïtief. Ontwaakt uit een halfslaap beantwoordde hij agressie dus met hetzelfde. Hij had een driftbui gekregen die nogal vloekte bij het zorgvuldig gecultiveerde imago dat hij had. Maar er speelde zich wel meer af achter dat suikerzoete laagje van hem.

'Webb gedraagt zich vreemd,' zei Khan zacht.

'O ja, hoezo?' Spalko's stem had weer die slepende, trage dictie.

'Hij is niet wat je noemt een typische academicus.'

'Ik vraag me af wat dat er nog toe doet? Of heb je hem niet uitgeschakeld?'

'Nog niet.' Khan zat in zijn geparkeerde auto en keek naar de bus die stopte bij de halte aan de overkant. Het portier ging zuchtend open, er stapten mensen uit: een oude man, twee tienerjongens, een moeder met haar peuterzoontje.

'Zo, het plan is dus gewijzigd?'

'U wist toch dat ik nog even met hem wilde spelen.'

'Natuurlijk, de vraag is alleen, hoe lang nog?'

Ze speelden een verbaal spelletje schaak, even subtiel als koortsachtig. Khan kon alleen maar raden wat er aan de hand was. Wat wilden ze met Webb doen? Waarom had Spalko besloten Webb te gebruiken als lokaas voor de dubbele moord op de hoge ambtenaren Conklin en Panov? Waarom had Spalko hen laten ombrengen? Khan wist zeker dat het zo gegaan was.

'Totdat ik er klaar voor ben. Totdat hij begrijpt wie achter hem aanzit.'

Khan volgde met zijn ogen de jonge vrouw die haar kind op de stoep zette. De peuter liep nog onzeker, zij lachte hem toe. Met een schuin hoofdje keek hij zijn moeder aan en lachte nu ook, haar plezier imiterend. Ze nam zijn knuistje in haar hand.

'Je bedenkt je toch niet, of wel?'

Khan meende een lichte spanning te bespeuren, een bepaalde trilling in zijn stem, en ineens wist hij niet zeker meer of Spalko inderdaad had gedronken. Khan vroeg zich af of het nog uitmaakte of hij David Webb wel of niet zou ombrengen, maar dat hield hij voor zich, uit angst zijn bezorgdheid te onthullen. 'O nee, absoluut niet,' antwoordde Khan.

'Want wij zijn van hetzelfde slag, jij en ik. Onze neusgaten gaan openstaan bij de geur van de dood.'

In gedachten verzonken en niet wetend hoe hij hierop moest reageren, klapte Khan zijn mobieltje dicht. Hij drukte zijn hand tegen het raam en keek door zijn vingers naar de vrouw die naast haar zoontje op de stoep liep. Ze nam kleine stappen, probeerde in het spoor van zijn onvaste stapjes te blijven.

Spalko loog tegen hem, dat wist Khan nu wel zeker. Zoals hij tegen Spalko gelogen had. Ineens werd het beeld voor zijn ogen troebel en werd hij teruggevoerd naar het oerwoud van Cambodja. Hij woonde al langer dan een jaar bij een Vietnamese wapensmokkelaar, vastgebonden in een schuurtje als een dolle hond, half uitgehongerd en geslagen. Bij zijn derde ontsnappingspoging had hij zijn lesje geleerd en het hoofd van de bewusteloze smokkelaar tot moes geslagen met de spade die gebruikt werd om latrines te graven. Tien dagen lang had hij geleefd op alles wat hij maar kon vinden, totdat een Amerikaanse zendeling, een zekere Richard Wick, hem in zijn huis opnam. Die had hem eten, kleren en een schoon bed gegeven, in ruil waarvoor hij zijn Engelse lessen volgde. Zodra hij kon lezen, kreeg hij een bijbel, die hij moest bestuderen. Zo begon hij te begrijpen dat hij in Wicks ogen niet op weg was naar zijn redding maar naar de beschaving. Een paar keer had hij geprobeerd om Wick de aard van het boeddhisme uit te leggen, maar hij was nog erg jong en de concepten die hij als kind had meegekregen bleken nog niet helemaal gerijpt toen hij ze onder woorden wilde brengen. Niet dat Wick daar in geïnteresseerd zou zijn. Die wilde niets te maken hebben met religies die zijn God niet erkenden, die niet geloofden in Jezus de Verlosser.

Khan was weer terug in het heden. De vrouw liep met haar zoontje voorbij de chromen façade van een cafetaria met een enorme koffiekop op het dak. Vlak achter haar zag Khan aan de overkant van de straat door de weerspiegeling van een autoruit de man die hij kende als David Webb. Hij moest het Webb nageven: hij had Khan via een martelende route vanaf de rand van Conklins landgoed hier naartoe gevoerd. Ook had Khan de man op de bergpas gezien die hen observeerde. Toen hij, nadat hij aan Webbs vangnet was ontsnapt, daarnaartoe was gekrabbeld, was het te laat om de man aan te klampen, maar met zijn infrarode verrekijker kon hij nog wel zien hoe Webb de snelweg opliep. Hij stond klaar om Webb te achtervolgen toen hij als lifter werd opgepikt. Nu observeerde hij Webb weer, wetende wat Spalko allang wist: dat Webb uitermate gevaarlijk was. Een man als Webb ging rustig als enige blanke in een zwarte cafetaria zitten. Hij zag er eenzaam uit, gokte Khan, want wat eenzaamheid precies was, wist hij niet.

Zijn blik viel weer op de moeder en haar kind. Hun verre gelach klonk hem onwerkelijk in de oren, als een droom.

Bourne kwam om vijf over negen aan bij Lincoln Fine Tailors in Alexandria. De winkel zag eruit zoals alle andere kleine bedrijven in Old Town: met een vagelijk koloniale pui. Hij liep over de roodstenen stoep, duwde de deur open en ging naar binnen. Het openbare gedeelte van de winkel werd in tweeën verdeeld door een middelhoge scheiding die aan de ene kant als balie diende; aan de andere kant stonden de snijtafels. De naaimachines stonden in het midden achter de balie. Daar zaten drie Latijns-Amerikaanse vrouwen achter die niet eens naar hem opkeken. Een magere man achter de balie in een mouwloos en open gestreept vest stond naar iets onder hem te fronsen. Hij had een hoog, gewelfd voorhoofd, lichtbruine pony, hangwangen en troebele ogen. Zijn bril stond op zijn hoofd. Hij kneep voortdurend in zijn haviksneus. Hij lette niet op de ingang, maar keek wel op toen Bourne naar de balie liep.

'Hallo,' zei hij afwachtend. 'Kan ik iets voor u doen?'

'U bent Leonard Fine? Ik zag die naam op het raam staan.'

'Dat klopt,' antwoordde Fine.

'Alex heeft me gestuurd.'

De kleermaker knipperde met zijn ogen. 'Wie?'

'Alex Conklin,' antwoordde Bourne. 'Ik ben Jason Bourne.' Hij keek om zich heen. Niemand besteedde de minste aandacht aan hen. Het lawaai van de naaimachines ratelde en zoemde in de lucht.

Met een theatraal gebaar zette de heer Fine zijn bril op zijn smalle neusbrug. Hij keek Bourne indringend aan.

'Ik ben een vriend van hem,' legde Bourne uit. Hij wilde de man een beetje opporren.

'Er zijn hier geen kledingstukken blijven liggen van ene meneer Conklin.'

'Ik denk ook niet dat hij hier iets heeft laten liggen.'

Fine kneep weer in zijn neus, alsof hij pijn had. 'Een vriend, zei u?'

'Al jarenlang.'

Zwijgend stond Fine op en opende de klep in de balie om Bourne erdoor te laten. 'Dit kunnen we misschien beter op mijn kantoor bespreken.' Hij bracht Bourne naar een deur door een stoffige gang die naar verschillende soorten stijfsel rook.

Het kantoortje stelde niet veel voor, een kamertje met versleten linoleum vol putjes op de vloer, kale buizen die van de vloer naar het plafond liepen, een legergroen metalen bureau met een draaistoel, op elkaar gestapelde goedkope metalen dossierkasten, stapels kartonnen dozen. Van alle spullen in het kantoor steeg een walm op van schimmel en aanslag. Achter de stoel was een klein vierkant raam, zo vuil dat je de steeg erachter niet kon zien.

Fine ging achter zijn bureau zitten en trok een la open. 'Iets drinken?'

'Dat is een beetje vroeg,' zei Bourne, 'vindt u niet?'

'Ja, nu u het zegt,' stemde Fine in. Hij haalde een pistool uit een la en richtte die op Bournes maag. 'De kogel doodt je niet meteen, maar terwijl je dood ligt te bloeden wou je dat-ie dat had gedaan.'

'Er is geen enkele reden voor zoveel opwinding,' zei Bourne kalm.

'Er is juist reden genoeg,' antwoordde de kleermaker. Zijn ogen stonden dicht bij elkaar waardoor hij een beetje scheel leek. 'Conklin is dood en ze zeggen dat jij de moordenaar bent.'

'Ik heb het niet gedaan,' zei Bourne.

'Dat zegt iedereen. Ontkennen en nog eens ontkennen. Zo gaat dat zeker bij de overheid.' De man lachte sluw. 'Ga zitten meneer Webb, Bourne, of hoe u zichzelf tegenwoordig ook noemt.'

Bourne keek op. 'Jij bent van de CIA.'

'O nee, alsjeblieft zeg. Ik opereer onafhankelijk. Als Alex het tenminste aan niemand heeft verteld, weet niemand binnen de CIA van mijn bestaan af.' De kleermaker begon nog breder te glimlachen. 'Dat was ook de reden waarom Alex bij mij kwam.'

Bourne knikte. 'Daar zou ik graag wat meer over willen weten.'

'Ja, dat geloof ik ook.' Fine pakte de telefoon op zijn bureau. 'Anderzijds, als jouw mensen je te pakken krijgen, zul je het zó druk krijgen met het beantwoorden van hun vragen, dat je nergens anders nog tijd voor hebt.'

'Stop daarmee,' zei Bourne luid.

Fine stak de hoorn in de lucht. 'Geef me een reden.'

'Ik heb Alex niet vermoord. Ik probeer na te gaan wie wel.'

'Jij hebt het niet gedaan dus. Volgens het krantenbericht dat ik las, was jij in zijn huis toen hij werd neergeschoten. Heb je iemand gezien?'

'Nee, en Alex en Mo Panov waren al dood toen ik aankwam.'

'Bullshit! Ik vraag me af waarom je ze hebt neergeknald.' Fine kneep zijn ogen bijna dicht. 'Ik neem aan dat het te maken had met dr. Schiffer.'

'Ik heb nog nooit van die man gehoord.'

De kleermaker lachte schel. 'Nog meer onzin. Dan heb je zeker ook nooit van DARPA gehoord?'

'Natuurlijk wel,' riposteerde Bourne. 'Dat is de afkorting van "Defense Advanced Research Projects Agency". Werkt dr. Schiffer daarvoor?'

Met walging in zijn stem riep Fine: 'Ik heb hier genoeg van.' Net toen hij zijn ogen afwendde om een nummer te draaien, dook Bourne naar hem toe.

De directeur was in zijn ruime hoekkantoor telefonisch in gesprek met Jamie Hull. Er viel stralend zonlicht door het raam dat de glitters in het vloerkleed deed sprankelen. Niet dat dit schitterende kleurenspel enig effect had op de directeur, die nog steeds een beroerd humeur had. Somber keek hij naar de foto's van hemzelf met verschillende presidenten in de Oval Office, met buitenlandse leiders in Parijs, Bonn en Dakar, met artiesten in Los Angeles en Las Vegas, met evangelisten in Atlanta en Salt Lake City, en zelfs ook, absurd genoeg, met de eeuwig glimlachende Dalai Lama in zijn saffraangele gewaad, toen die in New York op bezoek was. De foto's wilden hem maar niet van zijn somberheid afhelpen, integendeel, ze deden hem het gewicht der jaren voelen, alsof het lagen van een maliënkolder waren.

'Het is een grote nachtmerrie, meneer,' zei Hull vanuit het verre Reykjavik. 'Ten eerste, een goede beveiliging opzetten in samenwerking met Russen en Arabieren is zoiets als in je eigen staart bijten. Ik bedoel, de helft van de tijd heb ik geen flauw idee van wat ze zeggen, de andere helft vertrouw ik er niet op dat de vertalers – de onze noch die van hen – me precies vertellen wat zij zeggen.'

'Je had vreemde talen in je pakket moeten opnemen, Jamie. Ga door met waar je mee bezig bent. Ik kan je nieuwe vertalers sturen als je wilt.'

'Echt waar? En waar moeten die vandaan komen? We hebben alle Arabisten al gehad, of niet?'

De directeur slaakte een zucht. Dat was inderdaad een probleem. Bijna alle Arabisch sprekende medewerkers die bij de geheime dienst in loondienst waren, stonden achter de islamitische zaak, schopten altijd tegen yankees aan en probeerden uit te leggen hoe vredelievend de moslims eigenlijk waren. Vertel dat de Israëli's maar. 'Overmorgen krijgen we een heel nieuwe lichting binnen van het Studiecentrum. Ik zal er meteen een paar voor je uitzoeken.'

'Dat is niet alles, meneer.'

De directeur fronste zijn voorhoofd, woedend omdat hij in Hulls stem geen greintje dankbaarheid had kunnen ontdekken. 'Wat nou weer?' snauwde hij. Als hij al die foto's eens wegdeed, vroeg hij zich af. Zou dat geen oplossing zijn voor zijn nare stemming?

'Ik wil niet klagen hoor, maar ik doe hier mijn uiterste best om de juiste veiligheidsmaatregelen te nemen in een vreemd land dat geen bijzondere band heeft met de Verenigde Staten. Wij steunen hen niet, dus zij zijn ons niets verschuldigd. Ik roep de naam van onze president en wat krijg ik terug? Lege blikken. Dat maakt mijn werk hier extra moeilijk. Ik ben burger van het machtigste land ter wereld. Ik weet veel meer van veiligheidskwesties af dan heel IJsland bij elkaar. Waar is het respect dat ik behoor te...'

De intercom zoemde en met een zekere tevredenheid zette de Oude Rot zijn afgezant in de wacht. 'Wat nu weer?' blafte hij door de intercom.

'Het spijt me u te storen,' zei de officier van dienst, 'maar er is zojuist een telefoontje binnengekomen via meneer Conklins noodlijn.'

'Hè? Alex is dood. Weet je het zeker?'

'Absoluut, meneer. De lijn is nog niet afgesloten.'

'Oké. Ga verder.'

'Ik hoorde op de achtergrond een handgemeen en iemand een naam zeggen – Bourne, geloof ik.'

De directeur ging kaarsrecht zitten, zijn sombere stemming verdween even snel als die was opgekomen. 'Bourne. Weet je zeker dat je die naam hebt gehoord, jongeman?'

'Ja, zo klonk het. En dezelfde stem zei nog iets als "je vermoorden".'

'Waar kwam het telefoontje vandaan?' wilde de Oude Rot weten.

'Er werd ineens opgelegd, maar ik heb het spoor gevonden. Het nummer is van een zaak in Alexandria. Lincoln Fine Tailors.'

'Goed gedaan!' De directeur stond op. De hand die de hoorn van de telefoon vasthield, trilde een beetje. 'Stuur er meteen twee teams op af. Zeg dat Bourne is opgedoken! Zeg dat ze hem zonder waarschuwing mogen neerknallen.'

Bourne, die het pistool van Leonard Fine had losgerukt voordat er een schot was gelost, duwde hem nu zo hard tegen de smerige muur aan, dat de kalender van zijn spijker op de grond viel. Bourne had de hoorn van de telefoon in zijn hand en verbrak de verbinding. Toen luisterde hij of er buiten ergens commotie was ontstaan, of dat de naaisters iets van het korte maar hevige gevecht hadden gehoord.

'Ze zijn onderweg,' zei Fine. 'Het feest is afgelopen voor jou.'

'Dat denk ik niet.' Bourne dacht razendsnel na. 'Het telefoontje ging naar de hoofdcentrale. Niemand weet wat ze ermee moeten doen.'

Fine schudde zijn hoofd en lachte besmuikt. 'Dit telefoontje ging niet naar de CIA-centrale; ik belde rechtstreeks naar de dienstdoende officier van de directeur. Conklin stond erop dat ik dat nummer zou onthouden voor eventuele noodgevallen.'

Bourne schudde Fine door elkaar totdat zijn tanden klapperden. 'Stomme idioot! Wat heb je gedaan?'

'Mijn laatste eer aan Alexander Conklin bewezen.'

'Maar ik zei toch dat ik hem niet heb vermoord?!' Toen ineens wist Bourne hoe hij Fine kon overhalen hem te helpen en te vertellen waar Conklin mee bezig was, een aanwijzing te geven waarom ze hem hadden vermoord. 'Ik zal bewijzen dat Alex mij heeft gestuurd.'

'Nog meer leugens,' hoonde Fine. 'Dat is nu te laat...'

'Ik weet van NX 20.'

Fine stond als aan de grond genageld. Zijn gezicht was helemaal slap geworden; zijn ogen stonden wijd open. 'Nee,' riep hij. 'Nee, nee, nee!'

'Hij heeft me erover verteld,' zei Bourne. 'Alex heeft het me verteld. Daarom heeft hij me gestuurd, begrijp je.'

'Alex zou zich nooit laten dwingen om over NX 20 uit de school te klappen. Nooit!' De schrik verdween uit Fines gezicht en werd vervangen door het traag neerdalende besef dat hij een ernstige fout had gemaakt.

Bourne knikte. 'Ik ben een vriend. Alex en ik kennen elkaar uit Vietnam. Dat probeerde ik je de hele tijd te zeggen.'

'O god, ik was met hem aan de telefoon toen hij... toen het gebeurde.' Fine legde een hand op zijn voorhoofd. 'Ik hoorde het schot!'

Bourne pakte de kleermaker bij zijn vest. 'Leonard, verman je. We hebben geen tijd voor een herhaling.'

Fine keek Bourne aan. Hij had gereageerd, zoals mensen dat vaak doen, op het horen van zijn voornaam. 'Oké.' Hij knikte, veegde zijn lippen af. Hij leek te ontwaken uit een droom. 'Oké, begrepen.'

'Over een paar minuten zal de CIA hier zijn. Dan moet ik weg zijn.'

'Ja, ja natuurlijk.' Fine schudde zijn hoofd van verdriet. 'Laat me nu alsjeblieft los.' Bevrijd uit de greep van Bourne knielde hij neer bij het achterraam, trok een verwarmingsrooster los, waarachter in de gepleisterde, bewerkte muur, een moderne kluis was gebouwd. Hij draaide het slot, trok de zware deur open en haalde er een kleine envelop van manillapapier uit. Nadat hij de kluisdeur had gesloten en het rooster had teruggeplaatst, stond hij op en overhandigde de envelop aan Bourne.

'Dit kwam eergisterenavond aan voor Alex. Gisterenochtend belde hij me op om het te verifiëren. Hij zou het komen ophalen.'

'Van wie is het?'

Op dat moment hoorden ze vanuit de ingang van de winkel luide stemmen bevelen geven.

'Daar zijn ze al,' zei Bourne.

'O mijn god!' Fine keek gekweld en zag lijkbleek.

'Er moet hier een nooduitgang zijn.'

De kleermaker knikte. Hij gaf Bourne bondig zijn instructies. 'Ga maar snel,' zei hij zenuwachtig. 'Ik hou ze wel bezig.'

'Veeg je gezicht af,' zei Bourne, en toen Fine het zweet van zijn gezicht depte, knikte hij.

Terwijl de kleermaker zich naar zijn winkel haastte om de agenten tegemoet te treden, rende Bourne in stilte door de vuile gang. Hij hoopte dat Fine hen lang genoeg kon ophouden met zijn vragen; zo niet, dan was hij er gloeiend bij. De badkamer was groter dan hij had verwacht. Aan de linkerkant hing een porseleinen fonteintje, waaronder een stapel verfblikken stond met vastgeroeste deksels. Tegen de achterwand was een toilet geplaatst, links daarvan de douche. Volgens Fines instructies ging hij in de douche staan, vond het luik in de tegeltjeswand en maakte dat open. Hij stapte erdoorheen en zette het tegelluik weer terug.

Met opgestoken hand trok hij aan een ouderwets lichtkoord. Hij bevond zich in een smalle gang die waarschijnlijk hoorde bij het aangrenzende gebouw. Het stonk er; zwarte plastic vuilniszakken waren tussen de grote houten steunbalken gepropt, waarschijnlijk ter isolatie. Hier en daar hadden ratten zich door het plastic gevreten en zich tegoed gedaan aan de rottende inhoud, terwijl de rest op de vloer was gevallen.

In het weinige licht van een kaal peertje zag hij een geverfde metalen deur die uitkwam op de steeg achter de winkels. Terwijl hij daar op afstapte, werd de deur opengetrapt en sprongen er twee CIA-agenten binnen. Hun geweren stonden op scherp, hun ogen waren op hem gericht.

6

De eerste kogels vlogen over de ineengedoken Bourne heen. Bij het opstaan schopte hij een plastic vuilniszak naar de agenten. Die was raak: de zak scheurde open bij de naad. Overal vloog afval, de agenten moesten hoestend wijken met betraande ogen en hun armen voor hun gezicht.

Met een klap naar boven sloeg Bourne het peertje stuk, waardoor het stikdonker werd in de smalle ruimte. Hij draaide zich om en toen hij zijn zaklamp aandeed, zag hij aan de andere kant van de gang een lege muur. Er was nog een uitgang, maar waar...?

Toen vond hij het. Meteen deed hij zijn zaklamp uit. De agenten, die naar elkaar schreeuwden, hadden blijkbaar hun evenwicht weer gevonden. Snel ging hij naar het andere eind van de gang. Op zijn knieën voelde hij de metalen, dof glanzende ring die hij op de vloer had zien liggen. Hij haakte er zijn wijsvinger door, trok eraan en maakte een luik naar de kelder open. Er kwam een bedorven, vochtige lucht op hem af.

Zonder aarzeling liet hij zich door de opening zakken. Zijn schoenen raakten de sport van een ladder en hij klauterde naar beneden. Hij deed het luik achter zich dicht. Het rook sterk naar een verdelgingsmiddel tegen kakkerlakken en toen hij zijn zaklamp aandeed, zag hij dat de korrelige cementen vloer ermee bezaaid was, als bladeren lagen ze over de grond verspreid. Tastend door een waaier van spuitbussen, dozen en kratten vond hij een koevoet. Hij rende de ladder op en stak de staaf door de handvatten van het luik. Het paste niet goed; de koevoet zat los, maar meer kon hij zich niet wensen. Het enige dat hij nog nodig had, dacht hij toen hij knarsend over de kakkerlakken op de betonnen vloer liep, was voldoende tijd om bij de bevoorradingsluiken onder de stoep te komen; daarmee waren al deze winkelgebouwen uitgerust.

Hij hoorde hoe de agenten boven hem met veel geweld het luik open probeerden te krijgen. Door het getril zou de koevoet het niet lang houden. Gelukkig had hij de twee stalen luiken naar de stoep gevonden en was hij de betonnen treden al opgeklommen. Achter hem brak ineens het luik open. Hij deed zijn zaklamp uit terwijl de agenten op de keldervloer neer ploften.

Bourne zat vast. Als hij nu de metalen luiken openduwde, viel er zoveel daglicht binnen dat ze hem meteen konden neerschieten voordat hij zich op de stoep had kunnen hijsen. Hij draaide zich om en sloop de traptreden weer af. Hij hoorde hen rondsluipen, ze zochten naar de lichtknop. Ze communiceerden met elkaar in korte, gefluisterde opdrachten, wat hen kenmerkte als doorgewinterde professionals. Hij kroop langs de omgevallen stapels. Ook Bourne zocht iets.

Toen het licht aanging, bleken de agenten zich naar beide zijden van de kelder te hebben verspreid.

'Wat een stinkhol,' zei de een.

'Niet op letten,' waarschuwde de ander. 'Waar is Bourne, verdomme?'

Met hun onverstoorbare gezichten waren ze nauwelijks van elkaar te onderscheiden. Beiden droegen ze de door de CIA verstrekte tweedelige pakken, en keken op precies dezelfde manier uit hun ogen. Bourne had veel ervaring met het slag volk dat voor de inlichtingendienst werkte. Hij wist hoe ze dachten en dus ook wat ze gingen doen. Hoewel ze van elkaar waren verwijderd, slopen ze harmonieus samen verder. Ze probeerden niet te raden waar Bourne zich eventueel kon schuilhouden. In plaats daarvan verdeelden ze de kelder in vierkante vlakken die ze werktuigelijk als een machine doorzochten. Het was onmogelijk om aan hen te ontsnappen, maar hij kon ze wél verrassen.

Zodra hij verscheen, zouden ze meteen handelen. Daar rekende hij op toen hij zijn positie innam. Hij had zich in een kist gewurmd, zijn ogen prikten van de bijtende reinigingsmiddelen die in dezelfde kist stonden. Zijn hand tastte in het duister. Hij voelde een rond voorwerp tegen de rug van zijn hand aan en pakte het op. Het was een spuitbus, goed genoeg voor zijn doel.

Hij hoorde zijn hart kloppen, een rat krabbelde langs de muur waar de kist tegenaan stond; verder was het muisstil toen de agenten hun pijnlijk grondige zoektocht voortzetten. Ineengedoken wachtte Bourne geduldig af. Zijn verkenner, de rat, hield op met krabbelen. Minstens een van de agenten stond vlak bij hem.

Nu was het doodstil. Ineens ving hij een kort gehijg op, het geruis van kleding vlak boven zijn hoofd. Hij stond op, de klep omhoogduwend. De agent tuimelde achterover met zijn pistool in de hand. Zijn partner aan de andere kant kwam toegesneld. Met zijn linkerhand greep Bourne de dichtstbijzijnde agent bij zijn hemd en duwde hem voorover. Instinctief trok de agent zich terug, verweerde zich, en Bourne dook op hem af, gebruikmakend van de vaart van de agent, en slingerde zijn rug en hoofd tegen de stenen muur aan. Hij hoorde de rat nog piepen toen de agent met wegrollende ogen bewusteloos neerzakte.

De andere agent stapte nu naar Bourne, maar zag af van een vuistgevecht en richtte zijn pistool op Bourne. Bourne mikte de spuitbus in zijn gezicht. De agent deinsde terug, Bourne sprong op hem af en deelde een karateklap uit in zijn hals waardoor de agent bewusteloos neerviel.

Een seconde later liep Bourne de betonnen trap op. Hij maakte de metalen luiken open naar de frisse, blauwe lucht. Hij deed netjes het luik dicht en liep kalm de stoep af, richting Rosemont Avenue. Daar verdween hij in de massa.

Toen Bourne zeker wist dat hij niet werd achtervolgd, ging hij een kilometer verderop een restaurant binnen. Vanachter zijn tafel scande hij de gezichten van de gasten, op zoek naar iets wat opviel – geveinsde nonchalance, verborgen waakzaamheid. Hij bestelde een broodje met ham, tomaten en sla, en een kop koffie, stond toen op en liep door het restaurant naar achteren. Toen er niemand in de heren-wc's bleek te zijn, sloot hij zichzelf op in een van de hokjes, ging op het toilet zitten en maakte de envelop open die voor Conklin was bestemd en Fine hem had gegeven.

Er zat een eersteklas vliegticket naar Boedapest in, op naam van Conklin, en een sleutel van een kamer in het Danubius Grand Hotel. Ernaar turend vroeg hij zich af wat Conklin in Boedapest te zoeken had en of deze reis iets met de moord te maken had.

Op de mobiele telefoon van Alex draaide hij een lokaal nummer. Nu hij een doel had, voelde hij zich al wat beter. Deron nam na drie keer overgaan op.

'Peace, Love and Understanding.'

Bourne lachte. 'Met Jason.' Hij kon nooit voorspellen hoe Deron opnam. Deron was letterlijk een meester in zijn vak. Hij was beroepsvervalser. Hij verdiende de kost met het vervalsen van oude meesters, die in deftige huizen werden opgehangen. Ze waren zo exact, zo deskundig dat er af en toe een op een veiling werd verkocht of in een museum terechtkwam. Daarnaast vervalste hij ook andere dingen, puur voor zijn plezier.

'Ik heb het laatste nieuws over jou gevolgd en dat klinkt niet zo best,' zei Deron met zijn licht Britse accent.

'Vertel me iets nieuws.' Toen hij de deur naar de herentoiletten hoorde opengaan, hield Bourne zich stil. Hij stond op, zette zijn schoenen aan beide kanten van het toilet en keek over de rand van het hok. Een enigszins hinkende man met grijs haar en een baard was voor een urinoir gaan staan. Hij droeg een zwart suède bomberjack en een zwarte trainingsbroek, niets bijzonders. En toch voelde Bourne zich in een val zitten. Het kostte hem moeite om niet meteen op de vlucht te slaan.

'Verdomme, zit er weer een vent achter je reet aan?' Het was altijd grappig om schuttingtaal uit zo'n beschaafde mond te horen.

'Zat, ja, want ik ben hem kwijt...' Bourne verliet de herentoiletten, liep terug naar het restaurant en speurde onderweg de tafeltjes af. Zijn koffie was al koud toen eindelijk zijn broodje werd geserveerd. Hij hield de serveerster tegen en bestelde een verse kop. Toen ze wegliep zei hij zacht in de hoorn: 'Deron, luister, mijn gebruikelijke bestelling: een paspoort, contactlenzen van mijn sterkte. Liefst gisteren al.'

'Nationaliteit?'

'Laat we het Amerikaans houden.'

'Ik snap het. Dat verwachten ze zeker niet.'

'Juist. Het paspoort moet op naam staan van Alexander Conklin.'

Deron floot laag tussen zijn tanden. 'Je vraagt er zelf om, Jason. Geef me twee uurtjes.'

'Heb ik daar iets over te zeggen?'

Derons typische korte gegrinnik schetterde door de lijn. 'Je kunt ook met honger vertrekken. Ik heb al je foto's nog. Welke wil je gebruiken?'

Toen Bourne zijn keuze aangaf, vroeg Deron: 'Weet je het zeker? Je bent daar helemaal kaalgeschoren. Zo zie je er helemaal niet uit.'

'Wacht maar tot ik klaar ben met mijn makeover,' antwoordde Bourne. 'Ze hebben me op de eliminatielijst van de CIA gezet.'

'Nummer één met stip, neem ik aan. Waar spreken we af?'

Bourne gaf antwoord.

'Oké, prima. Eh, nog iets, Jason.' Derons stem klonk ineens heel treurig. 'Dat moet moeilijk voor je zijn geweest. Ik bedoel, jij hebt ze gevonden, of niet?'

Bourne keek op zijn bord. Waarom had hij dit broodje besteld? De tomaat zag er rauw en bloederig uit. 'Ik heb ze inderdaad zien liggen.' Stel dat hij de tijd kon terugzetten, zodat Alex en Mo er weer zouden zijn? Dat zou pas een kunst zijn. Maar het verleden bleef verleden en zonk met de dag dieper in het geheugen weg.

'Het is niet zoals in *Butch Cassidy*.'

Bourne bleef zwijgen.

Deron slaakte een zucht. 'Ook ik heb Alex en Mo gekend.'

'Natuurlijk. Ik heb je aan hen voorgesteld,' zei Bourne, en hij hing op.

Een tijd lang bleef hij aan het tafeltje zitten nadenken. Iets klopte er niet. Er was een alarm in zijn hoofd afgegaan toen hij van de heren-wc's kwam, maar hij werd afgeleid door het gesprek met Deron waardoor hij er geen aandacht aan had geschonken. Wat was het? Langzaam en voorzichtig speurde hij de zaal af. Toen wist hij het. De kreupele man met de baard ontbrak. Misschien was hij klaar met eten en naar buiten gegaan. Maar anderzijds: zijn aanwezigheid in de toiletruimte had Bourne opvallend verontrust. Er was iets met die man...

Hij legde wat geld op tafel en liep naar de uitgang van het restaurant. Een brede mahoniehouten pilaar scheidde de twee ramen aan de voorkant. Bourne bleef erachter staan om de mensen op straat te observeren. Hij begon bij de voetgangers, observeerde iedereen die onnatuurlijk langzaam liep of slenterde, een krant las, te lang voor de etalage van de winkel aan de overkant bleef staan, daar mogelijk de weerspiegeling bestudeerde van de ingang van het restaurant. Hij zag niets verdachts. Hij telde drie mensen in geparkeerde auto's – één vrouw, twee mannen. Hun gezichten kon hij niet zien. En dan waren er natuurlijk nog de auto's die voor het restaurant stonden geparkeerd.

Resoluut liep hij de straat op. Het was laat in de ochtend en drukker geworden. Dat kwam hem nu goed uit. Twintig minuten lang besteedde hij aan het verkennen van zijn onmiddellijke omgeving, hij controleerde uitgangen, winkelpuien, passanten en voertuigen, ramen en daken. Toen hij had vastgesteld dat er zich geen CIA-agenten in het veld bevonden, stak hij over en liep een drankwinkel binnen. Hij vroeg om een fles Speyside-whisky, het merk van Conklin. Terwijl de eigenaar naar de fles zocht, keek hij naar buiten. Er zat niemand in de auto's voor het restaurant. Hij zag dat een van de mannen die hij eerder had gezien, uit zijn auto stapte en een apotheek binnenging. Hij had geen baard en liep niet mank.

Hij had nog bijna twee uur voor zijn afspraak met Deron en wilde die tijd nuttig gebruiken. De herinnering aan het kantoor in Parijs, de stem, het maar half herinnerde gezicht dat verdrongen werd door de eisen van het heden, was weer terug. Volgens de methode van Mo Panov moest hij de whisky weer inhaleren om nog meer uit de herinnering te halen. Op deze manier hoopte hij erachter te komen wie de man in Parijs was en waardoor deze herinnering aan hem juist nu aan de oppervlakte was gekomen. Was het alleen maar de geur van de whisky, of had iets in zijn huidige situatie de herinnering opgewekt?

Met zijn creditcard rekende Bourne af, dat leek hem in een drankwinkel geen risico. Even later liep hij met zijn aankoop de winkel uit. Hij liep voorbij de auto waar de vrouw in zat. Naast haar zat een klein kind. Aangezien de CIA het gebruik van kinderen tijdens actief veldonderzoek nooit zou toestaan, bleef alleen de andere man nog over. Bourne draaide zich om, liep weg van de auto waar de man in zat. Hij keek niet naar hem om, wilde hem niet stiekem bespioneren of de standaardmethoden gebruiken waarmee spionnen werden afgeschud. Wél hield hij de wagens vlak voor en achter hem in de gaten.

Tien minuten later was hij aangekomen bij een park. Hij ging zitten op een gietijzeren bank, keek naar het opvliegen en neerdalen van de duiven, fladderend tegen de blauwe lucht. De andere banken waren misschien halfbezet. Er liep een oude man het park in; hij had een bruine zak bij zich die net zo verkreukeld was als zijn gezicht, waar hij een handvol broodkruimels uit haalde. Het leek alsof de duiven op hem hadden gewacht, want ze streken bij hem neer, wervelden om hem heen, koerend en klokkend terwijl ze zich genotvol tegoed deden.

Bourne maakte de whiskyfles open, snoof het chique en complexe aroma op. In een flits zag hij meteen het gezicht van Alex voor zich en het trage stroompje bloed over de vloer. Voorzichtig, bijna met respect, zette hij dit beeld opzij. Hij nam een slokje van de whisky, proefde het op zijn tong en liet de geur in zijn neus opstijgen om de geheugenflard terug te krijgen die hij zo ongrijpbaar vond. Voor zijn geestesoog zag hij weer het uitzicht op de Champs-Elysées. Hij hield een fraai bewerkt, kristallen glas in zijn hand, en terwijl hij uit zijn fles nog een slok nam, zette hij in zijn geheugen het glas tegen zijn lippen. Hij hoorde de luide, bombastische stem weer, dwong zich om terug te keren naar die werkkamer in Parijs waar hij jaren geleden op bezoek was geweest.

Hij zag het pluchen meubilair, het schilderij van Raoul Dufy – een elegant paard met ruiter in het Bois de Boulogne – de donkergroene muren met hun diepe glans, het hoge crèmekleurige plafond, badend in het heldere, priemende Parijse licht. *Ga door,* zei hij tegen zichzelf. *Ga door...* Een vloerkleed met een patroon, twee stoelen met hoge beklede leuningen, een glanzend en zwaar notenhouten bureau in de stijl van Lodewijk XIV, daarachter een lange, charmante en knappe man met een mondaine blik en een statige, typisch Franse neus en wat toefjes grijs haar. Jacques Robbinet, de Franse minister van Cultuur.

Dat was hem! Waar Bourne hem van kende, waarom ze vrienden waren en in zekere zin, landgenoten, kon hij niet zeggen, maar hij wist nu wél dat hij een bondgenoot had met wie hij zonder risico contact kon opnemen. Opgetogen zette Bourne de fles whisky onder de bank, een cadeautje voor de eerste zwerver die hem vond. Hij keek onopvallend om zich heen. De oude man was vertrokken, net als de meeste duiven; alleen een paar grotere paradeerden met hun borst vooruitgestoken op en neer om hun territorium te beschermen en pikten de laatste kruimels op. Een jong stel zat op een bankje te zoenen; drie tieners met een gettoblaster liepen voorbij en maakten obscene geluiden naar het knusse stelletje. Hij was in opperste staat van alertheid – iets klopte er niet, maar wát wist hij niet.

Hij wist maar al te goed dat hij op tijd bij Deron moest verschijnen, maar zijn instinct vertelde hem te blijven zitten totdat hij wist wat er niet klopte. Hij keek weer naar de mensen in het park. Geen man met baard, al helemaal geen kreupele. En toch... Schuin tegenover hem zat een man voorovergebogen met zijn ellebogen op zijn knieën, handen in elkaar gevouwen. Hij zat te kijken naar een jongetje dat zojuist van zijn vader een ijshoorntje had gekregen. Wat Bourne opviel was dat hij een donker suède bomberjack droeg en zwarte trainingsbroek. Hij had zwart, geen grijs haar, geen baard en te oordelen aan de normale manier waarop zijn knieën waren gebogen, kon hij volgens Bourne niet mank lopen.

Bourne, zelf een kameleon, deskundige op het gebied van vermomming, wist dat een van de beste manieren om jezelf te verbergen, het veranderen van je loopje was, vooral wanneer je je voor een professional moest verbergen. Een amateur zal oppervlakkige zaken als haarkleur en kleren opvallen, maar voor een getrainde agent was iemands motoriek zo uniek als een vingerafdruk. Hij dacht terug aan de man die hij in de toiletten van het restaurant had gezien. Droeg hij een pruik en een nepbaard? Dat wist Bourne niet zeker. Wel wist hij zeker dat de man een donker suède bomberjack droeg en een zwarte trainingsbroek aanhad. Vanuit deze positie kon hij het gezicht van de man niet zien, maar hij leek duidelijk veel jonger dan de man in de toiletruimte.

Er was nog iets raars aan hem, maar wat? Hij bestudeerde luttele ogenblikken het profiel van het mannengezicht, en toen wist hij het. In een flits zag hij de man voor zich die hem in de bossen van Conklins landgoed had aangevallen. Het was de vorm van zijn oor, de diepbruine kleur, de welving binnen de schelp.

Goede god! Bourne was erdoor gechoqueerd: dit was de man die hem had beschoten, die hem bijna had vermoord in de grotten van Manassas! Hoe had hij Bourne helemaal tot zover kunnen achtervolgen, terwijl iedere agent van de CIA of de staat die achter hem aan zat, hem was kwijtgeraakt? Hij voelde een koude rilling over zijn lijf. Welk soort man was daartoe in staat?

Daar kon hij maar op één manier achter komen. Uit ervaring wist hij dat je, wanneer je een formidabele tegenstander voor je had, die pas echt uit het veld kon worden geslagen door precies te doen wat hij niet zou verwachten. Toch twijfelde hij even. Zo'n tegenstander had hij nooit eerder gehad. Hij begreep dat hij zich op onbekend terrein zou begeven.

Dit beseffend stond hij op, liep langzaam maar doelbewust door het park en ging naast de man zitten. Hij zag nu duidelijk dat hij een Aziatisch gezicht had. Het maakte indruk dat de man niet opkeek of anderszins liet blijken verrast te zijn. Hij bleef gewoon naar het jongetje kijken. Toen diens ijsje begon te smelten deed zijn vader voor hoe hij de druppels van het hoorntje moest likken.

'Wie ben je?' vroeg Bourne. 'Waarom wil je me vermoorden?'

De man bleef voor zich uitkijken, gaf er geen blijk van dat hij Bourne had gehoord. 'Wat een gelukzalig tafereel van burgerlijk geluk.' Er klonk sarcasme door in zijn stem. 'Ik vraag me af of het kind beseft dat hij ineens door zijn vader verlaten zou kunnen worden.'

Het bevreemdde Bourne om in deze omgeving de stem van zijn tegenstander te horen. Het was alsof hij uit de schaduw tevoorschijn was gekomen en volledig greep had op de wereld van de mensen om hem heen.

'Hoe graag je me ook wil vermoorden,' zei Bourne, 'op dit openbare terrein kun je niets uithalen.'

'Deze jongen is, zeg zes jaar, wat denk je? Veel te jong om het leven te begrijpen, veel te jong om door te hebben waarom zijn vader zou vertrekken.'

Bourne schudde zijn hoofd. Het gesprek verliep niet zoals hij had gedacht. 'Waarom denk je dat? Waarom zou deze man zijn zoon in de steek laten?'

'Een interessante vraag voor een man met twee kinderen. Jamie en Alison heten ze toch?'

Bourne schrok alsof er een mes in zijn zij werd gestoken. Angst en woede streden om voorrang, maar alleen de woede liet hij aan de oppervlakte komen. 'Ik vraag niet eens hoe je zoveel over me weet, maar ik kan je dit vertellen, door mijn familie te bedreigen maak je een fatale fout.'

'O, maak je niet ongerust. Ik heb geen plannen met je kinderen,' zei Khan onverschillig. 'Ik vroeg me alleen af wat Jamie ervan zou vinden als jij nooit meer terugkwam.'

'Ik zal mijn zoon nooit in de steek laten. Ik doe alles wat ik kan om veilig naar hem terug te keren.'

'Ik vind het vreemd dat je zo dol bent op je huidige familie terwijl je het liet afweten bij Dao, Joshua en Alyssa.'

Nu begon de angst in Bourne de overhand te krijgen. Zijn hart klopte pijnlijk; hij voelde een stekende pijn in zijn borst. 'Waar heb je het over? Hoezo denk je dat ik het liet afweten?'

'Je hebt ze toch aan hun lot overgelaten?'

Bourne dacht dat hij zijn greep op de werkelijkheid verloor. 'Hoe durf je? Ze zijn omgekomen! Ze zijn mij ontvallen en ik zal ze nooit vergeten!'

Zijn toehoorder begon te glimlachen, alsof hij een overwinning had behaald door Bourne over een onzichtbare grens te trekken. 'Ook niet toen je met Marie ging trouwen? En zelfs ook niet toen Jamie en Alison werden geboren?' Zijn stem klonk nu gespannen, alsof hij probeerde om iets diep vanbinnen in toom te houden. 'Je wilde een nieuwe Joshua en Alyssa maken. Je gebruikte zelfs de voorletters van hun namen.'

Bourne voelde zich uit het veld geslagen. Het suisde in zijn oren. 'Wie ben je eigenlijk?' vroeg hij met gesmoorde stem.

'Men kent mij als Khan. Maar wie ben jíj, David Webb? Een talendocent kan misschien ooit in de jungle hebben gewoond, maar lijkt me niet vertrouwd met een gevecht van man tegen man; hij weet niet hoe hij een Viet Cong-vangnet moet vlechten; hij kan geen auto's kraken. En hij weet al helemaal niet hoe hij zich voor de CIA moet schuilhouden.'

'We zijn dus kennelijk een mysterie voor elkaar.'

Diezelfde kwellende geheimzinnige glimlach vormde Khans mond weer. Bourne voelde de korte haren achter in zijn nek rechtop staan, had het gevoel dat iets in zijn verbrijzelde geheugen naar boven kwam.

'Hou jezelf dat maar voor. Het feit is, dat ik je nu wél zou kunnen ombrengen, zelfs in deze openbare ruimte,' zei Khan met veel venijn. De glimlach was net zo snel verdwenen als een wolk van vorm verandert, en er zat een lichte trilling in de gladde spieren van zijn bronzen nek, alsof een lang ingehouden woede even aan de oppervlakte was gekomen. 'Ik zou je nu moeten vermoorden. Maar deze extreme handeling zou me blootstellen aan de paar CIA-agenten die nu net de noordelijke ingang van het park zijn binnengekomen.'

Zonder om te draaien wierp Bourne een blik in de aangewezen richting. Khan had gelijk. Twee agenten speurden de gezichten af van iedereen om hen heen.

'Het is tijd om te gaan.' Khan stond op en keek even neer op Bourne. 'De situatie is eenvoudig. Of je gaat met me mee, of je wordt opgepakt.'

Bourne stond op en liep naast Khan het park uit. Khan liep tussen Bourne en de agenten, en nam een route die hen in die positie hield. Alweer was Bourne onder de indruk van de deskundigheid van deze jongeman en van zijn zelfbeheersing in extreme situaties.

'Waarom doe je dit?' vroeg Bourne. Hij was niet ongevoelig geweest voor het opvallende lef van de ander, een uitstraling die Bourne even geheimzinnig als gevaarlijk vond. Khan gaf geen antwoord.

Ze kwamen aan bij de stroom voetgangers en gingen daar al snel in op. Khan had de vier agenten naar Lincoln Fine Tailors zien gaan en snel hun gezichten in zijn geheugen opgeslagen. Voor hem een peulenschil: in de jungle waar hij zichzelf had grootgebracht, kon het van levensbelang zijn een persoon onmiddellijk te herkennen. Hoe dan ook, hij wist, in tegenstelling tot Webb, waar ze alle vier waren. Hij keek nu uit naar de andere twee, want hij was aangekomen bij het cruciale punt waar hij het overwicht had op zijn tegenstander en hij had geen behoefte aan indringers.

Natuurlijk herkende hij hen, verderop in de menigte. Ze stonden standaard opgesteld, ieder aan een kant van de straat, en kwamen direct op hen af. Hij keerde zich naar Webb en kwam tot de ontdekking dat hij alleen stond in de menigte. Webb was spoorloos.

7

Diep in de kelders van Humanistas was een geavanceerde afluistercentrale gevestigd. Deze centrale volgde het verkeer van geheime signalen die vanuit verschillende grote spionagenetwerken verzonden werden. Geen menselijk oor kon die opvangen, omdat geen menselijk oor er wijs uit kon. Aangezien het om gecodeerde signalen ging, moest het onderschepte dataverkeer eerst door een reeks geavanceerde computerprogramma's, die uit heuristische algoritmen bestonden. Met andere woorden: die programma's hadden het vermogen om te leren. Voor elk spionagenetwerk bestond een programma, want elke spionagedienst gebruikte een eigen coderingsalgoritme.

De vele programmeurs bij Humanistas konden sommige codes beter kraken dan andere, maar Spalko had in grote lijnen een goed beeld van wat er zich in de wereld afspeelde. De code van de Amerikaanse CIA was bijvoorbeeld wél gekraakt, dus een paar uur nadat de directeur van de CIA de eliminatie van Jason Bourne had verordonneerd, kon Stepan Spalko dat bericht al lezen.

'Uitstekend,' zei hij. 'Alles verloopt volgens plan.' Hij schakelde het decoderingsprogramma uit en zette een kaart van Nairobi op het beeldscherm. Hij bleef rondom de stad schuiven totdat hij het buitenstedelijke gebied had gevonden waar president Jomo het medische team van Humanistas naartoe wilde sturen om hulp te bieden aan de aids-patiënten die daar in quarantaine zaten.

Op dat moment ging zijn mobiele telefoon. Hij luisterde naar de stem aan de andere kant van de lijn. Hij keek op zijn horloge en zei toen: 'Daar is nog tijd genoeg voor. Je hebt goed werk geleverd.' Toen nam hij de lift naar het kantoor van Ethan Hearn. Naar boven gaand pleegde hij nog een telefoontje, waarin hij iets ritselde dat vele anderen in Boedapest wekenlang vergeefs hadden geprobeerd: een parketplaats voor de operavoorstelling van die avond.

De nieuwe, jonge medewerker op de afdeling Ontwikkeling van Humanistas zat hard achter zijn computer te werken, maar zodra

Spalko binnenkwam, stond hij op. Hij zag er nog net zo schoon en fris uit als Spalko hem 's ochtends had zien verschijnen.

'Geen formeel gedoe hier, Ethan,' zei Spalko met een beminnelijke glimlach. 'We zitten hier niet in het leger.'

'Oké, dank u wel.' Hearn rechtte zijn rug. 'Ik zit hier al vanaf zeven uur vanochtend.'

'Hoe gaat het met de fondsenwerving?'

'Ik heb twee diners en een lunch met betrouwbare kandidaten gepland voor begin volgende week. Ik heb een e-mailtje naar u doorgestuurd met de brieven van aanbeveling die ik naar hen wil sturen.'

'Mooi zo.' Spalko keek de kamer rond om te controleren dat niemand hen kon horen. 'Zeg, heb jij toevallig een smoking?'

'Maar natuurlijk. Ik zou mijn werk niet kunnen doen zonder.'

'Uitstekend. Ga naar huis en kleed je om.'

'Maar?' De wenkbrauwen van de jongeman stonden in een vraagteken gefronst.

'Vanavond ga jij naar de opera.'

'Vanavond? Op zo'n korte termijn? Hoe hebt u nog aan kaartjes kunnen komen?'

Spalko lachte. 'Weet je, ik mag jou wel, Ethan. Volgens mij ben jij de laatste eerlijke man op deze aardbol.'

'Ach nee, dat kan alleen u maar zijn.'

Spalko lachte weer om de verbazing die de jongeman toonde. 'Dat was een grap, Ethan. Nou, kom op. We hebben geen tijd te verliezen.'

'Maar mijn werk dan?' Hearn wees naar zijn computerscherm.

'In zekere zin werk je vanavond. Er zit een man in de zaal die jij moet strikken om donateur te worden.' Spalko's houding was zo ontspannen, zo nonchalant, dat Hearn niets verdachts vermoedde. 'Deze man – hij heet trouwens Lászlό Molnar –'

'Nooit van gehoord.'

'Da's niet vreemd.' Spalko's stem werd samenzweerderig zachter. 'Hij is steenrijk, maar als de dood dat men daarachter komt. Hij komt op geen enkele lijst met donateurs voor, dat weet ik zeker, en als je het ook maar over zijn rijkdom durft te hebben, kun je het verder wel bij hem schudden.'

'Ik begrijp het volkomen,' zei Hearn.

'Hij is een soort connaisseur, al zegt dat begrip tegenwoordig niet zoveel meer.'

'Ik denk dat ik begrijp wat u bedoelt,' knikte Hearn.

Spalko wist zeker dat de jongeman geen idee had wat hij bedoelde, en een vage ondertoon van spijt bekroop zijn gedachten. Zelf was hij eens net zo naïef geweest als Hearn, wel honderd jaar geleden leek nu wel. 'Hoe dan ook, Molnar houdt van opera. Hij heeft al jarenlang een abonnement.'

'Ik weet precies hoe ik moet omgaan moet moeilijke kandidaten als László Molnar.' Hearn schoot behendig in zijn colbertjasje. 'U kunt op me rekenen.'

Spalko grinnikte. 'Daar ging ik tenminste wel vanuit. Afijn, als je eenmaal zijn aandacht hebt, wil ik dat je hem meeneemt naar Underground. Heb je wel eens van die bar gehoord?'

'Natuurlijk. Maar dat wordt dan laat. Na middernacht, zeker.'

Spalko hield zijn wijsvinger tegen de zijkant van zijn neus. 'Nog een geheimpje. Molnar is een nachtbraker. Maar hij zal tegensputteren. Hij geniet er blijkbaar van om te worden overgehaald. Je moet aandringen, Ethan, begrijp je dat?'

'Helemaal.'

Spalko gaf hem een velletje met daarop Molnars stoelnummer. 'Vooruit dan maar. Een prettige avond.' Hij gaf hem een duwtje. 'En veel succes.'

De imposante Romaanse façade van het Magyar Állami Operaház, het Hongaarse Staatsmuziektheater, was schitterend verlicht. Het barokke, verguld-met-rode interieur, drie verdiepingen hoog, glinsterde in wat wel tienduizenden lichtparels leken uit de bewerkelijke, kristallen kroonluchter die als een gigantische klok aan het beschilderde, gewelfde plafond hing.

Deze avond voerde men de opera *Háry János* uit van Zoltán Kodály, een klassieker die sinds 1926 op het repertoire stond. Ethan Hearn haastte zich naar de grote marmeren hal, waar de society van Boedapest die voor deze gelegenheid bij elkaar was gekomen, vrolijk kwetterde. Zijn smoking was van fijne wol en mooi gesneden, maar absoluut niet van een opzichtig merk. In zijn werk was wát hij droeg en hóé hij dat droeg van het hoogste belang. Nederigheid, daar ging het om als je om donaties vroeg.

Hij wilde niet te laat komen, maar hield toch zijn pas in, bang om dat bijzondere, geladen moment te missen vlak voordat het doek opgaat, het moment dat zijn hart sneller deed kloppen.

Nadat hij zich nauwgezet had verdiept in de hobby's van de Hongaarse society, beschouwde hij zichzelf ook een beetje als een operakenner. Hij hield wel van *Háry János*, zowel om de muziek, die zijn wortels had in Hongaarse volksmuziek, als om het epische verhaal dat de oud-soldaat János vertelt over zijn redding van de dochter van de keizer, zijn promotie tot generaal, zijn praktisch met lege handen behaalde overwinning op Napoleon en hoe hij uiteindelijk het hart won van de keizersdochter. Deze zoete geschiedenis was gedrenkt in de bloederige geschiedenis van Hongarije.

Het kwam goed uit dat hij wat laat was, want nadat hij een blik had geworpen op het velletje papier van Spalko, kon hij László Molnar identificeren, die net als de meeste andere toeschouwers al op zijn plaats zat. Hij was, zo maakte Hearn op het eerste gezicht op, een man van middelbare leeftijd. Hij had een gemiddelde lengte en een wat uitgedijde buik en dik achterovergekamd zwart haar. Zijn hoofd had wel iets weg van een champignon. Er groeide een woud van borstelige haren uit zijn oren en op de rug van zijn kleine handen. Hij lette niet op de vrouw links naast hem, die iets te luid kwebbelde met haar gezelschap. De stoel rechts van Molnar was leeg. Het zag ernaar uit dat hij alleen was. Des te beter, dacht Hearn, terwijl hij op zijn plaats achter de orkestbak ging zitten. Even later werden de lichten gedimd, zette het orkest de prelude in en werd het doek met een soepele beweging omhooggetrokken.

Later, in de pauze, nam Hearn een kop warme chocolademelk en mengde hij zich onder de gesoigneerde gasten. Zo was de mens dus geëvolueerd. Anders dan in de dierenwereld was de vrouw onmiskenbaar de meest kleurrijke vertegenwoordiger van de soort. De vrouwen gingen gehuld in lange jurken van Chinese zijde, Venetiaans moiré, of Marokkaans satijn, die een paar maanden geleden nog op de catwalks van couturiers in Parijs, Milaan en New York waren geshowd. De mannen in hun dure merksmokings, leken tevreden rond te cirkelen om hun maatjes, die zich in groepjes ophielden en af en toe champagne of warme chocolade voor zichzelf bestelden, maar er overwegend uitermate verveeld bijstonden.

Hearn had genoten van het eerste deel van de opera en zag uit naar het slot. Maar hij was zijn opdracht niet vergeten. Hij had zelfs tijdens de voorstelling al nagedacht over zijn benadering. Hij hield er niet van zich vast te pinnen op een plan; liever ging hij af op zijn eerste visuele indrukken en bedacht dan pas zijn strategie. Uit visuele aanwijzingen kon zoveel worden opgemaakt als je er oog voor had. Besteedde de gegadigde aandacht aan zijn uiterlijk? Hield hij van eten, of liet hem dat koud? Dronk of rookte hij? Was hij gecultiveerd of ongemanierd? Deze en nog vele andere factoren vormden een mix.

Toen Hearn zijn strategie had bepaald, had hij genoeg zelfvertrouwen om een gesprekje aan te knopen met László Molnar.

'Pardon, meneer,' zei Hearn op zijn meest verontschuldigende toon. 'Ik ben een operaliefhebber. Ik vroeg me af of u dat ook was.'

Molnar had zich omgedraaid. Hij droeg een smoking van Armani die zijn brede schouders sterker deden uitkomen en tegelijk zijn buikje slim verborgen. Hij had grote oren, die van dichtbij nog hariger bleken dan van een afstand. 'Ik ben een operakenner, ja,' zei hij argwanend. Volgens Hearns scherpe gehoor was hij een beetje moe. Hearn lachte zijn meest charmante glimlach en keek Molnar met zijn donkere ogen aan. 'Om eerlijk te zijn,' ging Molnar verder, kennelijk vermurwd, 'ik ben ervan bezeten.'

Dat klopte precies met wat Spalko hem had verteld, dacht Hearn. 'Ik heb een abonnement, al een paar jaar, en het was me opgevallen dat u er ook een hebt.' Hij grinnikte bedeesd. 'Er zijn niet zoveel mensen die van opera houden. Mijn vrouw houdt meer van jazz.'

'De mijne was dol op opera.'

'U bent gescheiden?'

'Nee, weduwnaar.'

'O, het spijt me.'

'Het is al lang geleden,' zei Molnar, die ontdooide nu hij dit stukje persoonlijke geschiedenis had vrijgegeven. 'Ik mis haar zo dat ik haar stoel nooit heb verkocht.'

Hearn stak zijn hand uit. 'Ethan Hearn.'

Na een korte aarzeling nam László Molnar die met zijn harige klauw aan. 'László Molnar. Aangenaam kennis met u te maken.'

Hearn boog hoffelijk wat naar voren. 'Kan ik u een kopje warme chocolademelk aanbieden, meneer Molnar?'

Molnar nam dit aanbod dankbaar aan. 'Dat lijkt me heerlijk.' Terwijl ze samen door de drukke hal liepen, spraken ze over hun favoriete opera's en componisten. Hearn liet Molnar zijn voorkeur als eerste uiten, zodat hij er zeker van was dat ze een paar favorieten gemeen hadden. Molnar was alweer gevleid. Zoals Spalko had opgemerkt, had Hearn een openheid en eerlijkheid over zich die zelfs het meest afgunstige oog moest appreciëren. Hij verstond de kunst om zelfs in de meest kunstmatige situaties natuurlijk over te komen. Molnar was getroffen door die oprechtheid van geest, ontwapend.

'Wat vindt u van de voorstelling?' vroeg Molnar toen ze van hun warme chocolade nipten. 'Ontzettend goed,' antwoordde Hearn. 'Maar er zit zoveel emotie in *Háry János* dat ik er meer van zou genieten als ik de uitdrukkingen kon zien op de gezichten van de hoofdpersonen, moet ik bekennen. Helaas kon ik me geen betere plaats veroorloven toen ik mijn abonnement nam, en nu kun je geen betere plaatsen meer krijgen.'

Molnar zweeg. Hearn was bang dat hij zijn kans nu had verspeeld.

Toen zei de oudere man, alsof het spontaan in hem opkwam: 'Zou u soms op de plaats van mijn vrouw willen zitten?'

'Nog één keer,' zei Hassan Arsenov. 'We moeten nog één keer de reeks van handelingen doorlopen die ons de vrijheid zal schenken.'

'Maar die ken ik al net zo goed als jouw gezicht,' sputterde Zina tegen.

'Goed genoeg om geblinddoekt de route naar onze eindbestemming te vinden?'

'Ach, doe niet zo raar,' mopperde Zina.

'In het IJslands, Zina. Vanaf nu spreken we alleen in het IJslands.'

Er lagen allerlei tekeningen van het Oskjuhlid Hotel in Reykjavik uitgevouwen over het grote bureau in hun hotelkamer. Onder het warme lamplicht werd elke laag van het hotel blootgelegd, vanaf de fundering tot de beveiliging, de riolering en de verwarmings- en airconditioningssystemen, tot de bouwtekening zelf. Op elk vel stonden zorgvuldig genoteerde aantekeningen, pijlen, uitroeptekens die de beveiligingslagen aangaven die elk deelnemend land had toegevoegd aan deze antiterrorismetop. Spalko's inlichtingendienst was onberispelijk gedetailleerd.

'Als we eenmaal langs de beveiliging van het hotel zijn,' zei Arsenov, 'hebben we nog maar weinig tijd om ons doel te bereiken. Het ergste is, dat we niet weten hoe weinig; dat weten we pas als we ter plekke kunnen repeteren. Daarom mogen we absoluut niet twijfelen en geen fouten maken – niet één verkeerde beweging maken!' In zijn ijver begonnen zijn ogen te gloeien. Hij pakte een van Zina's sjaals en trok haar naar de andere kant van de kamer. Hij bond de sjaal voor haar ogen, bond hem strak vast zodat hij zeker wist dat ze niets kon zien.

'We staan binnen bij de ingang van het hotel.' Hij liet haar gaan. 'Nu wil ik dat je voor mij de route loopt. Ik hou de tijd in de gaten. Begin maar!'

Tweederde deel van de route legde ze goed af, maar toen, bij de splitsing van een gang, sloeg ze links- in plaats van rechtsaf.

'Stop maar,' zei hij streng terwijl hij de blinddoek aftrok. 'Zelfs als je de fout had gecorrigeerd, was je niet op tijd aangekomen. De beveiliging – de Amerikaanse, Russische of Arabische – had je allang ingehaald en neergeschoten.'

Zina trilde van woede, was kwaad op zichzelf en op hem.

'Ik ken dat gezicht, Zina. Stop die woede weg,' gebood Hassan. 'Emotie verzwakt de concentratie, en concentratie is precies wat jij nu nodig hebt. Pas als je het pad geblinddoekt zonder fouten kunt afleggen, nemen we de rest van de avond vrij.'

Een uur later, toen ze haar missie had voltooid, zei Zina: 'Lieve schat, kom toch naar bed.'

Arsenov, die nu een eenvoudige zwart geverfde katoenen djellaba droeg, bij het middel omgord, schudde zijn hoofd. Hij stond bij het enorme raam te kijken naar de twinkelende weerspiegeling van Boedapest in het donkere water van de Donau.

Zina lag naakt op het donsdekbed; ze kreunde zacht, diep vanuit haar keel. 'Hassan, voel eens.' Ze streek met haar lange, uitgespreide vingers over de lakens. 'Pure Egyptische katoen, wat een luxe.'

Hij keek naar haar om met een afkeurende frons op zijn gezicht. 'Dat is het nu juist, Zina.' Hij wees naar de half geleegde fles op het nachtkastje. 'Napoleon-cognac, satijnen lakens, een donsdekbed. Deze luxe past niet bij ons.'

Zina sperde haar ogen open en tuitte haar volle lippen tot een pruilmond. 'En waarom niet?'

'Is de les die ik jou geleerd heb het ene oor in- en het andere uitgegaan? Omdat wij kríjgers zijn, omdat we elk wereldse bezit hebben afgezworen.'

'Heb je je wapens ook afgezworen, Hassan?'

Hij schudde zijn hoofd, zijn blik was hard en koud. 'Onze wapens hebben een doel.'

'Deze zachte dingen hebben ook een doel, Hassan. Ze maken me gelukkig.'

Hij gromde diep vanuit zijn keel, kort en afwijzend.

'Ik hoef deze dingen niet te hébben, Hassan,' zei Zina met omfloerste stem, 'ik wil ze alleen maar voor een nachtje of twee gebruiken.' Ze strekte haar hand naar hem uit. 'Kun jij je strenge teugels niet even laten vieren? We hebben hard gewerkt vandaag; we verdienen een beetje ontspanning.'

'Spreek namens jezelf. Ik laat me niet door luxe verleiden,' antwoordde hij kortaf. 'Ik vind het walgelijk dat jij dat wél doet.'

'Ik geloof niet dat je van me walgt.' Ze had iets in zijn ogen gezien, een ontkenning van hemzelf die ze abusievelijk had geïnterpreteerd als de basis van zijn strikte, ascetische karakter.

'Nou goed dan,' zei ze. 'Ik sla de fles cognac stuk en strooi het glas over het bed, als jij maar bij me komt liggen.'

'Ik zei je nog,' bezwoer hij dreigend, 'geen geintjes, Zina.'

Ze zat rechtop op haar knieën en leunde naar hem voorover. Haar borsten glansden in het gele lamplicht, schommelden uitdagend. 'Ik meen het serieus. Als jij met mij in een bed van pijn wil liggen wanneer we vrijen, dan ben ik de laatste om je tegen te houden.'

Hij keek haar een poos aan. Het leek niet in hem op te komen dat ze hem misschien weer in de maling nam. 'Begrijp je het dan niet?' Hij deed een stapje naar voren. 'Ons pad is uitgestippeld. We zijn gebonden aan de *tariqat*, het spirituele pad naar Allah.'

'Begin nou niet over iets anders, Hassan. Ik denk nog steeds aan wapens.' Ze greep hem bij zijn djellaba en trok hem naar zich toe. Met haar andere hand zocht ze naar het verband dat om de schotwond in zijn dijbeen zat, en wreef daar zachtjes over. Toen schoof ze haar hand omhoog.

Hun vrijpartij was even heftig als een handgemeen. Zij was voortgekomen uit de behoefte elkaar te kwetsen, maar ook uit lichamelijke nood. Dat er liefde speelde in hun op- en neergaande gebeuk, hun gekreun en hun ontlading, leek twijfelachtig. Wat Arsenov betrof, die verlangde ernaar te worden genageld aan het bed van glasscherven waar Zina grapjes over had gemaakt, dus toen ze haar nagels in hem zette, bood hij weerstand, zodat ze hem nog strakker vast moest houden, zijn huid moest bekrassen. Hij was ruw genoeg om haar op te hitsen, zodat ze haar tanden liet zien en daarmee in de krachtige spieren van zijn schouders, borst en armen beet. Pas toen de pijn heviger dreigde te worden dan het genot, trok die vreemde hallucinatoire sensatie waarin hij opging, langzaam weg.

Hij had straf verdiend voor wat hij zijn landgenoot, zijn vriend Khalid Murat, had aangedaan. Het maakte niet uit dat wat hij had gedaan noodzakelijk was voor de overleving en opbloei van zijn volk. Hoe vaak had hij niet tegen zichzelf gezegd dat Khalid Murat was geofferd op het altaar van de toekomst van Tsjetsjenië? En toch, als een zondaar, een verworpene, werd hij geplaagd door twijfels en angst: hij had zware straf nodig. Maar tijdens dat korte moment van de dood dat volgt na de seksuele ontlading, vroeg hij zich diep vanbinnen af of het niet altijd zo ging met profeten. Was deze gekweldheid niet eens temeer het bewijs dat het pad dat hij was ingeslagen, het enige juiste was?

Naast hem lag Zina in zijn armen. Ze leek ver van hem af te staan, hoewel ook haar hoofd gevuld was met gedachten aan profeten. Of, preciezer gezegd, aan één profeet. Deze moderne profeet beheerste haar al sinds ze Hassan naar bed had gesleept. Ze vond het vreselijk dat Hassan niet kon genieten van de luxe om hen heen, dus toen ze hem vastpakte, dacht ze niet aan hem toen hij bij haar naar binnenging, maar kreunde ze om Stepan Spalko. En toen ze tijdens het hoogtepunt op haar lippen beet, was dat niet uit passie, zoals Hassan dacht, maar uit angst Spalko's naam uit te schreeuwen. Dat wilde ze zo graag, al was het maar om Hassan te pijnigen op een manier die hem diep zou kwetsen, want ze twijfelde niet aan zijn liefde voor haar. Die liefde vond ze maar saai en onderontwikkeld, iets infantiels, als van een baby die naar mamma's borsten zoekt. Hij zocht warmte en geborgenheid in haar, een terugkeer naar de moederschoot. Het was een liefde waar ze kippenvel van kreeg.

Maar waar zij werkelijk naar verlangde...

Haar gedachten eindigden abrupt toen hij zich zuchtend tegen haar omdraaide. Ze dacht dat hij sliep, maar dat was niet zo, of iets had hem wakker gemaakt. Nu ze zijn verlangens afwachtte, had ze geen tijd meer voor haar eigen gedachten. Ze rook zijn mannelijke geur, die opsteeg als nachtelijke mist; hij begon iets sneller te ademen.

'Ik lag te denken,' fluisterde hij, 'over wat het betekent om profeet te zijn, of ik op een dag zo door ons volk zal worden beschouwd.'

Zina zei niets, ze wist dat hij nu geen commentaar van haar verlangde, dat ze alleen maar luisterde, terwijl hij naar bevestiging zocht voor zijn gekozen pad. Want dat was Arsenovs zwakke plek, die niemand anders kende, die hij alleen aan haar liet zien. Ze vroeg zich af of Khalid Murat slim genoeg was geweest om deze zwakte te zien. Ze wist bijna zeker dat Stepan Spalko dat wél was.

'De koran zegt dat elk van onze profeten de belichaming is van een goddelijke eigenschap,' zei Arsenov. 'In Mozes manifesteert zich het transcendente aspect van de werkelijkheid, want hij kon zonder intermediair met God spreken. In de koran zegt de Heer tegen Mozes: "Wees niet bang, je bent transcendent." Jezus is de belichaming van het profetendom. Als kind riep hij: "God gaf mij het Boek en wees mij als profeet aan".

'Maar Mohammed is de spirituele belichaming en manifestatie van alle namen van God. Mohammed zelf heeft gezegd: "Eerst maakte God mij het licht. Ik was een profeet terwijl Adam nog tussen water en aarde was."'

Zina wachtte even tot ze zeker wist dat hij klaar was met zijn betoog. Toen, terwijl ze haar hand op zijn traag op- en neergaande borst legde, stelde ze hem de vraag die hij van haar verlangde: 'En wat is jóúw goddelijke eigenschap, mijn profeet?'

Arsenov draaide zijn hoofd om op het kussen en keek haar aan. Door het tegenlicht was haar gezicht nauwelijks te zien; wel werden met één lange schilderachtige veeg licht de strakke contouren van haar wang en kaakbeen gesuggereerd. Hij werd betrapt door een gedachte die hij meestal verborgen hield, ook voor hemzelf. Hij wist niet wat hij zonder haar kracht en vitaliteit zou moeten. Voor hem vertegenwoordigde haar baarmoeder de onsterfelijkheid, de heilige plaats die zijn zonen moest voortbrengen, zijn lijn die tot in de eeuwigheid zou worden voortgezet. Maar hij wist dat deze droom niet zonder Spalko's hulp kon worden verwezenlijkt. 'Och, Zina, als je eens wist wat de Sjeik voor ons zal doen, wat hij ons helpt te worden.'

Ze legde haar wang op zijn gekromde arm. 'Zeg het me.'

Maar hij schudde zijn hoofd, een kleine glimlach speelde om zijn mondhoeken. 'Dat zou een vergissing zijn.'

'Waarom?'

'Omdat je met je eigen ogen en zonder voorkennis de verwoesting moet aanschouwen die het wapen aanricht.'

Kijkend in Arsenovs ogen voelde ze ergens diep vanbinnen, op een plek waar ze zelden durfde te kijken, een koude rilling lopen. Misschien voelde ze een voorbode van de verschrikkelijke kracht die over drie dagen in Nairobi zou worden ontketend. Maar met de luciditeit waarmee geliefden soms begiftigd zijn, begreep ze dat Hassan het meest geïnteresseerd was in de angst die dit nieuwe gezicht van de dood – hoe dat er ook uitzag – zou veroorzaken. Angst wilde hij zaaien, zoveel was duidelijk. Angst die men kon gebruiken als een gerechtvaardigd zwaard om alles terug te winnen dat de Tsjetsjenen na twee eeuwen van uitbuiting, repressie en bloedvergieten hadden verloren.

Al van jongs af was Zina vertrouwd met angst. Haar vader, een zwakke man, ten prooi aan de ziekte wanhoop die als een plaag door Tsjetsjenië waarde, had vroeger net als alle andere Tsjetsjeense mannen voor zijn gezin gezorgd, maar durfde niet meer de straat op uit angst dat de Russen hem zouden oppakken. Haar moeder, eens een prachtige jonge vrouw, was in haar laatste jaren een ingevallen, krom oudje met dun haar, slechte ogen en een haperend geheugen.

Als ze thuiskwam na een lange dag van stropen, moest ze meteen naar de dichtstbijzijnde waterpomp lopen, drie kilometer verderop, daar een uur of twee in de rij staan, en teruggaan om thuis de volle emmer vijf trappen op te sjouwen naar hun vuile kamer.

Dat water! Zelfs nu nog werd Zina soms brakend wakker met die smaak van terpentine in haar mond.

Op een avond kon haar moeder niet uit haar stoel opstaan. Ze was achtentwintig, maar zag er twee keer zo oud uit. Door de voortdurende oliebranden waren haar longen verteerd. Toen Zina's jongere broertje om water vroeg, had de oude vrouw naar Zina gekeken en gezegd: 'Ik kan niet opstaan. Zelfs niet voor wat water. Ik kan niet meer...'

Zina draaide zich om en met gedraaid bovenlichaam deed ze de lamp uit. De maan, die haar nog niet was opgevallen, vulde nu het raamkozijn. Daar waar haar bovenlichaam overging in haar smalle taille, viel een straal blauw maanlicht neer, dat het puntje van haar borst bescheen. Onder die borst, tegen de welving aan, lag Hassans hand. Op die straal maanlicht na, was alles donker.

Lange tijd staarde ze naar het plafond, luisterde ze naar Hassans regelmatige ademhaling, wachtte ze tot ze zelf in slaap viel. Wie waren er meer vertrouwd met angst dan de Tsjetsjenen? vroeg ze zich af. De betreurenswaardige geschiedenis van hun volk stond in Hassans gezicht gegroefd. De slachtoffers, de vernietiging deden er voor hem niet toe, hij zag alleen maar de uitkomst: gerechtigheid voor Tsjetsjenië. En hoe wanhopig Zina ook was, ze wist dat ze de aandacht van de wereld moesten trekken. En dat kon tegenwoordig maar op één manier. Ze stond achter Hassan: de Dood moest komen op een manier die daarvóór ondenkbaar was. Ze kon zich echter geen voorstelling maken van de prijs die zij daar allen voor zouden moeten betalen.

8

Jacques Robbinet bracht de ochtenden graag door met zijn vrouw, terwijl ze onder het genot van een *café au lait* de kranten lazen en over de economie, hun kinderen en het leven van hun vrienden spraken. Ze hadden het nooit over zijn werk.

Het was zijn strikte regel om nooit voor twaalf uur op zijn werk te verschijnen. Als hij daar aankwam, las hij het eerste uur vluchtig allerlei documenten door, interdepartementale notities en dergelijke, en beantwoordde hij zijn e-mail als dat nodig was. Zijn telefoon werd beantwoord door zijn assistente, die de telefoontjes afhandelde en alleen de urgente aan hem doorgaf. Hierin was zij, zoals in alles wat ze voor Robbinet deed, voorbeeldig. Ze was persoonlijk door hem opgeleid en haar intuïtie was feilloos.

Bovenal was ze volmaakt discreet. Daardoor kon Robbinet haar vertellen waar hij elke dag met zijn maîtresse ging lunchen – was het in een rustig bistrootje of in het appartement van de minnares in het vierde arrondissement? Dat was belangrijk, want Robbinet lunchte gewoonlijk uitgebreid, zelfs voor Franse begrippen. Zelden was hij voor vier uur terug op kantoor, maar hij bleef vaak achter zijn bureau tot ver na middernacht, in contact met zijn Amerikaanse collega's. Robbinets officiële functie mocht dan wel minister van Cultuur zijn, in werkelijkheid was hij een spion en wel op zo'n hoog niveau dat hij direct aan de Franse president verslag deed.

Deze avond was hij echter uit dineren; de middag was zo vermoeiend en ongekend hectisch geweest dat hij zijn dagelijkse rendez-vous tot laat op de avond had moeten uitstellen. Eén bericht verontrustte hem in het bijzonder. Zijn Amerikaanse vrienden hadden een wereldwijd opsporingsbevel naar hem doorgestuurd en terwijl hij dat las, liepen de rillingen over zijn lijf, want de te elimineren voortvluchtige was Jason Bourne.

Robbinet had Jason Bourne een paar jaar geleden ontmoet in uitgerekend een kuuroord. Robbinet had een weekend geboekt in een oord vlak buiten Parijs, om daar samen met zijn toenmalige minnares te verblijven, een tengere vrouw met een grote seksuele honger. Ze was balletdanseres geweest; nog steeds dacht Robbinet met veel plezier terug aan de ongekende souplesse van haar lichaam. Hoe dan ook, in het stoombad raakten hij en Bourne met elkaar in gesprek. Uiteindelijk kwam hij er op een heel onplezierige manier achter dat Bourne daar op zoek was naar een dubbelspion. Nadat hij haar in zijn val gelokt had, had hij haar omgebracht terwijl Robbinet een of andere behandeling kreeg – een groen modderbad was het, wist hij nog. Maar goed ook, want deze dubbelspion deed zich voor als Robbinets masseuse en probeerde hem te vermoorden. Waar is men kwetsbaarder dan op de tafel van een masseuse? vroeg Robbinet zich af. Wat kon hij daarna anders dan Bourne trakteren op een uitgebreid diner? Die avond, bij de foie gras, de kalfslever met mosterdsaus en de *tarte Tatin*, dit alles weggespoeld met drie flessen van de beste rode bordeaux, werden ze, nadat ze elkaar hun geheimen hadden onthuld, de beste vrienden.

Via Bourne had Robbinet Alexander Conklin leren kennen en was hij Conklins aanspreekpunt geworden voor de operaties van Quai d'Orsay en Interpol.

Robbinets vertrouwen in zijn assistente bleek uiteindelijk Jason Bournes redding: bij de koffie en een decadente *millefeuille* in restaurant Chez Georges, kreeg hij van haar het telefoontje. Hij zat daar met ene Delphine. Robbinet hield van dit restaurant, zowel om het eten als de locatie. Omdat het tegenover de *Bourse* was – de Franse effectenbeurs – kwamen er veel effectenmakelaars en zakenlui, mensen die veel discreter waren dan de roddelzuchtige politici onder wie Robbinet zich regelmatig moest mengen.

'Er is iemand voor u aan de lijn,' meldde zijn assistente. Gelukkig gaf ze ook buiten kantoortijden zijn telefoontjes vanuit haar eigen huis door. 'Hij moet u dringend spreken.'

Robbinet glimlachte naar zijn minnares Delphine, een elegante, rijpe schoonheid wier uiterlijk het tegenovergestelde was van dat van de vrouw die dertig jaar zijn echtgenote was. Ze hadden een verrukkelijk gesprek over Aristide Maillot, wiens voluptueuze naakten de Tuillerieën sierden, en Jules Massenet, wiens opera *Manon* ze allebei overschat vonden. Hij kon die Amerikaanse obsessie met jonge tienermeisjes werkelijk niet begrijpen. Het idee alleen al om een minnares te nemen die je dochter kon zijn, vond hij beangstigend en bovendien ook zinloos. Waar zou je het in godsnaam over moeten hebben bij de koffie en de *millefeuille*? 'Heeft hij gezegd wie hij was?' vroeg hij.

'Ja. Jason Bourne.'

Robbinets hart begon luid te bonzen. 'Verbind hem door,' zei hij meteen. Omdat het onvergeeflijk is om langer dan nodig telefonisch in gesprek te zijn waar je minnares bij is, excuseerde hij zich en ging hij naar buiten, de fijne mist in van deze Parijse avond, en wachtte hij tot hij de stem hoorde van zijn goede vriend.

'Beste Jason. Dat is lang geleden.'

Bourne kikkerde meteen op toen de stem van Jacques Robbinet door zijn mobiele telefoon schalde. Eindelijk de stem van iemand die hem – hopelijk! – niet probeerde te vermoorden. Hij reed over de rondweg in een andere auto die hij op weg naar Deron had gestolen.

'Dat zou ik eerlijk gezegd niet weten.'

'Jaren geleden, niet te geloven,' zei Robbinet. 'Maar ik heb je via Alex altijd wel gevolgd.'

Bourne, die eerst nog ongerust was, ontspande zich nu. 'Jacques, weet je het al van Alex?'

'Ja, *mon ami*. De directeur van de CIA heeft een wereldwijd opsporingsbevel naar je uitgevaardigd. Maar ik geloof er geen woord van. Jij zou Alex nooit kunnen vermoorden. Weet je wie het gedaan heeft?'

'Daar probeer ik achter te komen. Het enige wat ik op het moment weet is dat een zekere Khan er misschien bij is betrokken.'

De stilte aan de andere kant van de lijn duurde zó lang dat Bourne gedwongen was te vragen: 'Jacques? Ben je er nog?'

'Natuurlijk, *mon ami*. Je liet me schrikken, dat is alles.' Robbinet haalde diep adem. 'Deze Khan is bij ons bekend. Hij is een eersteklas huurmoordenaar. Wij weten dat hij verantwoordelijk is voor meer dan tien moorden op hoog niveau, over heel de wereld.'

'Wat is zijn doel?'

'Voornamelijk politici, de president van Mali bijvoorbeeld, maar soms ook prominente zakenlieden. Voorzover wij weten heeft hij geen politiek-ideologische agenda. Hij werkt uitsluitend voor het geld. Dat is het enige waar hij in gelooft.'

'Dat zijn de gevaarlijksten.'

'Ongetwijfeld, *mon ami*,' zei Robbinet. 'Denk je dat hij Alex heeft vermoord?'

'Misschien,' antwoordde Bourne. 'Ik trof hem op het landgoed van Alex, kort nadat ik de lichamen had gevonden. Misschien is hij degene geweest die de politie heeft gebeld, want die kwam meteen toen ik nog in het huis was.'

'Een klassieke val,' merkte Robbinet op.

Bourne zweeg een poos, dacht terug aan Khan, die hem op de campus neer had kunnen schieten en later, vanuit de wilgenboom. Dat hij dat niet gedaan had, was veelzeggend. Dit was kennelijk geen gewone opdracht voor Khan; zijn gestalk was persoonlijk, hij had iets te vereffenen om iets wat waarschijnlijk terugging naar de jungle van Zuidoost-Azië. De meest logische suggestie was, dat Bourne Khans vader had vermoord. Nu was de zoon uit op wraak. Waarom was hij anders zo geobsedeerd geweest door Bournes gezin? Waarom zou hij het anders hebben gehad over Jamie die door Bourne zou worden verlaten? Deze theorie klopte precies met de feiten.

'Wat kun je me nog meer over Khan vertellen?' vroeg Bourne uiteindelijk.

'Heel weinig,' antwoordde Robbinet, 'behalve dan zijn leeftijd: hij is zevenentwintig.'

'Hij ziet er jonger uit,' zei Bourne peinzend. 'En, hij heeft Aziatisch bloed.'

'Volgens een gerucht is hij half Cambodjaans, maar je weet hoe onbetrouwbaar dit soort geruchten is.'

'En de andere helft?'

'Dat weet niemand. Hij is een eenling, heeft geen bekende ondeugden, zijn verblijfplaats is onbekend. Zes jaar geleden dook hij voor het eerst op. Hij had de president van Sierra Leone vermoord. Het lijkt alsof hij daarvóór nooit heeft bestaan.'

Bourne keek in zijn achteruitkijkspiegel. 'Dus zijn eerste officiële moord pleegde hij op zijn eenentwintigste?'

'Wat een debuut, hè?' zei Robbinet droogjes. 'Luister, Jason, deze Khan is uiterst gevaarlijk. Als hij er op de een of andere manier bij betrokken is, moet je uitermate voorzichtig zijn.'

'Je klinkt bang, Jacques.'

'Dat ben ik ook, *mon ami*. Als het om Khan gaat, moet je je niet schamen om bang te zijn. Jij ook niet. Een gezonde dosis angst maakt voorzichtig, en geloof me, voorzichtigheid is nu wel geboden.'

'Dat zal ik onthouden,' zei Bourne. Hij manoeuvreerde door het verkeer, zocht naar de juiste afslag. 'Alex was ergens mee bezig, en ik denk dat hij daarom is vermoord. Weet jij waarmee hij bezig was?'

'Een maand of zes geleden heb ik Alex in Parijs gesproken. We zijn uit eten gegaan. Ik vond hem toen ontzettend afwezig. Maar je kent Alex, zo geheimzinnig als een sfinx.' Robbinet zuchtte. 'Zijn dood is een vreselijk verlies voor ons allen.'

Bourne verliet de ringweg bij Afslag 123, en reed naar Tysons Corner. 'Zegt NX 20 jou iets?
'Meer heb je niet? NX 20?'
Hij reed naar het middelste parkeerterrein van Tysons Corner. 'Ik heb nog iets. Zoek nog een naam op: dr. Felix Schiffer.' Hij spelde de naam. 'Hij werkt voor DARPA.'
'Aha, daar heb ik wat aan. Ik zal kijken wat ik voor je kan doen.'
Bourne gaf hem zijn mobiele telefoonnummer terwijl hij uit de auto stapte. 'Luister, Jacques, ik ga naar Boedapest, maar ik zit zonder geld.'
'Geen probleem,' zie Robbinet. 'Zullen we weer het gebruikelijke arrangement doen?'
Bourne had geen idee wat dat was. Hij kon niet anders dan instemmen.
'*Bon*. En hoeveel?'
Hij liep de trap op, stak Aviary Court over. 'Honderdduizend moet genoeg zijn. Ik verblijf in het Danubius Grand Hotel, onder Alex' naam. Laat op het pakket "wordt afgehaald" zetten.'
'*Mais oui*, Jason. Wat je maar wenst. Kan ik je nog op een andere manier van dienst zijn?'
'Voorlopig niet.' Bourne zag Deron aan de overkant staan bij een winkel die Dry Ice heette. 'Bedankt voor alles, Jacques.'
'En let goed op, *mon ami*,' zie Robbinet voordat hij ophing. 'Met Khan in het spel kan er van alles gebeuren.'

Deron had Bourne gezien en begon langzamer te lopen zodat Bourne hem kon inhalen. Het was een kleine man met een chocoladebruine huid, een fijn gezicht met hoge jukbeenderen en ogen die zijn scherpe intelligentie uitstraalden. Met zijn lichte jasje, strak gesneden pak en glanzend lederen attachékoffer leek hij op en top een zakenman. Hij glimlachte toen ze naast elkaar door het overdekte winkelcentrum liepen.
'Fijn je weer eens te zien, Jason.'
'Jammer dat de omstandigheden niet zo fijn zijn.'
Deron lachte. 'Jezus, man, ik zie jou alleen maar wanneer de hel is losgebroken.'
Tijdens het gesprek schatte Bourne afstanden in, zocht hij naar ontsnappingsroutes en bestudeerde hij gezichten.
Deron opende zijn koffer en gaf Bourne een glanzend pakket. 'Paspoort en lenzen.'
'Dank je wel.' Bourne stopte het pakketje weg. 'Ik zorg ervoor dat je binnen een week je geld hebt.'

'Maakt niet uit.' Deron wuifde met zijn langevingerige schildershand. 'Dat zit wel goed.' Hij gaf Bourne nog een voorwerp. 'Moeilijke omstandigheden vereisen extreme maatregelen.'

Bourne hield het pistool in zijn hand. 'Waar is deze van gemaakt? Hij is zo licht.'

'Van keramiek en plastic. Ik heb er de afgelopen paar maanden aan gewerkt,' zei Deron trots. 'Niet bruikbaar voor de lange afstand, maar heel precies van dichtbij.'

'En ze zullen hem op een vliegveld niet vinden,' zei Bourne.

Deron knikte. 'Hier heb je munitie.' Hij gaf Bourne een klein kartonnen doosje. 'Keramiek met een plastic punt, vandaar het kleine kaliber. Ander voordeel, kijk, er zitten gaatjes in de loop, die dempen het geluid van de knal. Een schot maakt bijna geen geluid.'

Bourne fronste. 'Maar heeft dat geen nadelige invloed op de impact?'

Deron lachte. 'Dat is ballistiek van de oude school, man. Neem van me aan dat degene die jij hiermee neermaait blijft liggen.'

'Deron, je hebt bijzondere talenten.'

'Hé, ik ben ik.' De vervalser zuchtte diep. 'Oude meesters kopiëren heeft zo zijn charme, denk ik. Ik heb ongelooflijk veel van hun oude technieken geleerd. Anderzijds, de wereld die jij voor mij hebt geopend, een wereld die niemand in dit winkelcentrum kent, behalve jij en ik, die wereld is pas echt opwindend.' Er was een wind opgestoken, een koude voorbode van verandering, en Deron zette de kraag van zijn jas omhoog. 'Ik geef toe dat ik ooit stiekem de ambitie heb gehad om enkele van mijn minder gebruikelijke producten aan mensen zoals jou te verkopen.' Hij schudde zijn hoofd. 'Maar nu niet meer. Wat ik er nu naast doe, doe ik voor mijn plezier.'

Bourne zag een man in een regenjas voor een etalage een sigaret opsteken. Het leek alsof hij daar naar de geëtaleerde schoenen stond te kijken. Het eigenaardige was, dat het damesschoenen waren. Bourne gaf een seintje met zijn hand en beiden sloegen ze linksaf, weg van de schoenenzaak. Snel onderzocht Bourne de beschikbare weerspiegelende oppervlakten om achteruit te kijken. De man in de regenjas was nergens te bekennen.

Bourne woog het pistool, dat vederlicht was. 'Wat vraag je ervoor?' vroeg hij.

Deron haalde zijn schouders op. 'Het is een prototype. Laten we de prijs baseren op het nut dat het voor jou zal hebben. Ik vertrouw erop dat je eerlijk zult zijn.'

Toen Ethan Hearn voor het eerst in Boedapest kwam, duurde het even voordat hij was gewend aan het feit dat de Hongaren zo prozaïsch en weloverwogen konden zijn. Club Underground was in Pest, Teréz Körúta 30, in een kelder onder een bioscoop. Dat het onder een filmtheater was, was ook geen toeval, want Underground was een hommage aan de gelijknamige bekende Hongaarse film van Emir Kusticura. Hearn vond de bar lelijk, postmodern in zijn ergste vorm. Stalen balken liepen zichtbaar over het plafond, daartussen hing een rij zware ventilatoren die dikke rook uitbliezen naar de drinkende en dansende bezoekers. De muziek vond Hearn nog het ergst: een oorverdovende mix van harde garagerock en hitsige funk.

László Molnar had vreemd genoeg nergens last van. Die was zelfs niet weg te slaan bij het moderne uitgaanspubliek, alsof hij helemaal niet naar huis wilde. Hearn zag iets kwetsbaars in zijn snelle, schelle lachje, de manier waarop zijn blik heen en weer flitste, alsof hij een duister en verlammend geheim had. Door zijn werk had Hearn vaak te maken met grote geldbedragen. Niet voor het eerst vroeg hij zich af of zoveel rijkdom een schadelijk effect kon hebben op de menselijke geest. Misschien voelde hij daarom nooit de behoefte om bij de rijken te horen.

Molnar stond erop om voor hen beiden drankjes te bestellen, een mierzoete cocktail die Causeway Spray werd genoemd, met whisky, gemberbier, triple sec en citroen. Ze zaten aan een tafeltje in een donker hoekje; Hearn kon het kleine menu nauwelijks lezen. Ze praatten verder over opera, wat gezien de locatie absurd leek.

Pas na zijn tweede drankje zag Hearn ineens Spalko staan, in de rook achter in de club. Zijn baas zag hem ook, en Hearn verontschuldigde zich. Er stonden twee mannen bij Spalko. Ze zagen er niet uit alsof ze bij club Underground hoorden, maar dat deden hij en Molnar ook niet. Spalko ging hem voor door een donkere gang die door kleine lichtpuntjes werd verlicht. Hij opende een smalle deur naar wat volgens Hearn het kantoor van de manager moest zijn. Er zat niemand binnen.

'Goedenavond, Ethan.' Spalko glimlachte terwijl hij de deur achter zich dichtdeed. 'Het lijkt erop dat jij je loon dubbel en dwars verdient. Goed gedaan!'

'Dank u wel.'

'Dan is het nu tijd dat ik het van je overneem,' zei Spalko allervriendelijkst.

Hearn voelde de elektronische bas door de muren in zijn botten nadreunen. 'Moet ik niet wat langer blijven zodat ik u kan voorstellen?'

'Dat is echt niet nodig. Het wordt tijd dat jij wat rust krijgt.' Hij keek op zijn horloge. 'En gezien het late tijdstip mag je morgen een dagje vrij nemen.'

Hearn sputterde tegen. 'Maar, ik kan niet zomaar...'

Spalko lachte. 'Dat kun je wel, Ethan, en dat zul je ook.'

'Maar u heeft me ondubbelzinnig laten weten...'

'Ethan, ik heb de macht om de regels te bepalen én om ze te veranderen. Als jouw slaapbank er eenmaal is, mag je doen wat je wilt, maar morgen neem jij vrij.'

'Nou, dank u wel.' De jongeman liet zijn hoofd hangen en lachte schaapachtig. Hij had al in geen drie jaar een vrije dag gehad. Uitslapen, in bed de krant lezen en sinaasappeljam op zijn toastje smeren, het was voor hem een hemels visioen. 'Dank u wel. Ik ben u zeer dankbaar.'

'Vooruit, ga maar. Als je weer terug bent op kantoor, heb ik je aanbevelingsbrief gelezen en becommentarieerd.' Hij leidde Hearn uit het snikhete kantoortje. Toen hij de jongeman de trap op naar de voordeur zag lopen, knikte hij naar de twee mannen naast hem. Zij liepen met hem mee door de hysterische drukte bij de bar.

László Molnar probeerde turend door de mist en het kleurenlicht zijn nieuwe vriend te vinden. Sinds Hearn was weggegaan, werd hij geheel in beslag genomen door de blote rug van een dansend meisje in een minirok, maar langzamerhand merkte hij dat Hearn langer wegbleef dan hij verwachtte. Molnar werd overdonderd toen in plaats van Hearn twee mannen naast hem kwamen zitten.

'Wat is hier aan de hand?' zei hij met een stem die piepte van angst. 'Wat willen jullie van me?' De mannen zwegen. De man aan zijn rechterzijde greep hem vast met een huiveringwekkende kracht die hem ineen deed krimpen. Hij was te geschrokken om het uit te schreeuwen, maar zelfs al had hij dat gedaan, dan zou niemand hem horen in de stampende herrie van de club. Nu zat hij er als versteend bij terwijl de man links van hem een injectienaald in zijn dijbeen stak. Het ging zo vlug en zo discreet onder de tafel, dat niemand het gezien kon hebben.

Binnen dertig seconden begon het middel al te werken. Molnars ogen rolden in hun kassen, zijn lichaam werd slap. De twee mannen waren hierop voorbereid en toen ze opstonden, hielden ze hem tussen hen in staande.

'Hij kan niet tegen drank,' zei een van hen tegen een lachende bezoeker. 'Wat moet je met zulke mensen?' De bezoeker haalde zijn schouders op, grinnikte wat en ging terug naar de dansvloer. Niemand keek op toen ze László Molnar uit Underground sleepten.

Spalko wachtte hen op in een grote, glimmende BMW. Ze gooiden de bewusteloze Molnar in de achterbak en gingen daarna zelf in de auto zitten, de een achter het stuur, de ander in de stoel ernaast.

Het was een mooie heldere avond. De maan stond vol en laag aan de hemel. Spalko had het gevoel alsof hij zijn vinger maar hoefde uit te steken om de maan als een knikker te kunnen wegschieten, over het zwarte fluweel van de tafel van de nacht. 'Hoe ging het?' vroeg hij.

'Een peulenschil,' antwoordde de chauffeur terwijl hij de auto startte.

Bourne liep zo snel hij kon uit Tysons Corner. Hij vond het een veilige plek voor zijn ontmoeting met Deron, maar veilig was een betrekkelijk begrip. Hij reed naar de Wal-Mart op New York Avenue. Dat was midden in de stad, dus het was er druk genoeg om er zich anoniem te kunnen voelen.

Hij reed de parkeerplaats tussen 12th en 13th Street op, tegenover de Avenue. Ondertussen was het bewolkt geworden; het zag er dreigend uit aan de zuidelijke horizon. In de auto pakte hij kleren, toiletartikelen, een oplader voor zijn mobiele telefoon en nog wat andere spullen. Hij zocht naar zijn rugzak, waar hij alles gemakkelijk in kon stoppen. Terwijl hij in de rij stond, voortschuifelend met de rest, voelde hij zijn angst groter worden. Hij leek wat voor zich uit te staren, maar ondertussen keek hij rond of er niet iemand was die hem iets te veel aandacht schonk.

Allerlei gedachten gingen door hem heen. Hij werd door de CIA gezocht en kennelijk was er een beloning uitgeloofd. Hij werd achtervolgd door een vreemde, intrigerende, uitzonderlijk getalenteerde jongeman die toevallig ook een van de meest begaafde huurmoordenaars ter wereld was. Hij had twee van zijn beste vrienden verloren, van wie er een betrokken leek te zijn bij een overduidelijk extreem gevaarlijke illegale activiteit.

Bezorgd als hij was, had Bourne de beveiligingsagent die achter hem liep niet gezien. Die ochtend had een ambtenaar deze agent over de voortvluchtige geïnformeerd en hem dezelfde foto gegeven die hij gisteravond laat op televisie had gezien, met het verzoek om naar deze misdadiger uit te kijken. De ambtenaar had erbij uitgelegd dat zijn bezoek deel uitmaakte van een grote speuractie, dat hij en andere agenten van de CIA alle grote winkelcentra, bioscopen en dergelijke hadden bezocht om ervoor te zorgen dat de opsporing van Jason Bourne overal de hoogste prioriteit zou krijgen. De agent was zowel trots als bang toen hij rechtsomkeert maakte, zijn kantoor binnenliep en het nummer draaide dat hij van de ambtenaar had gekregen.

Kort nadat de beveiligingsagent de hoorn had neergelegd, bevond Bourne zich op de heren-wc's. Met het elektrische scheerapparaat dat hij gekocht had, schoor hij zich bijna kaal. Toen kleedde hij zich om. Hij trok een spijkerbroek aan, een rood-wit geblokt overhemd met witte knopen en een sportschoenen van Nike. Voor de spiegel van de wasbakken haalde hij de potjes tevoorschijn die hij op de make-upafdeling had gekocht. Nauwkeurig bracht hij de inhoud daarvan aan en maakte zo zijn huid wat donkerder. Met een ander product accentueerde hij zijn wenkbrauwen. De contactlenzen die hij van Deron had gekregen, maakten zijn grijze ogen dofbruin. Soms moest hij even stoppen als er iemand binnenkwam of zijn handen waste, maar er was bijna niemand.

Toen hij klaar was bekeek hij zichzelf in de spiegel. Pas toen hij een opvallende moedervlek hoog op zijn wang had gezet, was hij tevreden. De metamorfose was compleet. Hij deed zijn rugzak om en liep naar buiten, door de winkel in de richting van de glazen ingang.

Martin Lindros was in Alexandria bezig om de mislukte aanhouding bij Lincoln Fine Tailors af te werken, toen hij het telefoontje van het hoofd beveiliging van de Wal-Mart aan New York Avenue kreeg. Die ochtend had hij besloten dat hij en rechercheur Harry Harris uit elkaar zouden gaan en ieder met zijn eigen team de buurt zou uitkammen. Lindros wist dat Harris een paar kilometer dichter in de buurt was dan hij, omdat die zich nog geen tien minuten geleden had gemeld. Hij zat in een lastig parket. En Lindros wist dat hij van zijn superieur de wind van voren zou krijgen wegens het fiasco bij Fine Tailors. Als de Oude Rot erachter zou komen dat hij een rechercheur van de staatspolitie eerder had laten aankomen op de laatst bekende locatie van Jason Bourne, dan waren de rapen gaar. Het was een moeilijke situatie, dacht hij terwijl hij nog eens extra gas af. Maar uiteindelijk ging het erom Bourne te pakken te krijgen. Hij hakte de knoop door. *Ze kunnen allemaal de pot op met hun kinnesinne,* dacht hij. Hij schakelde zijn telefoon in, kreeg Harris aan de lijn en gaf hem het adres van de Wal-Mart.

'Harry, luister goed, je moet hem onopvallend benaderen. Jouw taak is het gebied af te sluiten. Jij moet ervoor zorgen dat Webb niet kan ontsnappen, meer niet. Onder geen beding laat jij je kop zien; je mag hem ook niet arresteren. Is dat duidelijk? Over een paar minuten ben ik bij je.'

Ik ben niet zo stom als ik eruitzie, dacht Harry Harris toen hij de drie patrouillewagens coördineerde die hij onder zijn bevel had. *En ik ben zeker niet zo stom als Lindros denkt.* Hij had meer dan genoeg ervaring met die federale typetjes en hij moest nog maar afwachten hoe deze jongens waren. De federalen hadden zich hun superieure gedrag aangemeten, alsof de andere politiediensten achterlijk waren en als kleine kinderen moesten worden aangestuurd. Deze houding was Harris een doorn in het oog. Lindros had hem onderbroken toen hij probeerde zijn visie aan hem uit te leggen, dus waarom zou hij die nu met hem willen delen? Lindros beschouwde hem als zijn muilezel, als iemand die zo dankbaar was dat hij met de CIA mocht samenwerken, dat hij alle orders stipt en onvoorwaardelijk opvolgde. Harris wist nu zeker dat hij buitenspel werd gezet. Lindros had hem met opzet niet over de actie in Alexandria geïnformeerd. Harris was er toevallig achter gekomen. Toen hij de parkeerplaats van de Wal-Mart opreed, besloot hij om de situatie volledig in eigen hand te nemen nu het nog kon. Vastberaden pakte hij de radiotelefoon en gaf zijn mannen nors instructies.

Bourne stond bij de ingang van de Wal-Mart toen drie wagens van de staatspolitie van Virginia moet loeiende sirenes door New York Avenue reden. Hij ging in de schaduw lopen. Ongetwijfeld reden ze linea recta naar de Wal-Mart. Ze hadden hem gezien, maar hoe? Er was geen tijd om daar nu bij stil te staan. Hij moest een ontsnappingsplan bedenken.

De patrouillewagens kwamen met piepende remmen tot stilstand, hielden het verkeer op en ontlokten zo een luid geschreeuw aan de automobilisten. Bourne kon maar één reden bedenken waarom zij buiten hun eigen gebied mochten opereren: ze waren ingezet door de CIA. De politie van Washington D.C. zou hels zijn.

Op Alex' mobieltje belde hij de noodlijn van de politie.

'Met rechercheur Morran van de staatspolitie van Virginia,' zei Bourne, 'ik wil onmiddellijk een districtscommandant spreken.'

'U spreekt met Burton Philips, commandant van het Derde District,' antwoordde een chagrijnige stem.

'Luister, Philips, die jongens hebben in niet mis te verstane bewoordingen te horen gekregen dat ze hier uit moesten blijven. Nu zie ik ineens je patrouillewagens bij de Wal-Mart aan New York Avenue en ik...'

'Je zit midden in mijn district, Morran. Wat heb jij daar verdomme te zoeken?'

'Gaat je helemaal niks aan,' schreeuwde Bourne zo onbeschoft hij kon. 'Zorg onmiddellijk dat je je mannen terugtrekt.'

'Morran, ik weet niet waar jij de arrogantie vandaan haalt, maar bij mij werkt het niet. Ik zweer je dat ik er over drie minuten zelf ben om je er persoonlijk bij je ballen weg te sleuren!'

Inmiddels krioelde het van de agenten in de straat. In plaats van de winkel weer in te gaan, hield Bourne zijn linkerknie stijf en hinkte kalm naar buiten met nog een stuk of tien andere bezoekers. De helft van de groep agenten, die onder bevel stonden van een lange rechercheur met kromme schouders en een uitgeput gezicht, scande snel alle gezichten van het naar buiten lopende winkelpubliek, ook Bourne, toen ze de zaak in renden. De overige agenten zwermden uit over de parkeerplaats. Sommigen bewaakten New York Avenue tussen 12th en 13th Street, anderen zorgden ervoor dat bestuurders die aankwamen in hun auto's bleven zitten; een paar anderen coördineerden met hun walkietalkies het verkeer.

Bourne liep niet naar zijn auto, maar sloeg de hoek om en beende naar het laadplatform achter het gebouw waar de voorraden werden aangeleverd. Verderop zag hij een stuk of vier vrachtwagens geparkeerd staan, die werden uitgeladen. Schuin tegenover de straat lag Franklin Park. Hij liep die kant op.

Er werd naar hem geschreeuwd. Hij liep door alsof hij het niet had gehoord. Sirenes loeiden en hij keek op zijn horloge. Commandant Burton Philips was precies op tijd. Hij liep halverwege de zijmuur van het gebouw toen er weer werd geroepen, nog dwingender. Toen ineens hoorde hij een luid geschreeuw van mannen die verwikkeld raakten in een met scheldwoorden doorspekte ruzie.

Hij draaide zich om en zag de rechercheur met de kromme schouders zijn dienstrevolver voor zich houden. Achter de rechercheur rende de grote, imposante commandant Philips met zijn glanzende grijze haar, zijn zware kaken en van woede rood aangelopen gezicht. Zoals alle hoogwaardigheidsbekleders waar ook ter wereld werd hij geflankeerd door twee zwaargewichten met een dreigende frons. Hun rechterhand rustte op hun pistolen. Kennelijk waren ze bereid iedereen neer te knallen die de wensen van hun commandant zou kunnen frustreren.

'Heb jij de leiding over deze agenten uit Virginia?' vroeg Philips.

'Staatspolitie,' zei de kromgeschouderde rechercheur. 'En ja, ik heb de leiding.' Hij keek fronsend naar de uniformen van de stedelijke politie. 'Wat moeten jullie hier in godsnaam? Jullie verknallen zo mijn hele operatie.'

'Jóúw hele operatie!' Commandant Philips was woedend. 'Maak

dat je zo snel mogelijk uit mijn gebied wegkomt, achterlijke heikneuter!'

Het smalle gezicht van de rechercheur trok wit weg. 'Wie noemt hier wie een achterlijke heikneuter?'

Bourne liet hen hun gang gaan. Naar het park kon hij niet meer gaan: nu hij door de rechercheur was gezien, moest hij op een snellere manier ontsnappen. Hij schuifelde tot aan het eind van het gebouw en liep verder naar het rijtje vrachtwagens. Hij vond er een die uitgeladen was en klom in de cabine. Hij draaide de sleutel, die nog in het contactslot zat, een kwartslag om. Met een diep gebrom kwam de vrachtwagen tot leven.

'Hé jij daar, waar ga je met mijn vrachtwagen naartoe?'

De chauffeur trok het portier open. Het was een grote kerel met een nek als een boomstam en bijpassende armen. Terwijl hij opsprong greep hij naar een geweer met afgezaagde loop dat verborgen was op een geheim plekje boven het stuur. Met zijn vuist gaf Bourne de man een klap op zijn neusbrug. Er stroomde bloed, de ogen van de chauffeur rolden weg, de man liet zijn geweer vallen.

'Het spijt me, beste vriend,' zei Bourne nadat hij de klap had uitgedeeld waarmee hij deze boom van een kerel bewusteloos had geslagen. Hij hees hem aan zijn met metaal beslagen broekriem naar binnen en zette hem op de stoel. Toen trok hij het portier dicht en reed weg.

Op dat moment zag hij een nieuwe figuur op het toneel verschijnen. Een jeugdige man was tussen de twee ruziënde wetshandhavers gekomen en trok hen met geweld uit elkaar. Bourne herkende hem: het was Martin Lindros, de adjunct-directeur van de CIA. Kijk eens aan, de Oude Rot had de uitvoering van de sanctie aan Lindros overgelaten. Dat was slecht nieuws. Van Alex wist Bourne dat Lindros briljant was; het was niet eenvoudig om hem te slim af te zijn, zoals bleek uit het strakke kordon dat hij om de Old Town had gelegd.

Maar voorlopig was de wedstrijd nog onbeslist, al had Lindros wel de vrachtwagen van de parkeerplaats af zien rijden en probeerde hij die tot stilstand te gebaren.

'Niemand mag het terrein verlaten!' schreeuwde hij.

Bourne negeerde hem, drukte het gaspedaal verder in. Hij kon zich geen oogcontact veroorloven met Lindros; ervaren als die was, zag hij waarschijnlijk meteen door Bournes vermomming heen.

Lindros trok zijn pistool. Bourne zag hem schreeuwend en wuivend naar de gegalvaniseerde stalen hekken rennen waar Bourne doorheen moest.

Twee agenten van de staat Virginia gaven gehoor aan Lindros' uitgeschreeuwde bevelen en sloten gehaast het hek, terwijl een voertuig van de CIA zich een weg baande uit de blokkade op New York Avenue, om de vrachtwagen te onderscheppen.

Bourne trapte op het gaspedaal, en als een gewond monster schoot de truck vooruit. Op het allerlaatste moment sprongen de agenten weg toen hij door het hekwerk heen reed. De hekken, die uit hun scharnieren werden gerukt en hoog de lucht in slingerden, vielen aan beide kanten van de truck neer. Hij schakelde een versnelling terug, maakte een scherpe bocht naar rechts en reed met toenemende snelheid de straat op.

In de grote zijspiegel zag hij dat de wagen van de CIA snelheid minderde. Het portier van de bijrijder zwenkte open, Lindros sprong naar binnen en trok het portier achter zich dicht. De auto vloog als een speer weg en haalde de truck zonder moeite in. Bourne wist dat hij met deze trage kolos niet kon winnen van de CIA-wagen, maar de grootte van het bakbeest, die nadelig was voor de snelheid, zou op een andere manier een voordeel kunnen zijn.

Hij liet zich volgen door de wagen van de CIA. Die begon meer vaart te krijgen en ging naast de cabine rijden. Hij zag dat Martin Lindros, geconcentreerd op zijn lippen bijtend, zijn pistool op hem richtte, waarbij hij zijn ene arm stabiel liet rusten op zijn andere. Anders dan acteurs in actiefilms, wist Lindros wél hoe hij vanuit een rijdend voertuig moest schieten.

Net toen hij de trekker wilde overhalen zwenkte Bourne de truck naar links. Het CIA-voertuig klapte tegen de zijkant; Lindros stak zijn pistool omhoog terwijl de chauffeur probeerde om niet tegen de rij geparkeerde auto's aan de andere kant van de weg te botsen.

Toen de chauffeur zijn wagen weer onder controle had, begon Lindros op de cabine van de truck te schieten. Zijn positie was niet erg gunstig en hij werd flink door elkaar geschud, maar de kogelregen dwong Bourne wél om de truck naar rechts te sturen. Eén kogel was door het zijraampje gegaan, twee andere kogels schoten door de achterbank en raakten de vrachtwagenchauffeur in zijn zij.

'Verdomme, Lindros,' riep Bourne. Hoe netelig de situatie ook was, Bourne wilde niet dat er onschuldig bloed vloeide. Hij reed al in westelijke richting; het Academisch Ziekenhuis George Washington lag in 23rd Street, niet ver weg. Hij sloeg rechtsaf en toen naar links, denderde door K Street en claxonneerde toen hij door het rode stoplicht reed. Een automobilist in 18th Street die waarschijnlijk achter zijn stuur zat te dommelen, miste het signaal en knalde tegen de zijkant van de truck. Bourne slingerde gevaarlijk over de weg, maar kreeg de truck weer in zijn macht en reed verder. Lindros zat nog steeds achter hem, maar kon hem niet inhalen want K Street, een doorgaande weg met een middenberm, was daar te smal voor.

Toen hij 20th Street was overgestoken zag hij de tunnel die onder Washington Circle doorging. Het ziekenhuis lag daar in de buurt. Achteruit kijkend zag hij dat de CIA-wagen achter hem verdwenen was. Hij wilde 22nd Street inslaan richting het ziekenhuis, maar net toen hij linksaf wilde slaan, zag hij vanuit diezelfde straat de CIA-wagen op hem afkomen. Lindros hing uit het raam en begon op hem te schieten.

Bourne stampte op het gaspedaal en de truck sprong vooruit. Hij moest nu door de tunnel heen, die uitkwam aan de andere kant van het ziekenhuis. Bij het naderen van de tunnel zag hij dat er iets niet klopte. De tunnel onder Washington Circle was helemaal donker; er was geen daglicht aan het eind. Dat kon maar één ding betekenen: een versperring. Een batterij aan voertuigen wachtte hem aan beide zijden van K Street op.

Hij raasde door de tunnel, verminderde snelheid en trapte toen het helemaal donker was op de rem. Tegelijkertijd drukte hij met de muis van zijn hand de claxon in. Het loeiende lawaai weerkaatste oorverdovend tegen het steen en beton van de tunnelwand, waardoor de piepende banden niet te horen waren toen Bourne het stuur naar links gooide en zo de truck dwars over de weg parkeerde. Hij sprong uit de cabine en sprintte noordwaarts naar de muur, gedekt door de laatste auto die vanuit de andere richting kwam aangereden. De chauffeur die daarin zat, had zijn wagen even stilgezet om naar het ongeluk te gapen, en reed weer verder toen er nog meer politie aankwam. De truck stond van muur tot muur over beide weghelften van K Street tussen hem en zijn achtervolgers in. Hij zocht naar de stalen, tegen de tunnelwand geschroefde onderhoudstrap, sprong erop en klom naar boven toen de zwaailichten aangingen. Hij wendde zijn hoofd af, deed zijn ogen dicht en klom verder.

Even later zag hij de zwaailichten de truck en het wegdek daaronder beschijnen. Bourne, die bijna op het gewelfde dak van de tunnel was aangekomen, kon Martin Lindros nog net zien. Hij stond te praten in een walkietalkie; vanuit de andere richting kwamen nieuwe zwaailichten. Ze hadden de vrachtwagen klemgezet. Van beide kanten uit K Street liepen agenten met getrokken pistolen naar de truck toe.

'Meneer, er zit iemand in de cabine van de truck.' De agent kwam dichterbij. 'Hij is geraakt; hij bloedt flink.'

Lindros snelde toe, zijn door spanningen getekende gezicht verscheen in het lichtveld. 'Is het Bourne?'

Hoog boven hen had Bourne het onderhoudsluik bereikt. Hij verschoof de grendel, maakte het luik open en kwam uit bij de sierbomen langs Washington Circle. Om hem heen raasde het verkeer, een aaneensluitende voortdenderende vage sliert die maar niet ophield. In de tunnel onder hem werd de gewonde vrachtwagenchauffeur naar het ziekenhuis gebracht. Nu werd het tijd dat Bourne zichzelf redde.

9

Khan had veel respect gekregen voor David Webbs vermogen om te verdwijnen en wilde geen tijd verspillen om hem in de drukke menigte van Old Town op te sporen. Wél had hij zich geconcentreerd op de CIA-mannen en had hen terug naar Lincoln Fine Tailors geschaduwd, waar ze Martin Lindros ontmoetten voor een pijnlijke verantwoording van hun mislukte aanhouding. Hij bespioneerde hen toen ze de kleermaker ondervroegen. Volgens standaard intimidatietechnieken hadden ze hem uit zijn vertrouwde omgeving gehaald – in dit geval, zijn kleermakerszaak – en achter in een van hun auto's gezet, waar hij zonder verklaring werd vastgehouden, geperst tussen twee uitdrukkingsloos kijkende agenten. Van het gesprek tussen Lindros en de agenten dat hij had afgeluisterd, begreep hij dat ze niets bijzonders uit de kleermaker hadden gekregen. Hij beweerde dat de agenten zo snel zijn winkel waren binnengestormd, dat Webb geen tijd had gehad om te zeggen waar hij voor gekomen was. De agenten hadden daarom maar besloten hem te laten gaan. Lindros ging daarmee akkoord, al had hij wél twee nieuwe agenten in een onopvallende voor de kleermakerszaak geposte auto, voor het geval Bourne hem nog eens zou opzoeken.

Nu, twintig minuten nadat Lindros was vertrokken, verveelden deze agenten zich. De donuts en de cola waren op en nu zaten ze in de auto te mopperen dat ze op wacht waren gezet terwijl hun collega's achter de roemruchte spion David Webb aan zaten.

'Niet David Webb,' zei de zwaarste van de twee agenten. 'De Directeur eist dat we hem bij zijn werknaam noemen, Jason Bourne.'

Khan, die dichtbij stond en elk woord kon volgen, verstijfde. Uiteraard had hij ooit van Jason Bourne gehoord. Al jarenlang stond Bourne bekend als de meest begaafde internationale huurmoordenaar ter wereld. Khan, die goed op de hoogte was van zijn vakgebied, had de ene helft van de verhalen afgedaan als verzinsels, de andere helft als overdrijving. Het was simpelweg niet mogelijk dat een mens het lef, het vermogen en het ronduit dierlijke vernuft bezat dat Jason Bourne werd toegedicht. Hij had het zelfs voor mogelijk gehouden dat Bourne helemaal niet bestond.

En nu, nu hoorde hij deze CIA-agenten praten over een David Webb die Jason Bourne was! Heel even duizelde het Khan voor zijn ogen. Hij was totaal verbijsterd. David Webb was geen gewone universitaire talendocent, zoals in Spalko's dossier werd beweerd, maar een van de allerbeste huurmoordenaars ter wereld. En dat was de man met wie Khan sinds gisteren een kat-en-muisspel had gespeeld! Dat verklaarde ineens heel veel, onder andere dat Bourne hem in het park had herkend. Normaliter volstond het als vermomming om je gezicht, je haar en je manier van lopen te veranderen. Maar nu had hij met Jason Bourne te maken, een agent wiens vaardigheden en expertise, vooral op het gebied van vermomming, legendarisch waren en heel waarschijnlijk die van hem evenaarden. De gebruikelijke trucs, hoe listig ook, werkten niet bij Bourne. Khan begreep dat hij het niveau van zijn spel moest opschroeven als hij wilde winnen.

In een flits vroeg hij zich af of Webbs echte identiteit al bekend was bij Stepan Spalko toen hij Khan het magere dossier overhandigde. Hij moest het inderdaad geweten hebben, peinsde Khan. Het was de enige verklaring waarom Spalko de moorden op Conklin en Panov in Bournes schoenen wilde schuiven. Een klassieke manier om desinformatie te verspreiden. Zolang de CIA maar geloofde dat Bourne het had gedaan, was er geen reden om elders naar de echte moordenaar te zoeken – en het zou hun zeker niet meer lukken om de waarheid te achterhalen waarom deze mannen waren vermoord. Het was duidelijk dat Spalko Khan als lokaas wilde gebruiken in een ander, groter spel, zoals hij ook Bourne gebruikte. Khan moest erachter komen wat Spalko van plan was – hij diende niet graag als lokaas.

Om achter de waarheid van de dubbele moord te komen, moest Khan met de kleermaker praten, wist hij. Het maakte niet uit wat die aan de CIA had verteld. Nadat hij Webb had gevolgd – hij kon hem nog geen Jason Bourne noemen – wist hij dat kleermaker Fine genoeg tijd had gehad om alle informatie te geven die hij bezat. Toen Khan het tafereel observeerde, was er een moment geweest waarop hij de kleermaker recht in zijn ogen keek. Hij zag toen dat hij een trotse, koppige man was. Door zijn boeddhistische achtergrond vond Khan trots een ongewenste eigenschap, maar in deze situatie erkende hij dat het Fine van pas kwam, want hoe meer de CIA-agenten hem onder druk zetten, hoe dieper hij zich had ingegraven. De CIA had niets uit hem kunnen krijgen, maar Khan wist wel raad met trots en koppigheid.

Hij trok zijn suède jasje uit en maakte een scheur in de voering, zodat de agenten die de winkel in de gaten hielden hem zouden aanzien voor een gewone klant van Lincoln Fine Tailors.

Hij stak de straat over en liep de zaak binnen, een vrolijk getinkel van de deurbel veroorzakend. Een van de Mexicaanse vrouwen keek op van de strippagina van de krant; haar lunch, een tupperware bakje met bonen en rijst, stond half aangeroerd voor haar. Ze kwam naar hem toe en vroeg of ze hem kon helpen. Ze had weelderige vormen, zware wenkbrauwen en grote donkerbruine ogen. Hij zei dat het gescheurde jasje hem zeer dierbaar was, en dat hij daarom meneer Fine zelf wilde spreken. De vrouw knikte. Ze liep weg, kwam even later terug en ging zonder iets tegen Khan te zeggen weer op haar plek zitten.

Er verstreken enige minuten voordat Leonard Fine verscheen. Hij zag er nog slechter uit na zijn lange en zeer onplezierige ochtend. Het leek alsof de recentelijke en intieme omgang met de CIA alle levenslust uit hem had weggetrokken.

'Kan ik iets voor u doen, meneer? Maria vertelde me dat u een jasje wilde laten repareren.'

Khan spreidde het jasje binnenstebuiten uit over de toonbank.

Fine betastte de stof op dezelfde delicate manier als een arts dat bij een patiënt doet. 'O, het is alleen maar de voering. U heeft geluk. Suède is bijna niet te repareren.'

'Laat dat ook maar zitten,' fluisterde Khan. 'Ik ben hier namens Jason Bourne. Ik werk voor hem.'

Op bewonderenswaardige wijze hield Fine zijn gezicht strak en onbewogen. 'Ik heb geen idee over wie u het heeft.'

'Hij bedankt je voor jouw aandeel in zijn geslaagde ontsnapping aan de CIA,' ging Khan verder alsof Fine niets had gezegd. 'En hij wil je laten weten dat je op dit moment door twee agenten wordt bespioneerd.'

Fine leek licht geschrokken. 'Dat verwachtte ik wel. Waar zitten ze? Met zijn knokige vingers kneedde hij nerveus het jasje.

'Aan de overkant van de straat,' zei Khan. 'In de witte Ford Taurus.'

Fine was slim genoeg om niet meteen te kijken. 'Maria,' zei hij, zó zacht dat zij het nog net kon horen, 'staat er een witte Ford Taurus aan de overkant van de straat?'

Maria keek om. 'Dat klopt, meneer Fine.'

'Zie je of daar iemand inzit?'

'Twee mannen,' antwoordde Maria. 'Lange kerels, kort haar. Heel erg Dick Tracy, net als de mannen die we eerder hebben gezien vandaag.'

Fine vloekte binnensmonds. Zijn ogen zochten die van Khan. 'Vertel de heer Bourne... Zeg hem dat Leonard Fine heeft gezegd: "God zij met hem."'

Khan keek hem onbewogen aan. Hij vond de Amerikaanse gewoonte om te pas en te onpas God erbij te halen van slechte smaak getuigen. 'Ik heb informatie nodig.'

'Natuurlijk.' Fine knikte charmant. 'Wat u wilt.'

Martin Lindros begreep voor het eerst de uitdrukking 'het bloed onder de nagels vandaan halen'. Hoe zou hij zich ooit moeten verantwoorden tegenover de Oude Rot, nu Jason Bourne hem voor de tweede keer was ontsnapt?

'Waar heb je in godsnaam het gore lef vandaan gehaald om mijn bevelen niet op te volgen?' schreeuwde hij zo hard hij kon. Er kwam veel lawaai vanuit de tunnel onder Washington Circle, waar de wegenwacht bezig was de truck weg te slepen uit de positie waarin Bourne hem had gemanoeuvreerd.

'Luister eens, ik was toevallig wel degene die had gezien dat hij de Wal-Mart uitging.'

'En toen liet je hem gaan!'

'Dat deed jij, Lindros. Ik had een woedende districtscommandant op mijn nek!'

'Ja, nog zoiets!' schreeuwde Lindros. 'Wat had die vent daar in godsnaam te zoeken?'

'Dat mag jij mij uitleggen, slimmerik. Jij hebt de aanhouding in Alexandria verknoeid. Als je de moeite had genomen mij daarbij te betrekken, had ik je in de Old Town kunnen helpen. Ik ken die wijk als mijn broekzak. Maar nee hoor, de federale politie weet het altijd beter; jullie hebben de touwtjes in handen.'

'Dat heb ik zeker! Ik heb mijn mensen al het personeel van luchthavens, trein- en busstations en autoverhuurbedrijven laten informeren om uit te kijken naar Bourne.'

'Belachelijk! Ook als je me het werken niet onmogelijk had gemaakt, zou ik niet de bevoegdheid hebben om dit soort telefoontjes te plegen. Maar mijn mannen vlooien wel het hele gebied uit, en laten we niet vergeten dat het mijn gedetailleerde laatste beschrijving van Bourne was die jij verspreid hebt onder deze vertrekplaatsen.'

Ook al had Harris gelijk, Lindros bleef tekeergaan. 'Ik eis een verklaring waarom jij in godsnaam de politie van D.C. erbij hebt gehaald. Als je hulp nodig had, had je naar mij moeten komen.'

'Waarom zou ik naar jou gaan, Lindros? Geef me één reden. Ben je soms mijn vriendje of zo? Werken wij op een of andere manier samen? Helemaal níét dus.' Harris had een blik vol walging op zijn sombere gezicht. 'En nog iets: ik heb de stadspolitie er niet bijgehaald, zoals ik al zei. Ze zaten op mijn nek vanaf het moment dat ze er waren. Schuimbekkend begonnen ze te zeiken over hun jurisdictie.'

Lindros luisterde maar half. De ambulance reed weg met zwaailichten en sirenes en bracht de vrachtwagenchauffeur die hij per ongeluk had neergeschoten naar het George Washington Academisch Ziekenhuis. Het had hem bijna vijfenveertig minuten gekost om het gebied te beveiligen, af te zetten als plaats delict, en het slachtoffer uit de cabine te halen. Zou hij het halen? Lindros hoopte het maar. Het zou eenvoudig zijn om Bourne de schuld te geven – hij wist dat de Oude Rot het zo zou zien. Maar de directeur had een pantser dat voor twee derde uit pragmatisme, en een derde deel uit bitterheid bestond; Lindros wist dat hij daar niet aan kon tippen, gelukkig maar. Hoe het lot ook over de vrachtwagenchauffeur zou beslissen, híj had de verantwoordelijkheid, en dit gegeven gaf voeding aan zijn geprikkeldheid. Hij had dan wel niet dat pantser van cynisme van zijn baas, hij ging zichzelf niet bestraffen voor acties waar niets meer aan te doen was. Hij spuwde liever zijn gal.

'Vijfenveertig minuten!' mopperde Harris toen de ambulance door het opgehouden verkeer reed. 'Jezus, die arme kerel had al tien keer dood kunnen zijn. Ambtenaren!'

'Je bent zelf ook een ambtenaar, Harris,' zei Lindros vals.

'O ja, en jij niet?'

De gal in Lindros kwam omhoog. 'Luister goed, heikneuter, ik heb heel wat meer in mijn mars dan jullie. Mijn opleiding...'

'Ondanks jouw opleiding heb je Bourne niet kunnen pakken, Lindros! Je kreeg twee kansen en hebt het twee keer verknald!'

'En hoe heb jij mij geholpen?'

Khan zag hoe Lindros en Harris bezig waren. In zijn wegenwachtoverall viel hij niet op. Niemand vroeg wat hij er te zoeken had. Hij was achter om de truck heen gelopen, had ogenschijnlijk de schade bekeken die de botsende auto had opgelopen, toen hij in het duister de ijzeren ladder tegen de tunnelwand zag. Hij keek op, stak zijn nek uit. Hij vroeg zich af waar die naartoe liep. Had Bourne hetzelfde gedacht, of wist hij het al? Nu keek hij om zich heen om zeker te weten dat niemand in zijn richting keek, en klom snel de ladder op, buiten het bereik van de zwaailichten, waar niemand hem kon zien. Hij vond het luik en het verbaasde hem niet dat de grendel onlangs nog verschoven was. Hij duwde het luik open en klom naar boven.

Staande bij Washington Circle, draaide hij met de klok mee en scande alles wat hij zag, dichtbij of ver weg. Een harde wind woei in zijn gezicht. De lucht betrok en zag er dreigend uit door de donderslagen van het onweer, dat gedempt door de afstand, soms door de canyons en de brede Europees aandoende avenues van de stad rolde. In het westen lagen Rock Creek Parkway, Whitehurst Freeway en Georgetown. In het noorden doemde de hoogbouw van de Hotel Row op – ANA, Grand, Park Hyatt en Marriott, daarachter Rock Creek. In het westen lag K Street, die tot voorbij McPherson Square en Franklin Park liep. In het zuiden lag het logge ministerie van Buitenlandse Zaken, de naar alle kanten uitdijende George Washington Universiteit, de betonnen kolos van het ministerie van Binnenlandse Zaken. Verder weg, waar de rivier de Potomac naar het oosten boog en zich verbreedde om op te gaan in de kalme wateren van het Tidal Basin, zag hij iets blikkeren, een vliegtuig dat bewegingloos in de lucht leek te hangen, licht weerkaatste als een spiegel, hoog boven de zware wolken oplichtte door de laatste straal zonlicht, vlak voordat het aan zijn landing op Washington National Airport begon.

Khans neusgaten gingen openstaan alsof hij de geur van zijn prooi had opgevangen. Bourne was op weg naar de luchthaven. Dat wist hij zeker, want als hij in Bournes schoenen stond, zou hij dat ook doen.

Het afschuwelijke gegeven dat David Webb en Jason Bourne een en dezelfde persoon waren, liet hem niet meer los sinds het moment dat hij Lindros en zijn collega's van de CIA over hem had horen praten. Het idee dat hij en Bourne hetzelfde beroep hadden maakte hem woedend, was een grove verstoring van zijn zelfbeeld. Hij was het – en hij alleen – die zich uit de nachtmerrie van de jungle had gered. Dat hij die verschrikkelijke eerste jaren had overleefd was op zichzelf al een wonder. Maar die begintijd was van hem en hem alleen. Dat hij juist met David Webb het toneel moest delen waar hij zo graag op wilde schitteren, leek zowel een wrede grap als een onduldbare onrechtvaardigheid. Het was een onrecht dat niet snel genoeg kon worden rechtgezet. Hij kon niet wachten om met Bourne de confrontatie aan te gaan, hem de waarheid te vertellen, in zijn ogen te kijken om te zien hoe die onthulling hem van binnen uit kapot zou maken terwijl hij hem neerstak.

10

Bourne stond in de lichte schaduw van het glas en chroom van de vertrekhal. Washington National Airport was een gekkenhuis. Het krioelde er van de zakenlui met laptops en koffers op wieltjes, families met grote pakketten, kinderen met rugzakjes in de vorm van Mickey Mouse, een Power Ranger of een teddybeer, bejaarden in rolstoelen, een groep mormonen die de derde wereld ging bekeren, hand in hand lopende stelletjes, op weg naar het paradijs. Maar ondanks alle drukte bleven luchthavens kil. Bourne zag overal mensen met hol starende, naar binnen gerichte blikken, het automatische verdedigingsmechanisme van de mens tegen de gevreesde verveling.

De ironie ontging hem niet dat op luchthavens, waar het wachten was geïnstitutionaliseerd, de tijd leek stil te staan. Maar niet voor hem. Voor hem telde elke minuut die hem dichter bij het raadsel bracht van de moord op de mensen voor wie hij vroeger werkte.

In het kwartier dat hij er was, had hij al een stuk of tien politieagenten in burger gezien. Sommigen hingen rond in een bar, rokend, drinkend uit grote kartonnen mokken, alsof ze gewone burgers waren. Maar de meesten stonden aan of bij de incheckbalies, loerend naar de passagiers die in de rij stonden te wachten om hun bagage af te geven en hun instapkaart te ontvangen. Bourne begreep meteen dat het praktisch onmogelijk was om een commerciële vlucht te nemen. Wat moest hij doen? Hij wilde zo snel mogelijk in Boedapest zijn.

Hij droeg een geelbruine joggingbroek, een goedkope regenjas over een zwarte coltrui, goedkope schoenen in plaats van de dure sneakers die hij al in de vuilniszak had gegooid, net als de andere kleren die hij droeg toen hij uit de Wal-Mart liep. Sinds hij was gesignaleerd, had hij zich zo snel mogelijk een nieuwe vermomming moeten aanmeten. Maar nu hij om zich heen keek, was hij niet zo blij met zijn keuze.

De rondhangende rechercheurs vermijdend liep hij naar buiten, waar het motregende, en nam hij een shuttlebus die hem naar de terminal van Cargo Air bracht. Hij zat achter de chauffeur en begon een praatje. Ralph heette hij. Bourne had zichzelf voorgesteld als Joe. Ze schudden elkaar kort de hand toen het busje voor een zebrapad moest stoppen.

'Hé, ik heb een afspraak met mijn neef die werkt voor OnTime Cargo,' zei Bourne, 'maar ik heb stom genoeg zijn aanwijzingen verloren.'

'Wat doet hij daar?' vroeg Ralph, die de snelle rijstrook opreed.

'Hij is piloot.' Bourne boog zich naar de chauffeur. 'Hij wilde graag vliegen voor American of Delta Airlines, maar je weet hoe dat gaat.'

Ralph knikte begripvol. 'De rijken worden rijker en de armen worden genaaid.' Hij had een ronde neus, een wilde bos haar en donkere kringen onder zijn ogen. 'Vertel mij wat.'

'Maar eh, kun je me zeggen hoe ik er kom?'

'Beter nog,' zei Ralph terwijl hij in de achteruitkijkspiegel een blik wierp op Bourne. 'Mijn dienst zit erop als ik aankom bij de terminal van Cargo. Loop maar met me mee.'

Khan stond in de regen op het helder verlichte vliegveld en zette alles nog eens op een rijtje. Bourne zou de CIA-agenten al hebben geroken nog voordat hij ze had gezien. Khan had er meer dan vijftig geteld, wat betekende dat er waarschijnlijk drie keer zoveel aan het snuffelen waren in de verschillende gebouwen van het vliegveld. Bourne wist waarschijnlijk dat hij nooit zou wegkomen op een overzeese vlucht, hoe slim zijn vermomming ook mocht zijn. Ze hadden hem gezien in de Wal-Mart, ze wisten ongeveer hoe hij er nu uitzag, had hij begrepen in de tunnel.

Hij voelde Bournes aanwezigheid. Hij had naast hem gezeten in het park en daar een indruk gekregen van zijn gewicht, zijn lichaamsbouw, de souplesse van zijn spieren, het spel van licht over zijn gelaatstrekken. Hij wist zeker dat hij er was. Heimelijk had hij het gezicht van Bourne bestudeerd in die korte momenten dat ze samen waren. Hij wist dat hij zich elke omtrek moest herinneren, en hoe elke gezichtsuitdrukking die omtrekken weer veranderde. Wat had Khan gezocht in dat gezicht van Bourne op het moment dat hij merkte dat die een intense interesse in hem had? Bevestiging? Erkenning? Hij wist het zelf niet eens. Hij wist alleen dat het gezicht van Bourne springlevend was in zijn bewustzijn. Hij was helemaal in de greep van Bourne. Ze waren aan elkaar gebonden op het wiel van hun verlangens totdat de dood hen scheidde.

Khan keek nog eens om zich heen. Bourne moest de stad en waarschijnlijk ook het land uit zien te komen. Maar de CIA zou nog meer personeel inzetten en de speurtocht uitbreiden om de strop nog strakker aan te trekken. Khan zelf zou in Bournes positie ook zo snel mogelijk het land uit willen, dus liep hij naar de Aankomsthal Internationaal. Daarbinnen zag hij een enorme plattegrond van het vliegveld, waar hij de kortste route uitstippelde naar de terminal voor het vrachtverkeer. Nu de gewone passagiersvluchten zo streng werden bewaakt, kon Bourne het best aan boord gaan van een vrachtvliegtuig als hij ooit van dit vliegveld wilde wegkomen. Tijd was nu een cruciale factor voor Bourne. Het zou niet lang duren voordat de CIA besefte dat Bourne geen reguliere vlucht zou nemen en dat ze zich op het vrachtverkeer gingen richten.

Khan liep terug de regen in. Nadat hij eenmaal wist welke vluchten er binnen het komende uur zouden vertrekken, hoefde hij alleen maar uit te kijken naar Bourne. Hij zou hem deze keer flink aanpakken. Hij maakte zich geen illusies meer over de moeilijkheidsgraad van deze taak. Geschrokken en knarsetandend had hij moeten vaststellen dat Bourne een intelligente, hardnekkige en vindingrijke tegenstander was. Hij had Khan verwond door hem een effectieve trap te geven. En weer was hij hem ontglipt. Khan wist dat als hij deze keer wilde slagen, hij Bourne moest verrassen, al besefte hij dat Bourne hem ook in de gaten hield. Vanbinnen sprak de jungle weer tot hem en herhaalde zijn boodschap van dood en verderf. Het einde van zijn lange reis was in zicht. Deze keer zou hij Jason Bourne te slim af zijn.

Bourne was de enige passagier toen ze bij hun bestemming aankwamen. Het was harder gaan regenen en het werd al donker, al was het nog middag. De lucht was een egaal leeg schrijfbord waarop elke toekomst kon worden geschreven.

'OnTime zit op Cargo Five, met FedEx, Lufthansa en de douanedienst.' Ralph parkeerde het busje en trok de sleutel uit het slot. Ze stapten uit, renden half over het wegdek naar een rij grote, lelijke gebouwen met een plat dak. 'Daar is het.'

Ze gingen naar binnen en Ralph schudde de regen van zich af. Hij was een peervormig mannetje met opvallend kleine handen en voeten. Hij wees de linkerkant op. 'Zie je de douanedienst daar? Achter in dat gebouw, twee loketten verderop, zul je je neef vinden.'

'Hartstikke bedankt,' zei Bourne.

Ralph grinnikte en haalde zijn schouders op. 'Geen dank, Joe.' Hij stak zijn hand uit. 'Graag gedaan.'

Terwijl de chauffeur met zijn handen in zijn zakken weg wandelde, liep Bourne naar het kantoor van OnTime. Maar hij was niet van plan daarnaartoe te gaan, nog niet tenminste. Hij draaide zich om en achtervolgde Ralph naar een deur waarop stond VERBODEN TOEGANG VOOR ONBEVOEGDEN. Toen hij zag dat Ralph een identiteitspas in een metalen slot stopte, pakt hij een creditcard. De deur sprong open en toen Ralph naar binnen ging, sprong Bourne stilletjes naar voren en stopte zijn creditcard in de sleuf. De deur ging zoals verwacht dicht, maar door Bournes manoeuvre viel het slot niet dicht. Hij telde tot dertig om zeker te weten dat Ralph niet meer bij de deur was. Toen deed hij de deur open en stopte hij zijn creditcard weg terwijl hij naar binnen ging.

Hij stond in de kleedkamer van het onderhoudspersoneel. De muren waren wit betegeld; er lag een rubberen net over de betonnen vloer zodat de voeten van de mannen droog bleven als ze naar de douches liepen. Bourne telde acht rijen met metalen kluizen, de meeste kluisjes waren voorzien van een eenvoudig combinatieslot. Rechts van hem waren de douches en wasbakken. In de kleinere ruimte daarachter bevonden zich de urinoirs en toiletten.

Bourne keek voorzichtig om de hoek en zag hoe Ralph naar een van de douches liep. Dichterbij stond iemand zich te scheren, met zijn rug naar Bourne en Ralph gekeerd. Bourne keek om zich heen en ontdekte de kluis van Ralph. Hij stond een beetje open, het slot hing aan de klink. Waarom ook niet? In een beveiligde plek als deze kon je je kluisje wel even open laten staan om te gaan douchen. Bourne trok het kluisdeurtje verder open, zag Ralphs identiteitspas liggen, gespeld op een T-shirt, en stak die bij zich. De kluis van de andere onderhoudsman stond ook open. Hij wisselde de sloten om. Daardoor zou het nog wel even duren voordat de chauffeur erachter kwam dat zijn identiteitspas was gestolen, hopelijk de tijd die Bourne nog nodig had.

Hij pakte een paar overalls uit een open karretje met wasgoed, keek of zijn maat erbij zat en kleedde zich snel om. Met Ralphs identiteitspasje om zijn nek ging hij de deur uit en liep hij snel door naar de douanedienst, waar hij het laatste vluchtschema bestudeerde. Er gingen geen vluchten naar Boedapest, maar Rush Service Vlucht 113 naar Parijs vertrok over achttien minuten vanaf Cargo Four. Verder stond er voor de komende negentig minuten niets op het schema, maar Parijs was oké; het was een belangrijk centrum voor vluchten binnen Europa. Vandaar zou het geen moeite kosten om naar Boedapest te vliegen.

Bourne liep snel terug over het glibberige wegdek. Het regende pijpenstelen, maar het bliksemde niet, en het onweer dat hij eerder had gehoord, was verdwenen. Dat was maar goed ook, want hij wilde niet dat Vlucht 113 om welke reden ook vertraging zou oplopen. Hij versnelde zijn pas, haastte zich naar het volgende gebouw, waar Cargo Three en Four zaten.

Hij was doornat toen hij bij de terminal kwam. Hij keek links en rechts om zich heen, en liep naar de balie van de Rush Service. Daar stonden maar een paar mensen, wat niet goed was. Het was altijd beter om op te gaan in een menigte. Hij zag een ingang die voor personeel was bedoeld, schoof zijn pas door het slot. Hij hoorde het bevredigende geluid van een slot dat opensprong, duwde de deur open en ging naar binnen. Terwijl hij door de gang van B-2-blokken liep, door de opslagruimten vol met pallets, werd de geur van harshout, zaagsel en karton hem bijna te machtig. De ruimte ademde een sfeer van tijdelijkheid uit, van constante beweging, van levens die beheerst werden door werkroosters en het weer, door angst voor menselijke en mechanische fouten. Nergens kon je zitten, uitrusten.

Hij bleef recht voor zich uitkijken met een doelbewuste blik in zijn ogen die niemand in twijfel zou durven trekken. Hij kwam snel aan bij de andere deur, die van staal was. Door het kleine raampje zag hij een rijtje vliegtuigen op het asfalt staan die in- of uitgeladen werden. Het duurde niet lang voordat hij bij het vliegtuig van Rush Service was, de laadklep stond al open. Van het vliegtuig naar een brandstofwagen liep een pijp. Een man in een regenjas, capuchon op, stond te tanken. De piloot en copiloot zaten in de cockpit en controleerden hun apparatuur, zoals altijd voor de vlucht.

Net toen hij de identiteitspas van Ralph in het slot wilde steken, ging Alex' telefoon af. Het was Robbinet.

'Jacques, ik kom waarschijnlijk jouw kant op. Kun je me over een uurtje of zeven ophalen vanaf het vliegveld?'

'*Mais oui, mon ami*. Bel me als je bent geland.' Hij gaf Bourne zijn telefoonnummer. 'Het doet me plezier je binnenkort weer te zien.'

Bourne wist wat Robbinet ging zeggen. Hij was blij dat Bourne door het net van de CIA kon glippen. *Maar zo ver is het nog niet,* dacht Bourne. *Zeker niet.* Al was zijn ontsnapping nu niet ver weg meer. Ondertussen...

'Jacques, wat weet je inmiddels? Ben je erachter gekomen wat NX 20 is?'

'Ik ben bang van niet. Er bestaat geen dossier van dit project.'

Bourne werd moedeloos. 'En over Schiffer?'

'Ah, daar weet ik gelukkig iets meer over,' zei Robbinet. 'Er werkt voor DARPA ene dr. Felix Schiffer – werkte, moet ik zeggen.'

Er ging een koude rilling door Bourne. 'Wat bedoel je?'
Bourne hoorde papiergeritsel en zag voor zich hoe zijn vriend voorlas uit de informatie die hij van zijn contactpersonen in Washington had kunnen krijgen. 'Dr. Schiffer komt niet meer voor op het "actieve" rooster van DARPA. Hij is dertien maanden geleden vertrokken.'
'Wat is er met hem gebeurd?'
'Ik heb geen idee.'
'Hij is simpelweg uit het zicht verdwenen?' vroeg Bourne ongelovig.
'Hoe onwaarschijnlijk dat ook klinkt in deze tijd, dat is precies wat er gebeurd is.'
Bourne sloot even zijn ogen. 'Nee. Nee. Hij moet er nog zijn, hij is nog ergens.'
'En zo ja?'
'Professionals hebben hem laten "verdwijnen".'
Nu Felix Schiffer was verdwenen, was het meer dan ooit noodzakelijk dat hij zo snel mogelijk in Boedapest was. Zijn enige aanwijzing was de hotelsleutel van het Danubius Grand Hotel. Hij keek op zijn horloge en maakte een eind aan het gesprek. Hij moest gaan. Nu. 'Jacques, bedankt dat je je nek hebt uitgestoken.'
'Het spijt me dat ik niet meer heb kunnen vinden. Jason...,' zei Robbinet aarzelend. 'Ja?'
'*Bonne chance.*'
Bourne stopte de mobiele telefoon in zijn zak, opende de stalen deur en liep naar buiten het slechte weer tegemoet. De wolken hingen laag en het was donker, de regen viel bij bakken neer, als een glanzend zilveren gordijn in de felle lampen van het vliegveld, en stroomde als een glinsterend vlies over het asfalt. Hij liep licht voorovergebogen in de wind, doelgericht, zoals hij eerder had gedaan, als een man die zijn werk deed en dat snel en efficiënt afgerond wilde hebben. Toen hij om de neus van het vliegtuig was gelopen, zag hij ineens de laadklep. De man die het vliegtuig van brandstof voorzag, had de straalpijp inmiddels ontkoppeld.
Vanuit een ooghoek zag Bourne links van hem iets bewegen. Een van de deuren van Cargo Four werd opengetrapt en er renden een paar beveiligingsagenten met getrokken pistolen naar binnen. Ralph moest zijn kluisje open hebben gekregen; Bourne had geen tijd meer. Hij bleef doorgaan in dezelfde doelbewuste tred. Hij was bijna bij de laadklep toen de brandstofman vroeg: 'Hé, weet jij hoe laat het is? Mijn horloge is stuk.'
Bourne draaide zich om. Meteen herkende hij de Aziatische ge-

laatstrekken van het gezicht onder de capuchon; Khan spoot de brandstof in zijn gezicht. Bourne greep naar zijn gezicht; hij braakte, kon niets zien.

Khan rende op hem af, duwde hem tegen het gladde metaal van de vliegtuigromp. Hij gaf twee harde klappen, één in Bournes maag en één op zijn hoofd. Terwijl Bourne door zijn knieën zakte, duwde Khan hem de laadruimte in.

Toen hij zich omdraaide zag Khan een vrachtmedewerker op hem afkomen. Hij stak zijn arm op. 'Het is oké, ik sluit wel af,' zei hij. Hij had geluk, want door de regen was zijn gezicht of zelfs zijn uniform nauwelijks te zien. De vrachtmedewerker was blij dat hij niet in de regen en wind hoefde te blijven en gaf dankbaar een afscheidsgroet. Khan gooide de klep van de laadruimte dicht en sloot die af. Toen sprintte hij naar de brandstoftruck, parkeerde die ver genoeg van het vliegtuig af, zodat die geen verdenking opriep.

De beveiligingsagenten die Bourne had gezien, liepen naar het rijtje vliegtuigen. Ze zwaaiden naar de piloot. Khan had de truck tussen hemzelf en de aankomende agenten gezet. Hij liep terug naar het vliegtuig, opende de klep naar de laadruimte en sprong naar binnen. Bourne kroop op handen en voeten, zijn hoofd hing neer. Khan, die zich verbaasde om zijn herstelvermogen, schopte hem tegen zijn ribben. Kreunend viel Bourne op zijn zij, zijn armen om zijn middel klemmend.

Khan pakte een stuk touw. Hij duwde Bourne met zijn gezicht tegen de bodem van de laadruimte aan, trok zijn armen op zijn rug en bond hem bij zijn polsen vast. Ondanks het ruisen van de regen hoorde hij de beveiligingsagenten aan de piloot en copiloot schreeuwend naar hun ID-pasjes vragen. Terwijl hij Bourne hulpeloos liet liggen, stond Khan op om stil de klep van de laadruimte dicht te trekken.

Een paar minuten later zat Khan met zijn benen over elkaar in het duister van de laadruimte. De regen die a-ritmisch tegen de romp van het vliegtuig sloeg, deed hem denken aan de trommels van de jungle. Hij was ernstig ziek toen hij die trommels hoorde. In zijn door koorts geteisterde geest klonken ze als brullende vliegtuigmotoren, als het woeste klappen van de wind uit de buitenboordventilatoren vlak voordat een vliegtuig een scherpe duikvlucht neemt. Het geluid had hem beangstigd vanwege de herinneringen die het opriep, herinneringen waarvoor hij lang en hard moest vechten om ze diep op de bodem van zijn bewustzijn te houden. Door die koorts stonden zijn zintuigen op scherp, op het pijnlijke af. Hij wist dat de jungle tot leven was gekomen, dat er figuren op hem afkwamen in een dreigende, v-vormige formatie. Zijn enige bewuste daad was om het kleine, in steen gekerfde boeddhabeeldje dat hij om zijn nek droeg, te verbergen in het snel gegraven kuiltje onder hem. Hij hoorde stemmen en even later begreep hij dat de schimmen vragen aan hem stelden. Hij knipperde met zijn ogen door het koortszweet heen om ze te zien in het blauwe schemerlicht, maar een van hen blinddoekte hem toen. Niet dat dat nodig was. Toen ze hem van zijn bed van bladeren en afval tilden dat hij voor zichzelf had gemaakt, verloor hij zijn bewustzijn. Twee dagen later bevond hij zich in een kampement van de Rode Khmer. Zodra hij gezond werd geacht door een broodmagere man met ingevallen wangen en één waterig oog, begon de ondervraging.

Ze hadden hem in een kuil gegooid waar beesten in krioelden, hij wist nog steeds niet welke. Hij was in een duisternis gegooid, donkerder en dieper dan ooit. En het was deze duisternis, die alomvattend en verstikkend was en tegen zijn slapen drukte als een gewicht dat met het uur zwaarder werd, die hem het meeste angst inboezemde.

Een duisternis die wel iets weg had van deze, in de romp van Rush Service Vlucht113.

...Toen bad Jona tot de Here, zijn God, uit het ingewand van de vis. Hij zeide: Ik riep uit mijn nood tot de Here en Hij antwoordde mij; uit de schoot van het dodentijk schreeuwde ik, Gij hoorde mijn stem. Gij had mij geworpen in de diepte, in het hart der zee, en een waterstroom omving mij; al Uw brandingen en Uw golven gingen over mij heen...

Hij herinnerde zich deze passage nog uit de uiteenvallende en beduimelde bijbel van de missionaris die hij had moeten bestuderen. Verschrikkelijk! Verschrikkelijk! Want Khan was letterlijk door de moorddadige en haatdragende Rode Khmer in de schoot van het dodenrijk gegooid, en hij had gebeden – of wat daarvoor moest doorgaan in zijn nog ongevormde geest – om verlossing. Dat was voordat de bijbel hem was opgedrongen, voordat hij had kennisgemaakt met de inzichten van Boeddha, want hij was neergedaald in de vormeloze chaos op heel jonge leeftijd. De Heer had Jona vanuit de buik van de walvis horen roepen, maar Khan werd niet gehoord. Hij was helemaal alleen gebleven in de duisternis en toen ze het idee hadden dat ze hem voldoende hadden voorbewerkt, haalden ze hem eruit en begonnen ze hem langzaam, kundig, met een kilheid die hij pas na jaren zou verwerven, te martelen.

Khan deed de zaklamp aan die hij bij zich had, en bleef onbewogen naar Bourne staren. Toen hij zijn benen spreidde, trapte hij hard en raakte met de zool van zijn schoen een schouder van Bourne, waardoor hij op zijn zij rolde met zijn gezicht naar Khan toe. Bourne kreunde, knipperde met zijn ogen. Hij hijgde, hapte nog eens naar adem, inhaleerde de gassen van de brandstof, kromp ineen en kotste in de ruimte tussen waar hij lag te creperen van pijn en ellende en waar Khan zat, sereen als Boeddha.

'Tot de grondvesten der bergen zonk ik neer; de grendelen der aarde waren voor altoos achter mij; toch heb ik vanuit de diepten mezelf er weer bovenop geholpen,' zei Khan, vrij naar Jona. Hij bleef streng naar Bournes gezwollen gezicht staren. 'Je ziet er beroerd uit.'

Bourne wilde zich op één elleboog oprichten. Khan trapte die rustig onder hem weg. Voor een tweede maal ging Bourne rechtop zitten, en weer werd dat door Khan verijdeld. De derde keer liet Khan hem met rust en zat Bourne rechtop, tegenover hem.

Khan lachte weer zijn flauwe, gekmakend raadselachtige glimlach, maar plotseling spuugden zijn ogen vuur.

'Dag, vader,' zei hij. 'Het is zo lang geleden; ik had niet gedacht dat het er nog van zou komen.'

Bourne schudde lichtjes zijn hoofd. 'Waar heb je het in godsnaam over?'

'Ik ben je zoon.'

'Mijn zoontje is tien jaar.'

Khans ogen glansden. 'Het gaat niet om hem. Ik ben degene die je in Phnom Penh hebt achtergelaten.'

Plotseling voelde Bourne zich aangevallen. Een ziedende woede kwam in hem op. 'Hoe durf je? Ik weet niet wie je bent, maar mijn zoon Joshua is dood.' De inspanning vergde veel van hem, want weer had hij de gassen ingeademd. Hij boog zich plotseling voorover, kokhalsde weer, maar kon niets overgeven.

'Ik leef nog.' Khans stem klonk bijna zacht toen hij zich vooroverboog en Bourne omhoog trok om hem in zijn ogen te kijken. Hierbij viel de kleine, uit steen gehouwen Boeddha van zijn onbehaarde borst. Het slingerde een beetje terwijl Khan Bourne rechtop probeerde te houden. 'Zoals je ziet.'

'Nee, Joshua is dóód! Ik heb hem zelf begraven, samen met Dao en Alyssa! Ze lagen onder de Amerikaanse vlag.'

'Leugens, alleen maar leugens!' Khan greep het boeddhabeeldje in zijn hand vast en hield het voor Bournes ogen. 'Kijk goed, en denk na, Bourne.'

De werkelijkheid leek Bourne te ontglippen. Hij hoorde zijn snelle hartslag tussen zijn oren bonzen, een golf die hem oppakte en meesleurde. Dat kon niet waar zijn! Dat kon niet! 'Hoe... hoe kom je daaraan?'

'Herken je dit?' Het beeldje verdween weer in zijn hand. 'Heb je nu eindelijk je lang geleden verloren zoon herkend?'

'Jij kunt Joshua niet zijn!' Bourne was nu ziedend; grommend als een beest trok hij zijn lippen op. 'Welke diplomaat in Zuidoost-Azië heb je voor dat beeldje moeten ombrengen?' Hij lachte grimmig. 'Ja, ik weet meer over jou dan je denkt.'

'Dan heb je het helaas verkeerd. Dit is van mij, Bourne. Begrijp je dat?' Hij opende zijn handpalm, liet de Boeddha weer zien, het steen was zwart geworden van zijn zweet. 'Dit beeldje is van mij!'

'Leugenaar!' Bourne sprong naar hem toe, zijn armen kwamen achter zijn rug vandaan. Hij had zijn spieren gespannen – de pezen waren opgezwollen toen Khan zijn polsen vastbond – en daarna van de speling gebruikgemaakt om zich los te maken, terwijl Khan stond te fulmineren.

Khan had zich niet op deze frontale aanval voorbereid. Hij tuimelde achterover, Bourne lag op hem. De zaklamp viel op de vloer en rolde heen en weer. De krachtige lichtstraal flitste door de ruimte, scheen nu eens in hun ogen, dan weer op hun spierbundels. In deze spookachtige, door lichtstralen en -vlekken verlichte duisternis, die veel weghad van de benauwde jungle die ze achter zich hadden gelaten, vochten ze als beesten, hijgden ze elkaars vijandigheid in hun oren, probeerden ze uit alle macht te winnen.

Bourne bleef tandenknarsend als een waanzinnige op Khan inbeuken. Het lukte Khan om Bourne bij zijn dijbeen te grijpen en een klap te geven op de zenuwbundels daar. Bourne strompelde weg, zijn tijdelijk verlamde been achter hem aan slepend. Khan gaf hem een harde klap onder het puntje van zijn kin, waarna Bourne hoofdschuddend verder wankelde. Hij pakte zijn zakmes op het moment dat Khan nog eens een enorme klap uitdeelde. Het mes viel uit zijn handen, Khan raapte het op en klapte het open.

Hij stond nu boven Bourne en trok hem aan zijn shirt omhoog. Er ging een korte rilling door hem heen, als stroom door een draad wanneer de schakelaar wordt omgezet. 'Ik ben je zoon. Ik heb mezelf Khan genoemd, zoals David Webb zichzelf Jason Bourne ging noemen.'

'Nee!' Bourne schreeuwde luid over het aanzwellende lawaai en getril van de motoren heen. 'Mijn zoon is met de rest van mijn gezin omgekomen in Phnom Penh!'

'Ik bén Joshua Webb,' zei Khan. 'Jij hebt me verlaten. Je hebt me achtergelaten in de jungle, in mijn graf.'

Het mespunt trilde boven Bournes keel. 'Ik ben zo vaak bijna doodgegaan. Ik zou er geweest zijn als ik me niet had vastgehouden aan mijn herinnering aan jou.'

'Hoe durf je zijn naam te noemen. Joshua is dood!' Bourne zag lijkbleek. Hij ontblootte als een beest zijn tanden. Zijn zicht werd door moordlust vertroebeld.

'Misschien is hij dat inderdaad.' Het lemmet werd tegen Bournes huid gedrukt. Nog een millimeter dieper en Bourne zou gaan bloeden. 'Ik ben nu Khan. Joshua – de Joshua die jij hebt gekend – is dood. Ik ben teruggekomen om wraak te nemen, om je straffen omdat je me hebt verlaten. Ik had je de afgelopen dagen al zo vaak kunnen doden, maar ik hield me in omdat ik je wilde zeggen wat je mij hebt aangedaan, voordat ik je zou ombrengen.' Khans mond stond open, in zijn mondhoek groeide een bel van speeksel. 'Waarom heb je me achtergelaten? Hoe kon je zomaar weggaan?'

Het vliegtuig kwam met een zware schok op gang toen het naar de startbaan taxiede. Er stroomde bloed over het mes toen het Bournes huid raakte. Maar toen Khan zijn evenwicht verloor, flitste het mes weg. Bourne nam zijn kans waar en plantte zijn gebalde vuist in Khans zij. Khan veegde zijn voet naar achteren, haakte die achter Bournes enkel en vloerde zijn tegenstander. Het vliegtuig verminderde vaart en draaide naar het begin van de startbaan.

'Ik ben niet weggelopen!' schreeuwde Bourne. 'Joshua is van mij afgepakt!'

Khan wierp zich op hem, het mes wees naar beneden. Bourne draaide zich om, het mes ging rakelings langs zijn oor. Hij wist dat hij zijn keramische pistool nog op zijn rechterheup had, maar wat hij ook zou proberen, het was onmogelijk om erbij te komen zonder zichzelf bloot te stellen aan een fatale aanval. Ze vochten met gezwollen spieren, hun gezichten vertrokken van inspanning en woede. Ze hijgden uit hun halfopen monden, zochten met hun ogen en hun verstand naar de kleinste opening terwijl ze elkaar aanvielen en zich verdedigden, of nog een tegenaanval deden die werd afgeslagen. Ze waren aan elkaar gewaagd, weliswaar niet qua leeftijd, maar wel qua snelheid, kracht, vaardigheden en vernuft. Het was alsof ze elkaars gedachten konden lezen, alsof ze elke manoeuvre een seconde van tevoren zagen aankomen, waardoor ze elke voorsprong die ze wilden krijgen, bij elkaar teniet deden. Ze konden niet koel en meedogenloos vechten en waren daardoor niet op hun best. Al hun emoties waren vanuit de diepte aan de oppervlakte gekomen; als een olievlek kabbelden en klotsten ze aan de oppervlakten van hun bewustzijn.

Het vliegtuig reed verder, de romp trilde toen het aan zijn aanloop over de startbaan begon. Bourne gleed uit en Khan gebruikte zijn vrije hand als een knuppel om Bourne af te leiden van het mes. Bourne pareerde de aanval met een klap op de binnenzijde van Khans pols. Nu blikkerde de punt van het mes in zijn richting. Hij deed een stap schuin naar achter en maakte daarbij per ongeluk de laadklep open. Doordat het vliegtuig schuin omhoogstak zwaaide de klep open.

Terwijl de startbaan onder hem voorbijraasde, spreidde Bourne zich als een zeester uit over de ontstane opening om niet naar buiten te vallen. Hij moest zich met beide handen strak aan de randen vasthouden. Khan boog zich manisch lachend naar Bourne toe en beschreef met zijn mes vals een flauwe boog in de lucht die de breedte van Bournes maag omvatte.

Khan stormde naar voren op het moment dat het vliegtuig ging stijgen. Op het laatste moment liet Bourne zijn rechterhand los. Zijn lichaam werd door de zwaartekracht zo krachtig naar buiten toe getrokken dat zijn schouder bijna uit de kom schoot. Waar eerst zijn lichaam was, gaapte nu een gat waar Khan doorheen viel, tuimelend over het asfalt onder hem. Bourne keek nog één keer om en zag niet meer dan een grijze bal over het zwarte asfalt van de startbaan rollen.

Toen steeg het vliegtuig op en Bourne slingerde weg, verder van de opening af. Hij worstelde, regen sloeg als hagel in zijn gezicht. De wind ontnam hem de adem, maar blies ook het laatste restje brandstof weg uit zijn gezicht. De regen spoelde zijn roodomrande ogen, waste het gif van zijn huid. Het vliegtuig helde naar rechts en Khans zaklamp rolde over de laadklep naar buiten, achter zijn eigenaar aan. Bourne wist, dat als hij zich niet binnen een paar seconden aan boord zou hijsen, hij verloren was. Er kwam te veel druk te staan op zijn arm om het nog langer vol te houden.

Door zijn been in de lucht te slingeren lukte het hem zijn linkerenkel in de opening te haken. Toen hees hij zich met immense inspanning op naar boven. Hij klemde zijn knie achter een richel, waardoor hij zich voldoende kon afzetten en optillen en zich naar de romp kon keren. Met zijn rechterhand pakte hij de rand vast van de klep, en zo lukte het hem om in de romp van het vliegtuig te komen. Het laatste wat hij deed, was de klep dichtgooien.

Gewond, bloedend en met verschrikkelijk veel pijn stortte Bourne uitgeput in. In de beangstigende, turbulente duisternis van de trillende romp, zag hij het stenen boeddhabeeldje weer voor zich dat hij samen met zijn eerste vrouw had gekocht voor Joshua's vierde verjaardag. Dao wilde dat hun zoon van jongs af aan kennismaakte met de geest van Boeddha. Joshua, die met Dao en zijn kleine zusje was omgekomen toen de vijand de rivier beschoot waarin zij aan het spelen waren.

Joshua was dood. Dao, Alyssa, Joshua – alledrie waren ze dood, hun lichamen waren doorzeefd door het mitrailleurvuur vanuit een neerduikende bommenwerper. Zijn zoon kon niet meer in leven zijn, dat kon niet. Hij zou gek worden als hij daar andere gedachten over toeliet. Maar wie was Khan dan wél en waarom speelde hij dit afschuwelijke, wrede spel?

Bourne wist het niet. Soms zakte het vliegtuig plotseling en steeg dan weer op, het lawaai van de motoren veranderde toen ze op hoogte waren gekomen. Het werd koud, zijn adem verliet in wolken zijn neus en mond. Hij sloeg zijn armen om zich heen, wiegde zichzelf. Het kon niet waar zijn. Dat kon gewoonweg niet!

Hij bracht een dierlijk geschreeuw voort, plotseling viel hij ten prooi aan pijn en wanhoop. Hij liet zijn hoofd zakken, huilde bittere tranen van woede, ongeloof en rouw.

Deel twee

11

In de romp van Vlucht 113 lag Jason Bourne ogenschijnlijk rustig te slapen, maar in zijn onderbewuste werd de film van zijn leven – een leven dat hij ver achter zich gelaten had – opnieuw afgedraaid. In zijn dromen werd hij geplaagd door beelden, gevoelens, gebeurtenissen en geluiden die hij in de tussenliggende jaren zo diep mogelijk had verdrongen.

Wat was er nou precies gebeurd op die warme zomerdag in Phnom Penh? Niemand wist het. Tenminste, niemand die nog in leven was. Dit waren de feiten: terwijl hij verveeld en rusteloos zat te vergaderen op zijn airconditioned kantoor in het complex van de Amerikaanse ambassade, waren zijn vrouw Dao en hun twee kinderen gaan zwemmen in de brede, modderige rivier naast hun huis. Vanuit het niets kwam een vijandelijk vliegtuig neergedoken. Er werd geschoten op de rivier waarin het gezin van David Webb zwom, spetterde en speelde.

Hoe vaak had hij geprobeerd zich een voorstelling te maken van deze afschuwelijke gebeurtenis? Had Dao het vliegtuig zien aankomen? Het was heel snel komen aanvliegen en daalde neer in een stille zweefvlucht. Maar stel dat ze het toch had zien aankomen, dan zou ze haar kinderen bij zich geroepen hebben, hen onder het wateroppervlak hebben geduwd en zich over hen gebogen hebben in een wanhopige poging hen nog te redden, al echode hun geschreeuw al in haar oren na, stroomde hun bloed in haar gezicht en voelde ze de pijn van haar eigen naderende dood. Zo moest het volgens hem gegaan zijn, want dat droomde hij, dat beeld had hem tot aan de rand van de waanzin gebracht. Want het geschreeuw dat Dao vlak voor haar dood volgens hem gehoord moest hebben, was hetzelfde geschreeuw dat hij elke nacht hoorde, dat hem wakker schudde, hartkloppingen bezorgde en het bloed door zijn lijf joeg. Die dromen dwongen hem zijn huis en alles wat hem dierbaar was te verlaten, want de aanblik van elk vertrouwd voorwerp voelde als een dolksteek. Hij verhuisde van Phnom Penh naar Saigon, waar Alexander Conklin zich over hem ontfermde.

Had hij zijn nachtmerries ook maar in Phnom Penh kunnen achterlaten. Maar in de benauwde jungle van Vietnam kwamen ze telkens terug, als wonden die hij zichzelf toebracht. Want deze ene waarheid stond als een paal boven water: het was onvergeeflijk dat hij niet ter plekke was geweest om zijn vrouw en kinderen te beschermen.

Dertigduizend voet boven de stormachtige Atlantische Oceaan ontwaakte hij schreeuwend uit zijn gekwelde dromen. Wat voor nut had een echtgenoot en vader, vroeg hij zichzelf voor de zoveelste keer af, als hij zijn gezin niet kon beschermen?

Om vijf uur 's ochtends werd de directeur van de CIA uit een diepe slaap gewekt door een telefoontje van de Nationale Veiligheidsadviseur; ze eiste dat hij binnen een uur op haar kantoor verscheen. Wanneer sliep die feeks eigenlijk? vroeg hij zich af toen hij de hoorn oplegde. Hij zat op de rand van zijn bed en wendde zijn blik af van Madeleine. Zíj had nergens last van in haar slaap, dacht hij zuur. Lang geleden had ze zich aangeleerd 's nachts en in de vroege ochtend de telefoon niet te horen.

'Opstaan!' zei hij, terwijl hij Madeleine wakker schudde. 'Er is paniek in de tent, ik heb koffie nodig.'

Zonder te klagen stond ze op, trok haar ochtendjas en slippers aan en liep door de hal naar de keuken.

Wrijvend in zijn ogen liep de directeur de badkamer in en deed de deur achter zich dicht. Op het toilet belde hij zijn adjunct. Waarom zou Lindros nog in bed liggen ronken, terwijl hij dat niet mocht? Tot zijn grote ergernis was Lindros al klaarwakker.

'Ik heb de hele nacht in de Four-Zero-archieven geneusd.' Lindros had het over de uiterst geheime dossiers van personeelsleden van de CIA. 'Ik weet nu ongeveer alles over Alex Conklin en Jason Bourne.'

'Geweldig. Dan kun je nu Bourne oppakken.'

'Op basis van de kennis die ik nu over ze heb, wetende hoe nauw ze samenwerkten, hoe vaak ze hun nek voor elkaar hebben uitgestoken, elkaars leven hebben gered, lijkt het me hoogst onwaarschijnlijk dat Bourne Alex Conklin heeft vermoord.'

'Ik moet bij Alonzo-Ortiz op het matje komen,' antwoordde de directeur chagrijnig. 'Denk je dat ik na het fiasco bij Washington Circle kan aankomen met wat jij me nu vertelt?'

'Eh, nee, maar...'

'Goed geraden, jongen. Ik moet haar feiten geven, feiten die deel uitmaken van goed nieuws.'

Lindros schraapte zijn keel. 'Die kan ik op dit moment niet geven. Bourne is verdwenen.'

'Verdwenen? Godallemachtig, Martin, met wat voor soort spionageactiviteiten ben jij eigenlijk bezig?

'De man is een ontsnappingskunstenaar.'

'Hij is net als jij en ik een man van vlees en bloed,' bulderde de directeur. 'Hoe heb je hem in godsnaam kunnen laten ontsnappen? Ik dacht dat je alles onder controle had.'

'Dat was ook zo. Maar hij was simpelweg...'

'Verdwenen. Ja, dat zei je al. Heb je nog iets meer te melden? Alonzo-Ortiz wil mijn kop zien rollen, maar dan zal toch eerst die van jou vallen!'

De directeur hing op en smeet de telefoon door de open deur naar het bed. Nadat hij zich had gedoucht en aangekleed en daarna de koffie had gedronken die Madeleine in een mok voor hem had klaargezet, stond zijn chauffeur al te wachten.

Door de kogelvrije ruit tuurde hij naar de voorgevel van zijn huis, naar de donkerrode baksteen, de gelige hoekstenen, de rolluiken voor de ramen. Het huis was vroeger van een Russische tenor geweest, ene Maxim-nog-wat. De directeur hield van zijn huis omdat het zowel een wiskundige elegantie als een aristocratische uitstraling had, die moderne huizen niet meer bezaten. Het meest hield hij van het nostalgische gevoel van geborgenheid dat het huis gaf dankzij het met kinderkopjes bestrate hofje, dat door volle populieren en een ambachtelijk vervaardigd gietijzeren hek werd afgesloten.

Hij zat op de pluchen bekleding van zijn Lincoln Town Car en keek narrig naar buiten, naar het slapende Washington. *Godallemachtig, alleen de roodborstjes zijn wakker op dit tijdstip*, dacht hij. *Is mij niet het privilege van de ouderdom vergund? Na zoveel dienstjaren heb ik toch op zijn minst recht op een goede nachtrust?*

Ze raasden over de Arlington Memorial Bridge; de metaalgrijze rivier de Potomac leek plat en hard als een startbaan. Aan de andere kant doemde achter de min of meer Dorische tempel van het Lincoln Memorial, het Washington Monument op, zwart en dreigend, als de speerpunten die de Spartanen door de harten van hun tegenstanders joegen.

Telkens als hij helemaal onder water is, hoort hij muziek, het belgetinkel van de monniken, dat van overal weerklinkt in de groene bergen; de monniken op wie hij jacht maakte toen hij nog bij de Ro-

de Khmer was. En die geur, wat is het? Kaneel. Ook het water, dat in een boosaardige stroom kolkt, is gevuld met geuren en geluiden; hij weet niet waarvan. Het sleurt hem naar beneden, hij verdrinkt weer. Hoe verbeten hij ook worstelt, hoe wanhopig hij naar het wateroppervlak reikt, hij zakt in een spiraalbaan verder naar beneden, alsof hij met lood is verzwaard. Zijn handen graaien naar het dikke touw om zijn linkerenkel, maar het is zo glad dat het zijn vingers ontglipt. Wat zit er aan het andere eind van het touw? Hij kijkt in de duistere diepten die hij tegemoetgaat. Hij móét weten wat hem naar beneden, naar zijn dood toe trekt, alsof die kennis hem zou kunnen redden van deze verschrikking. Hij zakt verder en verder weg, tuimelt door de duisternis, begrijpt niet hoe hij in deze wanhopige situatie verzeild is geraakt. Beneden hem, aan het einde van het strakke touw, ziet hij iets... iets dat zijn dood zal zijn. Emoties stokken in zijn keel, zijn mond lijkt volgepropt met netels. Terwijl hij probeert te achterhalen wat hem naar beneden trekt, hoort hij weer muziek, niet het belgetinkel deze keer, maar iets anders, iets dat vertrouwder klinkt, maar dat hij zich toch niet kan herinneren. Tot slot ziet hij wat zo aan hem trekt: een lijk. Ineens moet hij huilen...

Khan schrok wakker met een brok in zijn keel. Hij moest slikken en keek om zich heen in de donkere cabine van het vliegtuig. Buiten was het pikdonker. Hij was in slaap gevallen, ondanks zijn gevecht daartegen, want hij wist dat zijn nachtmerrie zou terugkomen. Hij stond op, liep naar de wc, waar hij met tissues het zweet van zijn armen en zijn gezicht afveegde. Hij was nog vermoeider dan toen het vliegtuig opsteeg. Terwijl hij zichzelf in de spiegel bekeek, riep de piloot om wanneer het vliegtuig op vliegveld Orly zou landen: nog vier uur en vijftien minuten. Het leek Khan nog een eeuwigheid.

Er stond een rij mensen voor Khan toen hij wilde uitstappen. Hij ging weer zitten in zijn stoel. Jason Bourne had een bepaald doel; dat wist hij van kleermaker Fine. Bourne bezat een pakketje dat bestemd was voor Alex Conklin. Was het mogelijk, vroeg hij zich af, dat Bourne zich zou voordoen als Conklin? Dat zou Khan zelf overwegen als hij in Bournes schoenen stond.

Khan tuurde naar de zwarte lucht. Bourne bevond zich ergens beneden hem in de sprankelende metropool, zoveel was zeker. Maar ongetwijfeld was Parijs hooguit een tussenstation. Waar Bourne uiteindelijk naartoe ging, wist hij niet.

De secretaresse van de Nationale Veiligheidsadviseur schraapte discreet haar keel toen de directeur op zijn horloge keek. Roberta Alonzo-Ortiz, die feeks, had hem bijna veertig minuten laten wachten. Binnen politiek Washington waren dit soort machtsspelletjes aan de orde van de dag, maar jezus, zij was een vrouw! En zaten ze niet beiden in de Nationale Veiligheidsraad? Maar zij was direct door de president benoemd; die luisterde naar alles wat ze zei. Waar bleef Brent Scowcroft als je hem werkelijk nodig had? Met een namaakglimlach op zijn gezicht keerde hij zijn rug naar het raam waaruit hij zorgelijk had staan staren.

'Ze kan u ontvangen, hoor,' fleemde de secretaresse zacht. 'Ze heeft zojuist haar gesprek met de president beëindigd.'

Die feeks zal geen truc ongebruikt laten, dacht de directeur. *Ze vindt het heerlijk om het mij goed in te wrijven.*

De Nationale Veiligheidsadviseur zat verschanst achter haar bureau, een bakbeest dat ze op eigen kosten had meeverhuisd. Absurd, vond de directeur, want er stond alleen maar de bronzen pennenhouder op die ze bij haar benoeming van de president had gekregen. Mensen met een opgeruimd bureau vertrouwde hij niet. Achter haar, in barokke gouden standaards, hingen de Amerikaanse vlag en de vlag met het portret van de president. Daartussenin had je uitzicht op Lafayette Park. Twee stoelen met hoge pluchen rugleuningen stonden tegenover haar. De directeur stond er enigszins verlangend naar te kijken.

Roberta Alonzo-Ortiz zag er opgeruimd en fris uit in haar donkerblauwe wollen pakje en witte zijden blouse. Ze droeg in goud gevatte emaillen oorbellen met de Amerikaanse vlag.

'Ik had net de president aan de lijn,' stak ze abrupt van wal; er kon geen 'goedemorgen' of 'ga zitten' vanaf.

'Dat hoorde ik al van uw assistent.'

Alonzo-Ortiz wierp een boze blik op hem om hem eraan te herinneren dat ze niet onderbroken wenste te worden. 'Het gesprek ging over u.'

Ook al had de directeur zich voorgenomen om zich niet op te winden, vanbinnen kookte hij. 'Dan had ik er misschien beter bij kunnen zijn.'

'Dat zou niet gepast zijn.' Onverstoorbaar ging de Nationale Veiligheidsadviseur verder; hij had haar verbale klap in zijn gezicht niet eens kunnen pareren. 'Over vijf dagen begint de antiterrorismetop. Alles is vastgelegd, vandaar dat ik het zo pijnlijk vind te moeten herhalen dat we op eieren lopen. Die top mag door niets worden verstoord, zeker niet door een gestoorde huurmoordenaar van de CIA die het criminele pad is opgegaan. De top moet een groot succes worden voor de president. Het moet een van de pijlers worden van zijn herverkiezing. Sterker nog, het moet zijn politieke erfenis worden.' Ze drukte haar hand plat op het gladde bureaublad. 'Laat me duidelijk zijn: de top heeft mijn hoogste prioriteit. Als het een succes wordt, zullen toekomstige generaties dit presidentschap erom roemen en prijzen.'

Al die tijd moest de directeur blijven staan, want ze had hem geen stoel aangeboden. Het verbale standje was hierdoor extra vernederend. Dreigementen deden hem niets, vooral niet als ze bedekt waren. Maar nu voelde hij zich als een schooljongen in de hoek gezet.

'Ik heb hem ingelicht over het debacle bij Washington Circle.' Ze zei het alsof ze een kruiwagen met mest in de Oval Office had moeten omgooien. 'Fouten hebben zo hun gevolgen, dat is nu eenmaal zo. U moet deze fout zo snel mogelijk herstellen, wegpoetsen. Is dat begrepen?'

'Helemaal.'

'Want vanzelf gaat dat niet,' ging de Nationale Veiligheidsadviseur verder.

Er klopte een ader in haar slaap. Hij had zin om iets naar haar hoofd te slingeren. 'Ik zei al dat ik het helemaal begrepen had.'

Roberta Alonzo-Ortiz keek hem even onderzoekend aan, alsof ze niet zeker wist of ze hem wel op zijn woord kon geloven. Na een stilte vroeg ze: 'Waar is Jason Bourne?'

'Hij is het land uit gevlucht.' De directeur balde zijn vuisten tot ze wit zagen. Hij kon de feeks niet zomaar vertellen dat Bourne simpelweg was verdwenen. Hij kreeg deze mededeling al nauwelijks uit zijn mond. Maar meteen toen hij de blik in haar ogen zag, besefte hij zijn fout.

'Het land uit gevlucht?' Alonzo-Ortiz stond op. 'Waar is hij dan naartoe'

De directeur zweeg.

'Ik snap het al. Als Bourne ergens in de buurt van Reykjavik komt...'

'Wat zou hij daar te zoeken hebben?'

'Weet ik veel. Hij is compleet losgeslagen, zoals u weet – het criminele pad opgegaan. Hij beseft vast dat het saboteren van deze top zeer pijnlijk voor ons zou zijn.' Haar woede was bijna tastbaar. Voor het eerst was de directeur echt bang voor haar.

'Ik wil dat Bourne wordt afgemaakt,' zei ze koud.

'Ik net zo goed.' De directeur was ziedend. 'Hij heeft al twee moorden gepleegd; een van de slachtoffers was een goede vriend van me.'

De Nationale Veiligheidsadviseur stond op vanachter haar bureau. 'De president wil dat Bourne wordt omgebracht. Een ex-agent die het criminele pad is opgegaan – en laten we eerlijk zijn: Jason Bourne is een doemscenario – vormt een onzekere factor die we ons nu niet kunnen veroorloven. Is dat duidelijk?'

De directeur knikte. 'Geloof me, ik kan u vertellen dat Bourne zo goed als dood is, verdwenen, alsof hij nooit heeft bestaan.'

'Daar hou ik u aan. De president houdt u in de gaten,' zei Roberta Alonzo-Ortiz, en daarmee beëindigde ze het gesprek even abrupt en onplezierig als het was begonnen.

Jason Bourne kwam aan in Parijs op een regenachtige, bewolkte morgen. Parijs, lichtstad, was in de regen niet op haar best. De gebouwen met hun mansardedaken zagen grauw en grijs en de doorgaans zo vrolijke terrasjes langs de boulevards waren verlaten. Het leven ging zijn gangetje, maar de stad was anders dan wanneer de zon scheen en je op elke straathoek een goed gesprek of vrolijk gelach kon horen. Bourne, die zowel geestelijk als lichamelijk was uitgeput, had bijna de hele vlucht op zijn zij geslapen, opgekruld tot een bal. Zijn nachtrust, hoewel onderbroken door akelige en verontrustende dromen, had hem toch de broodnodige verlichting gegeven van de pijn die hem zo had gekweld in het eerste uur nadat het vliegtuig was opgestegen. Koud en stijf was hij wakker geworden, terwijl hij nadacht over het stenen boeddhabeeldje dat om Khans nek hing. Het beeldje leek hem grijnzend uit te lachen; het was een raadsel dat nog moest worden opgelost. Hij wist dat er meer van dit soort beeldjes moesten zijn – in de winkel waar hij het met Dao voor Joshua had gekocht, stonden er tientallen! Ook wist hij dat veel Aziatische boeddhisten zulke amuletten droegen, omdat het bescherming bood of geluk bracht.

Hij zag Khans priemende ogen weer voor zich, vervuld van hoop en haat toen hij zei: *'Je weet wat dit is, of niet?'* Toen had hij driftig geroepen: *'Dit is van mij, Bourne, begrijp je dat? Deze Boeddha is van mij!'* Khan was Joshua Webb niet, daar bleef Bourne bij. Khan was slim, maar wreed – een huurmoordenaar met vele moorden op zijn geweten. Dat kon Bournes zoon niet zijn.

Ondanks de storm met zware rukwinden die woedde toen ze de Noord-Amerikaanse kust verlieten, kwam Rush Service Vlucht 113 min of meer op tijd aan op vliegveld Charles de Gaulle. Bourne wilde al uit de laadruimte springen terwijl het vliegtuig nog op de landingsbaan stond, maar hij hield zich in.

Er bereidde zich nog een vliegtuig voor op de landing. Als hij nu naar buiten sprong, zou hij zich open en bloot op een terrein begeven waar zelfs het luchthavenpersoneel niet mocht komen. Dus wachtte hij geduldig terwijl het vliegtuig verder taxiede.

Toen het vliegtuig vaart minderde was dat het moment om te handelen. Zolang het nog reed en de straalmotoren gierden, mocht niemand van het grondpersoneel in de buurt komen. Hij maakte de klep open en sprong op het asfalt. Net op dat moment kwam er een brandstofwagen langs. Hij sprong achterop en reed een eindje mee. Terwijl hij aan de wagen hing, kreeg hij een acute aanval van misselijkheid. De geur herinnerde hem aan Khans verrassingsaanval. Hij sprong van de wagen af zodra dat kon en liep naar de terminal.

Binnen botste hij op tegen iemand van het bagagepersoneel. Hij verontschuldigde zich uitputtend in het Frans; met zijn hand op zijn hoofd beklaagde hij zich over een migraineaanval. Toen hij de hoek van de hal was omgeslagen, pakte hij de identiteitspas die hij van het personeelslid had gerold en liep hij door een dubbel stel schuifdeuren. Hij kwam uit in de terminal zelf, die tot zijn verbazing niet meer was dan een omgebouwde hangar. Er liepen heel weinig mensen rond, maar gelukkig was hij al voorbij de douane en de luchthavenpolitie.

Hij gooide het identiteitspasje in de eerste de beste vuilnisbak, want hij zou er niet mee gezien willen worden nadat de diefstal was gemeld. Hij stond onder een grote klok en zette zijn horloge op tijd. Het was net zes uur in de ochtend geweest. Parijse tijd. Hij belde Robbinet en vertelde waar hij stond.

De minister leek verrast. 'Ben je met een chartervlucht gekomen, Jason.'

'Nee, met een vrachtvliegtuig.'

'*Bon*, dat verklaart waarom je in de oude Terminal Drie bent aanbeland. Je moet vanaf Orly zijn omgeleid,' zei Robbinet. 'Blijf waar je bent, *mon ami*. Ik kom je zo ophalen.' Hij grinnikte. 'En, welkom in Parijs! Ik hoop dat je achtervolgers meer pech hebben!'

Bourne ging zich opfrissen. Op de herentoiletten stond hij voor de spiegel en zag een verwilderd gezicht, angstige ogen en een bloedrode hals. Hij herkende zichzelf nauwelijks. Hij plensde water in zijn gezicht en over zijn hoofd, spoelde het zweet, het vuil en de resten van de make-up die hij eerder had gebruikt, van zich af. Met een vochtige papieren handdoek maakte hij de donkere, horizontale wond rondom zijn hals schoon. Daar moest hij zo snel mogelijk een antibiotische crème op smeren.

Hij had een knoop in zijn maag en hoewel hij geen trek had, moest hij iets eten. Telkens kwam de smaak van kerosine terug, die hem deed kokhalzen en waarvan hij tranen in zijn ogen kreeg. Om zijn misselijkheid te vergeten deed hij vijf minuten lang rekoefeningen en nog eens vijf minuten ontspanningsoefeningen om zijn spieren te verlossen van hun verkrampte en pijnlijke staat. Hij lette niet op de pijn die de oefeningen deden en probeerde diep en gelijkmatig adem te halen.

Toen hij terugliep naar de terminal, stond Jacques Robbinet op hem te wachten. Hij was een lange man die er verbazingwekkend fit uitzag. Hij droeg een donker pak met dunne strepen, glanzende brogues en een elegante tweed overjas. Hij was wat ouder en grijzer geworden, maar verder nog precies dezelfde man die figureerde in het gefragmenteerde geheugen van Bourne.

Zodra hij Bourne zag, begon hij breed te grijnzen, maar hij bleef staan. Bourne begreep onmiddellijk waarom. Een paar agenten van de Franse rijkspolitie waren de hangar binnengewandeld en ondervroegen het luchthavenpersoneel. Ongetwijfeld waren ze op zoek naar de persoon die het identiteitspasje van een personeelslid had gestolen. Bourne liep in normale pas verder. Toen hij bij de uitgang aankwam, zag hij twee andere agenten met machinepistolen schuin voor hun borst. Ze hielden nauwlettend iedereen in de gaten die naar binnen of buiten ging.

Robbinet had hen ook gezien. Fronsend liep hij Bourne voorbij en beende door de uitgang naar de agenten om hen af te leiden. Nadat hij zich had voorgesteld, kreeg hij te horen dat ze iemand zochten – vermoedelijk een terrorist – die het identiteitspasje van een personeelslid had gestolen. Ze lieten een gefaxte foto van Bourne zien.

Nee, de minister had deze man niet gezien. Robbinet keek geschrokken. Misschien – hadden ze daar bij stilgestaan? – zat de verdachte achter hem aan, opperde hij. Of de agenten zo vriendelijk wilden zijn hem naar zijn auto te escorteren.

Zodra de drie mannen waren vertrokken, glipte Bourne naar buiten de grijze mist in. Hij zag dat de agenten Robbinet naar zijn Peugeot brachten, en liep de andere kant op. Toen de minister instapte, wierp hij tersluiks een blik op Bourne. Hij bedankte de agenten, die terug naar hun post liepen bij de uitgang van de terminal. Robbinet startte, keerde en reed naar de uitgang van het vliegveld. Buiten het blikveld van de agenten verminderde hij vaart en liet hij het portierraam zakken.

'Dat was op het nippertje, *mon ami.*'

Bourne wilde instappen, maar Robbinet schudde nee. 'Het vliegveld is extra zwaar beveiligd; er lopen vast nog meer agenten rond.' Hij drukte op een knop om de achterklep te openen. 'Helaas niet de meest comfortabele plek,' verontschuldigde hij zich, 'maar wel de veiligste.'

Zonder iets te zeggen kroop Bourne in de achterbak en deed de klep dicht. Robbinet reed weg. Het was goed dat de minister vooruit had gedacht, want bij twee versperringen moesten ze halt houden. De eerste versperring werd bemand door de Franse rijkspolitie, de tweede door mensen van de Quai d'Orsay, de Franse spionagedienst. Uiteraard kwam Robbinet zonder problemen door de versperringen heen, maar wél had hij twee keer een foto van Bourne te zien gekregen met de vraag of hij deze voortvluchtige herkende.

Tien minuten later stopte Robbinet op een parkeerplaats langs de A1 en deed de achterklep open. Bourne stapte uit en ging in de stoel naast de chauffeur zitten. De minister reed de snelweg op, in noordelijke richting.

'Dat is hem!' De man van de bagagedienst wees naar de korrelige foto van Jason Bourne. 'Die man heeft mijn pasje gestolen.'

'Weet u dat zeker? Kijk nog eens goed, iets dichterbij.' Inspecteur Alain Savoy hield de foto nog eens voor de getuige. Ze zaten in een kale ruimte binnen Terminal Drie van vliegveld Charles de Gaulle, waar Savoy een noodkantoortje had ingericht. Het was een nare ruimte die stonk naar schimmel en schoonmaakmiddelen. Hij leek gedoemd te zijn om in dit soort ruimten te verkeren. Niets in zijn leven was permanent.

'Ja, ik weet het zeker,' zei de man van de bagage. 'Hij botste tegen me aan, beweerde dat hij een migraineaanval had. Toen ik tien minuten later door een deur met veiligheidsslot wilde gaan, bleek mijn pasje te zijn verdwenen. Hij had het van me gestolen.'

'Dat weten we,' zei inspecteur Savoy. 'Uw aanwezigheid werd elektronisch op twee plekken gemeld in de tijd dat u uw pasje kwijt was. Kijk.' Hij reikte het pasje aan. Savoy was klein van stuk, wat een gevoelig punt was. Zijn gezicht was verkreukt en zijn lange donkere haar onverzorgd. Zijn lippen stonden altijd iets getuit, waardoor hij iemands schuld of onschuld leek te overwegen. 'Gevonden in een afvalbak.'

'Dank u wel, inspecteur.'

'Dat kost je een boete. Een dag loon.'

'Maar dat is schandalig,' antwoordde de man. 'Ik ga dit melden bij de bond. Misschien gaan we wel demonstreren.'

De inspecteur zuchtte. Hij was gewend aan dreigementen. Vakbondsleden dreigden altijd met een demonstratie. 'Kunt u me nog iets meer over het incident vertellen?' Toen de man zijn hoofd schudde, liet de inspecteur hem gaan. Hij keek op het faxblad. Naast de foto van Jason Bourne stond een Amerikaans telefoonnummer. Hij pakte zijn mobieltje en toetste het nummer in.

'Martin Lindros, adjunct-directeur van de centrale inlichtingendienst.'

'Monsieur Lindros, u spreekt met inspecteur Alain Savoy van de Quai d'Orsay. We hebben uw voortvluchtige gevonden.'

'Wat?!'

Langzaam verscheen er een glimlach op het ongeschoren gezicht van Savoy. De Quai d'Orsay liep altijd achter de feiten van de CIA aan. Het deed hem goed, om niet te zeggen dat hij apetrots was, dat de zaken nu eens waren omgekeerd. 'Dat klopt. Jason Bourne is vanochtend rond zes uur Europese tijd aangekomen op vliegveld Charles de Gaulle.' Savoy genoot van de amechtige ademhaling aan de andere kant van de lijn.

'En hebt u hem te pakken?' vroeg Lindros. 'Zit Bourne vast?'

'Helaas nog niet.'

'Hoezo? Waar is hij dan?'

'Dat weet niemand.' Het werd nu zo lang stil dat Savoy gedwongen was om te vragen: 'Monsieur Lindros, bent u daar nog?'

'O, ja, inspecteur, ik blader wat door mijn aantekeningen.' Weer werd het stil, iets minder lang deze keer. 'Alex Conklin had contact met een hoge Piet binnen uw regering, een zekere Jacques Robbinet – zegt die naam u iets?'

'*Certainement*, de heer Robbinet is onze minister van Cultuur. U gelooft toch zeker niet dat een man met zoveel standing iets te maken heeft met die gevaarlijke gek?'

'Natuurlijk niet,' zei Lindros. 'Maar Bourne heeft monsieur Conklin al omgelegd. Nu hij in Parijs zit, lijkt het ons waarschijnlijk dat hij achter monsieur Robbinet aanzit.'

'Een momentje, blijf alstublieft aan de lijn.' Inspecteur Savoy wist zeker dat hij die naam eerder had gehoord die dag. Hij gebaarde naar een ondergeschikte, die hem een stapel papier aanreikte. Savoy bladerde snel door de verslagen van de ondervragingen die er die ochtend op Charles de Gaulle gehouden waren door rijksagenten en rechercheurs van de geheime dienst. Ook Robbinet was ondervraagd. Snel pakte hij de hoorn weer op. 'Monsieur Lindros, toevallig is de heer Robbinet hier vanochtend geweest.'

'Op het vliegveld?'

'Ja, en niet alleen dat. Hij werd ondervraagd in dezelfde terminal waar Bourne gesignaleerd is. Hij leek te schrikken toen hij de naam van de voortvluchtige hoorde. Hij vroeg of de Police Nationale hem naar zijn auto wilde brengen.'

'Dat bewijst mijn theorie.' Lindros klonk alsof hij adem te kort kwam, opgewonden en gealarmeerd. 'Inspecteur, ga achter Robbinet aan, en snel.'

'Maar natuurlijk, meteen,' zei inspecteur Savoy. 'Ik bel regelrecht naar het ministerie.'

'Nou, dat doet u dus niet,' beval Lindros. 'Ik wil dat deze operatie strikt geheim blijft.'

'Maar Bourne zal toch niet...'

'Inspecteur, tijdens de korte duur van dit onderzoek heb ik geleerd om nooit te zeggen: "Bourne zal toch niet...", want hij is tot alles in staat. We hebben het over een uitzonderlijk intelligente en gevaarlijke huurmoordenaar. Iedereen die in zijn buurt komt, is zijn leven niet zeker, begrijpt u dat?'

'Pardon, monsieur?'

Lindros probeerde langzamer te praten. 'Het maakt me niet uit hoe u Robbinet vindt, als u het maar via geheime kanalen doet. De kans is groot, dat wanneer de minister wordt verrast, Bourne dat ook zal zijn.'

'*D'accord*.' Savoy stond al op om naar zijn regenjas te zoeken.

'Luister goed, inspecteur. Ik vrees dat het leven van Robbinet in gevaar is,' zei Lindros. 'Alles hangt nu van u af.'

Betonnen hoogbouw, kantoren, zwak verlichte fabrieken raasden voorbij, log en hoekig voor Amerikaanse begrippen. De onheilspellende lucht maakte alles nog lelijker. Robbinet ging al vrij snel van de snelweg af en reed in westelijke richting over de CD47 de aankomende regenbuien tegemoet.

'Waar gaan we naartoe, Jacques?' vroeg Bourne. 'Ik moet zo snel mogelijk in Boedapest zijn.'

'*D'accord*,' zei Robbinet. Regelmatig had hij in zijn achteruitkijkspiegel gezocht naar voertuigen van de Police Nationale. Bij de Quai d'Orsay lag dat anders; hun agenten reden in gewone auto's, om de paar maanden veranderden ze van merk en model. 'Ik had een vlucht voor je gereserveerd die vijf minuten geleden is vertrokken; het vliegschema werd gewijzigd toen jij nog in de lucht zat. De CIA schreeuwt om je bloed, en dat geschreeuw heeft alle hoeken van de wereld bereikt waar ze een beetje invloed hebben, ook deze hoek.'

'Maar er moet toch een manier zijn om...'

'Natuurlijk is er een manier, *mon ami*,' zei Robbinet. 'Er is altijd een manier. Dat heb ik ooit van een zekere Jason Bourne geleerd.'

Hij reed nu weer in noordelijke richting, over de N17. 'Ik heb niet stilgezeten toen jij in mijn achterbak lag uit te rusten. Om zestienhonderd uur vertrekt van Orly een militair transport.'

'Pas om vier uur 's middags!' riep Bourne. 'Waarom gaan we niet gewoon met de auto?'

'Dat is geen slim plan met zoveel politie op de weg. En je overspannen Amerikaanse vrienden hebben de Quai d'Orsay ingeschakeld. De Fransman haalde zijn schouders op. 'Het is allemaal geregeld. Ik heb al je legitimatiebewijzen bij me. Onder militaire dekking zullen ze je niet ondervragen en het is hoe dan ook het beste dat het incident in Terminal Drie met een sisser afloopt, *non*?' Hij passeerde het langzaam rijdende verkeer. 'Tot die tijd zul je moeten onderduiken.'

Bourne wendde zijn blik af en staarde naar het deprimerende industriële landschap. Zijn laatste ontmoeting met Khan had hem ernstig ontregeld. Toch kon hij niet afblijven van die pijn in hem, zoals men ook op een rotte kies blijft bijten om te voelen hoe pijnlijk die is. Zijn analytische geest had al geconcludeerd dat Khan niets gezegd had dat wees op echte kennis over David of Joshua Webb. Hij suggereerde heel wat, deed allerlei toespelingen, maar wat had hij nou in feite gezegd?

Bourne, die voelde dat Robbinet naar hem keek, leunde nog meer naar het raam toe.

Robbinet interpreteerde Bournes zwijgende gepeins verkeerd, en zei: '*Mon ami*, om achttienhonderd uur ben je in Boedapest, maak je geen zorgen.'

'*Merci*, Jacques.' Bourne bevrijdde zichzelf tijdelijk van zijn sombere gedachten. 'Bedankt voor al je goedheid en hulp. En wat nu?'

'*Alors*, wij gaan naar Goussainville. Niet bepaald wat je zegt een pittoresk Frans stadje, maar daar wacht iemand op je die jij vermoedelijk wel interessant zult vinden.'

De rest van de rit bleef Robbinet zwijgen. Hij had gelijk over Goussainville. Het was oorspronkelijk een gewoon Frans dorp dat door de nabijheid van het vliegveld was veranderd in een moderne buitenstad. De deprimerende hoogbouw, de glazen kantoren en gigantische supermarkten werden hooguit een beetje opgefleurd door de bloemen in de bedden van de rotondes en de bermen.

Bourne zag een radio in het dashboard, die normaliter waarschijnlijk alleen door Robbinets chauffeur werd gebruikt. Terwijl Robbinet een benzinestation in reed, vroeg hij naar de frequenties die door de rijkspolitie en de Quai d'Orsay werden gebruikt. Terwijl Robbinet tankte, zocht Bourne de frequenties op, maar hij hoorde niets over het incident op het vliegveld, niets dat voor hem interessant was. Bourne keek naar de auto's die het benzinestation in- en uitreden. Een vrouw stapte uit en vroeg of Robbinet naar haar linkervoorband wilde kijken. Ze wist niet of die moest worden opgepompt. Er kwam een auto aangereden met twee jongemannen. Ze stapten beiden uit. De bijrijder leunde achterover tegen de motorkap van de wagen, terwijl de chauffeur naar binnen ging. Hij bekeek de Peugeot van Jacques en staarde vervolgens goedkeurend naar de vrouw, die terugliep haar auto.

'Nog iets gehoord op de radio?' vroeg Robbinet toen ze wegreden.

'Helemaal niks.'

'Geen nieuws is goed nieuws.'

Ze reden door lelijke straten en Bourne controleerde in de spiegels of ze niet door de twee jongemannen werden achtervolgd.

'Goussainville heeft een oude en koninklijke geschiedenis,' zei Robbinet. 'Eens was het van Clotaire, de vrouw van Clovis, de koning van Frankrijk aan het begin van de zesde eeuw. Omdat de Franken nog steeds werden beschouwd als barbaren, bekeerde hij zich tot het christendom, zodat we door de Romeinen werden geaccepteerd. De keizer benoemde hem tot consul. We veranderden van barbaren tot de kampioenen van het geloof.'

'Je zou niet zeggen dat dit een middeleeuws stadje is.'

De minister remde bij een rij betonnen appartementencomplexen. 'In Frankrijk,' zei hij, 'verbergt de geschiedenis zich vaak op de meest onverwachte plekken.'

Bourne keek om zich heen. 'Hier woont toch zeker niet je huidige minnares?' vroeg hij. 'Want de laatste keer dat je me aan je minnares voorstelde, moest ik doen alsof ze mijn vriendin was toen je vrouw ineens het café binnenkwam waar we wat dronken.'

'Je had het die middag volgens mij uitstekend naar je zin.' Robbinet schudde zijn hoofd. 'Maar wees niet bang, Delphine, met haar liefde voor Dior en Yves Saint Laurent, snijdt liever haar polsen door dan dat ze in Goussainville gaat wonen.'

'Maar wat doen we hier dan?'

De minister bleef een tijd lang naar de regen staren. 'Vies weer,' zei hij uiteindelijk.

'Jacques...?'

Robbinet keek om zich heen. 'O ja, sorry, *mon ami*. Ik dwaalde even af. *Alors*, ik neem je mee naar Mylene Dutronc.' Hij keek hem schuin aan. 'Heb je die naam wel eens gehoord?' Toen Bourne nee schudde, ging Robbinet verder. 'Dat dacht ik wel. Afijn, nu hij er niet meer is, mag ik het wel zeggen. Mademoiselle Dutronc was Alex Conklins minnares.'

'Laat me raden,' zei Bourne plotseling. 'Heldere ogen, lang golvend haar en een ironische glimlach.'

'Hij heeft dus wél over haar met je gesproken!'

'Nee, ik heb een foto van haar gezien. Het was zowat het enige persoonlijke dat in zijn slaapkamer stond.' Hij bleef even stil. 'Weet ze het al?'

'Ik belde haar meteen nadat ik het had gehoord.'

Bourne vroeg zich af waarom hij niet naar haar was toegegaan om het te zeggen. Dat zou netjes zijn geweest.

'Genoeg gepraat.' Robbinet pakte een weekendtas van de vloer voor de achterbank. 'We gaan Mylene een bezoekje brengen.'

Ze stapten uit de Peugeot, liepen door de regen over een smalle stoep waar bloemen langs stonden, en gingen een lage betonnen trap op. Bij 4A belde Robbinet aan en even later klonk de zoemer van de ingang.

Het appartementencomplex was vanbinnen even lelijk en akelig als vanbuiten. Ze namen de trap naar de vierde verdieping en liepen door een gang met aan weerszijden exact dezelfde voordeuren. Ze stonden stil bij een geopende deur. Mylene Dutronc stond in de opening.

Ze was misschien wel tien jaar ouder dan op de foto die hij had gezien. Ze moest nu zestig zijn, dacht Bourne, al leek ze minstens tien jaar jonger. Maar haar heldere ogen sprankelden nog steeds en haar glimlach krulde nog even geheimzinnig op. Ze droeg een spijkerbroek en een herenoverhemd, een outfit die haar vrouwelijker maakte omdat haar hele gestalte erin te zien was. Ze droeg platte schoenen en haar zo te zien natuurlijk asblonde haren waren opgestoken.

'*Bonjour*, Jacques.' Ze liet zich door Robbinet op beide wangen kussen, maar keek ondertussen naar zijn metgezel.

Bourne zag details die op de foto niet waren te zien. De kleur van haar ogen, haar gebeeldhouwde neusvleugels, haar witte en gelijkmatige tanden. Haar gezicht drukte zowel kracht als medeleven uit.

'Dan bent u zeker Jason Bourne.' Haar grijze ogen namen hem koel in zich op.

'Het spijt me van Alex,' zei Bourne.

'Dat is aardig van u. Voor iedereen die hem kende, is het een harde klap geweest.' Ze deed een stap naar achteren. 'Kom binnen alstublieft.'

Toen ze de deur achter zich dichtdeed, bekeek Bourne de kamer.

Mevrouw Dutronc woonde tussen onpersoonlijke flatgebouwen in, maar haar appartement had een eigen sfeer. Anders dan de meeste mensen van haar leeftijd, omringde ze zich niet met dezelfde oude zware meubels, overblijfselen uit het verleden. Haar meubilair was stijlvol, modern en comfortabel. Her en der stonden stoelen, twee bij elkaar horende banken stonden aan beide kanten van een bakstenen open haard, de gordijnen hadden een patroon. Het was een plek die je niet graag wilde verlaten, oordeelde Bourne.

'Ik heb begrepen dat u een lange reis achter de rug hebt,' zei ze tegen Bourne. 'U zult wel honger hebben.' Ze zei niets over zijn onverzorgde uiterlijk, waar hij haar dankbaar voor was. Ze liet hem zitten in de eetkamer en haalde eten en drinken voor hem uit een typisch Europese keuken: klein en donker. Toen ze klaar was ging ze tegenover hem zitten en legde haar ineengevouwen handen op de tafel.

Bourne kon zien dat ze gehuild had.

'Is het snel gegaan?' vroeg mevrouw Dutronc. 'Ik ben zo bang dat hij geleden heeft.'

'U hoeft niet bang te zijn,' antwoordde Bourne naar waarheid. 'Ik weet bijna zeker dat hij niet geleden heeft.'

'Dat is dan tenminste iets.' Haar gezicht straalde grote opluchting uit. De vrouw ging achteroverzitten, en terwijl ze dat deed, zag Bourne dat haar hele lichaam één brok spanning was geweest. 'Dank je wel, Jason.' Ze keek omhoog, haar expressieve grijze ogen keken hem dwingend aan. Aan haar gezicht zag hij hoe ze leed. 'Mag ik je tutoyeren?'

'Natuurlijk,' zei hij.

'Je hebt Alex goed gekend, toch?'

'Voorzover je Alex Conklin goed kon kennen.'

Ze wierp een korte blik naar Robbinet, maar meer was niet nodig.

'Ik moet nog een paar telefoontjes plegen.' De minister had zijn mobiele telefoon al in zijn hand. 'Jullie vinden het niet erg om even alleen gelaten te worden?'

Ze keek Robbinet somber na toen hij naar de woonkamer liep. Toen draaide ze zich om naar Bourne. 'Jason, wat jij me zojuist vertelde, kwam uit de mond van een echte vriend. Zelfs als Alex het nooit over jou zou hebben gehad, had ik hetzelfde gezegd.'

'Alex heeft het wel eens over mij gehad?' vroeg Bourne verbaasd. 'Hij sprak nooit met burgers over zijn werk.'

Ze glimlachte weer; deze keer was de ironie duidelijk te herkennen. 'Maar ik ben niet, zoals jij zegt, een burger.' Ze hield een pakje sigaretten in haar handen. 'Vind je het erg als ik rook?'

'O, nee, helemaal niet.'
'Veel Amerikanen vinden het vreselijk. Het is een soort obsessie bij jullie, niet?'
Ze wachtte niet op zijn antwoord, dat Bourne haar ook niet gaf. Hij keek toe hoe ze haar sigaret opstak, de rook diep inhaleerde en die traag en sexy uitblies. 'Nee, ik ben zeker geen gewone burger.' De rook kringelde om haar heen. 'Ik werk voor de Quai d'Orsay.'
Bourne verstijfde van schrik. Onder de tafel greep zijn hand naar het keramische pistool dat Deron hem had gegeven.
Alsof ze zijn gedachten kon lezen, schudde ze haar hoofd. 'Rustig maar, Jason. Jacques heeft je niet in een val gelokt. Je bent hier onder vrienden.'
'Maar ik begrijp het niet,' zei hij onnozel. 'Als je voor de Quai d'Orsay werkt, zou Alex al helemaal niet met je over zijn werk praten, al was het maar om geen loyaliteiten in gevaar te brengen.'
'Dat klopt. En zo is het al die jaren ook geweest.' Mevrouw Dutronc inhaleerde nog dieper en liet de rook uit haar neusgaten ontsnappen. Ze had de gewoonte haar hoofd iets op te heffen bij het inhaleren, waardoor ze wat op Marlene Dietrich leek. 'Maar onlangs is er iets gebeurd. Ik weet niet wat, hij wilde er niets over kwijt, al deed ik nog zo mijn best.'
Ze keek hem een poosje door de rookwolken heen aan. Iedere spion moest een façade kunnen ophouden om zijn eigen gedachten of gevoelens niet te verraden. Maar hij kon aan haar zien dat haar hersens kraakten en hij wist dat ze zich kwetsbaar opstelde.
'Zeg eens eerlijk, Jason, als oude vriend van Alex, heb jij hem ooit bang gezien?'
'Nee,' antwoordde Bourne. 'Alex kende geen angst.'
'Maar die dag was hij ontzettend bang. Daarom smeekte ik hem me te zeggen wat er aan de hand was, zodat ik kon helpen, of kon zorgen dat hij voorzichtig deed.'
Bourne leunde voorover, zijn lichaam was nu even gespannen als dat van mevrouw Dutronc. 'Wanneer was dit?'
'Twee weken geleden.'
'En hij heeft niets losgelaten?'
'Hij noemde een naam, Felix Schiffer.'
Bourne voelde zijn hart kloppen. 'Dr. Schiffer werkte voor DARPA.'
Ze keek bedenkelijk. 'Alex vertelde mij dat hij werkte voor het Directoraat tactische, niet-dodelijke Wapens.'
'Dat is een onderdeel van de CIA,' zei Bourne, half binnensmonds.

Nu begonnen de stukjes in elkaar te vallen. Zou Alex dr. Felix Schiffer ervan hebben kunnen overtuigen om van DARPA, dat onderdeel was van het ministerie van Defensie, over te stappen naar het directoraat van de CIA? Het zou voor Conklin een fluitje van een cent zijn geweest om Schiffer te laten 'verdwijnen'. Maar waarom wilde hij dat? Als hij openlijk iemand bij Defensie wilde wegkapen, had hij best tegen de regen van kritiek gekund. Hij moest een andere reden hebben gehad om Schiffer kopje onder te laten gaan.

Hij keek naar Mylene. 'Was dr. Schiffer de reden waarom Alex zo bang was?'

'Jason, dat wilde hij niet zeggen. Maar wat kon het anders zijn? Alex zat die dag de hele dag aan de telefoon. Hij was verschrikkelijk gespannen en ik kon zien dat hij het middelpunt was van een belangrijke veldoperatie. Een paar keer hoorde ik de naam dr. Schiffer vallen. Ik vermoedde dat de hele operatie om hem te doen was.'

Inspecteur Savoy zat in zijn Citroën te luisteren naar het schrapen van de ruitenwissers. Hij haatte regen. Het regende op de dag dat zijn vrouw bij hem wegliep, en toen zijn dochter in de Verenigde Staten ging studeren en nooit meer terugkwam. Zijn vrouw woonde nu in Boston, was getrouwd met een stijve bankier. Ze had nu drie kinderen, een huis, een lap grond, alles wat haar hartje begeerde, terwijl hij zat te wachten in dit stinkdorp – hoe heette het ook weer, ach ja, Goussainville – en op zijn nagels zat te bijten. En alsof dat niet erg genoeg was, regende het ook.

Toch was het een bijzondere dag, want hij had bijna de meest gezochte voortvluchtige van de CIA te pakken. Als hij Jason Bourne eenmaal zou hebben, zou zijn carrière met sprongen vooruitgaan. Misschien zou hij zelfs persoonlijk opvallen bij de president. Hij keek naar de auto aan de overkant van de straat – de Peugeot van minister Jacques Robbinet.

In de dossiers van de Quai d'Orsay had hij het merk, het model en de nummerplaat van de ministeriële auto gevonden. Van collega's wist hij dat de minister vanaf het vliegveld naar het noorden was gereden over de A1. Nadat hij op het hoofdkwartier had achterhaald wie er aan de noordzijde van het kordon stonden te posten, had hij elke auto afzonderlijk gebeld – indachtig de waarschuwing van Lindros geen gebruik te maken van de radio omdat ze afgeluisterd konden worden. Geen van zijn contacten had de wagen van de minister gezien, en hij begon al wanhopig begon te worden totdat hij Justine Bérard aan de lijn kreeg, die vertelde dat ze bij een benzinestation Robbinets auto had gezien en zelfs ook met hem had gesproken. Ze vertelde dat de minister een gespannen, nerveuze indruk maakte, zelfs een beetje kortaf reageerde.

'Vond je zijn gedrag vreemd?'

'Ja, maar op dat moment wist ik niet waarom,' had Bérard gezegd. 'Maar dat is nu wel duidelijk.'

'Was de minister alleen?' vroeg inspecteur Savoy.

'Dat weet ik niet zeker. Het regende hard dus het raampje zat dicht,' zei Bérard. 'En eerlijk gezegd lette ik vooral op zijn uiterlijk.'

'Ja ja, een knappe man,' zei Savoy korzeliger dan hij het meende. Bérard had uitstekend werk geleverd. Ze had gezien welke kant Robbinet was opgegaan en toen ze in Goussainville aankwam zag ze zijn auto geparkeerd staan bij een blok flatgebouwen.

De ogen van mevrouw Dutronc dwaalden naar Bournes keel. Ze drukte haar sigaret uit. 'De wond is weer gaan bloeden. Kom, we gaan hem verzorgen.'

Ze bracht Bourne naar haar badkamer, die betegeld was met zeegroene en crèmekleurige tegels. Door een raampje aan de straatkant viel het treurige daglicht binnen. Ze zette Bourne op een stoel en maakte zijn wond schoon met water en zeep.

'Het bloeden is opgehouden,' zei ze toen ze de antibiotische crème op het rode vlees van de wond smeerde. 'Dit was geen ongeluk. Je hebt gevochten.'

'Het was niet gemakkelijk om de Verenigde Staten uit te komen.'

'Je bent net zo gesloten als Alex.' Ze deed een stap naar achteren, alsof ze hem eens goed wilde bekijken. 'Je kijkt verdrietig, Jason. Ontzettend verdrietig.'

'Mevrouw Dutronc...'

'Ik sta erop dat je me Mylene noemt.' Ze had deskundig een verband gemaakt van steriel gaas en watten, en deed dat op de wond. 'Je moet het verband minstens om de drie dagen verwisselen.'

'Oké.' Hij glimlachte naar haar terug. '*Merci*, Mylene.'

Ze legde zacht haar hand op zijn wang. 'Wat kijk je toch verdrietig. Ik weet hoe close jij en Alex waren. Hij beschouwde je als zijn zoon.'

'Zei hij dat?'

'Dat was niet nodig; hij had die blik in zijn ogen als hij over je sprak.' Ze keek nog een keer naar het verband. 'Ik besef dat ik niet de enige ben die om hem rouwt.'

Bourne wilde haar alles vertellen, niet alleen over zijn verdriet om Alex en Mo, maar ook over zijn laatste ontmoeting met Khan. Hij besloot uiteindelijk te zwijgen. Ze had al genoeg verdriet te verwerken.

Toen zei hij: 'Wat is er toch tussen jou en Jacques? Haten jullie elkaar of zo?'

Mylene keek even de andere kant op, naar de regen die over het dikke bobbelglas van het doucheraampje stroomde. 'Het was dapper van hem om je hier naartoe te brengen. Het moet hem moeite hebben gekost om mijn hulp in te schakelen.' Weer keek ze Bourne aan. Met betraande ogen. De dood van Alex had zoveel emoties in haar losgemaakt en ineens besefte hij dat door alle recente gebeurtenissen ook háár verleden was opgerakeld. 'Er is zoveel verdriet in deze wereld, Jason.' Er rolde een traan over haar wang, die trillend bleef liggen en er toen vanaf gleed. 'Vóór Alex had ik iets met Jacques.'

'Was je zijn minnares?'

Ze schudde nee. 'Jacques was nog niet getrouwd. We waren heel jong. We bedreven als gekken de liefde, en omdat we nog zo jong – en stom – waren, raakte ik zwanger.'

'Je hebt een kind?'

Mylene depte haar ogen. '*Non*, ik wilde het niet houden. Ik hield niet van Jacques. Pas toen dit gebeurd was, zag ik dat in. En hij... Hij is zó katholiek.'

Ze lachte een beetje melancholisch en Bourne herinnerde zich de geschiedenis van Goussainville die Jacques had verteld, hoe de barbaarse Franken zich hadden bekeerd. De bekering van koning Clovis was een slimme zet geweest, meer een kwestie van politieke overleving dan van geloof.

'Jacques heeft het me nooit vergeven.' Ze toonde geen greintje zelfmedelijden, wat haar bekentenis des te ontroerender maakte.

Hij boog zich naar haar toe en kuste haar zacht op haar wangen. Met een zachte snik drukte ze hem even aan haar borst.

Ze liet hem douchen en toen hij klaar was, zag hij een Frans militair uniform op de wc-klep liggen. Terwijl hij zich aankleedde keek hij uit het raam. De takken van een lindeboom zwiepten in de wind. Hij zag buiten een mooie vrouw van begin veertig uit haar auto stappen en in de richting lopen van een Citroën; achter het stuur zat een man van middelbare leeftijd zenuwachtig op zijn nagels te bijten. Ze opende het portier en ging naast hem zitten.

Er was niets vreemds aan het tafereel, behalve het feit dat Bourne dezelfde vrouw bij het benzinestation had gezien. Ze had het met Jacques over de bandenspanning van haar voorband gehad.

Quai d'Orsay!

Hij liep meteen naar de woonkamer, waar Jacques nog zat te telefoneren. Onmiddellijk onderbrak hij het gesprek toen hij de uitdrukking op Bournes gezicht zag.

'Wat is er, *mon ami?*'

'Ze hebben ons gevonden,' zei Bourne.

'Wat? Hoe kan dat?'

'Dat weet ik niet, maar er zitten twee agenten van de Quai d'Orsay in een zwarte Citroën aan de overkant van de straat.'

Mylene kwam vanuit de keuken aangelopen. 'En er staan er nog twee op wacht aan de andere kant van het gebouw. Maar maak je niet druk, ze weten niet eens in welk flatgebouw je zit.'

Op dat moment ging de deurbel. Bourne trok zijn pistool, maar Mylene hield hem met haar ogen tegen. Met een hoofdknik gaf ze Bourne en Robbinet de opdracht zich te verstoppen. Ze maakte de deur open en zag een opvallend morsige inspecteur voor haar staan.

'Alain, *bonjour*,' zei ze.

'Het spijt me dat ik u tijdens uw vakantie kom storen,' zei inspecteur Savoy met een schaapachtige grijns op zijn gezicht, 'maar ik was in de buurt en herinnerde me ineens dat u hier woonde.'

'Wil je binnenkomen voor een kop koffie?'

'Nee, dank u wel, ik heb het druk.'

Opgelucht zei Mylene: 'En waar heb je het in deze buurt zo druk mee?'

'We zijn op zoek naar Jacques Robbinet.'

Ze keek verschrikt. 'De minister van Cultuur? Maar wat heeft hij hier te zoeken, in Goussainville?'

'Dat weten wij ook niet,' antwoordde inspecteur Savoy. 'Niettemin staat zijn auto hier in deze straat geparkeerd.'

'De inspecteur is ons te slim af, Mylene.' Jacques Robbinet liep de woonkamer in terwijl hij zijn overhemd dichtknoopte. 'Hij weet van ons.'

Met haar rug naar Savoy gekeerd keek Mylene de minister geschrokken aan. Hij glimlachte ontspannen naar haar terug.

Hij kuste zacht haar mond toen hij langs haar heen liep.

Inspecteur Savoy was ondertussen knalrood geworden. 'Minister Robbinet, ik wist absoluut niet dat... Ik bedoel, ik wilde u niet storen...'

Robbinet stak zijn hand op. 'Excuses geaccepteerd, maar waarom zoeken jullie mij?'

Duidelijk opgelucht liet Savoy de korrelige foto zien van Jason Bourne. 'We zoeken deze man, een bekende huurmoordenaar die voor de CIA werkte, maar het verkeerde pad is opgegaan. We hebben reden om aan te nemen dat hij u wil vermoorden.'

'Maar dat is verschrikkelijk, Alain!'

Bourne, die dit spel vanuit het donker gadesloeg, dacht dat Mylene echt gechoqueerd was.

'Ik ken deze man niet,' zei Robbinet, 'en heb geen idee waarom hij mij zou willen ombrengen. Maar wie weet wat er in zo'n moordenaar omgaat?' Hij huiverde en draaide zich om toen Mylene hem zijn colbert en regenjas aangaf. 'Hoe dan ook, ik moet zo snel mogelijk terug naar Parijs.'

'En wij escorteren u,' zei Savoy vastberaden. 'U rijdt met mij mee, en mijn collega brengt uw dienstwagen thuis.' Hij stak zijn hand uit. 'Als u zo vriendelijk zou willen zijn.'

'Maar natuurlijk.' Robbinet overhandigde de sleutel van zijn Peugeot. 'Ik geef me helemaal aan u over, inspecteur.'

Robbinet draaide zich nog één keer om en nam Mylene in zijn armen. Savoy trok zich discreet terug en zei dat hij in de hal op Robbinet zou wachten.

'Breng Jason naar de parkeerplaats,' fluisterde Robbinet in haar oor. 'Neem mijn attachékoffer mee en geef hem vlak voor vertrek alles wat daarin zit.' Hij fluisterde de code van het slot in haar oor, zij knikte.

Ze staarde naar hem, kuste hem toen gepassioneerd op zijn mond en zei: 'Goede reis, Jacques.'

Even keek hij haar met grote ogen verwachtingsvol aan. Toen ging hij naar buiten; Mylene rende terug naar de woonkamer.

Zachtjes riep ze Bourne en hij kwam tevoorschijn. 'We moeten gebruikmaken van de speling die Jacques ons heeft gegeven.'

Bourne knikte. '*D'accord*.'

Mylene haalde Robbinets attachékoffer. 'Kom, we moeten gaan.'

Ze maakte de voordeur open, keek of de kust veilig was en liep met Bourne naar de ondergrondse parkeerruimte. Toen de stalen deur achter hen dichtviel, stopte ze even. Turend door het gewapende glas bracht ze verslag uit. 'De parkeerplaats lijkt veilig, maar blijf waakzaam, je weet nooit.'

Ze maakte de koffer open en gaf Bourne een pakket. 'Hier is het geld waar je om vroeg, samen met je identiteitskaart en andere bestellingen. Je heet Pierre Montefort, werkt als legerkoerier en moet vóór achttienhonderd uur lokale tijd geheime documenten afgeven aan onze militaire attaché in Boedapest.' Ze stopte Bourne een bos sleutels toe. 'Er staat een motor van het leger geparkeerd op de derde strook, in het een na laatste vak aan de rechterkant.'

Ze keken elkaar nog even aan. Bourne wilde iets zeggen, maar Mylene was hem voor. 'Vergeet niet, Jason, het leven is te kort voor spijt.'

Bourne vertrok. Hij beende kaarsrecht door de grauwe, unheimische betonnen parkeerruimte over het met olie besmeurde asfalt. Zonder op of om te kijken liep hij langs de rijen geparkeerde auto's. Bij de derde rij ging hij naar links. Een eindje verderop zag hij de motorfiets staan, een zilverkleurige Voxan VB-1, met een enorme V2-motor van 996 cc. Bourne bond zijn attachékoffer achterop, duidelijk zichtbaar voor de Quai d'Orsay. Hij vond een helm in een draagtas en deed zijn pet af. Toen duwde hij de machine uit het parkeervak, startte de motor, sprong erop en reed de parkeergarage uit, de regen in.

Justine Bérard zat aan haar zoon Yves te denken toen ze werd gebeld door inspecteur Savoy. De laatste tijd leek het wel alsof ze alleen via videospelletjes met Yves contact kon krijgen. De eerste keer dat ze hem had ingemaakt met 'Grand Theft Auto', had hij even naar haar opgekeken alsof hij haar plotseling zag als mens van vlees en bloed en niet als het noodzakelijke kwaad dat voor hem kookte en zijn kleren waste. Vanaf toen zeurde hij of hij een keer mee mocht rijden in haar dienstauto. Tot nog toe had ze zijn verzoeken kunnen afwimpelen, maar ooit zou ze voor hem zwichten, niet alleen omdat ze zelf trots was op haar onverschrokken rijstijl, maar vooral omdat ze graag wilde dat Yves trots op haar was.

Toen ze van Savoy hoorde dat hij minister Robbinet had gevonden, begon ze meteen van alles te regelen en zorgde ze ervoor dat de surveillerende agenten zich opstelden in de standaardformatie voor vip-bescherming. Nu gebaarde ze naar de Police Nationale, die te hulp kwam terwijl inspecteur Savoy de minister van Cultuur vanuit het appartementencomplex naar zijn wagen escorteerde. Ondertussen zocht ze om zich heen naar een teken van de krankzinnige moordenaar Jason Bourne.

Bérard was opgetogen. Het maakte niet uit of inspecteur Savoy door slimheid of stom toeval de minister in deze doolhof van flats had gevonden. Het zou haar carrière ten goede komen, want zíj was het geweest die Savoy hier naartoe had geleid en zij zou er ook bij zijn wanneer ze straks in Parijs Jacques Robbinet veilig en wel thuis afzetten.

Onder het waakzame oog van een groep zwaarbewapende politieagenten waren Savoy en Robbinet de straat overgestoken. Ze hield het portier open van Savoys auto en toen hij om haar heen liep, gaf hij haar de sleutel van de ministeriële Peugeot.

Terwijl Robbinet op de achterbank van Savoys wagen ging zitten, hoorde Bérard het luidruchtige geronk van een zware motorfiets.

Door de echo leek het geluid te komen vanuit de garage onder het gebouw waar Savoy de minister had gevonden. Ze spitste haar oren en herkende in het geronk een Voxan VB-1. Een militair voertuig.

Even later zag ze een koerier van het leger de garage uit crossen en pakte ze haar mobieltje. Wat had een militair in Goussainville te zoeken? Ondertussen liep ze naar de Peugeot van de minister. Ze schreeuwde haar toegangscode van de Quai d'Orsay in de hoorn en wilde doorverbonden worden met het hoofd Militaire Logistiek. Ze kwam aan bij de Peugeot, maakte het portier open en ging achter het stuur zitten. Omdat ze alarmcode 'Code Rouge' had opgegeven, werd ze op haar wenken bediend: er was op dit moment geen bekende militaire koerier gestationeerd in Goussainville.

Ze startte de auto en schakelde ruw naar de eerste versnelling. Het geschreeuw van Savoy, die verbijsterd toekeek, was onhoorbaar door de piepende banden van de Peugeot toen ze plankgas gaf en de straat uitreed, achter de Voxan aan. Bérard kon hooguit vermoeden dat Bourne hen had doorgehad en wist dat hij in de val zat, tenzij hij snel zou kunnen ontsnappen.

In de circulaire van de CIA die Bérard had gezien, stond dat hij verbazingwekkend snel van identiteit en uiterlijk kon wisselen. Als Bourne de koerier was – en wie kon hij anders zijn, bedacht ze nu – en ze zou hem arresteren of doden, dan zou dat haar carrière een totaal andere wending geven. Ze fantaseerde dat de minister, uit dankbaarheid dat zij zijn leven had gered, in eigen persoon ervoor zou zorgen dat zij hoofd werd van zijn beveiligingsdienst.

Maar dan moest ze wél eerst deze nepkoerier te pakken krijgen. Gelukkig was de Peugeot van de minister geen gewone wagen. Toen ze extra gas gaf en een scherpe bocht maakte, door rood reed en een houtvrachtwagen rechts inhaalde, voelde ze dat de motor was opgevoerd. Ze reageerde niet op het geloei van de claxon. Onder geen beding mocht ze de Voxan uit het oog verliezen.

Bourne kon nauwelijks geloven dat hij zo snel was ontmaskerd, maar toen de Peugeot hem hardnekkig bleef achtervolgen, moest hij wel concluderen dat er iets grondig mis was gegaan. Hij had gezien dat Robbinet door de Quai d'Orsay was meegenomen, een van hun agenten zat achter het stuur. Nu kon hij zich niet meer achter zijn valse identiteit verschuilen; hij moest deze achtervolger van zich afschudden. Hij boog zich voorover, manoeuvreerde door het verkeer, paste zijn snelheid aan, haalde op verschillende manieren het langzame verkeer in. Hij nam haarscherpe bochten, op het gevaar af dat wanneer hij zou vallen, de Voxan piepend onder hem vandaan zou wegschieten. Eén blik in de zijspiegel bevestigde dat hij de Peugeot nog niet van zich had afgeschud. Het leek zelfs wel of hij werd ingehaald.

Hoewel de Voxan door het verkeer kon zigzaggen en Bérard met haar auto aanzienlijk minder manoeuvreerruimte had, bleef ze hem op zijn hielen zitten. Ze had een speciale schakelaar omgezet waarmee alle ministersauto's waren uitgerust om de voor- en achterlichten te laten knipperen. De oplettende weggebruikers lieten haar daardoor voor gaan. In haar hoofd speelden zich de steeds ingewikkelder wordende en angstwekkende scenario's af uit 'Grand Theft Auto'. Het rollende wegdek, de auto's die moesten worden ingehaald of ontweken – de gelijkenis was treffend. Binnen een fractie van een seconde besloot ze om over de stoep te rijden, anders zou ze de Voxan uit het oog verliezen. De voetgangers doken voor haar weg.

Plotseling zag ze de afslag naar de A1 en ze besefte dat Bourne daarheen moest. Als ze eerder dan hij op de snelweg was, kon ze hem pakken. Vastberaden op haar lip bijtend trok ze het laatste restje energie uit de motor van haar wagen en kwam ze nog dichterbij de motorfiets. De Voxan was nog maar twee auto's van haar vandaan. Ze gaf het stuur een ruk naar rechts, haalde de ene auto in en gebaarde de andere opzij te gaan. De chauffeur was zowel geïntimideerd door haar agressieve rijgedrag als door de knipperlichten van de Peugeot.

Bérard liet geen kans schieten. Ze reden naar de afslag: het was nu of nooit. Ze knalde het trottoir op in de hoop Bourne links in te halen zodat hij, om haar in het oog te kunnen houden, even moest omkijken. Met die snelheid kon hij zich dat niet veroorloven, wist ze. Ze liet het portierraampje zakken, drukte het gaspedaal verder in en schoot verder door de slagregens.

'Stop!' schreeuwde ze. 'Ik ben van de Quai d'Orsay! Als je niet stopt, zal dat ernstige gevolgen hebben!'

De koerier negeerde haar. Ze trok haar pistool en richtte op zijn hoofd. Haar arm was helemaal gestrekt. Door het vizier kijkend, richtte ze op de voorkant van zijn silhouet. Ze haalde de trekker over.

Op dat moment zwenkte de Voxan naar links en slipte vlak voor een tegenligger op de andere rijbaan, maakte toen een sprong over de smalle betonnen wegscheiding en reed verder tegen het verkeer in.

'Mijn god!' hijgde Bérard. 'Hij rijdt naar de afrit toe!'

Terwijl ze omdraaide, zag ze de Voxan door het verkeer zigzaggend de A1 afrijden. Banden piepten, claxons loeiden, woedende chauffeurs balden hun vuisten en vloekten. Het drong maar half tot Bérard door. Ze probeerde na te denken over de vraag hoe ze dezelfde weg kon afleggen om bij de afrit te komen.

Ze haalde het tot aan het begin van de afrit, waar ze tot stilstand kwam voor een muur van voertuigen. Ze rende uit de auto de regen in, zag dat de Voxan harder begon te scheuren tussen de rijbanen met aankomend verkeer in. Bournes rijstijl was adembenemend, maar hoe lang hield hij zulke gevaarlijke capriolen vol...

De Voxan verdween achter de zilveren ovale cilinder van een tankwagen. Bérard hield haar adem in toen ze een enorme achttienwieler op de rijbaan ernaast zag aankomen. Ze hoorde het akelige geluid van piepende remmen en zag de Voxan tegen de enorme motorkap van de truck aan knallen en onmiddellijk ontploffen in een grote, loeiende vuurbal.

12

Recht vóór zich zag Jason Bourne wat hij wel een 'gelukkige samenloop van omstandigheden' noemde. Hij scheurde tussen twee autobanen in. Rechts van hem reed een tankwagen; vóór hem kwam in de verte een enorme achttienwieler aangereden. Hij maakte intuïtief zijn keuze, had geen tijd om na te denken. Hij stelde zich geestelijk en lichamelijk in op deze samenloop van omstandigheden.

Hij tilde zijn benen van de steunen en even hield hij zich alleen maar met zijn linkerhand vast aan het stuur, balancerend op het zadel. Hij stevende af op de achttienwieler die links van hem kwam aangereden en liet het stuur helemaal los. Hij reikte met zijn rechterhand naar een trede van de smalle metalen trap tegen de ronde zijde van de tankwagen, greep die vast en werd zo van zijn motor gerukt. Zijn hand gleed uit over het door regen glad geworden metaal en bijna werd hij als een takje door de wind meegenomen. Hij jankte van de pijn die door zijn schouder ging, de schouder die gewond was geraakt toen hij aan de laadklep van het vliegtuig hing. Hij hield zich nu met twee handen aan de trede vast. Terwijl hij naar de ladder slingerde en zichzelf aan de tank vastklampte, knalde de Voxan tegen de motorkap op van de achttienwieler.

De tankwagen slingerde, schommelde op zijn schokbrekers terwijl de chauffeur door de vlammen reed. Toen was de achtervolging voorbij en reed de wagen verder richting vliegveld Orly, Bournes vrijheid tegemoet.

Er waren verschillende oorzaken voor de snelle en gestage stijging over het glibberige carrièrepad dat Martin Lindros binnen de CIA had beklommen om op zijn 38ste adjunct-directeur te worden. Hij was slim, had de juiste scholen bezocht en hield zijn hoofd koel in tijden van crises. Bovendien bezat hij een bijna fotografisch geheugen waardoor hij er uitzonderlijk scherp op kon toezien dat de bestuurlijke kant van zijn CIA-werk soepel verliep. Allemaal belangrijke eigenschappen, ongetwijfeld – verplicht zelfs voor een ambitieuze adjunct. De directeur had Lindros er echter uitgepikt om een andere reden: hij had geen vader meer.

De directeur had de vader van Martin Lindros goed gekend. Drie jaar lang hadden ze samen gediend in Rusland en Oost-Europa – totdat de oude Lindros omkwam door een bom onder zijn wagen. Martin Lindros was toen twintig en het had een ongekende impact op hem gehad. Toen de directeur op de begrafenis van de oude Lindros het bleke en gekwelde gezicht zag van de jongeman, wist hij dat hij Martin Lindros wilde vangen in het netwerk dat zijn vader zo had aangetrokken.

Hem benaderen was niet moeilijk; hij was nog kwetsbaar. De directeur wilde ter plekke handelen, want intuïtief voelde hij aan, dat Martin Lindros uit was op wraak. De directeur had ook gezien dat de jongeman na zijn studie aan Yale naar de universiteit van Georgetown was gegaan. Dat had twee voordelen: het bracht Martin letterlijk binnen zijn invloedssfeer én hij volgde de cursussen die nodig waren voor een carrière binnen de CIA. De directeur had in eigen persoon de jongeman bij de CIA geïntroduceerd en hield toezicht op elke fase van zijn opleiding. En omdat hij de nieuweling levenslang aan zich wilde binden, zorgde hij ervoor dat Martin zijn zo gewenste wraak kon nemen: hij gaf hem de naam en het adres van de terrorist die de autobom had gemaakt.

Martin Lindros had de instructies van de directeur naar de letter opgevolgd en liet een bewonderenswaardige vaste hand zien toen hij de terrorist precies tussen zijn ogen neerschoot. Maar was hij echt degene geweest die de bewuste autobom had gemaakt? Dat wist zelfs de directeur niet zeker. Maar wat maakte het uit? Hij wás een terrorist en hij hád in zijn tijd veel autobommen gemaakt. Nu was hij dood – weer een terrorist minder – en Martin Lindros kon rustig slapen nu hij de moord op zijn vader had gewroken.

'We zijn door Bourne genaaid,' zei Lindros nu. 'Want híj was het die de stadspolitie heeft gebeld toen hij jouw surveillancewagens aan zag komen. Hij wist dat jij daar officieel niet mocht komen, behalve als je voor de CIA zou werken.'

'Ik ben bang dat je daar helemaal gelijk in hebt.' Rechercheur Harris van de staatspolitie van Virginia knikte nog eens terwijl hij zijn glaasje whisky achteroversloeg. 'Maar nu zitten de Fransozen achter hem aan; misschien hebben die meer geluk dan wij.'

'Ach, het blijven Fransen,' zei Lindros mismoedig.

'Maar toch, ze kunnen toch wel een keer iets goed doen?'

Lindros en Harris zaten in de Froggy Bottom Lounge aan Pennsylvania Avenue. Op dit tijdstip zat het er vol met studenten van de George Washington Universiteit. Al langer dan een uur loerde Lindros naar navelpiercings in ontblote buiken, naar pronte achterwerken in al te strakke minirokjes van meisjes, wel twintig jaar jonger dan hij. Er kwam een moment in het leven van een man, dat hij in de achteruitkijkspiegel keek en besefte dat zijn jeugd voorbij was. Geen van deze meisjes keek naar hem om; ze wisten niet eens dat hij bestond.

'Waarom,' zei hij, 'kan een man niet zijn leven lang jong blijven?'

Harris grinnikte en bestelde nog wat.

'Vind je dat grappig?'

Ze schreeuwden niet meer tegen elkaar, er vielen geen ijzige stiltes meer tussen hen, er werden geen hatelijke of bijtende opmerkingen meer gemaakt. Op het laatst hadden ze er de brui aan gegeven en gingen ze zich bedrinken.

'Ja, ik vind dit ontzettend grappig,' zei Harris, die ruimte vrijmaakte voor de nieuwe drankjes. 'Je staat maar wat te zwijmelen over lekkere meiden, en denkt dan meteen dat je leven voorbij is. Maar dit gaat niet om lekkere wijven, Martin, al moet ik er eerlijk aan toevoegen dat ik nog nooit een kans op een lekker potje neuken heb laten schieten.'

'Oké, meneer de psychiater, waar gaat het dan wél om?'

'We hebben verloren, daar gaat het om. We spelen het spelletje van Jason Bourne en hij heeft ons sinds zondag al zes keer verslagen. Niet dat hij daar geen goede reden voor heeft.'

Lindros ging rechtop zitten, moest met een lichte duizeling boeten voor deze onverhoedse beweging. Hij bracht zijn hand naar zijn slaap. 'Wat bedoel je daarmee?'

Harris had de gewoonte om de whisky door zijn mond te spoelen alsof het mondwater was. Zijn adamsappel klikte toen hij het doorslikte. 'Ik geloof niet dat Bourne Conklin en Panov heeft vermoord.'

Lindros kreunde. 'Jezus, Harry, niet weer hè?'

'Ik blijf het zeggen tot ik erbij neerval. Maar ik ben benieuwd waarom je daar niks van wil weten.'

Lindros keek op. 'Oké, oké. Vertel me waarom Bourne volgens jou onschuldig is.'

'Waarom zou ik?'

'Omdat ik het vraag.'

Harris dacht even na. Hij trok zijn schouders op, pakte zijn portefeuille en haalde er een papiertje uit, dat hij uitgevouwen op de tafel legde. 'Vanwege deze parkeerbon.'

Lindros pakte de bon en bestudeerde die goed. 'Deze bon is gericht aan ene dr. Felix Schiffer.' Hij schudde verward zijn hoofd.

'Felix Schiffer is een hardnekkige foutparkeerder,' zei Harris. 'De naam zou me niks zeggen als we niet toevallig deze maand extra hadden opgetreden tegen kleine vergrijpen. Een van mijn mannen kon nergens iets over deze Schiffer vinden.' Hij pakte de bon af. 'Het was even doorzetten, maar uiteindelijk kwam ik erachter waarom er niks over deze vent te vinden was. Het bleek dat alle post van Schiffer naar Alex Conklin werd doorgestuurd.'

Lindros schudde zijn hoofd. 'Nou en?'

'Nou, toen ik in de database naar dr. Felix Schiffer zocht, bleek ik tegen een muur op te lopen.'

Lindros voelde zich weer wat helderder worden. 'Wat voor soort muur?'

'Eentje die is opgetrokken door de Amerikaanse overheid.' Harris dronk met één snelle beweging van zijn hand zijn whisky op. 'Deze dr. Schiffer wordt helemaal van de buitenwereld afgeschermd. Ik weet niet waar Conklin mee bezig was, maar het moet zo geheim zijn geweest dat zelfs zijn eigen mensen er niets van wisten.' Hij schudde zijn hoofd. 'Hij is niet vermoord door een losgeslagen CIA-agent, Martin. Daar durf ik mijn leven om te verwedden.'

Toen Stepan Spalko met de privé-lift van Humanistas naar boven ging, had hij voor zijn doen een goed humeur. Afgezien van het onverwachte gedoe met Khan verliep alles weer op rolletjes. Hij had de Tsjetsjenen voor zich gewonnen, die intelligent, onbevreesd en bereid waren om te sterven voor hun zaak. Wat je ook van Arsenov kon zeggen, hij was een toegewijde en gedisciplineerde leider. Daarom had Spalko hem uitverkoren als de verrader van Khalid Murat. Murat had geen rotsvast vertrouwen in Spalko; hij had een scherpe neus voor onbetrouwbaarheid. Maar Murat was niet meer. Spalko wist zeker dat de Tsjetsjenen zouden doen wat hij van hen verlangde. Aan de andere kant van de wereld had hij de vervloekte Alexander Conklin uitgeschakeld terwijl de CIA niet beter wist dan dat Bourne de dader was: twee vliegen in één klap. Maar nog steeds stonden er belangrijke kwesties open, bijvoorbeeld het wapen en Felix Schiffer. Hij voelde de enorme druk van alle dingen die hij nog moest doen. En hij wist dat hij niet veel tijd had.

Hij stapte uit op een tussenverdieping die alleen maar met een magnetisch pasje kon worden betreden. Hij liep zijn zonnige appartement binnen, naar de ramen die uitkeken over de Donau, het donkergroen van Margaret-eiland en de stad daarachter. Hij stond te staren naar de parlementsgebouwen, dacht aan de toekomst, als hij een ongekende macht zou hebben. De zon bescheen de middeleeuwse façade, de luchtbogen, de koepels en de torens. Daarbinnen kwamen dagelijks mannen met macht bij elkaar, al had hun gebabbel geen invloed. Zijn borst zwol op. Alleen hij, Spalko, wist waar de echte macht zat in de wereld. Hij stak zijn hand uit en balde die tot een vuist. Binnenkort zou iedereen dat weten – de president van Amerika in zijn Witte huis, de Russische president in het Kremlin, de sjeiks in hun schitterende Arabische paleizen. Binnenkort zouden zij allemaal écht weten wat angst is.

Naakt liep hij naar de grote, luxueuze badkamer met tegels in de kleur van lapis lazuli. Hij nam een douche onder acht stromende waterstralen, waste zich tot zijn huid rood zag. Toen droogde hij zich af met een dikke, grote Turkse handdoek en trok een spijkerbroek en een overhemd aan.

Bij een glanzend, roestvrijstalen aanrecht schonk hij uit een machine een kop verse koffie voor zichzelf in. Hij deed er melk en suiker in en nog een toef slagroom uit de minikoelkast erbovenop. Even later nipte hij ervan en dagdroomde hij weg, genietend van zijn steeds groter wordende verwachtingen. Hij had zoveel heerlijke dingen om naar uit te kijken tegenwoordig!

Hij zette het kopje koffie neer en bond een slagersschort voor. Hij verruilde zijn mocassins van fel glanzend leer voor een paar groene rubberen laarzen.

Terwijl hij nog een slok nam van zijn koffie, liep hij naar de gelambriseerde muur. Daar stond een tafeltje met een la. Hij trok de lade open. Er lag een doos met latex handschoenen in. Neuriënd haalde hij er een paar uit en trok ze aan. Hij drukte op een knop, waarna twee panelen opengingen. Toen liep hij een uitzonderlijke ruimte in: de muren waren van zwart beton, op de vloer lagen witte tegels, in het midden zat een enorme afvoer. Aan de muur hing een slang aan een haspel. Het plafond was zwaar geïsoleerd. Er stond een houten tafel met krassen en zwarte bloedvlekken in de ruimte, een tandartsstoel die op Spalko's nauwgezette aanwijzingen was aangepast, en daarnaast een aluminium dientafeltje met drie plankjes waar allerlei glanzende metalen instrumenten op lagen met dreigende, scherpe uiteinden: recht, hoekig of in spiraalvorm.

In de stoel zat László Molnar, zijn polsen en enkels in stalen boeien. Hij was naakt. Molnars gezicht en lichaam waren geschramd, gekneusd en gezwollen, zijn ogen lagen diep verzonken in zwarte kringen van wanhoop en pijn.

Spalko stapte fris en professioneel als een arts de kamer binnen. 'Mijn beste László, je ziet er niet al te best uit.' Hij stond nu dicht genoeg bij Molnar om te zien dat zijn neusgaten wijd open gingen staan door de koffiegeur. 'Dat was wel te verwachten na zo'n zware nacht. Waarschijnlijk was dit niet wat je van een avondje opera had verwacht, of wel? Maar maak je geen zorgen, het feest is nog lang niet afgelopen.' Hij zette de koffie naast Molnar neer en pakte een van de instrumenten. 'Even kijken, deze dan maar.'

'Wat... wat ben je van plan?' vroeg Molnar met een kraakstem zo ijl als berglucht.

'Waar is dr. Schiffer?' vroeg Spalko op gewone conversatietoon.

Molnars hoofd schudde van links naar rechts, hij hield zijn kaken stijf op elkaar, alsof geen woord aan zijn lippen mocht ontsnappen.

Spalko testte de naald van het instrument. 'Ik begrijp werkelijk niet waarom je zo aarzelt, László. Ik heb het wapen al, alleen dr. Schiffer ontbreekt nog...'

'Die is aan je neus voorbijgegaan,' fluisterde Molnar.

Spalko ging met een glimlach aan het werk met het instrument en al snel was Molnar voldoende geprikkeld om het uit te schreeuwen van de pijn.

Hij deed een stap naar achteren en nam nog een slok van zijn koffie. 'Zoals je nu ongetwijfeld beseft, is deze kamer geluiddicht. Niemand kan je horen, niemand komt je redden, Vadas al helemaal niet; hij weet niet eens dat je wordt vermist.'

Hij pakte een ander instrument dat hij roterend in Molnars mond bracht. 'Want er is geen hoop voor je,' zei hij. 'Behalve als je me vertelt wat ik van je wil weten. Want weet je, László, ik ben je enige en laatste vriend; ik ben de enige die je kan redden.' Hij pakte Molnar onder zijn kin en kuste zijn bebloede voorhoofd. 'Ik ben de enige die nog om je geeft.'

Molnar kneep zijn ogen dicht en schudde weer met zijn hoofd. 'Ik wil je geen pijn doen, László. Dat weet je toch, of niet?' Zijn stem was zacht, in schril contrast met zijn handelingen. 'Maar je koppigheid baart me zorgen.' Hij zette zijn tandheelkundige exercities voort. 'Ik vraag me af of je wel begrijpt in wat voor situatie je zit. Dat je pijn voelt is de schuld van Vadas. Vadas heeft je in dit nare parket gebracht. Conklin net zo goed, maar maak je geen zorgen, die is al dood.'

Met opengesperde mond schreeuwde Molnar het uit van de pijn. Er zaten drie zwarte gaten op plekken waar traag en pijnlijk zijn tanden waren getrokken.

'Je moet weten dat ik met grote tegenzin doorga met mijn werk,' zei Spalko uiterst geconcentreerd. Het was nu belangrijk dat Molnar dat doorhad, ondanks de pijn die hem werd aangedaan. 'Ik ben hooguit het instrument van je koppigheid. Begrijp je niet dat juist Vadas hiervoor zou moeten boeten?'

Spalko pauzeerde even. Er was bloed op zijn handschoenen gespetterd en hij hijgde alsof hij drie trappen was opgerend. Een verhoor afnemen was, hoe genotvol ook, geen licht werk. Molnar begon zacht te huilen.

'Wat houdt je tegen, László? Je bidt tot een God die niet bestaat en je dus niet kan helpen of beschermen. Zoals de Russen zeggen: Bid tot God, maar roei zelf naar de kust.' Spalko's veelbetekenende glimlach wees op een vertrouwdheid onder kameraden. 'En de Russen kunnen het weten, of niet? Hun geschiedenis is doordrenkt met bloed. Eerst de tsaren en toen de apparatsjiks, alsof de Partij ook maar een haar beter was dan die stamboom van despoten!

'Ik vertel je, László, de Russen mogen politiek gesproken dan totaal mislukt zijn, wat betreft religie hebben ze gelijk. Godsdienst, elke godsdienst, is vals. Het is de grote illusie van de zwakken, de bangeriken, de schapen onder het volk, die niet bij machte zijn om te leiden, maar alleen geleid kunnen worden. Zelfs ook wanneer ze onmiskenbaar naar hun ondergang worden geleid.' Spalko schudde verdrietig en wijs zijn hoofd. 'Nee, nee, macht is de enige realiteit, László. Geld en macht. De rest is onzin.'

Molnar had zich een beetje kunnen ontspannen tijdens deze uiteenzetting, die gevoerd werd op gewone conservatietoon en de illusie gaf van vriendschap, met als doel dat het slachtoffer zich met zijn verhoorder verbonden ging voelen. Maar toen Spalko zijn werk hervatte, stonden zijn ogen weer panisch wijd open. 'Alleen jij kunt jezelf helpen, László. Vertel me wat ik van je wil weten. Vertel me waar Vadas Felix Schiffer heeft verstopt.'

'Hou op!' snikte Molnar. 'Alsjeblieft, hou ermee op!'

'Ik kan er niet mee ophouden, László. Dat begrijp je nu vast. Jij hebt de controle over deze situatie.' Alsof hij zijn stelling wilde illustreren, zette Spalko zijn apparatuur weer in. 'Alleen jij kan mij laten stoppen!'

Molnar keek verward uit zijn ogen, staarde angstig om zich heen alsof hij pas nu begreep wat er aan de hand was. Spalko zag wat er gebeurde. Het gebeurde vaak op het eind van een geslaagd verhoor. Het slachtoffer werd nooit stapje voor stapje tot een bekentenis gedwongen, maar bood weerstand zolang dat kon. De geest kon maar een bepaalde hoeveelheid aan. Op een gegeven moment bereikte het slachtoffer als een uitgerekt elastiekje zijn limiet, en als het elastiekje terugschoot, was er een nieuwe realiteit ontstaan, de realiteit die slinks door de verhoorder werd opgeroepen.

'Ik weet niet...'

'Vertel maar,' zei Spalko mierzoet, terwijl hij met zijn gehandschoende hand over de wenkbrauw van het slachtoffer streek. 'Vertel maar, dan zal het allemaal voorbij zijn, alsof je uit een droom ontwaakt.'

Molnars ogen rolden naar boven. 'Beloofd?' vroeg hij alsof hij een klein kind was.

'Heb vertrouwen, László. Ik ben je vriend. Ik wil net als jij dat er een eind komt aan je lijden.'

Molnar huilde nu, er welde grote tranen op in zijn ogen, die troebel en roze werden terwijl ze over zijn wangen rolden. Hij begon te snikken als een klein kind.

Spalko zei niets. Hij wist dat ze in een cruciaal stadium waren aanbeland. Het was nu alles of niets: Molnar zou ofwel in de afgrond springen waar Spalko hem zorgvuldig voor had gezet, of vergaan van de pijn.

Molnars lichaam trilde van alle emoties die de ondervraging had losgemaakt. Even later richtte hij zijn hoofd weer op. Zijn gezicht zag er grauw en vreselijk afgetobd uit; zijn glazige ogen leken nog dieper in hun kassen te zijn gezonken. Er was geen spoor meer van de rozige, aangeschoten operaliefhebber die Spalko's mannen in Underground hadden gedrogeerd. Hij was iemand anders. Hij was helemaal op.

'God, vergeef me,' fluisterde hij schor. 'Dr. Schiffer zit op Kreta.' Hij brabbelde een adres.

'Grote jongen,' zei Spalko zacht. Nu was het laatste stukje van de puzzel op zijn plaats gevallen. Vanavond zouden hij en zijn 'staf' op weg gaan om Felix Schiffer op te pakken en de informatie uit hem los te peuteren die ze nodig hadden om hun aanval op het Oskjuhlid Hotel te lanceren.

Molnar maakte een kort dierlijk geluid toen Spalko het instrument liet vallen. Zijn bloeddoorlopen ogen rolden in hun kassen; hij begon bijna weer te huilen.

Langzaam en voorzichtig zette Spalko het koffiekopje tegen Molnars lippen aan, en hij keek ongeïnteresseerd toe hoe zijn gevangene krampachtig de warme, zoete koffie naar binnen slurpte. 'Eindelijk, verlossing.' Of hij het tegen Molnar of zichzelf had, bleef een open vraag.

13

's Avonds leek het parlement van Boedapest op een groot Magyarschild tegen de binnenvallende barbaren van weleer. Voor de gemiddelde toerist, die geïmponeerd werd door zowel de pracht als de omvang, leek het een solide, tijdloze en onneembare burcht. Maar voor Jason Bourne, die net aankwam na een zware reis vanuit Washington en Parijs, leek het parlement een fantasiestad uit een sprookjesboek, een uit onecht wit steen en vaal koper opgetrokken bedenksel dat bij het vallen van de avond elk moment kon instorten.

Hij was in een sombere stemming toen de taxi hem afzette bij de verlichte koepel van winkelcentrum Mammoet, vlak bij de Moskva tér, waar hij nieuwe kleren voor zichzelf wilde kopen. Hij was het land binnengekomen onder de naam Pierre Montefort, een Franse koerier van het leger, en werd daardoor nauwelijks door de Hongaarse douane gecontroleerd. Maar hij wilde van zijn uniform af dat Jacques hem had gegeven, voordat hij als Alex Conklin bij zijn hotel zou aankomen.

Hij kocht een ribfluwelen broek, een katoenen overhemd van Sea Island en een zwarte coltrui, zwarte schoenen met dunne zolen en een zwartleren jack. Hij liep door de winkels tussen het winkelend publiek, nam langzaam de energie op van de omgeving en voor het eerst in vele dagen voelde hij zich deel uitmaken van de wereld als geheel. Hij besefte dat deze plotselinge verbetering van zijn humeur te danken was aan het feit dat hij het raadsel Khan had opgelost. Natuurlijk was hij niet Joshua, maar een superieure ontsnappingskunstenaar. Een onbekende persoon of instantie – óf Khan zelf óf iemand die hem had ingehuurd – zat achter Bourne aan, wilde hem zó door elkaar schudden dat hij zijn concentratie zou verliezen en de dood van Alex Conklin en Mo Panov zou vergeten. Als ze hem niet konden ombrengen, konden ze hem op zijn minst als een gek op zoek laten gaan naar zijn fantoomzoon. Hoe Khan of degene voor wie hij werkte alles over Joshua wist, was nog een raadsel. Maar nu hij de schok had ingeperkt tot een rationeel probleem, kon zijn analytische geest het probleem ontleden en op basis daarvan een plan van aanpak bedenken.

Bourne had informatie nodig die alleen Khan hem kon geven. Hij wilde de rollen omdraaien, Khan in een val lokken. De eerste stap was Khan laten weten waar hij was. Hij wist zeker dat Khan nu in Parijs was, want hij had de bestemming van de Rush Service-vlucht vast kunnen achterhalen. Misschien had Khan al over Bournes 'dodelijke ongeval' op de A1 gehoord. Het enige dat hij zeker wist, was dat Khan net als Bourne een groot kameleonachtig talent bezat. Als Bourne in Khans schoenen stond, zou hij allereerst bij de Quai d'Orsay meer informatie inwinnen.

Twintig minuten later verliet Bourne het winkelcentrum en stapte hij in een taxi die zojuist een passagier had afgeleverd. Even later stond hij voor de indrukwekkende stenen poort van het Danubius Grand Hotel op Margaret-eiland. Een portier in uniform liep met hem mee naar binnen.

Bourne, die zich voelde alsof hij een week niet had geslapen, liep door de glanzende marmeren foyer. Hij stelde zich voor als Alexander Conklin aan de man achter de receptie.

'Ah, meneer Conklin, wij verwachtten u. Een momentje alstublieft.'

De man liep een kantoortje in waar even later de manager van het hotel uit verscheen.

'Van harte welkom! Hazas is de naam, ik sta geheel tot uw beschikking.' Hazas was een kleine, gedrongen en donkere man met een dun snorretje en een zijscheiding in zijn haar. Hij stak zijn hand uit, die warm en droog was. 'Meneer Conklin, aangenaam kennis met u te maken. Zou u zo goed willen zijn,' zei hij met een gebaar, 'met mij mee te gaan, alstublieft?'

Hij bracht Bourne naar zijn kantoor, maakte een kluis open en haalde daar een pakket uit ongeveer zo groot als een schoenendoos. Bourne moest een handtekening zetten. Op de verpakking stond ALEXANDER CONKLIN. WORDT OPGEHAALD. Er zaten geen postzegels op.

'Het pakket is persoonlijk afgeleverd,' antwoordde de manager op Bournes vraag.

'Door wie?' vroeg Bourne.

De heer Hazas stak zijn handen in de lucht. 'Ik vrees dat ik dat niet weet.'

Bourne voelde een woedeaanval opkomen. 'Wat bedoelt u met

niet weten? Het hotel houdt toch zeker wel bij wie een pakket aflevert?'

'Ja, natuurlijk, meneer Conklin. Zoals in alles gaan we hierin heel nauwgezet te werk. Maar in dit geval – en ik weet niet waarom – is er niets opgeschreven.' Hij glimlachte hoopvol en haalde daarbij hulpeloos zijn schouders op.

Na drie dagen continu vechten en de ene na de andere klap te hebben opgevangen, bleek Bourne geen enkel geduld meer te kunnen opbrengen. Woede en frustratie balden samen in een blinde driftaanval. Hij trapte de deur dicht, greep Hazas bij zijn gesteven overhemd en sloeg hem met een klap tegen de muur aan. De ogen van de hotelmanager vielen bijna uit hun kassen.

'Maar, meneer Conklin,' stamelde hij. 'Ik weet het niet...'

'Ik wil een antwoord op mijn vraag,' schreeuwde Bourne, 'en nu meteen!'

De heer Hazas was bang en begon bijna te huilen. 'Maar ik heb geen antwoord.' Zijn dikke vingers trilden. 'Hier... hier is het grootboek. Kijkt u zelf maar.'

Bourne liet de hotelmanager los, die door zijn knieën zakte en op de vloer viel. Bourne sloeg er geen acht op, liep naar zijn bureau en pakte het boek. Hij zag dat de inschrijvingen in twee handschriften waren opgetekend, een met krullen en een met hanenpoten – waarschijnlijk de handschriften van de dag- en de nachtmanager. Het verbaasde hem nauwelijks dat hij Hongaars bleek te kunnen lezen. Terwijl hij het boek gekanteld hield, scande hij vluchtig de kolommen, op zoek naar een uitwissing of andere sporen van geknoei. Hij vond niets.

Hij liep om de heer Hazas heen en trok hem overeind. 'Hoe komt het dat dit pakket niet genoteerd is?'

'Meneer Conklin, ik was er zelf bij toen het werd afgeleverd.' De hotelmanager was geschrokken. Hij trok wit weg, het zweet brak hem uit. 'Ik bedoel: ik moest werken die dag. Het pakje lag zomaar ineens op de receptiebalie, ik zweer het. Ineens was het er. Ik heb niet gezien wie het kwam brengen, mijn personeel ook niet. Het was rond twaalf uur, tijd om uit te checken, een drukke tijd. Wij denken dat het met opzet anoniem afgeleverd is – dat kan haast niet anders.'

Hij had natuurlijk gelijk. Langzaam maar zeker verdween Bournes woede. Hij vroeg zich af waarom hij de volmaakt onschuldige man zo had toegetakeld. Hij liet de hotelmanager gaan.

'Mijn excuses, meneer Hazas. Ik heb een zware dag achter de rug, allerlei moeizame onderhandelingen.'

'Ja, meneer.' Hazas probeerde zijn das en jasje recht te trekken, terwijl hij Bourne in de gaten hield, alsof die elk moment weer kon aanvallen. 'Natuurlijk, meneer. De zakenwereld zet ons allen onder druk.' Hij kuchte en probeerde zijn vorige houding weer aan te nemen. 'Rust en ontspanning zullen u goed doen: er gaat niets boven een sauna en een massage. Zo herstelt u het innerlijk evenwicht.'

'Dat is zeer attent van u,' zei Bourne. 'Misschien later.'

'De sauna sluit om negen uur,' zei Hazas, blij dat deze gevaarlijke gek ook normaal kon reageren. 'Maar ik kan wel vragen of ze wat langer open willen blijven.'

'Een andere keer, maar toch bedankt. Laat alstublieft een tandenborstel en tandpasta naar mijn suite brengen. Die ben ik vergeten,' zei Bourne toen hij de deur uitliep.

Zodra hij alleen was, trok Hazas een la open van zijn bureau en met trillende hand schonk hij een borrel in. Hij knoeide wat over het grootboek toen hij het glaasje vulde. Het kon hem niet schelen; hij sloeg het glas achterover, voelde de drank branden in zijn slokdarm. Toen hij voldoende was gekalmeerd, pakte hij de telefoon en draaide een nummer.

'Hij is nog geen tien minuten geleden aangekomen,' zei hij. Hij had zijn naam niet hoeven zeggen. 'Mijn eerste indruk? Een gek. Dat zeg ik. Hij wurgde me bijna toen ik niet wilde zeggen van wie het pakje kwam.'

De hoorn gleed uit zijn zweterige handpalm en hij nam hem in zijn andere hand over. Hij schonk zich weer twee vingers drank in.

'Ik heb natuurlijk niets gezegd, en er zijn geen gegevens over deze levering. Daar heb ik zelf op toegezien. Al zocht hij er wel zorgvuldig naar, dat moet ik hem nageven.' Hij luisterde even. 'Hij is naar zijn suite gegaan. Ja, zeker weten.'

Hij legde de hoorn neer en belde snel een ander nummer om hetzelfde nieuws te vertellen, maar dan aan een baas die verder weg en veel angstwekkender was. Daarna zakte hij weg in zijn stoel en sloot zijn ogen. *Goddank, mijn aandeel zit erop,* dacht hij.

Bourne ging met de lift naar de bovenste verdieping. Met de sleutel maakte hij de zware dubbele deur open van gepolijst teakhout. Hij liep een ruime eenpersoonssuite binnen die comfortabel was ingericht. Buiten doemde het honderdjarige park op, donker en lommerrijk. Het eiland was genoemd naar Margaret, de dochter van koning Bela IV die hier in de dertiende eeuw in een dominicaans klooster woonde waarvan aan de oostelijke oever nog overblijfselen stonden, die fraai werden verlicht. Terwijl hij zich uitkleedde verkende hij de suite. Hij liet een spoor van kleren na toen hij de glimmende badkamer in liep. Het pakketje gooide hij ongeopend op het bed.

Hij bleef tien zalige minuten onder de douche staan, die zo heet was als hij kon verdragen, zeepte zich in en boende het vuil en zweet van zich af. Voorzichtig betastte hij zijn ribben en zijn borstspieren om na te gaan hoeveel schade Khan hem had toegebracht. Zijn rechterschouder deed nog steeds veel pijn; hij besteedde tien minuten aan voorzichtige rek- en strekoefeningen. Zijn schouder was bijna uit de kom geschoten toen hij naar de ladder aan de tankwagen greep, en hij voelde een helse pijn. Hij vermoedde dat er een paar pezen waren gescheurd, maar het enige wat hij kon doen, was deze schouder ontzien.

Nadat hij nog eens drie minuten onder een ijskoude straal had gestaan, stapte hij uit de douche en droogde zich af. Gehuld in een luxe badjas zat hij op het bed en pakte het pakketje uit. Er zat een pistool in met munitie. Voor de zoveelste maal vroeg hij zich af waar Alex in godsnaam mee bezig was geweest.

Lange tijd bleef hij naar het wapen staren. Het had iets kwaadaardigs, er sijpelde duisternis uit de loop. Toen besefte Bourne dat die duisternis vanuit het diepste van zijn eigen onderbewuste opborrelde. Ineens zag hij in dat de werkelijkheid zoals hij die had beleefd in het Mammoet-winkelcentrum, heel anders was. Er bestond geen vaststaande orde die zo rationeel was als een wiskundige vergelijking. De wereld was een chaos; rationeel was hooguit het menselijke raster dat gelegd werd op willekeurige gebeurtenissen, zodat het leek alsof er verbanden bestonden. Zijn woedeaanval was niet gericht op de hotelmanager, besefte hij enigszins geschokt, maar op Khan. Khan had hem geschaduwd en getreiterd en uiteindelijk een loer gedraaid. Hij wilde niets liever dan dat gezicht tegen de grond slaan om het uit zijn geheugen te verdrijven.

Het boeddhabeeldje had zijn vierjarige zoon Joshua weer voor zijn geestesoog getoverd. De schemer viel in, de lucht was saffraangeel en groen-goud. Joshua rende uit het huis bij de rivier toen hij zijn vader van zijn werk zag thuiskomen. Webb nam Joshua in zijn armen, draaide hem in het rond, kuste zijn wangen, ook al probeerde de jongen die te ontwijken. Hij wilde niet graag door zijn vader worden gekust.

Nu zag Bourne zijn zoon onder de dekens liggen, het was avond. De krekels en boomkikkers zongen, het licht van voorbijvarende boten bescheen de muren. Joshua luisterde naar het verhaal dat Webb voorlas. Op een zaterdagochtend speelde hij vangbal met Joshua, met een baseball die hij helemaal uit Amerika had meegenomen. Het licht viel over Joshua's onschuldige gezicht, waardoor het ging stralen.

Bourne knipperde met zijn ogen en al wilde hij het niet zien, toch zag hij het boeddhabeeldje weer om Khans hals. Hij sprong op en wanhopig schreeuwend sloeg hij de lamp, het vloeiblok en de glazen asbak van de tafel af. Hij sloeg met gebalde vuisten tegen zijn hoofd. Kreunend viel hij op zijn knieën en begon met zijn armen om zich heen geslagen heen en weer te wiegen. De rinkelende telefoon bracht hem bij zinnen.

Met tegenzin maakte hij zijn hoofd leeg. De telefoon bleef rinkelen en even dacht hij eraan om niet op te nemen. Toch deed hij dat. 'Met János Vadas,' fluisterde een doorrookte stem. 'Matthiaskerk, middernacht, geen seconde later.' Er was opgelegd voordat Bourne had kunnen reageren.

Toen Khan hoorde dat Jason Bourne dood was, voelde dat alsof hij helemaal binnenstebuiten werd gekeerd, alsof al zijn zenuwen een moment worden blootgesteld aan de vervuilde buitenlucht. Met de rug van zijn hand streek hij over zijn voorhoofd. Hij wist zeker dat hij van binnenuit opbrandde.

Hij stond op vliegveld Orly te praten met mensen van de Quai d'Orsay. Het was belachelijk eenvoudig geweest om informatie uit hen los te krijgen. Hij deed zich voor als verslaggever van *Le Monde*, waarvoor hij tegen een obsceen bedrag via zijn Parijse contactpersoon een perskaart had gekregen. Het geld was geen probleem; hij bezat meer dan hij kon uitgeven, maar de tijd dat hij erop had moeten wachten, had hem behoorlijk zenuwachtig gemaakt. Terwijl minuten uren leken en de middag traag overging in de avond, besefte hij dat zijn beproefde geduld op was. Vanaf het moment dat hij David Webb – of Jason Bourne – had gezien, was de tijd binnenstebuiten gekeerd: het verleden was veranderd in het heden. Zijn handen balden zich tot vuisten en hij voelde zijn hartslag in zijn slaap; hoe vaak had hij niet gedacht dat hij gek werd sinds hij Bourne had gezien? Het allerergste moment was toen hij in Old Town Alexandria op het bankje met hem zat te praten. Het was alsof ze geen enkele relatie tot elkaar hadden, alsof zijn verleden in één klap stom en betekenisloos was geworden, deel uitmaakte van een ander leven, een fantasie van hem was. Het onwerkelijke van deze ontmoeting, waar hij jarenlang van droomde en voor had gebeden, had hem uitgehold, had hem het gevoel gegeven dat elke zenuw open was gelegd, dat elke emotie die hij jarenlang had beschermd of onderdrukt nu protesteerde, aan de oppervlakte opborrelde en hem misselijk maakte. En als een donderslag bij heldere hemel kwam dit nieuws. Het was alsof de leegte in hem, waarvan hij had gehoopt dat die zou worden opgevuld, groter en dieper werd en hem helemaal zou opslokken. Hij hield het geen seconde langer uit.

Nu eens stond hij aantekeningen te maken tijdens een interview met de persvoorlichter van de Quai d'Orsay, dan weer werd hij in de tijd teruggeslingerd naar de jungle van Vietnam, het bamboehuis van Richard Wick, die lange, slanke zendeling met zijn sombere gelaat die hem uit de wildernis had gered nadat hij was ontsnapt aan de Vietnamese wapensmokkelaar die hij had omgebracht. Niettemin kon de zendeling ook vrolijk zijn en zijn bruine ogen hadden iets zachts waar veel warmte uit sprak. Wick was dan wel een strenge schoolmeester wanneer hij heidenen als Khan bekeerde tot het christendom, tijdens het avondeten en daarna kon hij vriendelijk zijn en na verloop van tijd won hij zelfs Khans vertrouwen.

In die mate zelfs, dat Khan de heer Wick alles wilde vertellen over zijn verleden, zijn hele ziel voor hem wilde blootleggen, hopend op genezing. Khan wilde maar wat graag genezen worden, het groeiende abces uitkotsen dat het gif in hem opklopte. Hij wilde bekennen dat hij woedend was om het feit dat hij was verlaten. Van die woede wilde hij af, omdat hij wist dat zijn extreme emoties hem gevangenhielden.

Hij wilde Wick in vertrouwen nemen, met hem praten over zijn gevoelens, maar kreeg er niet de gelegenheid voor. Wick had het veel te druk met het verkondigen van Gods woord in 'dit goddeloze en achterlijke gebied'. Hij organiseerde bijbelklasjes die Khan verplicht moest bijwonen. Een van Wicks favoriete bezigheden was, om Khan voor de klas te zetten en hem delen uit de bijbel uit zijn hoofd te laten reciteren, alsof hij een soort *idiot savant* was en op een kermis werd tentoongesteld.

Khan haatte die vertoning, vond het vernederend. En hoe trotser Wick op hem leek te zijn, hoe meer hij zich vernederd voelde. Maar op een dag kwam de zendeling thuis met een ander jongetje, een blank weeskind, zoon van een zendelingenpaar uit Wicks kennissenkring. Wick gaf hem alle liefde en aandacht waar Khan naar had verlangd. Toen pas zag hij in dat hij die nooit had gekregen en ook nooit zou krijgen. Ondertussen moest hij uit de bijbel blijven voordragen, terwijl de nieuwe jongen stil toekeek. Hém bleef de vernedering die Khan zo kwelde, bespaard.

Hij was er nooit overheen gekomen dat Wick hem had gebruikt, en pas de dag dat hij wegliep, zag hij in dat Wick hem had verraden. Zijn weldoener, beschermer, was niet geïnteresseerd in hém, in Khan, maar had slechts een nieuw zieltje willen bekeren in het licht van Gods liefde.

Op dat moment ging zijn mobiel en bevond hij zich weer midden in het afschuwelijke heden. Op het scherm van zijn gsm zag hij wie er belde. Hij excuseerde zich tegenover de persvoorlichter van de Quai d'Orsay en liep naar de anonieme massa buiten.

'Dat is een verrassing,' sprak hij in de hoorn.

'Waar ben je nu?' vroeg Stepan Spalko kortaf, alsof hij te veel andere dingen aan zijn hoofd had.

'Op vliegveld Orly. Ik heb zojuist vernomen van de Quai d'Orsay dat David Webb is overleden.'

'O ja?'

'Het schijnt dat hij met zijn motor frontaal tegen een vrachtwagen aan is gebotst.' Khan wachtte even op een reactie. 'U klinkt niet bepaald gelukkig. Dit wilde u toch?'

'Het lijkt me nog te vroeg om te juichen, Khan,' zei Spalko droog. 'Van een contactpersoon bij de receptie van het Danubius Grand Hotel hier in Boedapest heb ik gehoord dat Alexander Conklin zojuist heeft ingecheckt.'

Khan was zo gechoqueerd dat hij vreesde door zijn knieën te zakken en ging tegen een muur aan staan. 'Webb?'

'Nou, het is niet de opgestane Alex Conklin!'

Met ergernis ontdekte hij dat het koude zweet bij hem was uitgebroken. 'Maar hoe weet u zeker dat hij het is?'

'Mijn contactpersoon omschreef hem. Ik heb de compositietekening gezien die van hem werd rondgestuurd.'

Khan hoorde het tandenknarsend aan. Hij wist dat dit gesprek de verkeerde kant opging en toch ging hij er onverbiddelijk mee door. 'U wist dat David Webb Jason Bourne was. Waarom hebt u me dat niet verteld?'

'Ik zag daar geen reden voor,' zei Spalko laconiek. 'Jij wilde informatie hebben over Webb en kreeg die. Ik kan geen gedachten lezen. Maar ik juich je initiatieven toe.'

Khan voelde een golf van haat in zich opkomen, zo sterk dat hij ervan trilde. Maar hij bleef rustig. 'Nu Bourne in Boedapest zit, hoe lang zal het dan nog duren voordat hij weet dat u hierachter zit?'

'Ik heb er al voor gezorgd dat dat niet gebeurt,' antwoordde Spalko. 'Maar dat had ik niet hoeven doen als jij de moeite had genomen de klootzak om te leggen toen je die kans kreeg.'

Khan, wantrouwig ten opzichte van een man die tegen hem gelogen had, die hem bovendien als lokaas had gebruikt, voelde weer een woedeaanval opkomen. Spalko wilde dat hij Bourne ombracht, maar waarom? Daar moest hij eerst achter komen, voordat hij zijn eigen wraak nam. Toen hij weer het woord nam, had hij wat van zijn koele zelfbeheersing verloren, zodat zijn stem onmiskenbaar geïrriteerd klonk. 'O, maar ik leg Bourne wel om,' zei hij. 'Maar dan wel onder mijn eigen voorwaarden, volgens míjn plan en niet dat van u.'

Humanistas Ltd. bezat drie hangars op vliegveld Ferihegy. In een ervan werd een containervrachtwagen achterstevoren een klein straalvliegtuig binnengereden. Op de romp van het vliegtuig stond het logo van Humanistas: een groen kruis dat in de palm van een hand oprees. Mannen in uniformen laadden de laatste kratten in met wapens, terwijl Hassan Arsenov de cargolijst controleerde. Toen hij met een van de sjouwers ging praten, richtte Stepan Spalko zich tot Zina en zei op vertrouwelijke toon: 'Over een paar uur vertrek ik naar Kreta. Ik wil dat je met me meegaat.'

Zina keek hem verbaasd aan. 'Maar ik zou toch met Hassan teruggaan naar Tsjetsjenië voor de laatste voorbereidingen van onze missie?'

Spalko bleef haar aankijken. 'Arsenov heeft je hulp niet nodig bij deze laatste loodjes... Ik denk zelfs dat hij het beter zal doen zonder jou... Jij leidt hem maar af.'

Zina's mond viel open van verbijstering.

'Het is maar een voorstel, Zina.' Spalko zag Arsenov naar hen toe lopen. 'Ik geef je geen bevel. De beslissing is helemaal aan jou.'

Hoewel iedereen op dat moment onder druk stond, sprak hij langzaam en duidelijk. Het belang van zijn woorden ontging haar niet. Hij gaf haar een kans – ze had geen idee waarop – maar het was duidelijk dat dit een beslissend moment was in haar leven. Welke keuze ze ook maakte, er was geen weg terug; dat had hij door de manier waarop hij sprak wel duidelijk gemaakt. Ze mocht weliswaar zelf beslissen, maar ze wist dat een weigering voor haar het einde zou betekenen. De werkelijkheid was, dat ze al te graag op zijn aanbod inging.

'Ik wilde altijd al eens naar Kreta,' fluisterde ze, terwijl Arsenov naderde.

Spalko knikte naar haar, en wendde zich tot de Tsjetsjeense terroristenleider. 'Is alles geregeld?'

Arsenov keek op van zijn lijst. 'Maar natuurlijk, Sjeik.' Hij keek op zijn horloge. 'Zina en ik zullen over een uurtje vertrekken.'

'Nou nee, Zina gaat mee met de wapens,' zei Spalko rustig. 'Het transport heeft een rendez-vous met een van mijn vissersboten bij de Färöer-eilanden. Ik wil dat een van jullie de leiding neemt over de verscheping en het laatste eindje van de reis naar IJsland. Jouw unit heeft je nodig.' Hij glimlachte. 'Je kunt Zina ongetwijfeld wel een paar dagen missen.'

Arsenov fronste zijn wenkbrauwen, keek naar Zina, die slim genoeg was hem neutraal aan te kijken, en knikte. 'Natuurlijk, zoals u wenst.'

Zina vond het interessant dat de Sjeik tegen Hassan loog over zijn plannen met haar. Ze voelde zich onderdeel van een kleine samenzwering en het vooruitzicht maakte haar opgewonden en nerveus. Ze zag de blik in Hassans gezicht en even voelde ze een steek, maar toen dacht ze weer aan het avontuur dat voor haar lag en aan de honingzoete stem van de Sjeik. '*Ik vertrek naar Kreta. Ik wil dat je met me meegaat.*'

Spalko, die naast Zina stond, stak zijn hand uit en pakte Arsenov bij zijn onderarm zoals krijgers doen. '*La illaha ill Allah.*'

'*La illaha ill Allah,*' antwoordde Arsenov met gebogen hoofd.

'Er staat een limousine op je te wachten om je naar de passagiersterminal te brengen. Ik zie je in Reykjavik, mijn vriend.' Spalko draaide zich om, liep naar de piloot om een praatje met hem te maken, zodat Zina afscheid kon nemen van haar huidige geliefde.

Khan voelde zich uitgeput door al die onbekende emoties. Veertig minuten later stond hij te wachten tot zijn vliegtuig naar Boedapest vertrok. Hij was er nog niet overheen dat Jason Bourne nog in leven was. Hij zat met zijn ellebogen op zijn knieën en zijn handen in het haar, en probeerde alles op een rijtje te zetten, wat niet lukte. Voor iemand als hij, wiens verleden elk moment in het heden terugkwam, was het onmogelijk een patroon te vinden dat alles kon verklaren. Het verleden was een mysterie en zijn herinnering eraan was de hoer die zijn onderbewuste verleidde, de feiten vervormde, gebeurtenissen in elkaar schoof of wegliet, dit alles ten dienste van de zak met gif die in hem groeide.

Maar de emoties die in hem de overhand kregen, waren nog erger. Het maakte hem woedend dat uitgerekend Stepan Spalko hem moest vertellen dat Jason Bourne nog leefde. Waarom had zijn doorgaans feilloze intuïtie hem niet een beetje verder laten zoeken? En knalde een agent met de kwaliteiten van Bourne zomaar tegen een vrachtwagen op? En waar was het lijk? Was het al geïdentificeerd? Ze hadden gezegd dat ze nog steeds zochten in de overblijfselen, dat de explosie en de brand daarna zoveel schade hadden aangericht dat het nog uren, zo niet dagen kon duren voordat men iets wist en zelfs dan werd er soms niet genoeg bewijs gevonden om met zekerheid de identiteit vast te stellen. Hij had het verdacht moeten vinden. Het was een truc geweest, een die hij nota bene zelf, weliswaar in een andere vorm, drie jaar geleden had toegepast toen hij uit de haven van Singapore moest ontsnappen.

Maar er was nog iets dat hem plaagde, iets dat hij met de beste wil niet kon onderdrukken. Wat ging er nou precies door hem heen toen hij hoorde dat Jason Bourne nog in leven was? Blijheid? Angst? Woede? Wanhoop? Of was het een mengsel van dit alles – een ziekmakende caleidoscoop die telkens weer het hele gamma doorliep?

Spalko liep door de ingang van de Eurocenter Bio-1 Kliniek aan Hattyu utca 75. Khan leek een probleem te worden. Khan had zijn nut: hij kon beter dan wie ook zijn doelwitten elimineren, daar was iedereen het over eens, maar dat bijzondere talent woog niet op tegen het risico dat hij werd. Deze kwestie plaagde hem al sinds Khans eerste poging om Jason Bourne uit te schakelen was mislukt. Deze ongekende situatie was hem dwars blijven zitten, als een visgraat, en vanaf toen had hij geprobeerd het door te slikken of op te hoesten. Maar het zat er nog, wilde er niet uit. Sinds hun laatste gesprek was hij er zich scherp van bewust dat hij zich voorgoed van zijn voormalige huurmoordenaar moest ontdoen. Hij kon geen lastposten gebruiken aan de vooravond van zijn project in Reykjavik. Bourne of Khan, dat maakte nu niets meer uit. Ze waren beiden even gevaarlijk.

Hij liep het café in om de hoek van het lelijke moderne gebouw van de kliniek. Hij lachte naar het onbewogen gezicht van de man die schuin naar hem opkeek.

'Het spijt me, Peter,' zei hij toen hij aan hun tafeltje ging zitten.

Dr. Peter Sido stak flegmatiek zijn hand op. 'Maak je geen zorgen, Stepan. Ik weet hoe druk je het hebt.'

'Niet te druk om dr. Schiffer te vinden.'

'Goddank!' Sido schepte slagroom in zijn koffie. Hij schudde zijn hoofd. 'Echt waar, Stepan, ik weet niet waar ik zou zijn zonder jouw contacten. Toen ik hoorde dat Felix werd vermist, dacht ik dat ik gek werd.'

'Maak je geen zorgen, Peter. We komen elke dag een stapje dichterbij. Heb vertrouwen in mij.'

'Maar dat heb ik zeker.' Sido had in alle opzichten een onopvallend uiterlijk. Hij was van gemiddelde lengte, had een normaal gewicht, zijn modderkleurige ogen werden uitvergroot door een dikke bril met een stalen montuur. Hij had kort bruin haar dat onverzorgd langs zijn schedel hing. Hij droeg een pak met visgraatmotief dat bij de ellebogen was versleten, een wit overhemd en bruin-met-zwarte stropdas die minstens al tien jaar uit de mode was. Hij kon een vertegenwoordiger of begrafenisondernemer zijn, maar dat was hij niet, want achter deze onopvallende buitenkant school een opvallende geest.

'De vraag die ik voor jou heb,' zei Spalko nu, 'is of je het product voor me hebt.'

Sido had deze vraag duidelijk verwacht want hij knikte meteen. 'Het is helemaal gesynthetiseerd en klaar voor gebruik.'

'Heb je het bij je?'

'Alleen een monster. De rest zit veilig achter slot en grendel in de vrieskamer van de kliniek. En maak je geen zorgen over dit monster: het is opgeborgen in een reiskoffer die ik zelf heb gemaakt. Het product is extreem gevoelig. Zie je, vóór gebruik moet het bewaard worden op tweeëndertig graden onder nul. De koffer die ik heb gemaakt heeft een geïntegreerde koeleenheid die minstens achtenveertig uur werkt.' Vanonder de tafel haalde hij een klein metalen kistje, kleiner dan twee pocketboeken op elkaar. 'Is dat lang genoeg?'

'Meer dan genoeg, dank je wel.' Spalko nam het kistje aan. Het leek zwaarder dan het eruitzag, ongetwijfeld door de koeleenheid. 'Zit de flacon erin waar ik om heb gevraagd?'

'Natuurlijk.' Sido zuchtte. 'Maar ik begrijp nog steeds niet waar je zo'n dodelijk pathogeen voor nodig hebt.'

Spalko keek hem onderzoekend aan. Hij stak een sigaret op. Hij wist dat wanneer hij te snel een verklaring gaf, dat het effect teniet zou doen, en bij dr. Peter Sido draaide alles om het effect. Hoewel hij een genie was in het maken van pathogenen die zich via de lucht verspreidden, lieten zijn sociale vaardigheden te wensen over. Niet dat hij hierin verschilde van de meeste wetenschappers die altijd met hun neus in de boeken zaten, maar in dit geval kwam Sido's naïviteit Spalko goed uit. Sido wilde zijn beste vriend terug, al het andere maakte niet uit, en daarom volgde hij Spalko's uitleg niet al te goed. Alleen zijn geweten had bevestiging nodig, de rest niet.

Eindelijk stak Spalko van wal. 'Zoals ik zei, werk ik voor de Amerikaans-Britse Taakeenheid Antiterrorisme.'

'Zijn die volgende week ook op de top aanwezig?'

'Natuurlijk,' antwoordde Spalko. Er bestond helemaal geen Amerikaans-Britse Taakeenheid Antiterrorisme, die had hij verzonnen. 'In elk geval, we staan op het punt van een doorbraak tegen de dreiging van het bioterrorisme, dat zoals jij als geen ander weet, gebruikmaakt van door de lucht verspreide pathogenen en chemische stoffen. Ze willen het testen, vandaar dat ze naar mij kwamen en daarom hebben wij deze overeenkomst gesloten. Ik vind voor jou dr. Schiffer en jij levert mij het product waar mijn taakeenheid om vraagt.'

'Ja, dat wist ik al. Dat had je al uitgelegd...' Sido's stem stierf weg. Hij zat zenuwachtig met zijn theelepel te spelen, drumde ermee op zijn servet, totdat Spalko hem vroeg daarmee op te houden.

'Sorry,' mompelde hij terwijl hij zijn bril weer op zijn neusbrug schoof. 'Maar wat ik nog steeds niet snap, is wat ze met het spul gaan doen. Ik bedoel, je had het over een test.'

Spalko boog zich voorover. Dit was het moment; hij moest Sido overhalen. Hij keek om zich heen. Hij begon heel zacht te praten. 'Luister goed, Peter. Ik heb al meer gezegd dan ik misschien had moeten doen. Dit is allemaal topgeheim, begrijp je?'

Sido, die zich ook voorover had gebogen, knikte.

'Ik vrees zelfs dat ik de vertrouwelijkheidovereenkomst die ik moest ondertekenen, heb overtreden door je dit alles te vertellen.'

'O, nee toch!' Sido drukte iets van spijt uit. 'Ik heb je in gevaar gebracht.'

'Maak je niet druk, Peter, ik red me wel,' zei Spalko. 'Mits jij je mond houdt.'

'O, daar kun je van op aan. Absoluut.'

Spalko glimlachte. 'Dat dacht ik wel, Peter. Zie je, ik vertrouw je.'

'En dat waardeer ik, Stepan. Dat weet je.'

Spalko moest zich verbijten om niet te lachen. Hij ging door met zijn spel. 'Ik weet niets van die test, Peter, want daar hebben ze niets over gezegd,' zei hij nu nog zachter; de wetenschapper moest zo ver voorover buigen dat hun neuzen elkaar bijna raakten. 'En ik zou er niet naar vragen.'

'Natuurlijk niet.'

'Maar ik geloof – en dat moet jij ook doen – dat deze mensen hun uiterste best doen om ons te beschermen in een wereld die alsmaar onveiliger wordt.' Het bleek altijd weer een kwestie van vertrouwen te zijn, dacht Spalko. Maar als je een sukkel als Sido voor je wilde winnen, moest je doen alsof jíj hem jouw vertrouwen schonk. Daarna kon je hem overal van beroven zonder dat hij je ook maar even zou verdenken. 'Wat ze ook doen, wij moeten hen helpen zoveel als we kunnen. Dat heb ik hun beloofd.'

'Dat zou ik ook gezegd hebben.' Sido veegde het zweet van zijn bovenlip af. 'Geloof me, Stepan, als je ergens van op aan kunt, is het dát wel.'

Het Observatorium van de Amerikaanse marine aan Massachusetts Avenue en 34th Street was de officiële bron voor de standaardtijden in de Verenigde Staten. Het was een van de weinige plekken in het land waar de maan, de sterren en de planeten constant werden geobserveerd. De grootste telescoop op het instituut was meer dan honderd jaar oud en nog steeds in gebruik. Toen dr. Asaph Hall er in 1877 door keek, ontdekte hij de twee manen van Mars. Niemand weet waarom hij die Deimos (bezorgdheid) en Phobos (angst) had genoemd, maar de directeur wist dat wanneer zijn somberheid hem te machtig werd, hij naar deze sterrenwacht moest gaan. Om die reden had hij in het hart van het gebouw, vlak bij de telescoop van dr. Hall, een werkkamer voor zichzelf ingericht.

Op die plek ontmoette Martin Lindros hem terwijl hij zat te televergaderen met Jamie Hull, het hoofd van de Amerikaanse veiligheidsdienst in Reykjavik.

'Over Feyd al-Saoud maak ik me geen zorgen,' zei Hull op zijn hooghartige manier. 'Die Arabieren weten geen fluit van moderne beveiligingstechnieken, dus die laten het graag aan ons over.' Hij schudde zijn hoofd. 'Het is die Rus, Boris Illyich Karpov, die me een stekende koppijn bezorgt. Hij is overal op tegen. Als ik wit zeg, zegt hij zwart. Volgens mij komt die klootzak klaar op tegenspraak.'

'Bedoel je te zeggen dat je zo'n simpele Russische beveiligingsspecialist niet aankunt?'

'Eh, wat bedoelt u?' Hulls blauwe ogen keken verbaasd toe en zijn gele snor danste op en neer. 'Nou nee, helemaal niet.'

'Want ik kan je zo vervangen.' De stem van de directeur kreeg een wrede klank.

'O nee, dat is niet nodig.'

'Als het moet, zal ik dat zeker doen. Ik ben verdomme niet in de stemming om...'

'Nee, dat zal niet nodig zijn. Ik krijg Karpov wel onder controle.'

'Liefst zo spoedig mogelijk.' Lindros hoorde de vermoeidheid opkomen in de stem van de oude vechtersbaas, en hoopte maar dat Jamie daar via die elektronische verbinding niets van merkte. 'We moeten een krachtig front vormen vóór, tijdens en na het bezoek van de president. Is dat duidelijk?'

'Jawel, meneer.'

'Nog geen teken van Jason Bourne, veronderstel ik.'

'Nee, nog niet, meneer. Maar geloof me, we zijn extra waakzaam.'

Lindros, die besefte dat de directeur de door hem gewenste informatie nu wel had, schraapte zijn keel.

'Jamie, mijn volgende afspraak komt net binnen,' zei de directeur zonder zich om te draaien. 'Ik neem morgen weer contact met je op.' Hij schakelde het communicatieprogramma uit, zat met zijn handen tot een toren gevouwen te kijken naar een grote kleurenfoto van de planeet Mars en zijn twee onherbergzame manen.

Lindros trok zijn regenjas uit en ging naast zijn baas zitten. De kamer van de directeur was klein, volgepropt en bloedheet, ook hartje winter. Aan de muur hing een portret van de president. Door het raam in de buitenmuur zag je hoge naaldbomen, zwart-wit, want alle details werden tenietgedaan door de felle lampen van de beveiliging. 'Ik heb goed nieuws uit Parijs,' zei hij. 'Jason Bourne is dood.'

De directeur keek op, zijn gelaatstrekken, die kort geleden nog neerhingen, werden ineens door blijdschap opgetrokken. 'Ze hebben hem te pakken? Ik hoop maar dat die klootzak crepeerde van de pijn toen hij de pijp uitging.'

'Die kans is groot. Hij kwam om bij een verkeersongeluk op de A1 ten noordwesten van Parijs. De motor waar hij op reed, knalde tegen een achttienwieler aan. Een agente van de Quai d'Orsay was er getuige van.'

'Mijn god,' hijgde de directeur. 'Er is hooguit nog een plasje olie van hem over.' Hij trok zijn wenkbrauwen op. 'Weten ze het zeker?'

'Dat kunnen we pas zeggen als de identificatie rond is,' zei Lindros. 'We hebben Bournes gebitgegevens en zijn DNA doorgestuurd, maar volgens de Franse autoriteiten was het een flinke explosie, en de brand daarna was hevig; ze vrezen dat er zelfs van zijn botten niks meer over is. Hoe dan ook, ze doen nog een dag of twee onderzoek op de plaats van het ongeluk. Zodra ze meer weten, nemen ze contact met ons op.'

De directeur knikte.

'En Jacques Robbinet is ongedeerd,' voegde Lindros toe.

'Wie?'

'De Franse minister van Cultuur. Hij was bevriend met Conklin en fungeerde soms als tussenpersoon. We waren bang dat hij Bournes volgende doelwit zou zijn.'

De twee mannen zaten zwijgend naast elkaar. De directeur keek peinzend voor zich uit. Misschien dacht hij aan Alex Conklin, misschien mijmerde hij over de rol van bezorgdheid en angst in de huidige maatschappij, en verbaasde hij zich dat Hall het allemaal al had voorspeld. Hij was gaan werken voor de inlichtingendienst met het verkeerde idee dat het de bezorgdheid en angst zou verminderen, waarmee hij zelf geboren leek te zijn. Maar het effect was precies omgekeerd. Toch had hij nooit overwogen om uit zijn vak te stappen. Hij wist niet wat hij anders moest; zijn hele wezen werd gedefinieerd door wie hij was en wat hij had gedaan in de onderwereld die onzichtbaar is voor gewone burgers.

'Eh, als ik zo brutaal mag zijn: het is al laat.'

De directeur zuchtte. 'Vertel me iets wat ik nog niet weet, Martin.'

'Ik denk dat u het beste naar huis, naar Madeleine kunt gaan,' zei Lindros zacht.

De directeur streek met zijn hand over zijn gezicht. Ineens voelde hij zich totaal uitgeput. 'Maddy logeert bij haar zus in Phoenix. Er is niemand thuis vandaag.'

'Ga toch maar naar huis.'

Toen Lindros opstond, keek de directeur op naar zijn adjunct. 'Martin, luister, je denkt misschien dat de kwestie Bourne voorbij is, maar dat is niet zo.'

Lindros had zijn regenjas al in zijn hand, maar bleef stokstijf staan. 'Hoezo?'

'Bourne mag dan wel dood zijn, maar in de laatste uren van zijn leven heeft hij ons voor schut gezet.'

'Maar...'

'Openbare spektakels. Dat kunnen we niet hebben. Tegenwoordig kijkt de hele wereld je op de vingers. En wie meekijkt, stelt kritische vragen en wanneer deze vragen niet in de doofpot verdwijnen, krijgen ze onherroepelijk ernstige gevolgen.' De ogen van de directeur schitterden. 'We hebben maar één ding nodig om deze treurige periode af te sluiten en in het gat van de geschiedenis te laten verdwijnen.'

'En wat is dat, als ik zo vrij mag zijn?'

'Een zondebok, Martin, iemand die met heel zijn wezen de geur van dit debacle uitwasemt, zodat wij ruiken als rozen in de knop.' Hij keek zijn adjunct indringend aan. 'Weet jij een geschikte kandidaat, Martin?'

Martin voelde van angst een ijsklomp in zijn maag ontstaan.

'Kom op, Martin,' zei de directeur ongeduldig, 'doe eens een suggestie.'

Lindros bleef hem zwijgend aankijken. Het leek alsof zijn kaken aan elkaar vast zaten.

'Je weet vast wel iemand, Martin,' snauwde de directeur.

'U geniet hiervan, hè?'

Even kromp de directeur ineen door deze beschuldiging. En voor de zoveelste keer was hij blij dat zijn eigen zonen niet in deze business waren gegaan. Niemand mocht boven hem staan; daar zorgde hij wel voor. 'Als jij het niet weet, weet ik nog wel iemand. Rechercheur Harris.'

'Dat kunnen we hem niet aandoen,' zei Lindros streng. Hij voelde de woede in hem bruisen als limonade in een blikje.

'We? Wie had het over "we", Martin? Dit was jouw opdracht. Dat heb ik je vanaf het begin duidelijk gemaakt. Jij mag die zondebok zelf aanwijzen.'

'Maar Harris heeft niets verkeerd gedaan.'

De directeur trok een wenkbrauw op. 'Daar heb ik zo mijn twijfels over, maar ook als je gelijk hebt, wie ligt daar wakker van?'

'Ik.'

'Goed, Martin. Dan neem jij zelf maar de schuld op je voor de fiasco's in Old Town en bij Washington Circle.'

Lindros hield zijn lippen stijf op elkaar. 'Heb ik een keuze?'

'Ik zie geen andere kandidaten, jij wel? Het takkenwijf zal hoe dan ook een pond eisen van mijn vlees. Als het dan toch moet, offer ik liever een oudere rechercheur op van de staatspolitie van Virginia dan mijn eigen adjunct. Maar als jij je eigen graf wilt graven... En wat doet dat volgens jou met mijn reputatie, Martin?'

'Jezus,' zei Lindros razend van woede, 'hoe heeft u het in godsnaam zo lang uitgehouden in deze slangenkuil?'

De directeur stond op, trok zijn overjas aan. 'Hoe denk je?'

Bourne stond al om twintig minuten voor twaalf voor de gotische Matthiaskerk. De resterende twintig minuten verkende hij het gebied. De lucht was fris en de hemel helder, maar aan de horizon doemden zware wolken op en in de kouder wordende wind zat motregen. Af en toe maakte een geluid of geur iets los in zijn beschadigde geheugen. Hij wist zeker dat hij hier eerder was geweest, maar wanneer en waarom wist hij niet meer. Altijd wanneer het gevoel van leegte en verlies hem overviel, moest hij zo sterk aan Alex en Mo denken, dat hij ze elk moment tevoorschijn zou kunnen toveren.

Met een grimas hervatte hij zijn bezigheden en verkende hij de omgeving. Hij wilde zeker weten dat hij niet door vijanden werd bespioneerd.

Toen de klok twaalf uur sloeg, liep hij naar de enorme façade aan de zuidkant van de kerk, waar de tachtig meter hoge middeleeuwse toren oprees met zijn waterspuwers. Een jonge vrouw stond onder aan de trap. Ze was lang, slank en opvallend mooi. Haar lange rode haar glansde in het lantaarnlicht. Achter haar, boven de ingang, was een veertiende-eeuws reliëf van de maagd Maria. De jonge vrouw vroeg zijn naam.

'Alex Conklin,' antwoordde hij.

'Paspoort, alstublieft,' zei ze gedecideerd als een douanebeambte.

Hij gaf zijn paspoort, keek naar haar terwijl ze het document met haar ogen en duimtoppen bestudeerde. Ze had boeiende, slanke handen met lange, sterke vingers. Botte nagels. De handen van een musicus. Ze was hooguit vijfendertig.

'Hoe kan ik zeker weten dat u Alexander Conklin bent?' vroeg ze.

'Hoe kan men iets met absolute zekerheid weten?' riposteerde Bourne. 'Vertrouwen.'

De vrouw snoof. 'Wat is uw voornaam?'

'Die staat op het pas...'

Ze keek hem boos aan. 'Ik bedoel uw echte voornaam, waar u mee geboren bent.'

'Alexsei,' antwoordde Bourne, zich herinnerend dat Conklin een Russische immigrant was.

De jonge vrouw knikte. Ze had een mooi gebeeldhouwd gezicht, grote, groene Hongaarse ogen met lange wimpers en brede, volle lippen. Ze had een lichtgeraakte stijfheid over zich, maar bezat ook de sensualiteit van een schoonheid uit het fin de siècle. Haar intrigerende onderkoeldheid stamde uit een onschuldiger eeuw, toen dat wat werd verzwegen belangrijker was dan wat men hardop zei. 'Welkom in Boedapest, meneer Conklin. Ik ben Annaka Vadas.' Ze tilde haar welgevormde arm omhoog, gebaarde naar hem. 'Kom binnen alstublieft.'

Ze ging hem voor over het binnenplein voor de kerk en ging de hoek om. In het donkere straatje was de kleine houten deur met de antieke ijzeren scharnieren nauwelijks zichtbaar. Ze haalde een kleine zaklamp tevoorschijn, die een bijzonder sterke lichtstraal bleek te geven. Uit haar tasje haalde ze een ouderwetse sleutel, stak die in het slot, draaide hem eerst naar links en toen naar rechts. Met een duwtje maakte ze de deur open.

'Mijn vader wacht binnen op u,' zei ze. Ze liep het schip van de kerk in. De schommelende lichtstraal liet zien dat de gepleisterde muren beschilderd en rijkelijk versierd waren. De fresco's gaven het leven weer van Hongaarse heiligen.

'In 1541 viel de stad Boeda ten prooi aan de binnenvallende Turken en de daaropvolgende honderdvijftig jaar was deze kerk de belangrijkste moskee van de stad,' zei ze. Ze liet haar zaklamp speels over haar onderwerp schijnen. 'Om de kerk aan hun eigen praktijken aan te passen, sloopten ze er de hele inrichting uit en kalkten ze de schitterende fresco's weg. Nu is alles weer in de originele staat hersteld.'

Bourne zag voorin een zwak licht branden. Annaka bracht hem naar de noordzijde, waar een paar kapellen stonden. In de kapel het dichtst bij de kansel stonden de sarcofagen van de tiende-eeuwse Hongaarse koning Béla III en zijn vrouw Anne van Châtillon, hun beeltenissen waren spookachtig. In de voormalige grafkelder, naast een rij middeleeuwse reliëfs, stond een man in het duister.

János Vadas stak zijn hand uit. Toen Bourne die wilde aannemen, kwamen er drie mannen uitdagend uit het donker lopen. Bourne trok uiterst snel zijn pistool. Vadas lachte hierom.

'Kijk naar de trekker, meneer Bourne. Dacht u dat ik u een pistool zou geven dat werkte?'

Bourne zag dat Annaka een pistool op hem gericht hield.

'Alexsei Conklin was een goede vriend van me, meneer Bourne. En bovendien, je kop is in het nieuws.' Hij had het berekenende gezicht van een jager, donkere en peinzende wenkbrauwen, hoekige kaken en glinsterende ogen. Vroeger had hij een grote kuif gehad, nu hij halverwege de zestig was, was zijn haargrens geweken en herinnerde alleen een glanzend plukje haar op zijn voorhoofd er nog aan. 'Ze zeggen dat jij Alexsei en nog een zekere dr. Panov hebt vermoord. Alleen om de dood van Alexsei ben ik gerechtigd je hier en nu te elimineren.'

'Hij was een goede vriend van me, een mentor zelfs.'

Vadas keek hem treurig en berustend aan. 'En je keerde je tegen hem omdat jij, net als iedereen, uit bent op wat Felix Schiffer weet.'

'Ik weet niet waar je het over hebt.'

'Nee, natuurlijk niet,' zei Vadas sceptisch.

'Hoe weet ik Alex' echte naam, denk je? Alexsei en Mo Panov waren vrienden.'

'Hen doden zou dan een krankzinnige daad zijn.'

'Inderdaad.'

'Volgens de heer Hazas bent u ook krankzinnig,' zei Vadas rustig. 'Kent u de heer Hazas nog, de hotelmanager die u bijna tot moes hebt geslagen? Een gevaarlijke gek, dat zei hij geloof ik.

'Dus dat vond hij van me,' zei Bourne. 'Misschien heb ik hem iets te hard aangepakt, maar ik zag dat hij loog.'

'Dat deed hij in opdracht van mij,' zei Vadas licht triomfantelijk.

Onder de waakzame blik van Annaka en de drie mannen stapte Bourne naar Vadas en gaf hem het nutteloze pistool. Toen Vadas het wilde aannemen, draaide Bourne diens elleboog op zijn rug, pakte zijn kleine keramische pistool en zette dat tegen Vadas' slaap. 'Denk je echt dat ik een onbekend pistool zou meenemen zonder het van tevoren grondig te bekijken?'

Hij richtte zich tot Annaka en zei op kalme, zakelijke toon: 'Als je niet wilt dat je vaders hersens over vijf eeuwen geschiedenis heen spatten, leg je je pistool op de grond. Kijk hem niet aan; doe wat ik je zeg!'

Annaka legde haar pistool op de grond.

'Schop het naar me toe.'

Ze deed wat haar werd opgedragen.

Geen van de drie mannen had zich verroerd, en waagde dat ook niet. Bourne bleef hen in de gaten houden. Hij haalde de loop van zijn pistool van Vadas' slaap en liet hem gaan.

'Ik had je neer kunnen schieten als dat mijn bedoeling was geweest.'

'Dan zou ik jou vermoord hebben,' zei Annaka woest.

'Dat zou je zeker geprobeerd hebben,' zei Bourne. Hij hield zijn keramische pistool in de lucht en liet haar en Vadas' mannen zo zien dat hij niet van plan was om het te gebruiken. 'Maar dit zijn vijandelijke handelingen. We zouden vijanden moeten zijn om ze te verrichten.' Hij raapte Annaka's pistool op en reikte het haar aan met de kolf naar haar toe.

Zwijgend nam ze het pistool aan en richtte het op hem.

'Wat heb je met je dochter gedaan, Vadas? Ze is bereid mensen voor je om te brengen, maar volgens mij moordt ze ook zonder reden.'

Vadas ging tussen Annaka en Bourne in staan, duwde haar pistool naar beneden. 'Ik heb al genoeg vijanden, Annaka,' fluisterde hij.

Annaka liet haar pistool zakken, maar haar glanzende ogen keken Bourne nog steeds vijandig aan.

Vadas keerde zich tot Bourne. 'Zoals ik zei, het ombrengen van Alexsei zou een krankzinnige daad zijn, maar ik denk niet dat jij krankzinnig bent.'

'Ik was in een val gelokt, werd gebruikt om de aandacht af te leiden zodat de echte daders vrijuit gingen.'

'Interessant. Waarom?'

'Dat wilde ik hier te weten komen.'

Vadas keek Bourne indringend aan. Toen keek hij om zich heen, stak zijn armen in de lucht. 'Ik zou Alexsei hier ontmoeten, als hij nog geleefd had. Zie je, deze plek is van groot historisch belang.

Hier, aan het begin van de veertiende eeuw, werd de eerste kerk van Boeda gebouwd. Het grote pijporgel dat je daarboven op het balkon ziet, speelde op de twee huwelijksinzegeningen van koning Matthias. De laatste twee koningen van Hongarije, Frans-Jozef I en Karel IV werden hier op deze plek gekroond. Ja, de geschiedenis is hier volop aanwezig, en Alexsei en ik zouden de geschiedenis veranderen.'

'Met behulp van Felix Schiffer, of niet?' vroeg Bourne.

Vadas had geen tijd om te antwoorden. Op dat moment galmde een pistoolschot door de kerk en viel hij met gestrekte armen achterover. Er stroomde bloed uit een kogelwond in zijn voorhoofd. Bourne pakte Annaka vast en dook plat op de stenen vloer. Vadas' mannen draaiden zich om en verspreidden zich, schoten terug terwijl ze dekking zochten. Een van hen werd bijna meteen neergeschoten en sleepte zich over de marmeren vloer, viel toen dood neer. Een ander haalde het bijna tot een kerkbank, probeerde zich daarachter te verschuilen maar werd eveneens geraakt, in zijn ruggengraat. Hij boog zich achterover, zijn pistool kletterde over de vloer.

Bourne keek weg van de derde man, die dekking wilde geven aan Vadas. Maar Vadas lag plat op zijn rug in een bloedplas. Zijn borst vertoonde geen ademhaling. Nieuwe schoten richtten Bournes aandacht weer op Vadas' derde man, die vanuit gehurkte stand opstond, en al schietend naar het grote orgel liep. Hij gooide zijn hoofd in zijn nek en spreidde zijn armen toen een bloedvlek op zijn borst snel groter werd. Hij greep naar de fatale wond, zijn ogen rolden weg.

Bourne keek naar de duisternis van het balkon waar het orgel stond, zag een donkere schaduw wegvluchten en schoot. Scherven steen vlogen weg. Toen pakte hij de zaklamp van Annaka en scheen over het balkon terwijl hij de gedraaide stenen trap op rende. Annaka, eindelijk vrij, liet de situatie tot zich doordringen, zag haar vader en schreeuwde.

'Blijf zitten!' schreeuwde Bourne. 'Je bent in gevaar!'

Ze luisterde niet naar hem en rende naar haar vader.

Bourne gaf haar dekking, vuurde meer schoten af in de schaduwen van het balkon, maar was niet verbaasd toen er niet werd teruggeschoten. De scherpschutter had zijn doel bereikt; hoogstwaarschijnlijk was hij al op de vlucht.

Zonder tijd te verspillen rende Bourne de trap op naar het balkon. Hij vond een leeg magazijn en liep verder. Het balkon leek leeg. De vloer van het balkon was betegeld, de muur had uitbundig versierde houten panelen. Bourne dook achter het orgel, maar daar was niets te zien. Hij doorzocht de ruimte om het orgel en bestudeerde toen de lambrisering van de muur. De afstand tussen twee panelen leek iets groter dan tussen de andere, een paar millimeter maar, alsof...

Bourne tastte over het hout en ontdekte dat het paneel toegang bood tot een gang. Hij liep er door en bevond zich op een steile wenteltrap. Met getrokken pistool klom hij naar boven tot hij bij een deur aankwam, die bleek uit te komen op het dak van de kerk. Toen hij zijn hoofd naar buiten stak, werd er geschoten. Hij dook ineen nadat hij iemand over de dakpannen had zien weglopen. Het was een steil dak. Alsof dat niet erg genoeg was, regende het ook waardoor de pannen nog gladder waren. Het voordeel was, dat de moordenaar zijn evenwicht moest houden en daardoor niet op Bourne kon schieten.

Bourne besefte onmiddellijk dat hij op zijn nieuwe schoenen zou uitglijden, dus deed hij die uit en liet ze naar beneden glijden over het dak. Als een krab kroop hij verder over het dak. Dertig meter onder hem, een duizelingwekkende hoogte, lag het plein waarop de kerk schitterde in het licht van negentiende-eeuwse lantaarns. Met zijn vingers en tenen als weerhaken zette hij de achtervolging op de scherpschutter voort. In zijn achterhoofd hield hij er rekening mee dat hij achter Khan aanzat, maar hoe kon hij eerder dan Bourne in Boedapest zijn aangekomen, en waarom had hij Vadas en niet Bourne neergeschoten?

Toen hij opkeek, zag hij dat de schutter naar de zuidelijke toren ging. Bourne kroop achter hem aan, vastbesloten hem niet te laten gaan. De dakpannen waren oud en brokkelig. Een dakpan spleet toen hij ernaar greep, ontglipte toen zijn hand. Even zwaaide hij met zijn armen om zijn evenwicht te bewaren. Toen hij zijn evenwicht terug had, gooide hij de dakpan weg, die op het platte dak van de kleine kapel drie meter onder hem kapotspatte.

Bourne dacht razendsnel na. Zijn positie zou extreem kwetsbaar zijn als de schutter eenmaal de veilige toren had bereikt. Als Bourne dan nog op het dak was, kon de schutter hem zo neerschieten. Het begon harder te regenen, waardoor hij minder grip had en minder goed kon zien. Hij zag alleen de vage contouren van de zuidelijke toren, zo'n vijftien meter verder.

Bourne had nu driekwart van de afstand naar de toren afgelegd, toen hij iets hoorde, een tik van metaal op steen. Hij wierp zich plat tegen de dakpannen aan. Terwijl het water over hem heen stroomde, voelde hij een kogel langs zijn oor suizen. De kogel raakte de dakpannen bij zijn rechterknie. Hij verloor zijn greep, gleed van het steile dak af en tuimelde ervan af.

Instinctief had hij zijn lichaam slap gehouden, en toen hij met zijn schouder op het platte dak van de kapel viel, rolde hij zich op, en maakte van de vrijgekomen energie gebruik om verder over het dak te rollen en de schok van de val op te vangen. Hij kwam tot stilstand voor een glas-in-loodraam, waardoor hij uit het zicht van zijn tegenstander bleef.

Naar boven kijkend zag hij dat hij niet zo ver van de toren vandaan was. Vlak voor hem stond een kleinere toren, met een smalle sleuf als raam. Het was een middeleeuws kasteelraam zonder glas. Hij perste zich erdoor, liep naar boven en kwam terecht bij een stenen balustrade die direct naar de zuidelijke toren leidde.

Bourne wist niet of de schutter hem zou kunnen zien als hij over de balustrade liep. Hij haalde diep adem, sprong door de deuropening en rende over het smalle stenen pad. Voor hem zag hij een schaduw wegduiken en meteen bukte hij terwijl een schot klonk. In één beweging stond hij op en rende hij verder, en voordat de schutter weer kon schieten was hij verdwenen; hij was door een open raam van de toren gedoken.

Er klonken meer schoten en er vlogen scherven steen om zijn oren toen hij de stenen spiraaltrap oprende. Hij hoorde boven hem een metaalachtige klik, die aangaf dat het pistool van zijn tegenstander leeg was. Bourne rende met drie treden tegelijk de trap op, om zo het meeste voordeel uit deze tijdelijke voorsprong te halen. Weer hoorde hij een droge klik en er kletterde een leeg magazijn de stenen trap af. Hij sprong naar voren, kromde zijn rug en ging op zijn hurken zitten. Er werd niet meer geschoten, wat waarschijnlijk betekende dat de schutter heel dichtbij was.

Maar aan waarschijnlijkheid had hij niets. Bourne moest het zeker weten. Hij richtte Annaka's zaklamp naar boven en deed hem aan. Meteen zag hij de schaduw zitten, een paar treden boven hem. Vrijwel onmiddellijk ging de man ervandoor. Bourne verdubbelde zijn inspanningen. Hij deed de lamp uit voordat de schutter kon zien waar hij stond.

Ze waren nu bijna boven in de toren, zo'n tachtig meter boven de grond. De scherpschutter kon nergens heen. Hij zou Bourne moeten vermoorden om zich uit deze val te bevrijden. Deze wanhopige situatie zou hem zowel gevaarlijker als roekelozer maken. Bourne moest met dat laatste gegeven zijn voordeel doen.

Boven hem zag hij de verdieping waar de spiraaltrap eindigde, een ronde ruimte met hoge, open bogen die regen en wind doorlieten. Hij hield zijn onstuimige pas in. Hij wist dat als hij door zou lopen, hij waarschijnlijk zou worden verwelkomd door een kogelregen.

Maar hij kon ook niet blijven staan. Hij pakte zijn zaklamp, zette die in een hoek op een trede boven hem, dook neer en terwijl hij zijn hoofd naar beneden hield, strekte hij zijn arm zo ver hij kon en deed de zaklamp aan.

Het resultaat was een oorverdovende kogelregen. Terwijl het lawaai nog door de toren galmde, was Bourne de laatste treden op gesprongen. Hij had gegokt dat de schutter in paniek zijn hele magazijn zou leegschieten om Bournes laatste aanval te pareren.

Vanuit een stofwolk dook Bourne naar het middel van de scherpschutter en duwde hem over de stenen vloer tegen een van de stenen bogen aan. De man sloeg met beide vuisten op Bournes rug en dwong hem zo op zijn knieën. Bourne liet zijn hoofd hangen, waardoor zijn nek vrijkwam – een schot voor open doel. Toen de scherpschutter hem een klap in zijn nek wilde geven, draaide Bourne zich om en hield hij de neerkomende arm tegen. Gebruikmakend van de kracht van de schutter, duwde hij de man om. Bourne stompte hem in zijn nier toen hij achteroverviel.

De scherpschutter haakte zijn enkels achter die van Bourne en draaide zich om, zodat ook Bourne achteroverviel. Onmiddellijk sprong de man op hem. Ze vochten met de blote vuist. Door het opwaaiende stof werd het licht van de zaklamp afgezwakt. In het schijnsel zag Bourne het lange, scherpe gezicht, het blonde haar en de blauwe ogen van zijn tegenstander. Even was hij in verwarring. Hij had verwacht dat Khan de scherpschutter zou zijn.

Bourne wilde de man niet ombrengen; hij wilde hem ondervragen. Hij móést weten wie hij was, voor wie hij werkte en waarom Vadas was omgebracht. Maar de man vocht door met de kracht en vasthoudendheid van iemand die niets te verliezen had, en toen hij Bourne een klap gaf op zijn rechterschouder, raakte Bournes rechterarm tijdelijk verlamd. Voordat hij een stap opzij had kunnen doen, was de man al op hem gedoken. Drie rake klappen brachten hem aan het wankelen, zijn bovenlichaam stak door een van de bogen en hing over de lage stenen reling. De man liep naar hem toe en hield zijn lege pistool bij de loop vast zodat hij de kolf als knuppel kon gebruiken.

Bourne schudde zijn hoofd om de pijn in zijn rechterschouder te vergeten. De schutter was nu bijna bij hem, zijn rechterarm stak in de lucht, de zware kolf van zijn pistool schitterde in het lantaarnlicht. Hij had een moordzuchtige blik in zijn ogen, trok zijn lippen op als een grommend beest. Met een kwaadaardige boog kwam de kolf zwaaiend neer; hij wilde duidelijk Bournes schedel verbrijzelen. Net op tijd deed Bourne een stap opzij en zo slingerde de scherpschutter zichzelf over de reling.

Bourne reageerde meteen, reikte de man zijn hand, maar door de regen was zijn huid zo glad als olie en gleden de vingers uit zijn greep. Al schreeuwend viel de man naar beneden en plofte neer op de stoep in de diepte.

14

Bij het vallen van de avond kwam Khan in Boedapest aan. Hij nam een taxi vanaf het vliegveld en checkte in het Danubius Hotel in als Heng Raffarin, de naam die hij ook gebruikt had als verslaggever van *Le Monde* in Parijs. Zo was hij door de douane heen gekomen, maar hij had ook nog andere documenten bij zich, waar hij op dezelfde manier aan was gekomen en die hem identificeerden als adjunct-inspecteur bij Interpol.

'Ik ben uit Parijs komen vliegen voor een gesprek met de heer Conklin,' zei hij vermoeid. 'Al die vertragingen! Ik ben vreselijk te laat. Zou u de heer Conklin kunnen zeggen dat ik er eindelijk ben? We hebben het allebei nogal druk.'

Zoals Khan had voorzien, draaide de receptionist zich meteen om naar de postvakjes achter hem. Elk vak had een in bladgoud uitgevoerd kamernummer. 'De heer Conklin is momenteel niet op zijn kamer. Wilt u een boodschap achterlaten?'

'Ik vrees dat ik geen keus heb. We zullen morgen een frisse nieuwe start kunnen maken.' Khan deed alsof hij een briefje schreef voor de heer Conklin, plakte de envelop dicht en gaf die aan de receptionist. Nadat hij zijn sleutel had aangenomen, draaide hij zich om, maar vanuit zijn ooghoek zag hij nog dat de receptionist de envelop in het postvak stak waar PENTHOUSE 3 op stond. Tevreden nam hij de lift naar zijn kamer, die een verdieping onder het penthouse lag.

Hij waste zich, haalde wat spullen uit een kleine tas en ging de kamer uit. Hij nam de trap naar de verdieping van het penthouse. Hij bleef heel lang stil in de gang staan luisteren; hij luisterde naar de kleine geluiden die bij elk gebouw horen. Stokstijf stond hij te wachten tot hij iets – een geluid, een trilling, een gevoel – waarnam dat hem deed besluiten door te lopen of terug te gaan.

Uiteindelijk hoorde hij niets bijzonders en liep hij voorzichtig verder. Hij verkende de hele gang om er zeker van te zijn dat die veilig was. Op het laatst stond hij voor de glanzende dubbele houten deur van Penthouse 3. Hij stak een loper in het slot. Even later ging de deur open.

Weer stond hij in de deuropening even stil om de atmosfeer van de suite in te ademen. Zijn instinct verzekerde hem dat de kamer leeg was. Toch bleef hij op zijn hoede. Wat duizelig door de slapeloosheid en een opkomende golf emoties, scande hij de kamer. Afgezien van een geopend pakketje ter grootte van een schoenendoos was er bijzonder weinig in de suite dat op bewoning wees. Ogenschijnlijk was het bed nog niet beslapen. Waar was Bourne nu, vroeg Khan zich af.

Na een poos haalde hij zijn afdwalende geest weer bij de les en liep hij de badkamer in. Hij deed het licht aan. Hij zag een plastic kam, een tandenborstel, een flesje mondspoeling van het hotel met zeep, shampoo en handcrème. Hij schroefde het dopje van de tube tandpasta open, kneep een beetje in de wasbak uit en spoelde dat weg. Toen haalde hij een paperclip en een zilveren doosje tevoorschijn. Daar zaten twee capsules in met een snel oplossende gelatine. Een witte en een zwarte.

'Van de ene pil gaat je hart sneller kloppen, van de andere juist langzaam, en de pillen van Vader doen helemaal niets,' zong hij op de wijs van 'White Rabbit' met een hoge stem terwijl hij de witte capsule uit de verpakking haalde.

Hij stond op het punt de gelei in de tube te steken en het door te drukken met de paperclip, toen iets hem daarvan weerhield. Hij telde tot tien, schroefde de dop er weer op en zette de tube op precies dezelfde plek terug.

Een tijd lang stond hij verward te staren naar de twee capsules die hij zelf had klaargemaakt terwijl hij op het vliegveld in Parijs zat te wachten. Toen wist hij precies wat hij wilde doen: de zwarte capsule was gevuld met genoeg van het *krait* om Bournes lichaam te verlammen, terwijl hij ondertussen wel bij bewustzijn en helder bleef. Bourne wist meer van Spalko's plannen af dan hij; dat moest wel, want zijn spoor leidde helemaal tot aan Spalko's thuisbasis. Khan wilde weten wat Bourne wist voordat hij hem vermoordde. Dat hield hij zichzelf voor, tenminste.

Maar het was onmogelijk om nog langer te ontkennen dat zijn geest, die zo lang vervuld was geweest met koortsachtige wraakvisioenen, onlangs ruimte had gemaakt voor andere gevoelens. Met hoeveel energie hij die ook probeerde te onderdrukken, ze bleven terugkomen. Hij besefte nu dat, hoe sterker hij ze onderdrukte, hoe hardnekkiger ze weigerden te verdwijnen.

Hij voelde zich dwaas: daar stond hij dan in de kamer van zijn

Nemesis terwijl hij niet in staat bleek om door te gaan met het plan dat hij zo zorgvuldig had gesmeed. In plaats daarvan riep hij weer het beeld op van Bournes gezicht toen hij de stenen boeddha aan een gouden ketting om zijn nek zag hangen. Hij pakte het beeldje vast en vond zoals altijd troost en veiligheid in de zachte vormen en het opvallende gewicht. Wat was er toch met hem aan de hand?

Met een zacht gebrom van woede draaide hij zich om en beende de suite uit. Op weg naar zijn kamer pakte hij zijn mobieltje en toetste een lokaal nummer in. Na twee keer overgaan, werd opgenomen.

'Hallo?' antwoordde Ethan Hearn.

'Hoe bevalt je nieuwe werk?' vroeg Khan.

'Prima, ik heb het naar mijn zin.'

'Zoals ik had voorspeld.'

'Waar ben je nu?' vroeg de jonge employé van de afdeling Ontwikkeling bij Humanistas Ltd.

'Boedapest.'

'Dat is een verrassing,' zei Hearn. 'Ik dacht dat je voor zaken naar Oost-Afrika moest.'

'Heb ik uiteindelijk niet gedaan,' zei Khan. Hij liep nu door de lobby naar de uitgang. 'Ik ben er zelfs een tijdje mee gestopt.'

'Dan moet het wel belangrijk zijn waarom je hier bent.'

'Het gaat om je baas, in feite. Wat heb je kunnen vinden?'

'Niks concreets, maar hij is wel met iets bezig, kan ik zeggen, iets ontzettends groots.'

'Waarom denk je dat?' vroeg Khan.

'Om te beginnen houdt hij twee Tsjetsjenen bezig,' zei Hearn. 'Dat lijkt niets bijzonders. We hebben een belangrijk project in Tsjetsjenië. Maar toch was het vreemd, heel vreemd, want ook al droegen ze westerse kleren – de man had geen baard, de vrouw droeg geen hoofddoek – ik herkende ze toch, nou, hem tenminste. Hassan Arsenov, leider van de Tsjetsjeense rebellen.'

'Ga verder,' zei Khan, terwijl hij concludeerde dat deze mol zijn geld wel waard was.

'En twee avonden geleden vroeg hij of ik naar de opera wilde,' ging Hearn verder. 'Hij zei dat hij een rijkaard als sponsor wilde strikken, een zekere László Molnar.'

'Wat is daar zo vreemd aan?'

'Twee dingen,' antwoordde Hearn. 'Ten eerste, Spalko nam het halverwege de avond van me over. Hij dwong me min of meer de volgende dag vrij te nemen. Ten tweede, Molnar is verdwenen.'

'Verdwenen?'

'Helemaal zoek, alsof hij nooit heeft bestaan,' zei Hearn. 'Spalko denkt dat ik zo naïef ben dat ik het niet controleer.' Hij lachte zachtjes.

'Niet overmoedig worden,' waarschuwde Khan. 'Dan ga je fouten maken. En vergeet niet wat ik je gezegd heb: onderschat Spalko niet. Wie dat doet, is ten dode opgeschreven.'

'Dat weet ik, Khan. Jezus, ik ben niet achterlijk.'

'Als dat wel zo was, zou je niet voor me werken,' herinnerde Khan hem.

'Heb je het privé-adres van die László Molnar?'

Ethan gaf het aan hem door.

'En vanaf nu,' zei Khan, 'hou je je oren open en neem je geen enkel risico. Ik wil alles over hem weten wat je maar kunt vinden.'

Jason Bourne zag Annaka Vadas het lijkenhuis uitlopen waar ze, vermoedde hij, door de politie mee naartoe was genomen om haar vader en de andere drie slachtoffers te identificeren. Wat betreft de scherpschutter: die was pal op zijn gezicht geland, waardoor identificatie op basis van gebitsgegevens niet meer mogelijk was. De politie zou zijn vingerafdrukken moeten opzoeken in een Europese database. Wat Bourne had opgevangen van het gesprek in de Matthiaskerk, was, dat de politie oprecht verbaasd was dat János Vadas door een professionele huurmoordenaar was omgebracht, maar Annaka kon hun hierin geen opheldering geven en ten slotte liet de politie haar gaan. Uiteraard wisten zij niets van Bournes betrokkenheid. Uit noodzaak hield hij zich verre van het onderzoek – er was tenslotte een opsporingsbevel tegen hem uitgevaardigd – maar hij voelde zich niet gerust. Hij wist niet of hij Annaka wel kon vertrouwen. Het was nog niet zo lang geleden dat zij een kogel door zijn kop wilde jagen. Hij hoopte maar dat zij nu, na alle acties die hij ondernomen had, van zijn goede bedoelingen overtuigd was.

Dat was ze waarschijnlijk ook, want ze had de politie niets over hem verteld. Hij had zelfs zijn schoenen teruggevonden in de kapel die Annaka hem eerder had laten zien, tussen de tomben van koning Béla III en Anne van Châtillon. Dankzij een fooi aan de taxichauffeur had hij haar kunnen schaduwen tot aan het politiebureau en later het mortuarium. Hij zag hoe de politieagenten tegen hun petten tikten en haar goedenavond wensten. Ze hadden haar naar huis willen brengen, maar dat had ze geweigerd. In plaats daarvan pakte ze haar mobieltje, vermoedelijk om een taxi te bellen.

Toen hij zeker wist dat ze alleen was, stapte hij uit de schaduw waar hij zich had schuilgehouden en stak de straat over. Ze zag hem aankomen en stopte haar telefoontje weg. De geschrokken blik bracht hem in verwarring.

'Jij hier! Hoe heb je me kunnen vinden?' Ze keek om zich heen, tamelijk verwilderd, vond hij. 'Heb je me al die tijd achtervolgd?'

'Ik wilde weten of alles oké is.'

'Mijn vader is voor mijn neus neergeschoten,' zei ze geprikkeld. 'Hoe kan ik nou oké zijn?'

Hij besefte dat ze onder een straatlantaarn stonden. 's Avonds dacht hij altijd in termen van doelwitten en veiligheid; het was zijn tweede natuur, hij kon het niet helpen. 'De politie kan hier moeilijk doen.'

'Echt waar? Hoe weet je dat?' Ze was duidelijk niet in zijn antwoord geïnteresseerd, want ze liep van hem weg, haar hakken klikklakten over de kinderkopjes.

'Annaka, we hebben elkaar nodig.'

Haar rug was kaarsrecht, haar hoofd stond iets geheven op haar lange hals. 'Hoe kun je zoiets absurds zeggen?'

'Omdat het waar is.'

Ze draaide zich om op haar hakken, keek hem recht in zijn ogen. 'Nee, dat is helemaal niet waar.' Haar ogen gloeiden. 'Door jouw schuld is mijn vader vermoord.'

'Wie zegt hier nou absurde dingen?' Hij schudde zijn hoofd. 'Je vader is vermoord vanwege de zaak waar hij met Alexander Conklin aan werkte, wat dat ook was. Daarom werd Alex in zijn eigen huis vermoord, en daarom ben ik hier.'

Ze snoof vol minachting. Bourne zag haar broosheid. Ze was gedwongen zich te begeven op een door mannen gedomineerd terrein, misschien wel door haar vader, en nu verkeerde ze min of meer in staat van oorlog. Ze zat op zijn zachtst gezegd in de verdediging.

'Wil je niet weten wie er achter de moord van je vader zit?'

'Eerlijk gezegd niet.' Haar gebalde vuist rustte op haar heup. 'Ik wil hem begraven en vergeten dat ik ook ooit van Alexsei Conklin en dr. Felix Schiffer heb gehoord.'

'Dat kun je niet menen!'

'Je doet alsof je me kent, Bourne! Wat weet jij eigenlijk van me af?' Met haar felle ogen keek ze hem onverschrokken aan. 'Helemaal niets. Je hebt geen idee. Daarom ben je hier gekomen, vermomd als Alexsei. Een truc zo doorzichtig als plastic. En nu je er door je blunders bent ingerold, nu er bloed is gevloeid, denk je dat je er recht op hebt te weten waar mijn vader en Alexsei mee bezig waren.'

'Weet jij dan wie ik ben, Annaka?'

Een sardonische glimlach verscheen op haar gezicht toen ze een stap dichter bij hem ging staan. 'Jazeker, Bourne, ik weet wel wie je bent. Ik heb genoeg mensen zoals jij zien komen en gaan, en ieder denkt vlak voordat hij wordt neergeschoten, dat hij slimmer is dan de ander.'

'Wie ben ik dan?'

'Denk je dat ik dat niet weet? Beste meneer Bourne, ik zal je zeggen wie of wat je bent. Je bent een kat die met een bolletje wol speelt. Je enige doel is om die kluwen uit elkaar te halen, ten koste van alles. Voor jou is het allemaal een spelletje – een raadsel dat moet worden opgelost. De rest doet er niet toe. Je wordt gedefinieerd door het mysterie dat je wil ontrafelen. Zonder dat zou je niet eens bestaan.'

'Je hebt het bij het verkeerde eind.'

'O nee, zeker weten van niet.' Haar sardonische glimlach werd breder. 'Het is precies de reden waarom jij niet begrijpt dat ik hier uit wil stappen. Ik wil niet met je samenwerken, ik wil je niet helpen de moordenaar van mijn vader te vinden. Want waarom zou ik? Krijg ik er mijn vader mee terug? Die is dood, Bourne. Die denkt en ademt niet meer. Hij is niet meer dan een hoopje afval, dat wacht totdat de tijd de rest doet.'

Ze keerde zich om en wilde weglopen.

'Annaka...'

'Donder op, meneer Bourne. Ik ben niet geïnteresseerd in wat je nog te zeggen hebt.'

Hij rende haar achterna. 'Hoe kun je dat nou zeggen? Er zijn al zes mensen vermoord, omdat...'

Ze keek hem bedroefd aan. Hij zag dat ze op het punt stond te huilen. 'Ik heb mijn vader gesmeekt om zich er buiten te houden, maar je kent dat, oude vrienden, de lokroep van het geheime werk, of wat het ook mag zijn. Ik voorspelde dat er ellende van zou komen, maar daar moest hij om lachen – ja, hij lachte! Hij zei dat ik zijn dochter was en dit soort dingen niet kon begrijpen. Werd ik op mijn nummer gezet of niet?'

'Annaka, ik word gezocht voor een dubbele moord die ik niet gepleegd heb. Mijn twee beste vrienden zijn neergeschoten en ik ben de hoofdverdachte. Begrijp je dat...'

'Jezus, heb je niet gehoord wat ik zei? Of is dat allemaal langs je heen gegaan?'

'Ik kan het niet alleen, Annaka. Ik heb je hulp nodig. Ik kan me tot niemand anders wenden. Mijn leven ligt vrijwel letterlijk in jouw handen. Vertel me alsjeblieft wie Felix Schiffer is. Vertel me wat je weet en ik zweer je dat je van me af zult zijn.'

Ze woonde in Víziváros, een smalle, op heuvels gebouwde wijk met steile trappen in plaats van straatjes, tussen het Kasteeldistrict en de

Donau in. Vanuit de erker aan de voorzijde kon je de Bem tér zien. Daar kwamen, een paar uur voor de Hongaarse Opstand van 1956, duizenden mensen bijeen, zwaaiend met Hongaarse vlagen waar nauwgezet en met plezier de hamer en sikkel uit waren geknipt, voordat ze verder marcheerden naar het parlement.

Het appartement was klein en vol, voornamelijk door de concertvleugel die minstens de helft van de woonkamer in beslag nam. En overal lagen boeken, tijdschriften en vakbladen over muziekgeschiedenis en --wetenschap, de boekenkast was van de vloer tot aan het plafond gevuld met biografieën van componisten, dirigenten en musici.

'Speel je zelf ook?' vroeg Bourne.

'Ja,' antwoordde Annaka kortaf.

Hij ging op de pianokruk zitten en keek naar de bladmuziek die op de standaard stond. Een nocturne van Chopin, Opus 9, nr. 1 in bes kleine terts. *Ze moet heel wat talent hebben om dit te kunnen spelen,* dacht hij.

De erker in de woonkamer bood ook uitzicht op de boulevard en de gebouwen aan de overkant. Hier en daar brandde nog licht; flarden jazz uit de jaren vijftig – Thelonious Monk – klonken door de straten. Een hond blafte en hield zich weer koest. Af en toe drongen verkeersgeluiden door.

Ze deed het licht aan en liep onmiddellijk door naar de keuken om water op te zetten. Uit een zachtgele keukenkast haalde ze twee koppen met schotels, en terwijl de thee opstond, maakte ze een fles sterke drank open en goot in elke kop een flinke scheut.

Ze trok de koelkast open. 'Heb je trek? Er is kaas, en wat worst.' Ze praatte alsof ze het tegen een goede vriend had.

'Zelf heb ik geen trek.'

'Ik ook niet.' Zuchtend deed ze de deur dicht. Het was alsof ze door het besluit hem mee naar haar huis te nemen, ook had besloten om minder afstandelijk te zijn. Ze spraken niet over János Vadas of over Bournes mislukte poging om de moordenaar te ondervragen. Dat vond hij prettig.

Ze reikte de thee met tic aan. Samen liepen ze naar de huiskamer, waar ze op een stokoude sofa gingen zitten.

'Mijn vader werkte met een professionele tussenpersoon, ene László Molnar,' zei ze plotseling. 'Hij was degene die jouw dr. Schiffer heeft verstopt.'

'Verstopt?' Bourne schudde zijn hoofd. 'Ik begrijp het niet.'

'Dr. Schiffer is gekidnapt.'

Bourne ging rechtop zitten. 'Door wie?'

Ze schudde haar hoofd. 'Mijn vader wist het, maar ik niet.' Ze fronste nadenkend haar wenkbrauwen. 'Daarom had Alexsei eerst met hem contact opgenomen. Hij had mijn vaders hulp nodig om Schiffer te redden en te verbergen op een geheime locatie.'

Plotseling schoot hem te binnen wat Mylene Dutronc hem had verteld: *'Alex zat die dag de hele dag aan de telefoon. Hij was verschrikkelijk gespannen en ik kon zien dat hij het middelpunt was van een belangrijke veldoperatie. Een paar keer hoorde ik de naam dr. Schiffer vallen. Ik vermoedde dat de hele operatie om hem te doen was.'* Ze had het over deze operatie.

'Dus je vader heeft dr. Schiffer kunnen vinden?'

Annaka knikte. Het lamplicht gaf haar haren een diepe, koperkleurige glans. Er viel een schaduw over haar ogen en de helft van haar voorhoofd. Met haar benen tegen elkaar aan zat ze iets voorovergebogen en hield ze haar handen om het theekopje alsof ze de warmte in zich moest opnemen.

'Zodra mijn vader dr. Schiffer had gevonden, gaf hij dat door aan László Molnar. Dit was strikt om veiligheidsredenen. Zowel mijn vader als Alexsei was ontzettend bang voor degene die dr. Schiffer had willen kidnappen.'

Ook dit klopte met wat Mylene had verteld, peinsde Bourne. *'Die dag was hij ontzettend bang.'*

Hij dacht diep na. 'Annaka, als je hier iets van wilt begrijpen, moet je weten dat de moord op je vader al was bekokstoofd. Die scherpschutter was al in de kerk aanwezig toen wij binnenkwamen; hij wist waar je vader mee bezig was.'

'Wat bedoel je?'

'Je vader werd neergeschoten voordat hij mij kon vertellen wat ik moest weten. Iemand wil voorkomen dat ik dr. Schiffer vind, en het wordt steeds duidelijker dat dit dezelfde man is die Schiffer heeft gekidnapt, voor wie je vader en Alexsei zo bang waren.'

Annaka keek verschrikt op. 'Het is mogelijk dat László Molnar nu in gevaar is.'

'Zou deze mysterieuze figuur weten dat je vader en Molnar samenwerkten?'

'Mijn vader was buitengewoon voorzichtig, nam geen enkel risico, dus dat lijkt me onwaarschijnlijk.' Ze keek hem aan, haar ogen keken donker van angst. 'Maar toch hebben ze hem in de Matthiaskerk kunnen vinden.'

Bourne knikte instemmend. 'Weet je waar Molnar woont?'

Annaka reed naar het appartement van Molnar, in de chique ambassadewijk Rózsadomb, ofwel de Rozenheuvel. Boedapest was een stad van ongelijksoortige, uit vaalwitte steen opgetrokken gebouwen, uitbundig geglaceerd als suikertaarten waaruit sierlateien en deklijsten waren gesneden. Het was een stad van pittoreske straatjes en gietijzeren balkons met overhangende planten, van grand cafés voorzien van kroonluchters, waarvan het heldere licht de rustieke houten muren en het schitterende glas bescheen dat was gebrandschilderd of ingegraveerd met sierlijke fin de siècle-patronen. Boedapest was net als Parijs een stad die allereerst gedomineerd werd door de kronkelige rivier die het geheel in tweeën splitste, en vervolgens door de bruggen eroverheen. Ook was het een stad van siertegels, middeleeuwse torens, imposante stenen trappen, verlichte oude stadswallen, koperen koepels, met klimop begroeide muren, monumentale standbeelden en glanzende mozaïeken. En als het regende, kwamen er overal paraplu's tevoorschijn, wel duizenden, als slakken bij de rivier.

Bourne was van dit alles, en van nog veel meer, diep onder de indruk. Het was alsof hij ooit over deze plek had gedroomd, een droom met een hoog werkelijkheidsgehalte die rechtstreeks aan zijn onderbewuste leek ontsproten. En toch kon hij geen concrete herinnering koppelen aan de golf van emoties die vanuit zijn versplinterde geheugen opkwam.

'Is er iets?' vroeg Annaka, alsof ze iets vermoedde.

'Deze plek komt me bekend voor,' zei hij. 'Weet je nog dat ik zei dat de politie hier soms moeilijk kon doen?'

Ze knikte. 'En dat klopt helemaal. Bedoel je te zeggen dat je niet meer weet waar je die kennis vandaan hebt?'

Hij legde zijn hoofd achterover op de leuning. 'Jaren geleden heb ik een afschuwelijk ongeluk gehad. Eigenlijk was het geen ongeluk. Ik werd neergeschoten op een boot en viel van boord. Ik was bijna doodgegaan door een combinatie van shock, bloedverlies en onderkoeling. Een arts uit Île de Port Noir in Frankrijk haalde de kogel eruit en verzorgde me. Lichamelijk werd ik weer de oude, maar mijn geheugen was aangetast. Een tijd lang was ik mijn geheugen kwijt, maar met pijn en moeite kreeg ik langzamerhand weer herinneringen aan mijn vorige leven. Ik moet leven met het feit dat mijn geheugen nog niet volledig is hersteld en dat waarschijnlijk nooit zal doen.'

Annaka reed verder. Hij kon zien dat zijn verhaal iets bij haar losmaakte.

'Je kunt je niet voorstellen hoe het is om niet te weten wie je bent,' zei hij. 'Het is niet uit te leggen aan iemand die het zelf niet is overkomen.'

'Onthecht.'

Hij draaide zijn hoofd naar haar om. 'Ja, precies.'

'De uitgestrekte zee om je heen, geen land in zicht, geen zon, maan of sterren die je de weg naar huis kunnen wijzen.'

'Zoiets, ja.' Hij was verrast en wilde vragen hoe ze dit zo goed kon aanvoelen, maar ze zette de wagen al tegen de stoeprand aan voor een imposant gebouw.

Ze stapten uit en liepen naar de voordeur. Annaka drukte op de bel, waarna een zwak peertje begon te branden. Het miezerige schijnsel bescheen de mozaïekvloer en de rij met deurbellen aan de muur. De voordeur van László Molnar werd niet geopend.

'Dat zegt nog niets,' zei Annaka. 'Waarschijnlijk zit Molnar gewoon thuis met Schiffer.'

Bourne liep naar de voordeur, een breed en log geval met een ruit van gegraveerd wit glas die ter hoogte van zijn middel begon. 'Daar komen we zo achter.'

Voorovergebogen morrelde hij aan het slot en even later ging de deur open. Annaka deed het licht in de hal aan, dat zo'n halve minuut bleef branden. Ze ging Bourne voor naar Molnars appartement op de tweede etage.

Het kostte Bourne iets meer moeite om het slot van deze deur open te krijgen, maar uiteindelijk lukte het. Annaka wilde binnenstormen, maar hij hield haar tegen. Hij pakte zijn lichtgewicht pistool en duwde langzaam de deur open. Er brandden lampen, maar het was muisstil. Ze slopen van de woonkamer naar de slaapkamer, door de badkamer en de keuken. Het appartement was brandschoon, geen spoor van een gevecht, van Molnar evenmin.

'Ik begrijp niet,' zei Bourne toen hij zijn pistool wegstopte, 'waarom het licht aan is. Hij kan niet even met Schiffer zijn gaan wandelen.'

'Hij zal zo terugkomen,' zei Annaka. 'We moeten gewoon wachten.'

Bourne knikte. In de woonkamer bekeek hij een paar ingelijste foto's op de boekenplanken en het bureau. 'Is dit Molnar?' vroeg hij aan Annaka. Hij wees naar een gezette man met dik, achterovergekamd zwart haar.

'Dat is hem.' Ze keek om zich heen. 'Mijn grootouders woonden hier vroeger; als kind speelde ik in de hal. De kinderen die hier woonden, hadden overal verstopplekjes.'

Bourne liet zijn vingers over de ruggen van ouderwetse elpeehoezen gaan die op een stapel naast een dure stereo-installatie met een ingewikkelde draaitafel lagen. 'Ik zie dat hij zowel operaliefhebber is als een geluidsfreak.'

Annaka kwam kijken. 'Geen cd-speler?'

'Mensen als Molnar vinden dat op een cd de warmte en subtiliteit van een opname zijn verdwenen.'

Bourne liep naar het bureau, waarop een draagbare computer stond. Hij zag dat de stekker in het stopcontact zat én dat er een modem op was aangesloten. Het scherm was zwart, maar de computer was nog warm. Hij drukte op de Escape-toets, waarna het scherm onmiddellijk aanging; de computer stond in de 'slaapstand' – hij was niet uitgezet.

Achter hem keek Annaka mee op het scherm en las hardop. 'Antrax, Argentijnse hemorragische koorts, *cryptococcoses*, longpest... Mijn god, wat zocht Molnar op een site waarop de gevolgen staan beschreven van dodelijke – hoe heet het ook weer – pathogenen?'

'Ik weet alleen dat dr. Schiffer het begin en einde is van dit raadsel,' zei Bourne. 'Alex Conklin benaderde Schiffer toen hij nog voor DARPA werkte – dat is het programma voor geavanceerde wapens van het Amerikaanse ministerie van Defensie. Nog geen jaar later ging Schiffer werken voor het Directoraat tactische niet-dodelijke wapens van de CIA. Kort daarna verdween hij van de aardbodem. Ik heb geen idee waar Schiffer mee bezig was. Kennelijk was het zó interessant voor Alex, dat hij zich de woede van Defensie op de hals durfde te halen door deze prominente wetenschapper via de CIA te laten verdwijnen.'

'Misschien is Schiffer een bacterioloog of een epidemioloog.' Annaka huiverde. 'De informatie op deze website is angstaanjagend.'

Ze ging naar de keuken om een glas water te halen. Ondertussen zocht Bourne verder op de webpagina naar aanwijzingen waarom Molnar naar deze internetsite was gegaan. Toen hij niets vond, ging hij naar het bovenste balkje van de browser, waar hij een afrolmenu opende naast de adresbalk, dat de meest recentelijk bezochte sites toonde die Molnar had bezocht. Hij klikte op de laatste site die Molnar had bezocht. Het bleek een real-time wetenschappelijk forum te zijn. Hij ging naar de pagina 'Archieven' om te zien of hij erachter kon komen wanneer Molnar voor het laatst het forum had bezocht en waar hij over had gechat. Ongeveer achtenveertig uur geleden had László zich bij het forum aangemeld. Met kloppend hart begon Bourne het gesprek te lezen dat Molnar voerde met een ander lid van het forum.

'Annaka, kom eens kijken,' riep hij. 'Schiffer is geen bacterioloog en ook geen epidemioloog. Hij is deskundige op het gebied van bijzonder bacteriologisch gedrag.'

'Bourne, je kunt beter hier komen,' antwoordde Annaka. 'Nu meteen.'

De gespannenheid van haar stem bracht hem op een drafje naar de keuken. Als aan de grond genageld stond ze voor het aanrecht. Ze hield haar glas water nog voor haar lippen. Ze zag bleek en toen ze hem zag, likte ze nerveus haar lippen.

'Wat is er?'

Ze wees naar een ruimte tussen het aanrecht en de koelkast, waar een keurig stapeltje van een stuk of acht witte koelkastrekjes stond.

'Wat zijn dat voor dingen?' vroeg hij.

'Koelkastplankjes,' antwoordde Annaka. 'Iemand moet ze eruit hebben gehaald.' Ze draaide zich naar hem toe. 'Waarom doet iemand zoiets?'

'Misschien krijgt Molnar een nieuwe koelkast.'

'Dit is een nieuwe.'

Hij keek achter de koelkast. 'De stekker zit in het stopcontact en de compressor lijkt gewoon te werken. Heb je er al in gekeken?'

'Nee.'

Hij pakte de greep van de koelkast en trok de deur open. Annaka schrok.

'Jezus!' riep Bourne.

Een paar dode ogen staarden hen blind aan. In de diepte van de plankloze koelkast bevond zich het opgekrulde, blauwwitte lichaam van László Molnar.

15

Het slepende gejank van sirenes haalde hen uit hun shocktoestand. Bourne rende naar het raam, keek naar beneden en zag een stuk of zes witte Opel Astra's en Skoda Felicia's de Rozenheuvel oprijden met blauwwitte zwaailichten. De agenten sprongen hun wagens uit en renden naar het gebouw van Molnar. Hij was weer in de val gelopen! Het tafereel leek zo op wat er in het huis van Conklin was gebeurd, dat daar wel dezelfde persoon achter moest zitten. Dat kon twee dingen betekenen: ten eerste, dat hij en Annaka werden achtervolgd. Door wie? Khan? Hij dacht het niet. Khan ging de confrontatie steeds directer aan. Ten tweede, dat Khan misschien wel de waarheid zei toen hij beweerde dat hij niet verantwoordelijk was voor de moorden op Alex en Mo. Op dit moment kon Bourne geen reden bedenken waarom hij daarover zou liegen. Bleef over de onbekende persoon die ook de politie had gebeld op het landgoed van Conklin. Was degene voor wie die persoon werkte, gestationeerd in Boedapest? Dat moest haast wel. Conklin was op weg naar Boedapest toen hij werd vermoord. Dr. Schiffer was in Boedapest, net als János Vadas en Lászó Molnar. Elk spoor leidde naar deze stad.

Terwijl deze gedachten door zijn hoofd gingen, riep hij tegen Annaka dat ze haar vingerdrukken van haar glas en van de kraan moest vegen. Hij pakte Molnars laptop en veegde de stereo-installatie en de klink van de voordeur af. Samen renden ze het appartement uit.

Ze hoorden de politie al de trap op komen. De lift moest nu vol staan met agenten, dus die konden ze niet nemen.

'We hebben geen keus,' zei Bourne toen ze de trap op renden. 'We moeten naar boven.'

'Maar wat doet de politie juist nu hier?' vroeg Annaka. 'Hoe konden ze weten dat wij hier waren?'

'Dat kan alleen maar,' zei Bourne, terwijl hij haar verder naar boven leidde, 'als we bespioneerd worden.' Hij was niet blij met de kant die ze op werden gedreven. Hij dacht terug aan het lot van de scherpschutter op de Matthiaskerk. Als je helemaal naar boven moest, eindigde je al te vaak met een smak op de grond.

Ze bevonden zich één verdieping van het dak af, toen Annaka hem een ruk aan zijn arm gaf en fluisterde: 'Deze kant op!'

Ze ging hem voor door de gang. Achter hen in het trappenhuis klonken de geluiden die iedereen maakt die achter een koelbloedige moordenaar aanzit. Aan het eind van de gang was een deur die op een nooduitgang leek. Annaka deed hem open. Ze stonden in een smal gangetje van nog geen drie meter lang; aan het eind daarvan was nog een deur, gemaakt van ingedeukte metalen platen. Bourne liep langs haar heen.

Hij zag dat de deur boven en onder met een schuifslot was vergrendeld. Hij schoof de grendels weg en trok de deur open. Daarachter stond een muur van baksteen, koud als een graf.

'Kijk nou eens!' zei rechercheur Csilla, die geen acht sloeg op de jonge agent die over zijn gepoetste schoenen had gebraakt. De academie is niet meer wat hij geweest was, dacht hij terwijl hij het slachtoffer bestudeerde, dat verstijfd in zijn eigen koelkast zat gepropt.

'Er is niemand in het appartement,' hoorde hij een van zijn agenten zeggen.

'Zoek toch maar naar vingerafdrukken,' zei rechercheur Csilla, een stevige blonde kerel met een kromme neus en intelligente oogopslag. 'Al denk ik niet dat de dader zo stom is geweest om die achter te laten. Maar ach, je weet nooit,' zei hij nu. Hij wees op het lichaam. 'Kijk eens naar die brandwonden. En die prikgaten gaan volgens mij heel diep.'

'Gemarteld,' merkte zijn sergeant op, een jongeman met smalle heupen, 'door een deskundige.'

'Meer dan alleen een deskundige,' zei rechercheur Csilla, die zijn hoofd snuffelend richting koelkast stak, alsof het lijk een stuk vlees was waarvan hij de houdbaarheidsdatum niet meer helemaal vertrouwde. 'Het gaat om iemand die van zijn werk geniet.'

'De tipgever aan de telefoon zei dat de moordenaar in het appartement zou zijn.'

Rechercheur Csilla keek op. 'Als hij hier niet is, dan moet hij nog in het gebouw zijn.' Hij maakte ruimte voor het forensisch team dat met hun koffertjes en flitsende camera's was aangekomen. 'Geef onze mannen het bevel zich te verspreiden.'

'Dat heb ik al gedaan,' zei de brigadier, waarmee hij zijn baas er subtiel aan herinnerde dat hij niet voor eeuwig brigadier wilde blijven.

'We hebben al genoeg tijd verspild aan deze dode,' zei Csilla. 'Laten we achter de dader aangaan.'

Toen ze de gang uitliepen vertelde de brigadier dat de lift al werd bewaakt, net als de verdiepingen onder hen. 'De moordenaar kan maar één kant op.'

'Stuur de scherpschutters het dak op,' zei Csilla.

'Daar zijn ze al,' antwoordde zijn brigadier. 'Ik heb ze meteen in de lift gezet toen we het gebouw binnenkwamen.'

Csilla knikte. 'Hoeveel verdiepingen zijn er nog boven? Drie?'

'Dat klopt.'

Csilla liep met twee treden tegelijk de trap op. 'Nu de scherpschutters al op het dak staan, kunnen we rustig aan doen.'

Het duurde niet lang voordat ze de deur naar de korte gang hadden gevonden.

'Waar komt deze op uit?' vroeg Csilla.

'Ik heb geen idee, helaas,' zei de brigadier, geïrriteerd dat hij hierop geen antwoord had.

Toen de twee mannen aan het eind van de gang kwamen, zagen ze de deur van ingedeukt metaal. 'Wat hebben we hier?' Csilla stond te kijken. 'Grendels boven en onder.' Hij boog zich voorover, zag de glans van het metaal. 'Ze zijn net verschoven.' Hij trok zijn pistool, maakte de deur open naar de bakstenen muur.

'Het lijkt erop alsof onze moordenaar even gefrustreerd was als wij.'

Csilla keek onderzoekend naar het muurtje, zocht naar een opvallende steen. Toen betastte hij de ene na de andere steen. De zesde steen verschoof een beetje. Om te voorkomen dat zijn brigadier het uit zou schreeuwen, hield hij zijn hand voor diens mond en wierp hem een strenge blik toe. Toen fluisterde hij in zijn oor: 'Neem drie mannen mee en kam het gebouw hiernaast uit.'

Eerst dacht Bourne nog, terwijl hij alle geluiden in het donker probeerde op te vangen, dat het een rat was die in deze vochtige, oncomfortabele ruimte liep tussen de muren van de twee gebouwen in. Toen hoorde hij het weer en herkende hij het onmiskenbare geluid van steen, schrapend over cement.

'Ze hebben onze schuilplaats gevonden,' fluisterde hij terwijl hij Annaka bij haar arm greep. 'We moeten verder.'

Ze bevonden zich in een kleine ruimte van zo'n zestig centimeter breed, al leek die boven hen oneindig hoog te zijn. Ze stonden op een vloer die bestond uit metalen buizen. Het was bepaald geen stevige ondergrond en Bourne wilde niet denken aan de ruimte on-

der hen waarin ze zouden vallen als een van de buizen het begaf.
'Weet je een uitweg?' fluisterde Bourne.
'Volgens mij wel,' antwoordde ze.
Ze draaide naar links en ging tastend verder met haar handpalmen over de muur van het aangrenzende gebouw.
Ze struikelde, maar ging weer verder. 'Het moet hier ergens zijn,' mompelde ze.
Voetje voor voetje gingen ze verder. Ineens begaf een van de buizen het onder Bournes gewicht; zijn linkerbeen stak door een gat. Hij viel voorover, stootte met zijn schouder tegen de muur en liet Molnars laptop uit zijn armen glijden. Hij probeerde hem nog op te vangen op het moment dat Annaka een hand naar hem uitstak om hem op te trekken. Hij zag de laptop op een buis terechtkomen en vervolgens door het gat naar beneden vallen, voorgoed verloren.
'Gaat het?' vroeg Annaka terwijl hij rechtop ging staan.
'Jawel,' zei hij grimmig, 'maar Molnars laptop kunnen we wel vergeten.'
Even later stond hij plotseling stil. Achter hem hoorde hij iets bewegen, langzaam, maar gestaag. Hij hoorde iemand ademen, pakte zijn zaklamp en hield zijn duim op de schakelaar. Hij fluisterde naar Annaka: 'Hij is hier. Hou je mond.' Hij voelde dat ze knikte en snoof haar lichaamsgeur op, een combinatie van citroen en muskus.
Achter hen rammelde iets toen de schoen van de politieman tegen een verbindingsstuk van twee pijpen stootte. Iedereen stond stokstijf. Bournes hart bonsde. Toen pakte Annaka hem bij de hand en leidde ze hem verder langs de muur, waar nu een voeg uit ontbrak of met opzet uit was gefreesd.
Maar er deed zich een nieuw probleem voor. Wanneer ze het losse stuk muur zouden wegduwen, zou hun achtervolger hen kunnen zien in het kleine beetje licht dat vanuit de andere kant naar binnen viel, hoe zwak dat ook zou zijn. Bourne waagde het erop en fluisterde in Annaka's oor: 'Waarschuw me voordat je dat stuk in de muur wegdrukt.'
Ze gaf antwoord met een kneep in zijn hand en bleef die vasthouden. Toen ze weer eens kneep, scheen hij met de aangeknipte zaklamp op de achtervolger, door het plotselinge felle licht werd verblind. Samen met Annaka drukte Bourne het blok van ongeveer een vierkante meter groot door de muur heen.
Annaka dook door het gat, terwijl Bourne de lichtstraal op zijn tegenstander gericht hield. Hij voelde de buizen onder de zolen van zijn schoenen trillen en even later kreeg hij een enorme klap.

Rechercheur Csilla probeerde de lichte duizeling te onderdrukken. Hij was totaal verrast, wat hem razend maakte, want hij ging er altijd zo prat op dat hij overal op was voorbereid. Hij schudde zijn hoofd, maar dat hielp niets – de lichtstraal had hem tijdelijk verblind. Als hij stil bleef staan totdat het licht werd uitgedaan, zou de moordenaar ongetwijfeld al zijn weg gevlucht. Hij maakte daarom gebruik van het verrassingsmoment en ging verblind in de aanval. Kreunend van inspanning stormde hij over de buizen op zijn tegenstander af, met zijn hoofd naar beneden in de houding van de straatvechter.

In zo'n kleine en donkere ruimte had je niet veel aan je ogen, en hij besloot zijn vuisten, de rug van zijn handen en de hiel van zijn stevige schoenen te gebruiken op de manier die hij op de academie had geleerd. Hij was een man die in discipline geloofde, in stiptheid en de kracht van een voorsprong. Hij wist dat de moordenaar geen moment zou verwachten dat hij hem in het wilde weg zou aanvallen, dus deelde hij in zo kort mogelijke tijd zoveel mogelijk klappen uit om het uiterste te halen uit dit verrassingsmoment.

De man was sterk en stevig gebouwd. Bovendien bleek hij een ervaren vechtjas en Csilla voelde meteen aan dat hij in een lang gevecht uiteindelijk zou worden verslagen. Hij probeerde daarom snel en met trefzekerheid het gevecht te beëindigen. Toen hij dit deed, maakte hij de fatale fout zijn nek bloot te stellen. Hij voelde de impact van de klap, maar geen pijn. Bewusteloos zakte hij door zijn knieën.

Bourne kroop door het gat in de muur, hielp Annaka om het vierkante losse stuk muur van bakstenen weer terug te zetten.

'Wat was dat?' vroeg ze geschrokken.

'Een politieagent was slimmer dan hij zou moeten zijn.'

Ze stonden weer in een klein gangetje van het gebouw. Achter de deur was een gang van het aangrenzende gebouw; de gegraveerde glazen muurlampen tegen het bloemetjesbehang straalden warm licht uit. Hier en daar stonden donkerbruine houten bankjes.

Annaka had al op de knop van de lift gedrukt, maar toen die aankwam zag Bourne door de kooi heen dat er twee agenten in stonden met hun pistolen gereed.

'Verdomme!' zei hij, terwijl hij Annaka bij de hand nam en haar naar het trappenhuis sleepte. Toen hoorde hij zware voetstappen en hij wist dat er geen uitweg was. Achter hem hadden de twee agenten de liftdeuren al geopend; ze stonden even in de hal en renden hun kant op. Bourne trok Annaka mee naar de verdieping boven.

In de gang brak hij handig het slot open van de eerste deur die ze tegenkwamen; voordat de politie achter hen aan de trap op kwam rennen, hadden ze de deur al achter zich dichtgedaan.

Binnen in het appartement was het donker en stil. Ze wisten niet of er iemand was. Bourne liep naar een zijraam, maakte dat open en zag een stenen richel; daaronder zag hij een smalle steeg waarin een paar enorme groene metalen afvalcontainers stonden. De verlichting kwam van een straatlamp in de Endrodistraat. Drie ramen verderop was een brandtrap naar de steeg beneden. Voorzover Bourne kon zien, was die helemaal verlaten.

'Kom,' zei hij, toen hij naar de richel toe klom.

'Annaka keek hem verschrikt aan. 'Je bent niet goed wijs.'

'Wil je liever worden opgepakt?' Hij keek haar strak aan. 'Dit is onze enige vluchtweg.'

Ze moest even slikken. 'Ik heb hoogtevrees.'

'Zo hoog is het niet.' Hij stak zijn hand uit, kromde zijn vingers. 'Kom op, we hebben geen tijd te verliezen.'

Ze haalde diep adem en klom naar buiten. Hij deed het raam achter hen dicht. Ze draaide zich om en zou gevallen zijn toen ze naar beneden keek, als Bourne haar niet had vastgepakt en weer tegen de zijmuur van het gebouw had getrokken. 'Jezus christus, je zei dat het niet zo hoog was.'

'Voor mij niet.'

Ze beet op haar lip. 'Ik vermoord je nog eens.'

'Dat heb je al een keer geprobeerd.' Hij kneep in haar hand. 'Doe wat ik zeg en alles komt goed, dat beloof ik je.'

Ze schoven verder tot aan het eind van de richel. Hij wilde niet ongeduldig zijn, maar er was reden tot haast. De politie die overal in het gebouw aanwezig was, kon elk moment in deze steeg gaan zoeken.

'Je moet mijn hand even loslaten,' zei hij. Toen hij zag wat ze wilde gaan doen, voegde hij daar streng aan toe: 'Kijk niet naar beneden! Als je duizelig begint te worden, kijk dan naar de muur, concentreer je op een detail, een figuur in een steen, het maakt niet uit. Als je je daarmee bezighoudt, zal je angst verdwijnen.'

Ze knikte en liet zijn hand los. Bourne deed een stap naar voren, overbrugde de kloof tussen twee richels. Met zijn rechterhand hield hij zich vast aan de richel boven het raam ernaast, en toen verplaatste hij zijn lichaamsgewicht van zijn linker- naar zijn rechterkant. Hij tilde zijn linkerbeen van de richel waar Annaka nog op stond en stak zo soepel over naar de volgende richel. Hij draaide zich om en stak glimlachend zijn hand naar haar uit.

'Nu jij.'

'Nee.' Ze schudde heftig nee. Alle kleur was uit haar gezicht verdwenen. 'Ik kan dit niet.'

'Dat kun je wel.' Hij wenkte haar bij zich met zijn wijsvinger. 'Kom op, Annaka, zet de eerste stap maar; de rest is een makkie. Je hoeft alleen maar je gewicht van links naar rechts te verplaatsen.'

Zwijgend schudde ze haar hoofd.

Hij bleef glimlachen en liet niets merken van de spanning die hij voelde. Tegen de zijwand van het gebouw waren ze volstrekt hulpeloos. Als de politie nu de steeg in zou komen, waren ze er geweest. Hij moest haar naar die brandtrap zien te krijgen, en snel. 'Je been, Annaka, zet je rechterbeen naar voren.'

'Jezus!' Ze stond aan het eind van de richel waar hij zojuist nog stond. 'Als ik nou val?'

'Dat gebeurt niet.'

'Maar als...'

'Dan vang ik je.' Hij glimlachte nog breder. 'Je moet nu komen.'

Ze deed wat hij vroeg, stak haar rechterbeen naar voren. Hij deed voor hoe ze zich met haar rechterhand moest vastgrijpen aan de richel boven het raam. Dit deed ze zonder aarzeling.

'Verplaats nu je gewicht, van links naar rechts, en zet de andere stap.'

'Ik durf niet.'

Ze wilde naar beneden kijken. 'Ogen dicht,' zei Bourne streng. 'Voel je mijn hand op de jouwe?' Ze knikte. Alsof ze bang was dat ze door de trilling van haar stem de diepte in zou vallen. 'Verplaats je gewicht, Annaka. Van links naar rechts. Kom op, til je linkerbeen op en stap...'

'Nee.'

Hij legde zijn hand om haar middel. 'Goed dan, til je linkerbeen op.' Toen ze dat deed, trok hij haar onmiddellijk naar zich toe, tegen zich aan naar de naastliggende richel. Ze botste tegen hem aan, sidderend van angst en de vrijgekomen spanningen.

Nog maar twee te gaan. Ze schuifelden naar het andere eind van de richel, herhaalden het proces. Hoe sneller dit achter de rug was, hoe beter, voor hen beiden. De tweede en derde oversteek gingen haar iets beter af, misschien uit pure angst, misschien omdat ze haar geest helemaal had afgesloten en alleen maar Bournes bevelen opvolgde.

Eindelijk waren ze bij de brandtrap en daalden die af. Het lamplicht vanuit de Endrodistraat wierp lange schaduwen in de steeg. Bourne zou de lamp graag uit willen schieten, maar zag daar vanaf. Hij haastte zich met Annaka verder naar beneden.

Ze stonden op de laatste tree van de ladder, zo'n zestig centimeter boven de kinderkopjes van de steeg. Toen zag Bourne vanuit zijn ooghoek dat het lantaarnlicht iets was veranderd. Vanuit twee richtingen zag hij schaduwen vallen; aan beide kanten van de steeg kwam een agent aangelopen.

Meteen nadat de dader was ontdekt, had Csilla's brigadier een van de agenten buiten laten posten. Hij wist al dat de dader slim genoeg was om van het ene naar het andere gebouw te komen. Na die geslaagde ontsnappingspoging uit László Molnars appartement, dacht hij niet dat de gezochte crimineel zichzelf liet vangen in het trappenhuis van het aangrenzende gebouw. Dat betekende dat hij een weg naar buiten zou zoeken, en de brigadier wilde dat overal rekening mee werd gehouden. Hij had één mannetje op het dak, één bij de voor- en één bij de achteringang. Bleef over het steegje aan de zijkant. Hij zag niet hoe de moordenaar daar ooit kon komen, maar hij nam geen risico.

Hij zag iemand op de brandtrap toen hij de hoek van het gebouw omsloeg en de steeg in liep. Door het licht van de straatlantaarn in de Endrodistraat zag hij vanuit de andere kant zijn agent de steeg inlopen. Hij gebaarde naar zijn collega, wees naar de figuur op de brandtrap. Hij had zijn pistool op scherp staan en liep onverstoorbaar naar de verticale ladder die vanaf de brandtrap naar de straat leidde. De man op de brandtrap leek zich nu in tweeën te splitsen. De brigadier was verrast. Er stonden twee mensen op de brandtrap!

Hij richtte zijn pistool en schoot. Er vlogen scherven metaal rond. Een van de personen sprong van de ladder af en rolde als een bal verder om ergens tussen de twee containers te verdwijnen. De agent rende er naartoe, maar de brigadier bleef staan. Hij zag zijn agent aankomen bij de hoek van de dichtstbijzijnde container en neerhurken terwijl hij naar de ruimte tussen de containers sloop.

De brigadier zocht naar de tweede persoon. Door de zwakke verlichting kon hij geen details zien, maar hij zag niemand staan. De brandtrap leek verlaten. Waar kon die tweede zijn?

Hij richtte zijn aandacht weer op zijn agent, om tot de ontdekking te komen dat die was verdwenen. Hij deed een paar stappen naar voren, riep zijn naam. Het bleef stil. Hij haalde zijn walkietalkie tevoorschijn, wilde om hulp vragen toen er iets op hem viel. Hij struikelde, viel op de grond, steunde weer op één knie en schudde zijn hoofd. Toen verscheen er iets vanuit de ruimte tussen de containers. Toen hij besefte dat het zijn agent niet was, had hij al een klap gekregen die zo hard aankwam dat hij zijn bewustzijn verloor.

'Dat was echt heel stom,' zei Bourne toen hij bukte om Annaka te helpen met opstaan.

'Nou, bedankt,' zei ze. Ze nam zijn hand niet aan en stond op eigen kracht op.

'Ik dacht dat je hoogtevrees had.'

'Ik heb meer vrees voor de dood,' beet ze terug.

'Laten we wegwezen voordat er nog meer politieagenten opduiken,' zei hij. 'Volgens mij moet je me voorgaan.'

De straatverlichting werd in Khans ogen gereflecteerd toen Bourne en Annaka de steeg uit renden. Hoewel hij hun gezichten niet kon zien, herkende hij Bourne aan zijn postuur en manier van lopen. Zijn vrouwelijke metgezel, die slechts zijdelings door hem werd opgemerkt, schonk hij niet veel aandacht. Net als Bourne was Khan veel meer geïnteresseerd in de vraag hoe de politie zo snel bij László Molnars appartement was gekomen terwijl Bourne er nog was. Ook was hij, net als Bourne, getroffen door de overeenkomsten van deze gebeurtenis met wat zich op het landgoed van Conklin had afgespeeld in Manassas. Het droeg helemaal de signatuur van Spalko. Het probleem was, dat hij in Manassas Spalko's mannetje nog had gezien, terwijl hij hier niemand had ontdekt tijdens zijn grondige verkenningstocht door de vier huizenblokken rondom het appartementencomplex waar Molnar woonde. Wie had de politie getipt? Er moest iemand in de buurt zijn geweest om hen te bellen toen Bourne en de vrouw het gebouw waren binnengelopen.

Hij startte zijn huurauto en kon Bourne volgen nadat die in een taxi was gestapt. De vrouw liep verder. Khan, die inmiddels Bourne doorhad, bereidde zich voor op de achtervolging, de verandering van richting, het wisselen van taxi's, en kon zo Bourne blijven achtervolgen, ondanks de manoeuvres die hem moesten afschudden.

Bournes taxi stopte uiteindelijk in Fo utca. Vier straten ten noorden van de schitterende koepels van de Kiraly Baden, stapte Bourne uit de taxi en liep het gebouw in bij nummer 106-108.

Khan ging langzamer rijden, parkeerde zijn wagen verderop in de straat, aan de overkant – hij wilde niet voorbij de ingang rijden. Hij zette de motor uit, bleef in het donker zitten. Alex Conklin, Jason Bourne, László Molnar, Hassan Arsenov. Hij dacht aan Spalko en vroeg zich af wat deze uiteenlopende figuren met elkaar gemeen hadden. Er zat een logica in, alleen moest hij die nog ontdekken.

Zo verstreken er een minuut of zes en toen stopte er een andere taxi voor de ingang van 106-108. Khan zag een jonge vrouw uitstappen. Hij probeerde een glimp van haar gezicht op te vangen, maar hij zag alleen dat ze rood haar had. Hij wachtte, bekeek de façade van het gebouw. Er was geen licht aangegaan nadat Bourne de hal had betreden, wat betekende dat hij op de vrouw stond te wachten, dat dit haar appartement was. Ongetwijfeld zouden binnen een paar minuten de lichten aangaan op de vierde – en bovenste – verdieping met erker.

Nu hij wist waar ze verbleven, begon hij weg te zakken in een *zazen*, maar na een uurlang zinloos te hebben geprobeerd zijn geest leeg te maken, gaf hij het op. In het duister klemde hij zijn hand om het kleine stenen boeddhabeeldje. Hij viel vrijwel onmiddellijk in slaap, en als een steen zakte hij weer weg in de onderwereld van zijn terugkerende nachtmerrie.

Het water is zwartblauw, kolkt rusteloos alsof het vol met boosaardige energie zit. Hij probeert naar de oppervlakte te zwemmen, strekt zich zo ver uit, dat zijn botten ervan kraken. Toch zakt hij verder de diepte in, trekt het touw om zijn enkel hem naar beneden. Zijn longen staan in brand. Hij snakt naar adem, maar hij beseft dat als hij zijn mond opendoet, het water naar binnen stroomt en hij zal verdrinken.

Hij buigt zich voorover en probeert het touw los te maken, maar zijn vingers krijgen geen greep op het gladde oppervlak. Hij heeft het gevoel alsof er stroom door hem heengaat, voelt de angst van wat er in het donker beneden op hem wacht. De angst, even beklemmend als een bankschroef; hij onderdrukt de neiging om te gaan ijlen. Op dat moment hoort hij vanuit de diepten weer een geluid: het geluid van belgetinkel, van massa's monniken die zingend bidden voordat ze door de Rode Khmer worden afgeslacht. Tot slot blijft alleen nog het geluid over van één stem die een lied zingt, een heldere tenorstem, die repeterend weeklaagt, als een soort gebed.

En pas als hij de duisternis in kijkt, als hij de vorm begint te zien die aan het andere eind is vastgebonden, het ding dat hem onverstoorbaar naar deze hel toe trekt, pas dan merkt hij dat het lied dat hij hoort van die figuur afkomstig is. Want hij weet dat de figuur die onder hem in de krachtige stroom wervelt, hem net zo vertrouwd is als zijn eigen gezicht, zijn eigen lichaam. Maar nu beseft hij met een schok dat het geluid niet afkomstig is van de vertrouwde figuur onder hem, want die is dood, vandaar dat het gewicht hem naar beneden trekt.

Het geluid komt dichterbij, en nu hoort hij dat het geweeklaag van de heldere tenor diep vanuit hem zelf komt. Het raakt heel zijn wezen.

'Lee-Lee! Lee-Lee!' roept hij vlak voordat hij verdrinkt...

16

Spalko en Zina kwamen voor zonsopgang op Kreta aan. Ze landden op vliegveld Kazantzakis, vlak buiten Iraklion. Ze werden vergezeld door een chirurg en drie mannen, die Zina tijdens de vlucht uitgebreid had kunnen bestuderen. De mannen waren niet bijzonder lang, ze zouden in een grote menigte niet opvallen. Spalko's verscherpte veiligheidsregels dicteerden dat hij vanaf nu, nu hij niet in zijn hoedanigheid was van president van Humanistas, maar van de Sjeik, zich zo onopvallend mogelijk zou gedragen. Dat gold ook voor zijn personeel. Juist in hun bewegingsloosheid zag Zina hun kracht, want ze hadden absolute controle over hun lichaam. En als ze bewogen, deden ze dat met de souplesse en vastberadenheid van een balletdanser of yogaleraar. Ze zag een geconcentreerdheid in hun donkere ogen, die alleen maar het resultaat kon zijn van jarenlange zware training. Zelfs ook wanneer ze eerbiedig naar haar glimlachten, zag ze nog het gevaar dat in hen loerde, opgerold, geduldig wachtend tot het naar buiten kon.

Kreta, het grootste eiland in de Middellandse Zee, was de poort tussen Europa en Afrika. Al eeuwenlang lag het in de mediterrane zon te blakeren, richtte het zijn blik op Alexandrië in Egypte en Bengasi in Libië. Een eiland dat zó gunstig lag, werd uiteraard door vijanden omringd. Omdat het tussen verschillende beschavingen lag, was de geschiedenis ervan met bloed doordrenkt. Als golven spoelden uit verschillende windrichtingen indringers aan op de stranden en rotsen van Kreta, die allemaal hun eigen cultuur, taal, architectuur en godsdienst meenamen.

Iraklion werd in het jaar 824 door de Saracenen gesticht. Ze noemden de stad Chandax, een verbastering van het Arabische woord *kandak*, naar de gracht die ze eromheen hadden gegraven. De Saracenen heersten honderdveertig jaar, voordat de Byzantijnen hen versloegen. Maar de Saraceense piraten hadden zoveel succes gekend, dat de Byzantijnen wel driehonderd schepen nodig hadden om hun vergaarde buit naar Byzantium te verschepen.

Tijdens de Venetiaanse bezetting heette de stad Candia. Onder de Venetianen werd de stad het culturele middelpunt van het oostelijke Middellandse-Zeegebied. Hier kwam een eind aan na de eerste Turkse invasie.

Deze polyglotte geschiedenis was nog op veel plekken te zien: in het massieve Venetiaanse fort van Iraklion, dat de schitterende haven tegen invasies moest beschermen; in het stadhuis, gevestigd in een Venetiaanse loggia; in de 'Koubes', de Turkse fontein bij de voormalige kerk van de Verlosser, die de Turken hadden omgedoopt tot de Valide-moskee.

Maar in de moderne, drukke stad zelf was niets meer over van de Minoïsche cultuur, de eerste en vanuit archeologisch perspectief, belangrijkste beschaving op Kreta. Voor alle duidelijkheid, de overblijfselen van het paleis van Knossos liggen buiten de stad zelf; het waren historici die erop moesten wijzen dat de Saracenen Iraklion hadden gekozen om Chandax te stichten, omdat het duizenden jaren geleden de belangrijkste haven van de Minoërs was geweest.

Kreta was vooral een eiland dat in mythes gehuld ging, en men kon er nauwelijks ergens komen zonder herinnerd te worden aan zijn ontstaanslegende. Lang voordat de Saracenen, Venetianen of Turken zelfs maar bestonden, was Kreta al bekend dankzij de mythen over het eiland. Minos, de eerste koning van Kreta, was een halfgod. Zijn vader Zeus had de vorm aangenomen van een stier en in die gedaante zijn moeder, Europa, verkracht. De stier was zo het symbool geworden van het eiland.

Minos en zijn twee broers vochten om de heerschappij van Kreta. Minos bad tot Poseidon en beloofde voor eeuwig de god van de zee te gehoorzamen als hij hem zou helpen om zijn broers te verslaan. Poseidon verhoorde het gebed en uit het schuim der zee steeg een sneeuwwitte stier op. Dit dier was bedoeld als offer, dat Minos aan Poseidon moest brengen om zijn gehoorzaamheid te tonen, maar de hebzuchtige koning hield de stier voor zichzelf. Woedend zorgde Poseidon ervoor dat Minos' vrouw er verliefd op werd. In het geheim liet ze Dedalus, Minos' favoriete architect, een holle koe van hout voor haar ontwerpen, waarin ze zich verborg zodat ze met de stier kon paren. Het resultaat van deze seksuele daad was de Minotaurus – een monsterlijke man met de kop en staart van een stier – die in al zijn woestheid een ravage op het eiland aanrichtte. Koning Minos liet daarom Dedalus een enorm labyrint bouwen, dat zó ingewikkeld was, dat de gevangen Minotaurus er niet uit kon ontsnappen.

Stepan Spalko moest aan deze legende denken toen hij en zijn team door de steile straten van de stad reden, want hij hield van de Griekse mythen met hun ingrediënten van verkrachting en incest, bloedvergieten en overmoed. Hij herkende er aspecten van zichzelf in; hij had er geen moeite mee zichzelf als een halfgod te beschouwen.

Net als veel andere mediterrane eilandsteden, was Iraklion tegen een bergwand aan gebouwd; stenen huizen staan langs steile straten, waar gelukkig bussen en taxi's naartoe rijden. In feite wordt de as van het eiland gevormd door een bergketen die bekendstaat als de Witte Bergen.

Het adres dat Spalko door marteling uit László Molnar had gekregen, was een huis dat halverwege de helling van de stad stond. Het was eigendom van de architect Istos Daedalika, die even mythisch bleek te zijn als zijn antieke naamgenoot. Het team van Spalko was erachter gekomen dat het huis verhuurd werd door een bedrijf dat connecties had met László Molnar. Ze kwamen aan bij het adres toen de nachtlucht openscheurde als de bolster van een kastanje, en een bloedrode mediterrane zon onthulde.

Na een korte verkenning zette iedereen zijn minuscule hoofdtelefoon op waarmee ze zichzelf aansloten op een draadloos elektronisch netwerk. Ze controleerden hun wapens – zeer krachtige composietkruisbogen, uitstekend geschikt omdat ze geen geluid maakten. Spalko zette zijn horloge gelijk met die van twee van zijn mannen en stuurde hen naar de achteringang, terwijl hij en Zina naar de voordeur slopen. Het derde teamlid moest wacht houden en hen waarschuwen bij verdachte activiteiten op straat, of wanneer de politie eraan kwam.

De straat was stil en verlaten; iedereen lag nog op bed. Er brandde geen licht in het huis, maar Spalko had dat ook niet verwacht. Hij keek op zijn horloge, telde in de microfoon en gaf met zijn vrije hand de zestigste seconde aan.

De ingehuurde bewakers in het huis waren al op. Het werd licht en over een paar uur zouden ze vertrekken, zoals anderen dat vóór hen gedaan hadden. Om de drie dagen brachten ze dr. Schiffer naar een andere locatie. Dat deden ze snel en geruisloos; de bestemming werd pas op het allerlaatst bekend. Zulke strenge veiligheidsmaatregelen vereisten ook dat een paar van hen achterbleven om ervoor te zorgen dat ieder spoor van hun aanwezigheid werd uitgewist of vernietigd.

Op dit moment liepen ze overal door het huis. Een van hen stond in de keuken Turkse koffie te zetten, een ander was in de badkamer, een derde had de tv aangezet. Hij keek ongeïnteresseerd naar de buis, ging toen bij het raam staan, trok een gordijn open en keek over de straat. Alles leek normaal. Hij rekte zich uit als een kat, strekte zijn lichaam alle kanten op. Toen gespte hij zijn schouderholster om en ging naar buiten om zijn dagelijkse verkenningsrondje te maken.

Hij deed de voordeur van het slot, duwde hem open en werd door Spalko recht in zijn hart geschoten. Met gespreide armen viel hij achterover, zijn ogen rolden in hun kassen. Hij was al dood voordat hij op de grond viel.

Spalko en Zina liepen door de gang terwijl de andere mannen door de achterdeur stormden. De man in de keuken liet zijn koffie vallen, trok zijn wapen en verwondde een van Spalko's mannen voordat hij zelf werd neergeschoten.

Naar Zina knikkend liep Spalko de trap op, met drie treden tegelijk.

Toen Zina vanuit de badkamer schoten hoorde, stuurde ze een van Spalko's mannen via de achterdeur naar buiten. Het andere teamlid kreeg de opdracht de badkamerdeur in te trappen. Dat deed hij snel en efficiënt. Er werd niet geschoten toen hij de badkamer binnenviel. Wel zag hij het raampje waar de bewaker uit gevlucht was. Zina had dit voorspeld, vandaar dat ze iemand naar buiten had gestuurd.

Even later hoorde ze het bekende zjoef-geluid van een afgeschoten pijl, gevolgd door een zwaar gekreun.

Boven doorzocht Spalko op zijn hurken de slaapkamers. De eerste slaapkamer was leeg, hij liep door naar de tweede. Toen hij voorbij het bed liep, zag hij links van hem iets bewegen in de spiegel boven de toilettafel. Er bewoog iets onder het bed. Plotseling viel hij op zijn knieën en schoot de pijl af, die dwars door de sprei heen ging; het bed werd van zijn poten gelicht. Een lichaam bonkte en kreunde.

Op zijn knieën stopte Spalko een nieuwe pijl in zijn boog, probeerde op zijn doel te richten, maar viel toen voorover. Hij had een klap gekregen op zijn achterhoofd, een kogel ricocheerde door de kamer, hij voelde iets zwaars op hem drukken. Meteen liet hij zijn kruisboog vallen, trok zijn machete en stak die naar boven in zijn aanvaller. Toen het mes tot aan het handvat in het vlees zat, draaide hij het om. Zijn tanden knarsten van de inspanning, maar zijn werk werd beloond met een flinke straal bloed.

Grommend wierp hij het lichaam van de belager van zich af, trok zijn mes eruit en veegde het lemmet af aan de sprei. Toen schoot hij de tweede pijl door het bed heen. Matrasvulling vloog door de lucht, het gebonk hield abrupt op.

Nadat hij de overige kamers op de bovenverdieping had doorzocht, ging hij terug naar de woonkamer beneden, die naar kruit stonk. Een van zijn mannen kwam door de open achterdeur naar binnen met de overgebleven huurling, die ernstig gewond was. De hele operatie had niet meer dan drie minuten geduurd, geheel volgens Spalko's plan; hoe minder aandacht ze trokken, hoe beter.

Ze vonden geen spoor van Felix Schiffer. En toch wist Spalko dat László Molnar niet had gelogen. Deze mannen behoorden tot de speciale eenheden die Molnar had ingehuurd toen hij en Conklin de verdwijning van Schiffer bekokstoofden.

'Wat is de eindstand?' vroeg hij aan zijn mannen.

'Marco is gewond. Niet ernstig, de kogel ging dwars door zijn linkerarm,' antwoordde een van hen.'Twee tegenstanders zijn omgebracht, één is zwaargewond.'

Spalko knikte.'Boven liggen nog twee doden.'

Hij tikte met de loop van zijn machinepistool tegen de overgebleven bewaker aan, en zei:'Zonder medische behandeling heeft hij niet lang meer.'

Spalko keek Zina aan en knikte. Ze liep naar de gewonde man, knielde naast hem neer en draaide hem op zijn rug. Hij kreunde en bloedde uit zijn wonden.

'Hoe heet je?' vroeg ze in het Hongaars.

Hij keek haar gekweld aan, besefte zijn aanstaande dood.

Ze pakte een doosje lucifers.'Hoe heet je?' vroeg ze, deze keer in het Grieks.

Toen hij bleef zwijgen, zei ze tegen Spalko's mannen: 'Hou hem goed vast.'

Twee mannen bogen zich over het slachtoffer heen en voerden hun opdracht uit. Even bood de huurling weerstand, daarna lag hij weer stil. Hij keek Zina berustend aan; hij was tenslotte een beroeps.

Ze streek de lucifer af. Een penetrante zwavelgeur kwam vrij bij de ontbranding. Met duim en wijsvinger trok ze een van zijn ogen open.

Het vrije oog van de huurling begon manisch te knipperen, hij haalde snorkend adem. De vlam, die in de glinsterende oogbol werd weerspiegeld, kwam steeds dichterbij. Hij was bang. Zina kon dat zien, al zag ze ook ongeloof. Hij kon simpelweg niet geloven dat ze dit dreigement werkelijk zou uitvoeren. Helaas, ze ging gewoon door.

De huurling schreeuwde het uit, zijn lichaam kromde zich van de pijn, al probeerden de anderen hem nog zo in bedwang te houden. Hij kronkelde en jankte, ook nadat de lucifer druipend en narokend op zijn borst viel. Zijn goede oog draaide rond in zijn kas, zoekend naar een schuilplaats.

Zina streek kalmpjes een andere lucifer af en plotseling moest de huurling overgeven. Zina liet zich daardoor niet weerhouden. Het was belangrijk dat hij begreep dat er maar één manier was om haar tegen te houden. Hij was niet stom; hij wist wat ze wilden. Ook wist hij dat deze marteling geen enkel geldbedrag waard was. Door het vocht in zijn goede oog heen zag ze zijn overgave. Toch mocht hij van haar nog niet rechtop zitten, niet voordat hij had verteld waar ze Schiffer naartoe hadden gebracht.

Stepan Spalko, die alles van begin tot eind had gezien, was ondanks zichzelf onder de indruk. Hij had geen idee hoe Zina zou reageren toen hij haar de opdracht gaf tot dit martelverhoor. Het was een test, maar eigenlijk veel meer dan dat – het was een manier om haar te leren kennen op de intieme wijze die hij zo prettig vond.

Omdat Spalko een man was die dagelijks woorden gebruikte om mensen en gebeurtenissen te manipuleren, stond hij wantrouwig tegenover taal. Mensen logen nu eenmaal. Sommigen logen uit effectbejag, anderen zonder het zelf te weten, om zich te beschermen tegen kritiek; sommige mensen logen tegen zichzelf. Alleen in zijn gedrag, zijn handelingen, vooral onder extreme omstandigheden of onder druk, liet de mens zijn ware aard zien. Dan kon hij niet meer liegen. Dat wat zich aan je oog voltrok, kon je wél gerust als bewijs aannemen.

Hij had iets nieuws geleerd over Zina. Het leek hem sterk of Arsenov dat wist, of die het kon geloven als hij het hem vertelde. Zina was vanbinnen keihard, harder dan Arsenov. Terwijl hij toekeek hoe zij de informatie ontfutselde aan het kansloze slachtoffer, besefte hij dat zij wél zonder Arsenov kon, maar Arsenov niet zonder haar.

Bourne werd gewekt door de klanken van piano-oefeningen en de geur van koffie. Even wist hij niet of hij sliep of wakker was. Hij wist dat hij op de bank van Annaka Vadas lag, onder een donsdekbed en op een hoofdkussen van ganzenveren. Ineens zat hij klaarwakker rechtop in Annaka's zonovergoten appartement. Hij draaide zich om, zag haar zitten achter de glanzende vleugel, met naast haar een grote mok koffie.

'Hoe laat is het?'

Ze ging verder met haar oefeningen zonder op te kijken.'Al twaalf uur geweest.'

'Jezus!'

'Ja, het werd tijd dat ik ging studeren en jij opstond.' Ze speelde een stuk dat hij niet kende.'Toen ik wakker werd, dacht ik dat je terug naar je hotel was, maar toen zag ik je hier liggen; je sliep als een roos. Dus ging ik maar koffie zetten. Wil je ook een kop?'

'Ja, lekker.'

'Je kent de weg.'

Ze keek hem aan en bleef kijken toen hij het donsdek opengooide en zijn broek en shirt aantrok. Hij liep naar de wc en daarna door naar de keuken. Toen hij koffie voor zichzelf inschonk, merkte zij op:'Je hebt een mooi lijf ondanks alle littekens.'

Hij zocht naar melk. Blijkbaar dronk ze haar koffie zwart.'Die littekens geven me karakter.'

'Ook die in je hals?'

Hij zocht in haar koelkast en gaf geen antwoord; wél voelde hij onwillekeurig aan zijn wond en dacht terug aan de tedere verzorging van Mylene Dutronc.

'Die is nog vers,' zei ze.'Wat is er gebeurd?'

'Ik kwam een heel groot en woest beest tegen.'

Ze huiverde, voelde zich ineens ongemakkelijk.'Wie wilde je wurgen?'

Hij had de melk gevonden. Hij schonk een wolkje in, voegde twee schepjes suiker toe, nam zijn eerste slok. Terwijl hij terugliep naar de woonkamer zei hij:'Dat kan woede met je doen, wist je dat niet?'

'Nee, hoe zou ik? Ik hoor niet bij jouw gewelddadige wereld.'

Hij keek haar streng aan.'Je hebt me proberen neer te schieten; ben je dat soms vergeten?'

'Ik vergeet niets,' zei ze kortaf.

Ze was geïrriteerd door iets in zijn antwoord, maar hij wist niet wat het was. Ze leek behoorlijk uitgeput. Misschien kwam het door de schok van de plotselinge en gewelddadige dood van haar vader.

Hij besloot het over een andere boeg te gooien.'Je hebt niks te eten in je koelkast.'

'Meestal eet ik buiten de deur. Er is een broodjeszaak vijf straten verderop.'

'Zullen we daar naartoe gaan?' vroeg hij.'Ik heb honger.'

'Als ik klaar ben. Door onze nachtelijke avonturen ben ik vandaag laat begonnen.'

Het pianokrukje kraste over de vloer toen ze er beter voor ging zitten. Toen klonken de eerste maten van Chopins Nocturne in bes kleine terts door de kamer, dwarrelend als vallende bladeren op een gouden herfstmiddag. Het verbaasde hem hoeveel hij van deze muziek genoot.

Even later stond hij op en liep hij naar een bureautje om haar computer aan te zetten.

'Alsjeblieft: niet doen,' zei Annaka zonder op te kijken van haar bladmuziek.'Dat leidt me af.'

Bourne bleef zitten, probeerde zich te ontspannen, terwijl de prachtige muziek door het appartement klonk.

Terwijl de piano nog nagalmde, stond Annaka op en liep naar de keuken. Hij hoorde water in de gootsteen lopen; zij wachtte tot het was afgekoeld. Het leek lang te duren. Ze kwam terug met een glas water in haar hand, dat ze in één lange teug leegdronk. Bourne, die haar vanaf het bureautje gadesloeg, zag de curve van haar bleke hals, de krullen in haar losse haarlokken, het glanzende roodbruin bij de haargrens.

'Je deed het heel goed, gisteren,' zei Bourne.

'Bedankt voor hoe je me over die randen hielp.' Ze keek van hem weg, alsof ze geen complimentjes van hem wilde.'Ik ben nog nooit zo bang geweest.'

Ze zaten in een chique broodjeszaak. Er hingen twinkelende kroonluchters, de stoelzittingen waren van fluweel, aan de kersenhouten wanden hingen armluchters. Ze zaten tegenover elkaar aan het raam, keken uit over het terras, dat verlaten was omdat het te koud was in het waterige zonnetje.

'Ik ben dus bang dat het appartement van Molnar in de gaten werd gehouden,' zei Bourne.'Ik begrijp niet hoe anders de politie er juist op dat moment kon zijn.'

'Maar waarom zou iemand dat appartement in de gaten houden?'

'Om ons op te wachten. Sinds ik in Boedapest ben, word ik in alles gefrustreerd.'

Annaka keek nerveus uit het raam.'En nu? Het idee dat iemand mijn appartement, of óns bespioneert, maakt me bang.'

'Niemand is ons naar jouw appartement gevolgd, dat weet ik zeker.' Hij zweeg even toen hun bestelling werd gebracht. Toen de kelner wegliep, ging hij verder.'Weet je nog welke voorzorgsmaatregelen we gisteren hebben genomen? We namen afzonderlijk een taxi, wisselden twee keer van taxi en van richting.'

Ze knikte.'Ik was te moe om te vragen waar die bizarre instructies voor nodig waren.'

'Niemand weet waar we naartoe gingen en zelfs niet dat we nu samen zijn.'

'Dat is een hele opluchting.' Ze slaakte een diepe zucht.

Khan had maar één gedachte toen hij Bourne en de vrouw het gebouw uit zag lopen: ondanks Spalko's rotsvaste overtuiging dat hij buiten Bournes bereik was, kwam Bourne juist dichterbij. Bourne wist wie László Molnar was, de man achter wie ook Spalko aanzat. Hij was erachter gekomen waar Molnar woonde, en bevond zich waarschijnlijk in zijn appartement toen de politie eraan kwam. Waarom was Molnar zo belangrijk voor Bourne? Daar wilde Khan achter komen.

Hij dook weg toen Bourne en de vrouw naar buiten liepen. Toen stapte hij uit zijn huurauto en liep naar de ingang van Fo utca 106-108. Hij maakte het slot open van de voordeur en liep naar binnen. Hij nam de lift naar de bovenste verdieping en vond de trap naar het dak. Het verraste hem niet dat de deur beveiligd was, maar voor hem was het eenvoudigweg een kwestie van over het circuit springen en het alarmsysteem omzeilen. Hij liep de deur uit naar het dak, stak meteen over naar de voorkant.

Met zijn handen op de stenen dakrand leunde hij voorover en zag hij de erker op de verdieping beneden hem. Hij klom over de dakrand, liet zich zakken naar de vensterbank van het raam onder hem. Het eerste raam dat hij probeerde, zat op slot, het tweede niet. Hij maakte het raam open en klom het appartement in.

Maar al te graag zou hij uitgebreid rondkijken, maar omdat hij niet wist hoe snel ze terug zouden zijn, nam hij geen risico. Hij kon zich geen pleziertje veroorloven. Hij zocht naar een geschikt plekje en zag een witglazen lamp midden aan het plafond hangen. Dat was niet slecht, besloot hij meteen, misschien wel precies goed.

Hij sleepte de pianokruk onder de lamp en ging erop staan. Hij haalde een afluisterchip voor de dag en liet die over de rand van de glazen bol vallen. Hij stapte van de kruk af, stopte een elektronisch zendertje in zijn oor en activeerde het systeem.

Hij hoorde allerlei geluiden toen hij de pianokruk weer terugzette, zoals zijn eigen voetstappen over de houten vloer. Hij liep naar de bank, waar een kussen en een donsdek op lagen. Hij pakte het kussen en snoof de geur op. Hij rook Bourne, zijn geur riep een nieuwe herinnering bij hem op. Terwijl die steeds duidelijker in hem opkwam, liet hij het kussen vallen alsof het vlam had gevat. Snel verliet hij het appartement zoals hij was gekomen, helemaal tot aan de hal. Maar nu liep hij naar de achterkant van het gebouw, naar de achteringang. Men kon niet voorzichtig genoeg zijn.

Annaka begon aan haar ontbijt. Het zonlicht viel door het raam en scheen over haar muzikantenvingers. Ze at zoals ze piano speelde, hield het bestek vast alsof het muziekinstrumenten waren.

'Waar heb je zo goed piano leren spelen?' vroeg hij.

'Vond je het mooi?'
'Ja, geweldig.'
'Waarom?'
Hij hield zijn hoofd gebogen.'Waarom?'
Ze knikte.'Ja, wat vond je er mooi aan? Wat hoorde je erin?'
Bourne moest even denken.'Een zekere treurigheid.'
Ze legde mes en vork neer en begon met haar handen boven de tafel een deel van de nocturne na te zingen.'Het is de onopgeloste dominante zevende septiem, begrijp je. Daarmee verlegde Chopin de grens tussen toon en dissonant.' Ze begon weer te zingen, articuleerde helder iedere noot.'Het resultaat is vernieuwend. En tegelijk klinkt het droevig, door die niet-opgeloste dominante septiem.'
Ze zweeg, haar mooie bleke handen zweefden boven de tafel, haar lange vingers iets gebogen, alsof ze nog vol zaten met de energie van de componist.
'Wil je nog meer weten?'
Hij dacht even na, schudde zijn hoofd.
Ze pakte haar mes en vork en begon weer te eten. 'Mijn moeder heeft me leren spelen. Zij was pianolerares, en zodra ze mij goed genoeg vond, leerde ze me Chopin spelen. Hij was haar favoriete componist, maar zijn muziek is ontzettend moeilijk, niet alleen technisch; je moet hem ook emotioneel kunnen treffen.'
'Speelt je moeder nog steeds?'
Annaka schudde haar hoofd.'Ze had een zwakke gezondheid, net als Chopin. Tuberculose. Ze stierf toen ik achttien was.'
'Een moeilijke leeftijd om een ouder te verliezen.'
'Mijn leven veranderde op slag. Ik was er kapot van, uiteraard, maar tot mijn verbazing en schaamte, was ik ook kwaad op haar.'
'Kwaad?'
Ze knikte.'Ik voelde me verlaten, losgeslagen, alleen op de wereld en verdwaald.'
Ineens snapte Bourne waarom zij hem zo goed begrepen had toen hij haar over zijn verleden had verteld.
Ze fronste.'Maar het ergste vond ik dat ik haar zo slecht behandeld heb. Toen ze voor het eerst vroeg of ik piano wilde leren spelen, kwam ik in opstand.'
'Maar natuurlijk,' zei hij zacht.'Dat voorstel kwam van haar. Muziek was haar beroep.' Hij voelde een rilling door zijn lijf gaan, alsof ze zojuist een van Chopins beroemde dissonanten had gespeeld.'Toen ik met mijn zoon over baseball begon, haalde hij zijn neus op; hij speelde liever voetbal.' Toen hij deze herinnering aan Joshua ophaalde, richtte Bourne zijn blik naar binnen.'Al zijn vriend-

jes speelden voetbal, maar er was nog een reden. Zijn moeder was een Thaise; van jongs af werd hij ingewijd in het boeddhisme, want dat wilde zij. Zijn "Amerikaanse kant" interesseerde hem niet.'

Toen Annaka klaar was met eten, schoof ze haar bord opzij.

'Integendeel, ik denk dat hij juist behoorlijk door zijn "Amerikaanse kant" in beslag werd genomen,' zei ze.'Dat moet haast wel. Of denk je niet dat hij daar dagelijks op school aan herinnerd werd?'

Ongevraagd kwam een beeld terug van Joshua vol met pleisters en een blauw oog. Toen hij Dao had gevraagd wat er was gebeurd, vertelde ze hem dat hij op school gevallen was, maar de dag daarna had ze Joshua zelf naar school gebracht en was daar een paar uur gebleven. Hij had er nooit meer naar gevraagd en in die tijd was hij te druk met zijn werk om over het voorval na te denken.

'Dat is nooit bij me opgekomen,' zei hij nu.

Annaka haalde haar schouders op en zonder zichtbare ironie zei ze:'Natuurlijk niet. Je bent Amerikaan. De wereld is van jou.'

Waarom was ze vanbinnen zo vijandig ten opzichte van hem? vroeg hij zich af. Ging het om het bekende verhaal, de angst voor de yankee die weer de kop opstak?

Ze bestelde nog een kopje koffie.'Jij kunt er tenminste nog met je zoon over praten,' zei ze.'Met mijn moeder...' Ze haalde haar schouders op.

'Mijn zoon is overleden,' zei Bourne,'net als zijn zusje en zijn moeder. Jaren geleden zijn ze in Phnom Penh omgekomen.'

'O.' Het leek dat hij nu eindelijk door haar koele, stalen buitenkant was heen gebroken.'Dat spijt me verschrikkelijk.'

Hij keek de andere kant op. Elk gesprek over Joshua voelde alsof er zout in zijn wond werd gewreven.'Maar ik neem aan dat jij en je moeder het hebben uitgepraat voordat ze overleed.'

'Had ik dat maar gedaan.' Annaka staarde in haar koffiekopje; ze concentreerde zich.'Pas toen ze me liet kennismaken met Chopin besefte ik volledig hoe groot de gave was die ze aan mij had doorgegeven. Wat speelde ik die nocturnes graag, ook toen ik het nog lang niet kon.'

'Heb je dat haar verteld?'

'Ik was een tiener; ik kon niet goed met haar praten.' Ze keek somber.'Nu ze er niet meer is, wou ik dat ik dat gedaan had.'

'Je had je vader nog.'

'Ja, natuurlijk,' zei ze.'Hem had ik nog.'

17

Het Directoraat tactische niet-dodelijke wapens was gevestigd in een aantal identieke, uit rode baksteen opgetrokken gebouwen, met klimop tegen de buitenmuren. Ooit herbergde het complex een vrouwencollege. De CIA vond het veiliger om een bestaande locatie over te nemen dan een nieuw gebouw te laten neerzetten. Op die manier kon het eigen, hoog opgeleide personeel van binnen uit de voor het directoraat vereiste doolhof aanleggen van laboratoria, vergaderzalen en experimenteerruimtes, en hoefde men geen beroep te doen op aannemers van buitenaf.

Lindros toonde zijn identiteitsbewijs, maar toch werd hij naar een witte, afgesloten ruimte gebracht waar hij werd gefotografeerd. Zijn vingerafdrukken werden genomen en zijn netvliezen gescand. Hij zat alleen in een wachtkamer.

Na ongeveer een kwartier kwam een CIA-medewerker binnen. 'Meneer Lindros, de heer Driver kan u nu ontvangen.'

Zwijgzaam liep Lindros achter de medewerker aan. Een minuut of vijf liepen ze door kale gangen die alleen door kunstlicht waren verlicht. Naar zijn gevoel hadden ze een rondje gelopen.

Uiteindelijk stopte de medewerker bij een deur die volgens Lindros identiek was aan alle andere deuren die ze waren gepasseerd. De deur werd evenmin als alle andere deuren door een nummer of andere aanduiding gekenmerkt, behalve door twee lampjes. Het rode lampje brandde. Toen de agent op de deur klopte, sprong het groene lampje aan en ging het rode lampje uit. De medewerker maakte de deur open, deed een stap naar achteren en liet Lindros binnen.

In de kamer zat Randy Driver, de directeur van het Directoraat, een man met zandkleurig stekeltjeshaar, een kaarsrechte neus en kleine blauwe ogen die hem voortdurend argwanend aankeken. Hij had brede schouders en een gespierde torso waar hij iets te veel mee showde. Hij zat op een hightechbureaustoel van staaldraad, achter een bureau van bruin glas en glimmend staal. Aan de witte stalen muren hingen reproducties van Mark Rothko, die leken op gekleurde zwachtels om een rauwe wond.

'De adjunct-directeur zelf, dat is een verrassing,' zei Driver met een gespannen glimlach die zijn woorden logenstrafte. 'Maar eerlijk gezegd ben ik niet gewend aan onaangekondigde inspecties. Ik geef de voorkeur aan een beleefde afspraak.'

'Mijn excuses,' zei Lindros, 'maar dit is geen inspectie. Ik ben bezig met een onderzoek naar een moord.'

'De moord op Alexander Conklin, zeker.'

'Inderdaad. Ik wil een van uw medewerkers ondervragen. Een zekere dr. Felix Schiffer.'

Het was alsof Lindros met die woorden alles had stilgezet. Driver zat verstijfd van schrik achter zijn bureau, zijn glimlach was bevroren in een grijns. Toen Driver ontspande vroeg hij: 'Maar waarom, in godsnaam?'

'Dat zei ik,' antwoordde Lindros. 'In het kader van mijn onderzoek.'

Driver spreidde zijn handen uit. 'Ja maar, hoezo?'

'Dat hoef ik u niet uit te leggen,' antwoordde Lindros kortaf. Driver had hem als een klein kind laten wachten en nu werd hij verbaal om de tuin geleid. Lindros' geduld raakte op. 'U hoeft me alleen maar te vertellen waar dr. Schiffer is.'

Drivers gezichtsuitdrukking grendelde alle verdere communicatie af. 'Terwijl u onze ID-controle onderging, heb ik de vrijheid genomen de directeur van de CIA te bellen. Niemand op zijn kantoor weet dat u hier bent.'

'Natuurlijk niet,' antwoordde Lindros vinnig, die al wist dat hij de strijd maar beter kon opgeven. 'De directeur neemt op het eind van iedere dag contact met me op.'

'Ik wil niet meewerken aan uw onderzoek, meneer Lindros. De regel is, dat zonder een ondertekende verklaring van de directeur zelf, niemand van mijn personeel mag worden ondervraagd.'

'De directeur heeft mij toestemming gegeven mijn onderzoek te verrichten waar ik wil.'

'Ik moet u zeker op uw woord geloven.' Driver haalde zijn schouders op. 'U begrijpt, vanuit mijn standpunt...'

'Dat begrijp ik niet,' onderbrak Lindros hem. Hij wist dat als hij op deze manier verderging, hij niets zou bereiken. Het was niet eens een politieke kwestie, Randy Driver had hem regelrecht afgezeken en hij stond machteloos. 'In mijn ogen werkt u mij alleen maar tegen.'

Driver boog zich voorover, zijn knokkels kraakten toen hij ze tegen het bureaublad drukte. 'Uw standpunt is irrelevant. Zonder geautoriseerde toestemming kan ik niets voor u doen. En hiermee beëindig ik dit gesprek.'

De medewerker moest hebben meegeluisterd want precies op dat moment ging de deur open en stond hij klaar om Lindros naar de uitgang te brengen.

Rechercheur Harris kreeg de ingeving in verband met een andere zaak. Hij had het urgente bericht ontvangen over een blanke man in een zwarte Pontiac van het laatste model, met nummerplaten van Virginia, die bij Falls Church door rood licht was gereden en nu naar Route 649 koerste. Harris, die zonder uitleg door Martin Lindros van het onderzoek naar de zaak Conklin-Panov was gehaald, bevond zich op dat moment in Sleepy Hollow, waar hij werkte aan een roofmoord. Toen hij het bericht ontving, reed hij al op Route 649.

Hij keerde zijn surveillancewagen met een scherpe U-bocht en scheurde weg, met zwaailichten en sirenes aan, noordwaarts over de 649. Vrijwel meteen zag hij de zwarte Pontiac, en daarachter, op een rijtje, drie surveillancewagens van de politie van Virginia.

Hij keerde op de middenberm en tegen het tegemoetkomende verkeer in dat claxonneerde of piepend remde, reed hij rechtstreeks op de Pontiac af. De chauffeur zag hem, veranderde van rijbaan en terwijl Harris hem zigzaggend door het stilstaande verkeer volgde, sjeesde de dader over de vluchtstrook verder.

Harris baande zich voorzichtig een weg door het verkeer om de dader af te snijden, en dwong zo de Pontiac naar een benzinestation te rijden. Als de man niet zou remmen zou hij tegen de pompen aan knallen.

Terwijl de Pontiac piepend tot stilstand kwam en schommelde op zijn te grote schokbrekers, kroop Harris met getrokken dienstpistool uit zijn wagen en rende naar de chauffeur toe.

'Handen omhoog en stap uw auto uit!' schreeuwde Harris.

'Ja, maar...'

'Mond houden en doe wat ik zeg!' beval Harris, terwijl hij langzaam dichterbij kwam en zocht naar een teken van een wapen.

'Oké, oké!'

De chauffeur stapte uit terwijl de andere surveillancewagens aankwamen. Harris zag dat de dader een broodmagere jongen was van begin twintig. Ze vonden sterkedrank en onder de chauffeursstoel een pistool.

'Ik heb een vergunning!' riep de jongeman. 'Kijk maar in het handschoenenkastje!'

De man had inderdaad een vergunning. Hij was diamantkoerier. Waarom hij gedronken had, was niet duidelijk, maar dat interesseerde Harris nauwelijks.

Terug op het bureau viel het hem op dat hij de vergunning niet kon controleren. Hij belde naar de zaak waar de jongeman het wapen zou hebben aangeschaft. Een man met een buitenlands accent vertelde dat hij inderdaad aan deze jongeman het wapen had verkocht, maar Harris vertrouwde het niet helemaal. Dus reed hij naar de wapenwinkel toe en kwam tot de ontdekking dat die niet bestond. Hij vond er wel een Russische man achter een computerserver. Hij arresteerde de Rus en nam de server in beslag.

Daarna ging hij terug naar het bureau om in een database te zoeken naar wapenvergunningen niet ouder dan zes maanden. Hij typte de naam van de niet-bestaande wapenzaak en ontdekte tot zijn schrik meer dan driehonderd valse verkopen die waren gedaan om aan een legale vergunning te komen. Maar er wachtte hem nog een grotere verrassing toen hij de bestanden opende op de in beslag genomen server. Bij het zien van die inschrijving belde hij meteen Martin Lindros op zijn mobiel.

'Hoi, met Harry.'

'O, hallo,' antwoordde Lindros afwezig.

'Hoe gaat het met je?' vroeg Harris. 'Je klinkt niet al te best.'

'Ik word gedwarsboomd. Sterker nog, ik ben zojuist knock-out geslagen, figuurlijk gesproken dan, en ik weet niet of ik daar wel mee kan aankomen bij de Oude Rot.'

'Martin, luister, ik weet dat ik officieel niet meer aan je zaak meewerk, maar...'

'Jezus, Harry, daar wilde ik het nog met je over hebben.'

'Laat maar zitten,' onderbrak de rechercheur hem. Hij deed een kort verslag van de diamantkoerier, zijn wapen en de manier waarop hij aan de nepvergunning was gekomen. 'Begrijp je hoe het werkt?' ging hij verder. 'Die jongens kunnen zo overal aan wapens komen.'

'Echt waar?' zei Lindros weinig opgewonden.

'Dus kunnen ze ook willekeurige namen opgeven, bijvoorbeeld David Webb.'

'Dat is een interessante theorie, maar...'

'Martin, dit is geen theorie!' Harris schreeuwde nu bijna in de hoorn, iedereen op het bureau draaide zich naar hem om, verrast door zijn overslaande stem. 'Dat is ook werkelijk gebeurd!'

'Wat?'

'Echt waar, dezelfde bende heeft op deze manier een wapen "verkocht" aan een zekere David Webb, alleen heeft Webb er nooit een gekocht, omdat de zaak die op de vergunning staat vermeld, niet bestaat.'

'Oké, maar hoe komen we erachter of Webb deze bende inderdaad niet kende en geen illegaal wapen heeft aangeschaft?'

'Nu komt het mooie,' zei Harris. 'Ik heb ook het elektronische kasboek van de bende in beslag genomen. Elke verkoop is nauwkeurig genoteerd. Er is geld gestort voor het wapen dat al of niet door Webb is aangeschaft. Vanuit Boedapest.'

Het klooster stond boven op een bergwand. Op de steile terrasvelden ver beneden groeiden sinaasappels en olijven, maar helemaal bovenaan, waar het bouwwerk als een kies in de fundering geïmplanteerd leek, groeiden hooguit distels en wilde laudanum. De overal opduikende Kretenzische berggeiten waren de enige wezens die zich ter hoogte van het klooster in leven konden houden.

Het antieke stenen bouwwerk was lang geleden al verlaten. Welk plunderend volk uit de rijke geschiedenis van het eiland het had gebouwd, was voor een leek moeilijk uit te maken. Het bouwwerk was net als Kreta door vele handen gegaan, en de stille getuige geweest van gebeden, offergaven en bloedvergieten. Zelfs van een afstand was het duidelijk een heel oud bouwwerk.

Zelfverdediging was zowel voor krijgers als monniken altijd al van het hoogste belang geweest, vandaar dat het klooster boven op een berg stond. Op de berghelling lagen de geurende terrasplantages; aan de andere zijde was een kloof, die er door een Saraceense sabel in gehouwen leek, diep in het steen, waardoor het vlees van de berg zichtbaar werd.

Omdat Spalko in het huis in Iraklion op professionele weerstand was gestuit, plande hij zijn volgende aanval uiterst voorzichtig. Een stormaanval bij daglicht was absoluut uit den boze. Vanuit welke richting ze het ook zouden proberen, ze zouden zeker worden neergemaaid voordat ze de dikke en van kantelen voorziene buitenmuren van het klooster hadden bereikt. Terwijl zijn mannen naar het privé-vliegtuig terug waren gegaan om hun gewonde teamgenoot door de arts te laten verzorgen en de noodzakelijke voorraden op te halen, maakte Spalko samen met Zina op gehuurde motorfietsen een verkenningstocht rondom de monnikenburcht.

Aan de rand van de kloof parkeerden ze hun voertuigen en gingen ze te voet verder. De lucht was van een absorberend blauw, zo helder dat elke andere kleur er een aura van kreeg. Vogels zweefden op de thermiek, en toen er een bries opstak, raakte de lucht vervuld met een aangename bloesemgeur. Al sinds Zina in het privé-vliegtuig was gestapt, probeerde ze erachter te komen waarom Spalko haar had meegenomen.

'Het klooster heeft een ondergrondse ingang,' zei Spalko toen ze de puinhelling afliepen naar het einde van de kloof vlak bij het bouwwerk. De kastanjeboom op het puntje van de kloof had zich gewonnen gegeven aan de sterkere cipressen, waarvan de grillige takken uit de scheuren tussen zwerfkeien groeiden. Ze hielden zich vast aan de pezige takken terwijl ze verder de steile helling van de kloof afliepen.

Hoe de Sjeik aan zijn informatie kwam, daar kon Zina alleen maar naar raden. In elk geval was het duidelijk dat hij een wereldwijd netwerk bezat van mensen die direct toegang hadden tot bijna alle informatie die hij wenste.

Ze rustten even uit, leunend tegen een uitstulpsel. De middag gleed voorbij. Ze aten olijven, wat brood en inktvis, gemarineerd in olijfolie, wijnazijn en knoflook.

'Vertel eens, Zina,' begon Spalko ineens, 'denk je soms aan Khalid Murat, mis je hem?'

'Ik mis hem heel erg.' Zina veegde met de rug van haar hand haar lip af en nam een stuk brood. 'Maar nu is Hassan onze leider; alles heeft zijn tijd. Wat er met Khalid is gebeurd, is tragisch maar kwam niet onverwacht. We zijn allemaal doelwit van het beestachtige Russische regiem; daar moeten wij het allemaal mee doen.'

'En als ik jou eens vertel dat de Russen helemaal niks met de dood van Murat te maken hebben gehad?' zei Spalko.

Zina stopte met eten. 'Ik begrijp het niet. Ik weet wat er is gebeurd, net als iedereen.'

'Nee,' zei Spalko zacht, 'je weet alleen wat Hassan Arsenov je heeft verteld.'

Ze staarde hem aan en begreep wat hij bedoelde. Ze voelde haar benen slap worden.

'Hoe...' Ze was zo geëmotioneerd dat ze niets kon zeggen. Ze schraapte haar keel en stelde de vraag opnieuw, al wilde ze het antwoord eigenlijk niet weten. 'Hoe weet jij dit?'

'Dat weet ik,' zei Spalko op vlakke toon, 'omdat Arsenov mij heeft ingehuurd om Khalid Murat te vermoorden.'

'Maar waarom?'

Spalko keek haar indringend aan. 'Jij, Zina, juist jij als zijn geliefde, die hem beter kent dan wie ook, zou dit moeten weten.'

En helaas wist Zina het ook; Hassan had het haar vaak genoeg verteld. Khalid Murat was van een oudere generatie. Zijn streven reikte niet verder dan Tsjetsjenië. Volgens Hassan was Khalid bang om het tegen de wereld op te nemen toen hij geen andere manier meer zag om de Russen tegen te houden.

'Vermoedde je iets?'

Het zure was, dacht Zina, dat ze geen moment iets had vermoed. Ze had Hassan van a tot z geloofd. Ze wilde tegen de Sjeik liegen om een slimmere indruk op hem te maken, maar onder de last van zijn blik besefte ze dat hij door haar heen zou kijken. Dan zou hij, vreesde ze, haar niet meer vertrouwen en zich van haar ontdoen.

Dus schudde ze, vernederd, haar hoofd. 'Hij heeft me voor de gek gehouden.'

'Jou en alle anderen,' zei hij onverschillig. 'Maar maak je niet druk.' Plotseling glimlachte hij. 'Nu je de waarheid kent, besef je ook dat kennis macht maakt.'

Even bleef ze met haar rug tegen de door de zon verwarmde rots staan en wreef ze met haar handen over haar dijen. 'Wat ik niet begrijp,' zei ze, 'is waarom je mij hebt uitgekozen om dit te vertellen.'

Spalko hoorde angst en onrust in haar stem, wat hem tevreden stemde. Zij wist dat ze op de rand van een afgrond stond. Hij was een man met mensenkennis, dat vermoedde ze al toen hij haar had voorgesteld met hem mee te gaan naar Kreta, en vooral toen ze met hem het spelletje had meegespeeld door tegen Arsenov te liegen.

'Ja,' zei hij, 'ik heb jou uitgekozen.'

'Maar waarom?' Ze voelde dat ze trilde.

Hij kwam dicht bij haar staan. Tegen het zonlicht stond zijn silhouet, de hitte straalde van zijn lijf af. Ze kon hem ruiken, net zoals toen in de hangar, en zijn mannelijke geur wond haar op.

'Jij bent uitverkoren om grootse daden te verrichten.' Toen hij tegen haar aan ging staan, begon hij zachter, maar nog indringender te praten.

'Zina,' fluisterde hij, 'Hassan Arsenov is zwak. Dat zag ik al toen hij mij zijn verzoek deed. Want waarom had hij mij daarvoor nodig? vroeg ik me af. Een echte vent die zijn leider incapabel acht, schakelt de man zelf uit; hij huurt daarvoor geen mensen in die, als ze slim zijn en geduldig, op een dag zijn zwakte tegen hem zullen gebruiken.'

Zina sidderde, zowel om zijn woorden als de kracht van zijn fysieke nabijheid, die haar kippenvel bezorgde en haar haren overeind deed staan. Haar mond was droog, haar keel vol verlangen.

'Zina, wat denk je dat ik heb aan een zwakkeling als Hassan Arsenov?' Spalko legde zijn hand op Zina's borst, zij zuchtte diep. 'Ik zal het je uitleggen.' Ze sloot haar ogen. 'De missie die we binnenkort beginnen is in elke fase heel gevaarlijk.' Hij kneep haar zacht, trok haar tergend traag omhoog. 'Als er iets misgaat, is het beter om een leider te hebben die als een magneet de aandacht van de vijand trekt, die de vijand afleidt, zodat het echte werk ongehinderd kan worden voortgezet.' Hij drukte haar lichaam tegen zich aan, voelde haar tegen hem op kruipen op een manier die ze zelf niet onder controle had. 'Begrijp je wat ik bedoel?'

'Ja,' antwoordde ze hees.

'Jij bent sterk, Zina. Als jij Khalid Murat van zijn troon had willen stoten, zou je mij nooit om hulp vragen. Je zou hem zelf ombrengen en er trots op zijn dat je dat voor je volk had gedaan.' Zijn andere hand schoof over de binnenkant van haar dij. 'Of niet?'

'Ja,' hijgde ze. 'Maar mijn mensen zullen nooit een vrouwelijke leider accepteren; dat is ondenkbaar.'

'Voor hen, maar voor ons niet.' Hij duwde een been opzij. 'Denk na, Zina. Hoe kun je dat bereiken?'

Terwijl de hormonen door haar keel gierden kon ze nauwelijks helder nadenken. Een deel van haar besefte dat dit juist de bedoeling was. Hij wilde haar daar buiten bij de kloof tegen de naakte rotsen niet alleen nemen, maar hij stelde haar ook op de proef, net als in het huis van de architect. Als ze zichzelf nu helemaal in hem verloor, als ze niet goed nadacht, als ze nu zó gek werd van verlangen dat ze zijn vraag niet kon beantwoorden, zou hij haar dumpen. Hij zou een ander zoeken die hem moest dienen.

Toen hij haar bloesje openmaakte en haar brandende huid streelde, dacht ze terug aan Khalid Murat – die luisterde echt naar haar wanneer zijn adviseurs na de wekelijkse vergadering waren vertrokken. Soms volgde hij zelfs haar adviezen op. Ze had nooit met Hassan over die rol durven praten, uit angst dat ze zou worden overgeleverd aan de wreedheid van zijn jaloezie.

Maar nu ze tegen de rots aan stond en inging op de avances van de Sjeik, dacht ze aan haar toekomst. Terwijl ze de Sjeik bij zijn hoofd pakte en dat in haar hals duwde, fluisterde ze in zijn oor: 'Ik zal iemand vinden – iemand die fysiek angst inboezemt, iemand die zo gek op me is, dat hij mijn slaaf is – en ik zal via hem leiding geven. Tsjetsjenië zal zijn gezicht zien, zijn stem horen, maar hij doet precies wat ik zeg.'

Hij leunde even met zijn torso achterover; zij keek hem in zijn ogen. Ze zag dat die glinsterden van bewondering en lust, en trillend van genot besefte ze, dat ze ook deze tweede beproeving had doorstaan. Toen ze zich opende en hem bij haar binnenliet, kreunde ze het uit van genot, een genot dat ze gezamenlijk beleefden.

18

Het appartement was nog steeds doortrokken van de geur van koffie. Ze waren na de maaltijd meteen naar het appartement teruggegaan zonder koffie en dessert te nemen, tegen het lokaal gebruik in. Bourne had te veel aan zijn hoofd. Maar het uitje, hoe kort ook, had hem goedgedaan: onbewust had hij wat achterstallige informatie verwerkt.

Dicht tegen elkaar aan lopend gingen ze het appartement binnen. Annaka rook naar citroen en muskus; hij nam haar geur diep in zich op. Om aan iets anders te denken richtte hij zijn gedachten weer grimmig op de recente gebeurtenissen.

'Zag je die brandwonden en kneuzingen, de prikgaten en striemen op het lichaam van László Molnar?'

Ze huiverde. 'Ik wil er niet aan terugdenken.'

'Hij is een paar uur lang, misschien wel een paar dagen lang gemarteld.'

Ze keek hem ernstig aan.

'Dat betekent,' ging hij verder, 'dat hij misschien bekend heeft waar Schiffer zich verbergt.'

'Of juist niet,' zei ze, 'wat ook een reden kon zijn om hem te vermoorden.'

'Ik ben bang dat we daar niet van uit mogen gaan.'

'Wat bedoel je met "we"?'

'Ik weet het, vanaf nu sta ik er weer alleen voor.'

'Probeer je me een schuldgevoel aan te praten? Je vergeet dat Schiffer mij niets aangaat.'

'Ook niet als het een ramp zou zijn voor heel de wereld als hij in verkeerde handen viel?'

'Wat bedoel je?'

Khan zat in zijn huurauto en drukte zijn oorknopje dieper in zijn oor. Hij kon alles goed horen.

'Alex Conklin was een briljant ingenieur – dat was oorspronkelijk zijn beroep. Ik heb gehoord dat hij beter dan wie ook complexe missies kon plannen en uitvoeren. Zoals ik je vertelde, wilde hij heel graag Schiffer weghalen van een geheim defensieprogramma; hij zorgde ervoor dat Schiffer voor de CIA *ging werken en liet hem prompt "verdwijnen". Dat betekent dat Schiffer aan iets werkte wat zo belangrijk was, dat Alex hem moest beschermen. En hij bleek gelijk te hebben, want Schiffer werd ontvoerd. Dankzij de operatie waar je vader aan meewerkte, kon hij ontsnappen en schuilen op een plek die alleen László Molnar wist. Je vader en Molnar zijn nu dood. Het enige verschil is dat Molnar voor zijn dood nog werd gemarteld.'*

Khan zat ineens rechtop. Zijn hart begon sneller te kloppen. *Je vader?* Was die vrouw bij Bourne aan wie hij geen aandacht had geschonken werkelijk Annaka?

Annaka stond in het zonlicht dat via de erker naar binnen viel. 'Waar werkte Schiffer volgens jou aan, wat maakte hem voor iedereen zo interessant?'

'Ik dacht dat Schiffer je niets kon schelen?' merkte Bourne op.

'Niet zo sarcastisch. Geef antwoord.'

'Schiffer is een vooraanstaand deskundige in bacteriologisch gedrag. Dat las ik op de website die Molnar had bezocht. Dat zei ik nog, maar je had het te druk met het zoeken naar die arme Molnar.'

'Bacteriologisch gedrag – het zegt me even niks.'

'Herinner je je nog die website?'

'Antrax, Argentijnse hemorragische koorts...'

'Cryptococcoses, longpest. Ik denk dat de goede geleerde werkte aan deze dodelijke ziekteverwekkers of iets soortgelijks, misschien wel aan iets ergers.'

Annaka staarde hem even aan, schudde haar hoofd.

'Wat Alex zo opwond en beangstigde was, dat Schiffer een middel had uitgevonden dat als biologisch wapen kon worden toegepast. Als dat zo is, bezit hij voor terroristen de heilige graal.'

'O mijn god! Maar dat weet je nog niet zeker. Hoe kom je daarachter?'

'Gewoon blijven zoeken,' antwoordde Bourne. 'Kan het je nog steeds niet schelen waar Schiffer rondhangt?'

'Maar hoe kunnen we hem vinden?' Ze draaide zich om en liep naar de piano, alsof die haar tegen onraad kon beschermen.

'We,' zei Bourne. 'Je zei "we".'

'Een verspreking.'

'Een Freudiaanse verspreking, zeker.'
'Hou op,' zei ze geïrriteerd, 'nu meteen.'
Hij kende haar inmiddels goed genoeg om te weten dat ze meende wat ze zei. Hij ging achter haar bureau zitten. Hij zag dat haar laptop een internetkabel had.
'Ik heb een idee,' zei hij. Toen zag hij plotseling de krasjes. Het zonlicht viel op het glanzende oppervlak van het pianokrukje waardoor hij ze kon zien, verse krassen. Er was iemand in het appartement geweest toen ze er niet waren. Waarom? Hij zocht om zich heen naar tekenen van braak.
'Wat is er?' vroeg Annaka. 'Is er iets?'
'Nee, niets,' zei Bourne. Hij zag dat het kussen niet precies lag zoals hij het had neergelegd; het was naar rechts verschoven.
Ze liet haar hand rusten op haar heup. 'Wat ben je van plan?'
'Ik moet eerst iets ophalen uit het hotel,' improviseerde hij. Hij wilde haar geen angst aanjagen, maar moest iets bedenken om heimelijk zijn onderzoek te doen. Het was mogelijk, waarschijnlijk zelfs, dat degene die in het appartement was geweest, nog in de buurt was. Ze werden tenslotte ook achtervolgd tot aan het appartement van László Molnar. Maar hoe hadden ze hen in godsnaam tot hier toe kunnen volgen? vroeg hij zich af. Hij was uiterst voorzichtig geweest. Daar was maar één antwoord op mogelijk. Khan had hem gevonden.
Bourne pakte zijn leren jasje en liep naar de deur. 'Ik ben zo terug, dat beloof ik je. Als jij je ondertussen nuttig wilt maken, kijk dan of je op die website nog iets kunt vinden.'

Jamie Hull, hoofd van de Amerikaanse veiligheidsdienst op de antiterrorismetop in Reykjavik, had iets tegen Arabieren. Hij mocht ze niet, kon ze niet vertrouwen. Ze geloofden niet in God – tenminste niet in de juiste – en al helemaal niet in Jezus de verlosser, bedacht hij zuur toen hij door een gang liep van het enorme Oskjuhlid Hotel.
Er was nog een reden om een hekel aan ze te hebben: ze bezaten driekwart van de olie in de wereld. Als ze dat niet hadden zou niemand naar hen omkijken en zou iedereen gelijk zijn; ze zouden zichzelf uitroeien in hun onbegrijpelijke netwerken van stammenoorlogen. Nu echter waren er vier verschillende Arabische beveiligingsteams, een voor elk land dat aanwezig was, maar Feyd al-Saoud was de coördinator.
Feyd al-Saoud was eigenlijk niet eens zo'n kwaaie. Hij werd een Saudi genoemd, of een soenniet? Hull schudde zijn hoofd. Hij wist

het niet. Dat was nóg een reden waarom hij een hekel had aan Arabieren: je wist niet wie je voor je had, of wie ze belazerden als ze daar de kans toe kregen. Feyd al-Saoud had nota bene ook nog in het Westen gestudeerd, in de buurt van Londen, in Oxford, of was het Cambridge? vroeg Hull zich af. Alsof dat wat uitmaakte! Het punt was dat je met de man in gewoon Engels kon praten zonder dat hij je vol onbegrip aankeek.

Ook leek hij volgens Hull een redelijk mens, wat betekende dat hij zijn plaats kende. Als het ging om de eisen en verlangens van de Amerikaanse president liet hij alles over aan Hull, wat niet gezegd kon worden van die communistische klerelijer Boris Illyich Karpov. Het speet hem dat hij zo over hem tekeer was gegaan tegenover de Oude Rot, en daarop een reprimande kreeg, maar Hull vond Karpov beslist de grootste klootzak met wie hij ooit had moeten samenwerken.

Hij liep de enkele verdiepingen hoge conferentiezaal in waar de top zou worden gehouden. De zaal was ovaal van vorm, het waaiervormige plafond bestond uit blauwe panelen voor de akoestiek. Verborgen tussen deze panelen hingen grote luchtbuizen voor de airconditioning die werd gefilterd door het geavanceerde HVAC-systeem, dat helemaal losstond van het uitgebreide netwerk van het hotel. De wanden waren van gepolijst teakhout, op de stoelzittingen lagen blauwe kussentjes, de horizontale vlakken waren van brons of gerookt glas.

Sinds de dag dat hij was aangekomen, werkte hij hier samen met zijn twee collega's. In de ochtend bespraken ze de details van hun ingewikkelde beveiligingsopzet. 's Middags vergaderden ze met hun eigen bestuur en lichtten ze hun eigen personeelsleden in over de nieuwste procedures. Sinds hun aankomst was het hele hotel gesloten geweest, zodat de beveiligingsteams hun elektronische waarnemingen en hun inspecties konden doen en het gebouw met absolute zekerheid konden beveiligen.

Terwijl hij de helder verlichte zaal in liep, zag hij zijn collega's: de slanke Feyd al-Saoud met zijn donkere ogen en kromme neus – een haast prinselijke verschijning – en Boris Illyich Karpov, hoofd van de elite-eenheid Alpha van de FSB, gespierd als een buffel, breedgeschouderd en smal in de heupen en met een plat Tartaars gezicht dat een vervaarlijke indruk maakte onder die zware wenkbrauwen en dat dikke zwarte haar. Hull had Karpov nog nooit zien glimlachen en betwijfelde of Feyd al-Saoud dat überhaupt wel kon.

'Goedemorgen, *fellow travelers*,' zei Boris Illyich Karpov op zijn bombastische manier en met zijn uitgestreken gezicht dat Hull deed denken aan een nieuwslezer uit de jaren vijftig. 'Over drie dagen begint de top en we hebben genoeg te doen. Zullen we maar meteen beginnen?'

'Natuurlijk,' zei Feyd al-Saoud, terwijl hij ging zitten in zijn stoel op het podium waar straks de staatshoofden van de belangrijkste Arabische staten in zouden zitten, naast representanten uit de Verenigde Staten en Rusland, om het eerste Arabisch-westerse initiatief tegen het internationale terrorisme verder uit te werken. 'Ik heb instructies gekregen van mijn collega's van de andere deelnemende Arabische naties en wil die graag aan jullie voorleggen.'

'Eisen, zul je bedoelen,' zei Karpov opruiend. Hij was het er nog steeds niet mee eens dat er Engels werd gesproken tijdens deze bijeenkomsten, maar het was twee tegen één.

'Boris, waarom bekijk jij alles zo negatief?' vroeg Hull.

Karpovs haren gingen overeind staan; Hull wist dat hij een hekel had aan de informele Amerikaanse omgangsvormen. 'Eisen hebben een bepaalde geur, meneer Hull.' Hij tikte tegen het puntje van zijn rode neus. 'Ik ruik ze meteen.'

'Het verbaast me dat je nog kunt ruiken, Boris, al die wodka.'

'Wodka maakt van ons sterke, echte mannen.' Karpovs rode lippen trokken een neerbuigende boog. 'Dat kan je van Amerikanen niet zeggen.'

'Dat moet ik zeker van jou aannemen, Boris? Van jou, een Rus? Jouw land is een abjecte mislukking. Het communisme bleek zo corrupt dat heel Rusland eronder bezweek. Het volk staat ideologisch gesproken met lege handen.'

Karpov sprong op, met wangen even rood als zijn neus en lippen. 'Ik heb genoeg van je beledigingen!'

'Jammer dan.' Hull stond op en schoof zijn stoel naar achteren, de waarschuwingen van de directeur volledig in de wind slaand. 'Dit is maar het begin.'

'Heren, heren!' Feyd al-Saoud kwam tussenbeide. 'Deze kinderachtige ruzies kunnen we niet gebruiken als we onze taak willen vervullen.' Zijn stem was kalm en gelijkmatig. Hij keek beide ruziemakers aan. 'We dienen allemaal met niet-aflatende loyaliteit onze regeringsleiders, of niet? Wij dienen hen zo goed wij kunnen.' Hij wachtte totdat ze beiden knikten.

Karpov ging weer zitten met zijn armen over elkaar. Hull zette zijn stoel recht, sleepte die terug naar de tafel en plofte er met een zuur gezicht in neer.

Terwijl Feyd al-Saoud hen aankeek, zei hij: 'Ook al liggen we elkaar misschien niet zo, we zullen het toch met elkaar moeten doen.'

Vaag besefte Hull dat er nóg iets was aan Karpov dat hem niet beviel, afgezien van die passief-agressieve onverzoenlijkheid in hem. Het duurde even voor hij begreep wat het was, maar uiteindelijk wist hij het. Iets in Karpov – zijn zelfgenoegzaamheid – deed hem denken aan David Webb, of Jason Bourne zoals iedereen hem bij de CIA moest noemen. Bourne werd uitverkoren tot Conklins lieveling, ondanks al het gelobby en de subtiele campagnes die Hull voor zichzelf had gevoerd totdat hij het opgaf en voor het Centrum Contraterrorisme ging werken. Hij vervulde zijn post met veel succes, maar hij kon niet vergeten dat hij voor Bourne gepasseerd was. Conklin was legendarisch binnen de CIA. Hull droomde ervan met hem samen te werken toen hij twintig jaar geleden voor de CIA ging werken. Sommige dromen heb je al als kind en die zijn niet gemakkelijk los te laten. Maar de dromen van een volwassene zijn van een ander kaliber. De bitterheid over hoe het had kunnen zijn, verdween nooit, althans niet bij Hull.

Het verheugde hem bovenmate toen de directeur hem vertelde dat Bourne misschien onderweg was naar Reykjavik. De gedachte dat Bourne zich tegen zijn mentor had gekeerd en het criminele pad was opgegaan, deed zijn bloed koken. Als Conklin hém had uitverkoren, zou hij nog in leven zijn. De gedachte dat hij Bourne kon elimineren in opdracht van de CIA, was een droom die waarheid werd. Maar toen hij te horen kreeg dat Bourne al dood was, was zijn opwinding omgeslagen in teleurstelling. Hij werd steeds prikkelbaarder, naar iedereen, ook naar mensen van de Geheime Dienst met wie hij juist een nauwe en open relatie moest onderhouden. Nu zijn droom aan diggelen was, wierp hij een vernietigende blik op Karpov en kreeg er als dank een terug.

Bourne nam niet de lift toen hij Annaka's appartement verliet, maar liep de korte onderhoudstrap op naar het dak. Daar omzeilde hij snel en efficiënt het alarmsysteem.

De zon was inmiddels geweken voor loodgrijze wolken en een straffe wind. Naar het zuiden turend zag Bourne de vier sierlijke koepels van de Turkse baden. Hij liep naar de dakgoot en keek eroverheen. Hij stond ongeveer op dezelfde plek waar Khan zich nog geen anderhalf uur geleden had bevonden.

Hij tuurde in de straat beneden hem, zocht naar mensen die zich in duistere portiekjes schuilhielden, naar voetgangers die te langzaam liepen of stilstonden. Hij zag twee jonge vrouwen gearmd over straat lopen, een moeder achter haar kinderwagen en een oude man. Hij dacht weer aan Khans verbluffende talent voor vermomming.

Hij vond niets verdachts en richtte zijn aandacht op de geparkeerde auto's, op zoek naar iets ongewoons. Op huurauto's in Hongarije moest van overheidswege een sticker. In deze deftige buurt zag je zelden een huurauto.

Hij zag de sticker op een zwarte Skoda schuin aan de overkant en bestudeerde de positie. De chauffeur in die wagen had een perfect uitzicht op de ingang van Fo utca 106-108. Op dat moment zat er echter niemand achter het stuur of op de achterbank.

Hij draaide zich om en liep terug over het dak.

Khan klom goed voorbereid de trap op en zag Bourne op hem afkomen. Dit was zijn kans. Bourne, die normaliter altijd aan zijn veiligheid dacht, werd compleet verrast. Als in een droom – een droom die hij al jaren had – zag hij Bourne recht op hem afkomen, in verwarring. Khan was vervuld met woede. Dit was de man die naast hem had gezeten en hem niet herkend had, die hem zelfs nadat Khan had gezegd wie hij was, had afgewezen. Dit sterkte Khan in zijn overtuiging dat Bourne hem nooit had gewenst, dat hij maar al te graag was weggelopen en hem had verlaten.

Dus stond Khan op met al zijn gerechtvaardigde woede. Terwijl Bourne uit de schaduw van de deur stapte, gaf hij hem een kopstoot tegen zijn neusbrug. Er spatte bloed en Bourne wankelde achterover. Khan maakte van de verwarring gebruik en deed een pas naar voren, maar Bourne gaf snel een trap.

'*Che-sah!*' hijgde Bourne.

Khan had de klap deels opgevangen, klemde Bournes linkerarm tegen zijn zij aan en zette zijn enkel klem. Toen verraste Bourne hem. Hij viel niet achterover, maar stond op, duwde met zijn achterwerk de stalen deur dicht en deelde met zijn rechtervoet een misselijkmakende trap uit tegen Khans rechterschouder, zodat Khan Bournes linkerenkel moest laten gaan.

'*Mee-sah!*' kreunde Bourne zacht.

Hij stortte zich op Khan, die verging van de pijn terwijl hij een karateslag uitdeelde tegen Bournes borstbeen. Hij greep onverwacht Bournes hoofd aan beide zijden vast en sloeg dat tegen de deur aan. Het begon Bourne te duizelen.

'Wat is Spalko van plan?' schreeuwde Khan. 'Dat weet je precies, of niet soms?'

Bournes hoofd duizelde van de pijn en de schok. Hij probeerde scherp te zien en zijn gedachten te ordenen.

'Wie is... Spalko?' vroeg hij met een trillende stem die van ver leek te komen.

'Dat weet je best.'

Bourne schudde zijn hoofd, hij had het gevoel alsof er tientallen dolken in hem werden gestoken. Hij kneep zijn ogen dicht.

'Ik dacht... ik dacht dat jij me wilde vermoorden.'

'Luister!'

'Wie ben je?' fluisterde Bourne hees. 'Hoe weet je zoveel over mijn zoon? Hoe ben je zoveel over Joshua te weten gekomen?'

'Luister naar me!' Khan boog zich naar Bournes hoofd. 'Stepan Spalko is de man die de moord op Conklin heeft beraamd, de man die je in de val liet lopen, die ons beiden in de val liet lopen. Waar is die man mee bezig, Bourne? Jij weet het en ik wil het ook weten!'

Bourne leek op een ijsschots te staan, en alles om hen heen bewoog in slowmotion. Hij kon niet nadenken. Toen viel hem iets op dat hem uit die vreemde inerte staat wakker schudde. Hij zag iets in Khans rechteroor. Wat was het? Hij gebruikte zijn pijn als vermomming en boog zijn hoofd naar voren. Het was een minuscuul zendertje.

'Wie ben jij toch?' vroeg hij. 'Verdomme, wie ben je!'

Ze leken langs elkaar heen te praten, alsof ze in verschillende werelden verkeerden, verschillende levens leidden. Hun stemmen werden luider, emoties vlamden op, en hoe harder ze schreeuwden, hoe verder ze van elkaar af dreven.

'Dat zei ik toch!' Khans handen zaten onder Bournes bloed, dat nu in zijn neusgaten begon te stollen. 'Je zoon!'

Met die woorden leek de stagnatie op te houden en vielen hun werelden weer samen. De woede die oplaaide in Bournes vuist toen de hotelmanager hem had tegengewerkt, gierde weer door zijn lijf. Schreeuwend duwde hij Khan terug naar buiten, het dak op.

De pijn in zijn hoofd negerend haakte hij zijn enkel achter die van Khan, en duwde hem omver. Maar Khan hield zich aan hem vast in zijn val, schopte met zijn benen in de lucht toen hij met zijn rug op het dak viel, en haalde Bourne zo uit zijn evenwicht. Met een krachtige trap wierp hij hem neer.

Bourne beschermde zijn hoofd, viel op zijn schouders en rolde weg, waardoor de klap gedempt werd. Ze stonden tegelijk weer op hun benen, hun armen gestrekt, hun vingers zoekend naar houvast. Bourne gaf onverwacht een klap op Khans polsen, zodat die weer zijn evenwicht verloor en begon te wankelen. Op dat moment gaf Bourne een kopstoot tegen de zenuwbundel onder Khans oor. Khan verslapte aan zijn linkerzijde, dus greep Bourne zijn kans en sloeg met zijn gebalde vuist in Khans gezicht.

Khan wankelde, zakte licht door zijn knieën, maar weigerde als een versufte bokser te vallen. Bourne sloeg als een woedende stier op hem in en met elke klap dreef hij hem dichter naar de dakgoot. Maar in zijn grote woede maakte hij een fout door Khan binnen zijn verdedigingsruimte te laten. Het verraste hem dat Khan niet achterover was gevallen door zijn laatste klap, maar juist op zijn achterste been wankelend naar voren viel en halverwege zijn val al zijn gewicht naar zijn voorste been verplaatste. De klap die daarop volgde deed Bournes tanden ratelen toen hij viel.

Bourne kwam op zijn knieën terecht en Khan gaf hem nog een zware klap tegen zijn ribben. Hij viel bijna voorover, maar Khan greep hem bij zijn keel en begon hem te wurgen.

'Je kunt het maar beter nu zeggen,' zei hij hees. 'Je kunt me maar beter alles vertellen.'

Bourne hijgde en creperend van de pijn riep hij: 'Loop naar de hel!'

Khan gaf een klap tegen zijn kaak.

'Waarom luister je niet?'

'Probeer het nog eens,' zei Bourne.

'Je bent compleet gestoord.'

'Dat had je zeker zelf bedacht?' Bourne schudde koppig zijn hoofd. 'Die zieke suggestie dat jij Joshua bent...'

'Ik bén je zoon.'

'Je moest jezelf eens horen – je durft niet eens zijn naam uit te spreken. Hou maar op met die komedie; het levert je niets meer op. Je naam is Khan, je bent een ordinaire huurmoordenaar. Ik leid je niet naar die Spalko toe of naar wie je ook zoekt. Ik laat me door niemand gebruiken.'

'Je weet niet wat je zegt. Je weet niet...' Hij zweeg, schudde wild zijn hoofd, veranderde zijn koers. Hij speelde met het boeddhabeeldje in zijn vrije hand. 'Kijk, Bourne!' Hij spuugde zijn woorden uit als gif. 'Kijk hiernaar!'

'Een talisman waar iedereen in Zuidoost-Azië aan kan komen.'

'Maar deze niet. Deze heb ik van jou gekregen, ja, van jou.' Zijn ogen schitterden, zijn stem trilde, hij kon dat tot zijn schaamte niet verbergen. 'Je liet me alleen achter in de jungle, alleen...'

Er ketste een kogel tegen de dakpannen, naast Khans rechterbeen. Hij liet Bourne los en sprong weg. Een tweede schot raakte hem bijna in zijn schouder terwijl hij dekking zocht achter het stenen muurtje van de liftschacht.

Bourne draaide zich om, zag Annaka gehurkt boven in het trappenhuis. Ze hield haar pistool gespannen met beide handen vast. Voorzichtig kwam ze naderbij. Ze riskeerde een blik op Bourne.

'Alles oké?'

Hij knikte, maar op dat goed gekozen moment kwam Khan vanachter zijn schuilplaats tevoorschijn, rende verder naar de rand van het dak en sprong naar het naastgelegen gebouw. Het viel Bourne op dat Annaka niet op hem begon te schieten, maar zich tot hem wendde.

'Hoezo, alles oké?' vroeg ze. 'Je zit helemaal onder het bloed!'

'Ik bloed alleen maar uit mijn neus.' Hij werd duizelig toen hij rechtop ging zitten. Door haar ongelovige blik voelde hij zich gedwongen eraan toe te voegen: 'Heus, het lijkt heel wat, maar het is niet ernstig.'

Ze reikte hem een paar doekjes aan toen zijn neus weer begon te bloeden.

'Dankjewel.'

Ze reageerde niet op zijn bedankje. 'Je zei dat je iets ging ophalen in je hotel. Wat deed je hier?' Ze keek in de richting die Khan op was gegaan en vervolgens weer naar Bourne, met een blik alsof ze alles ineens begreep. 'Hij is zeker degene die ons bespioneert, of niet? Hij belde de politie toen we in het appartement van László Molnar waren.'

'Dat weet ik niet.'

Ze schudde haar hoofd. 'Ik geloof je niet. Het is de enige plausibele verklaring waarom je tegen mij loog. Je wilde me niet ongerust maken, je zei dat alles veilig was. Maar vertel me nu wat er aan de hand is.'

Hij aarzelde even, besefte toen dat hij haar de waarheid moest vertellen. 'Toen we terugkwamen uit het café zaten er krassen op je pianokruk.'

'Wat?!' Verschrikt schudde ze haar hoofd. 'Wat vertel je me nou?'

Bourne dacht terug aan het zendertje in Khans oor. 'Ik zal het je in het appartement laten zien.'

Hij liep naar de deuropening, maar zij bleef staan. 'Ik weet het niet.'

Zich omdraaiend vroeg hij vermoeid: 'Wat weet je niet.'

Ze keek hem nu kil aan, maar tegelijk ook medelijdend. 'Je loog tegen mij.'

'Ik wilde je beschermen, Annaka.'

Haar grote ogen glinsterden. 'Hoe kan ik je nog vertrouwen?'

'Annaka...'

'Vertel me alles, alsjeblieft.' Ze drong aan en hij besefte dat ze geen stap verder zou zetten. 'Ik eis een antwoord waar ik me aan kan vasthouden, dat ik kan geloven.'

'Wat moet ik zeggen?'

Ze stak haar armen in de lucht en liet die met een gebaar van uitputting weer vallen. 'Zie je niet wat je doet? Je kaatst alles wat ik zeg terug.' Ze schudde haar hoofd. 'Waar heb je geleerd om mensen zich zo rot te laten voelen?'

'Ik wilde je beschermen,' zei hij. Ze had hem diep gekwetst en ondanks zijn zorgvuldig volgehouden neutrale blik, vermoedde hij dat zij dat wist. 'Ik dacht dat ik het juiste deed, ook al hield ik de waarheid voor me, tenminste tijdelijk.'

Ze keek hem lang aan. De wind waaide door haar rode haar, deed het wapperen als een vleugel. In de straat werd ergens om getwist, mensen wilden weten wat de knallen betekenden, was het de terugslag van een automotor? Het bleef onbeslist en het werd weer stil in de buurt, er blafte alleen een hond.

'Je dacht dat je de situatie aankon,' zei Annaka, 'je dacht dat je hém aankon.'

Bourne liep krom en stijf naar de dakrand en keek eroverheen. Vreemd genoeg stond de huurauto er nog, leeg. Misschien was die niet van Khan, of was Khan nog niet weggevlucht. Met moeite ging Bourne rechtop staan. De pijn kwam in golven, werd voelbaar nu de endorfine die door de schok in zijn lichaam was vrijgekomen, langzaam begon te verdwijnen. Al zijn botten deden pijn, maar het meest zijn kaak en zijn borstbeen.

Eindelijk kon hij eerlijk antwoorden. 'Ja, dat dacht ik.'

Ze bracht haar hand omhoog, veegde een pluk haar van haar wang. 'Wie is hij, Jason?'

Voor het eerst noemde ze hem bij zijn voornaam, maar dat drong nauwelijks tot hem door. Op dat moment probeerde hij tevergeefs een antwoord te geven dat hemzelf kon bevredigen.

Khan hield zich vast aan de trap van het gebouw waar hij naartoe was gesprongen, staarde naar het onopgesmukte plafond van het trappenhuis. Hij wachtte tot Bourne hem achterna zou komen. Of wachtte hij tot Annaka Vadas haar pistool weer op hem zou richten en de trekker zou overhalen? vroeg hij zich incoherent af op de manier van iemand die in shock was. Hij zou nu in zijn auto moeten zitten en wegrijden, maar toch bleef hij daar roerloos zitten, als een vlieg in een spinnenweb.

Zijn denken werd geplaagd door 'had ik maars'. Had hij Bourne maar bij de eerste mogelijkheid vermoord. Maar toen had hij nog een plan dat zinnig leek, dat hij zelf nauwkeurig had voorbereid en dat hem – daar was hij van overtuigd – totale genoegdoening zou geven voor wat hem was aangedaan. Had hij hem maar in de laadruimte van het vliegtuig naar Parijs vermoord. Dat was hij oprecht van plan geweest, net zoals hij hem nu had willen vermoorden.

Hij kon zichzelf gemakkelijk wijsmaken dat zijn poging was verijdeld door Annaka Vadas, maar de onmiskenbare en onbegrijpelijke waarheid was, dat hij zijn kans gehad had voordat zij op het toneel verscheen. *En weer had hij zijn ultieme wraak niet genomen.*

Waarom niet? Daar had hij geen antwoord op.

Zijn doorgaans stoïcijnse geest sprong van de ene naar de andere herinnering, het heden was onverdraaglijk. Hij herinnerde zich de ruimte waarin hij zat opgesloten gedurende zijn jaren bij de Vietnamese wapensmokkelaar, zijn korte moment van vrijheid voordat hij werd gered door zendeling Richard Wick. Hij herinnerde zich nog Wicks huis, het gevoel van ruimte en vrijheid, dat geleidelijk minder werd. Daarna kwam zijn steeds beklemmender wordende tijd bij de Rode Khmer.

Het ergste was – en dat wilde hij liever vergeten – dat hij zich aanvankelijk aangetrokken voelde tot de filosofie van de Rode Khmer. Ironisch genoeg was hun ethiek gebaseerd op het Franse nihilisme. De beweging was immers opgericht door een groepje Cambodjaanse radicalen die in Parijs waren opgeleid. 'Het verleden is dood! Vernietig alles voor een nieuwe toekomst!' Dat was de mantra van de Rode Khmer, die voortdurend werd herhaald totdat alle andere gedachten en standpunten waren uitgewist.

Het was nauwelijks een verrassing dat Khan zich aanvankelijk tot hun wereldbeeld aangetrokken voelde. Zelf was hij ongewild ook een vluchteling, verlaten en gemarginaliseerd, verschoppeling tegen wil en dank. Voor Khan wás het verleden ook dood, getuige zijn terugkerende nachtmerrie. Maar als hij al van hen geleerd had om te vernietigen, dan was dat omdat zij hém eerst hadden vernietigd.

Niet tevreden over het verhaal van zijn verleden, persten ze langzaam al het leven, alle energie, uit hem. Dagelijks werd hij verder uitgezogen. Ze wilden, zo legde zijn begeleider uit, zijn geest blanco maken. Hij moest een tabula rasa worden waarop zij hun radicale versie van de nieuwe toekomst konden schrijven. Ze zogen hem uit, aldus zijn glimlachende begeleider, voor zijn eigen bestwil, om hem te bevrijden van het gif van zijn verleden. Elke dag las zijn begeleider hem voor uit het manifest en noemde hij vervolgens alle namen op van tegenstanders van het rebelse regiem die waren geëxecuteerd. Khan kende de meesten niet, maar een paar van hen – meestal monniken, maar ook jongens van zijn leeftijd – had hij gekend, al was het zijdelings. Vaak werd hij als kind geplaagd, waardoor hij zich al op jonge leeftijd een verschoppeling voelde. Na verloop van tijd kwam daar nog iets bij. Nadat zijn begeleider een stuk uit het manifest had voorgelezen, moest Khan dat herhalen. Dat deed hij op een steeds vuriger manier.

Op een dag, na het verplichte voorlezen en herhalen, las zijn begeleider de namen voor van de nieuwste groep vijanden die ter bevordering van de revolutie waren geëxecuteerd. Op het eind van de lijst stond Richard Wick, de zendeling die hem in huis had opgenomen, die Khan beschaving en God had bijgebracht. Het is moeilijk te zeggen welke emoties dit bij Khan opriep, maar het overheersende gevoel was onthechting. Zijn laatste schakel met de buitenwereld was verdwenen. Hij was nu helemaal alleen. In de betrekkelijke beslotenheid van de latrine huilde hij zonder te weten waarom. Als er iemand was die hij haatte, was het de man die hem had gebruikt en emotioneel in de steek had gelaten, en toch huilde hij onbegrijpelijke tranen om zijn dood.

Later op die dag haalde zijn begeleider hem uit de betonnen bunker waarin hij gevangen werd gehouden. Buiten was het bewolkt en het stortregende, maar toch knipperde hij met zijn ogen tegen het daglicht. Er was veel tijd verstreken; het regenseizoen was begonnen.

Liggend in het trappenhuis bedacht Khan dat hij in zijn jeugd eigenlijk nooit een moment controle had gehad over zijn eigen leven. Het vreemde en verontrustende daarbij was, dat hij dat nog steeds niet had. Hij dacht dat hij een vrij mens was, nadat hij zich met zoveel moeite had opgewerkt in een vak dat hem vrijheid zou moeten geven, maar dat bleek achteraf een naïeve aanname. Hij zag in dat hij al vanaf zijn eerste opdracht voor Spalko door hem werd gemanipuleerd, en nu meer dan ooit.

Als hij zich ooit van zijn ketenen wilde ontdoen, moest hij iets ondernemen tegen Stepan Spalko. Hij wist dat hij te ver was gegaan tijdens hun laatste telefoongesprek, wat hij nu betreurde. Met die flits van woede die helemaal niet bij hem paste, had hij alleen maar bereikt dat Spalko voortaan op zijn hoede bleef. Hij besefte dat zijn ijskoude afstandelijkheid was weggevallen sinds hij met Bourne op een bankje in een park had gezeten ergens in Old Town Alexandria. Vanaf toen had hij emoties die hij voorheen niet kende, die zijn gemoedsrust verstoorden en zijn doelstellingen frustreerden. Het besef brak door dat hij niet meer wist wat hij met Jason Bourne aan moest.

Hij ging rechtop zitten en keek om zich heen. Hij hoorde iets, dat wist hij zeker. Hij stond op, legde een hand op de trapleuning. Zijn spieren stonden gespannen; hij kon zo wegvluchten. Hij hoorde het weer. Wat was dat toch? Hij keek om. Waar had hij dat eerder gehoord?

Zijn hart klopte snel, hij voelde het in zijn keel bonzen toen het geluid aanzwol in het trappenhuis en door zijn hersenpan galmde, want hij riep weer: '*Lee-Lee! Lee-Lee!*'

Maar Lee-Lee gaf geen antwoord. Lee-Lee was dood.

19

De ondergrondse ingang naar het klooster ging schuil in de schaduw en de tijd; hij lag in de diepste kloof in het noordelijke puntje van het ravijn. De ondergaande zon bracht de nauwe doorgang aan het licht, zoals hij dat eeuwen geleden ook moest hebben gedaan toen de monniken deze locatie hadden uitgekozen om hun klooster te bouwen. Misschien waren het krijgsmonniken, want de uitgebreide versterkingen spraken van oorlogen en bloedvergieten en de noodzaak om het heilige huis te verdedigen.

Zwijgend kroop het team door de ingang, de zon achterna. Spalko en Zina zeiden niets tegen elkaar, geen woord over wat er was gebeurd, hoeveel indruk dat ook had gemaakt. Het was een soort inzegening en tegelijk een overdracht van loyaliteit en macht; de stilte en het geheimzinnige ervan versterkten dat effect alleen maar. Weer was het Spalko geweest die metaforisch gesproken een steen in de vijver had gegooid en die naar de steeds groter wordende rimpels in het water keek, die de aard van de vijver en alles wat daarin zwom veranderden.

De zonovergoten rotsen verdwenen achter hen toen ze de schaduw in liepen. Ze deden hun zaklampen aan. Naast Spalko en Zina waren er nog twee strijders – de derde was naar het vliegtuig op luchthaven Kazantzakis gebracht, waar de chirurg hem behandelde. Ze droegen lichtgewicht nylon rugzakjes waar van alles in zat, van bollen wol tot traangasgranaten. Spalko had geen idee wat ze konden verwachten en hij wilde geen risico's nemen.

De twee mannen gingen hen voor met hun halfautomatische wapens om hun schouders. De doorgang werd smaller, ze moesten achter elkaar verder. Al snel verdween de lucht boven hen en stonden ze in een grot. Het was vochtig en muf, het stonk er naar verval.

'Het lijkt wel een open graf,' zei een van de mannen.

'Kijk!' riep de ander. 'Botten!'

Ze pauzeerden even, lieten hun licht schijnen op de verspreide botten van een knaagdier. Nog geen honderd meter verderop ontdekten ze het dijbeen van een veel groter zoogdier.

Zina hurkte neer en pakte het bot op.

'Niet doen!' waarschuwde de eerste man. 'Het brengt ongeluk als je een menselijk bot aanraakt!'

'Niet zo bijgelovig, graag. Archeologen doen niet anders.' Zina lachte. 'En misschien is dit bot niet eens van een mens.' Toch liet ze het weer vallen in het stof van de grot.

Vijf minuten later stonden ze rondom een onmiskenbare mensenschedel. Het licht van hun lantaarns weerkaatste van de wenkbrauwrand, die een zwarte schaduw over de oogkassen wierp.

'Waardoor is hij omgekomen, denk je?' vroeg Zina.

'Uitputting, vermoedelijk,' zei Spalko. 'Of uitdroging.'

'Arme ziel.'

Ze liepen verder de rots in waarop het klooster was gebouwd. Hoe dieper ze gingen, hoe meer beenderen ze aantroffen. Dit waren allemaal menselijke botten en er zaten steeds meer gebroken of gescheurde exemplaren tussen.

'Ik denk niet dat deze mensen zijn omgekomen door uitputting of uitdroging,' zei Zina.

'Waardoor dan wel?' vroeg een van de mannen, maar niemand wist het antwoord.

Spalko gaf afgemeten zijn bevelen. Volgens zijn berekeningen stonden ze nu vlak onder de gekanteelde buitenmuren van het klooster. Boven hen belichtten hun lantaarns een vreemde rotsformatie.

'De rots splitst zich hier in tweeën,' zei een van de mannen, terwijl hij zijn lantaarnlicht van de linker- naar de rechtergang liet gaan.

'Rotsen splitsen zich niet,' zei Spalko. Hij duwde hem opzij en stak zijn hoofd de linkergang in. 'Deze loopt dood.' Hij tastte met zijn hand over de wanden van de openingen. 'En deze gang is mensenwerk,' zei hij. 'Jaren geleden aangelegd, waarschijnlijk toen het klooster werd gebouwd.' Hij liep de rechtergang in, zijn stem klonk vreemd. 'Ja, deze loopt door, maar er zijn nog meer splitsingen en bochten.'

Hij kwam terug met een verbaasde uitdrukking op zijn gezicht. 'Dit is volgens mij helemaal geen gang,' zei hij. 'Geen wonder dat Molnar dr. Schiffer hier wilde verbergen. We zitten in een labyrint.'

De twee mannen keken elkaar aan.

'Hoe vinden we dan ooit de weg weer terug?' vroeg Zina.

'Ik heb geen idee wat we hier kunnen aantreffen.' Spalko haalde een klein rechthoekig voorwerp tevoorschijn, zo groot als een pak speelkaarten. Hij grinnikte toen hij haar liet zien hoe het werkte.

'Een GPS – *global positioning system.* Ik heb zojuist elektronisch ons vertrekpunt vastgelegd.' Hij knikte. 'Kom op, we gaan.'

Het duurde niet lang voordat ze ontdekten hoe ze verkeerd waren gelopen en vijf minuten later stonden ze weer buiten het labyrint.

'Wat is er?' vroeg Zina.

Spalko fronste zijn wenkbrauwen. 'De GPS werkt daar niet.'

Ze schudde haar hoofd. 'Hoe kan dat?'

'Een bepaald mineraal in het gesteente blokkeert waarschijnlijk het signaal van de satelliet,' zei Spalko. Hij wilde niet bekennen dat hij geen idee had waarom het apparaat niet werkte. Uit zijn rugzak pakte hij een bol wol. 'In navolging van Theseus rollen we de bol af terwijl we onze weg zoeken.'

Zina keek sceptisch naar de bol wol. 'En als we niet genoeg wol hebben?'

'Dat overkwam Theseus ook niet,' zei Spalko. 'Bovendien zijn we al binnen de muren van het klooster, dus laten we hopen dat we genoeg hebben.'

Dr. Schiffer verveelde zich. Al dagenlang volgde hij alleen maar orders op sinds zijn lijfwachten hem die nacht naar Kreta hadden gevlogen en hem daar van hot naar haar verhuisden. Ze bleven nooit langer dan drie dagen op dezelfde plek. Hij vond het huis in Iraklion wel prettig, maar ook daar werd het saai. Hij had er niets om handen. Hij mocht geen kranten lezen en niet naar de radio luisteren. Op zijn kamer stond geen tv, maar daar zou hij toch niet gekeken mogen hebben. Toch had hij het daar beter dan in deze ruïne, met alleen een stretcher en een haard. Zware kisten en tafels waren het enige meubilair, al hadden de mannen wel opklapstoeltjes, ledikanten en beddengoed meegenomen. Er was geen sanitair; ze hadden een latrine op het binnenplein aangelegd en de stank drong door tot alle vertrekken van het klooster. Het was er donker en vochtig, zelfs overdag, en helemaal als de avond viel. Er was zelfs geen licht om bij te lezen, gesteld dat hij dat mocht.

Hij verlangde naar vrijheid. Als hij een gelovig man was, zou hij om verlossing bidden. Het was lang geleden dat hij László Molnar had gezien of met Conklin had gesproken. Toen hij aan zijn lijfwachten vroeg waar die waren, beantwoordden ze die vraag met een begrip dat heilig voor hen was: veiligheid. Communicatie was niet veilig. Ze probeerden hem gerust te stellen door te zeggen dat hij snel weer met zijn vriend en zijn weldoener zou worden herenigd. Maar als hij vroeg wanneer, haalden ze hun schouders op en gingen ze verder met hun eindeloze kaartspel. Hij zag dat zij zich ook verveelden, tenminste degenen die geen dienst hadden.

Het waren er zeven. Oorspronkelijk meer, maar de anderen waren in Iraklion achtergelaten. Maar hij begreep dat die eigenlijk terug hadden moeten zijn. Vandaar dat er die dag niet werd gekaart – alle lijfwachten stonden op wacht. Er hing een bepaalde spanning in de lucht die hem deed rillen.

Schiffer was vrij lang, had heldere blauwe ogen en een krachtige neus onder een massa peper-en-zoutkleurig haar. Toen hij nog niet voor DARPA werkte en wat meer in de openbaarheid verscheen, vond men hem op Burt Bacharach lijken. Omdat hij niet sociaal was aangelegd, wist hij nooit hoe hij moest reageren. Vaak mompelde hij iets onverstaanbaars en draaide zich dan om, maar zijn evidente verlegenheid versterkte het onbegrip alleen maar.

Hij stond op, liep verveeld door de kamer naar het raam, maar werd tegengehouden door een bewaker en ging terug.

'Veiligheid!' zei de medewerker; de spanning was van zijn gezicht af te lezen.

'Veiligheid! Veiligheid! Ik kan dat woord niet meer horen!' riep Schiffer.

Niettemin werd hij terug naar zijn stoel gewezen waar hij op moest gaan zitten. Die stond bij alle deuren en ramen vandaan. Hij huiverde in de klamme kou.

'Ik mis mijn lab; ik mis mijn werk!' Schiffer keek de bewaker in zijn ogen. 'Het lijkt wel of ik gevangen word gehouden, begrijpt u dat?'

De leider van het kader, Sean Keegan, voelde Schiffers onrust aan en haastte zich snel naar hem toe. 'Gaat u alstublieft zitten, meneer Schiffer.'

'Maar ik...'

'Het is voor uw eigen bestwil,' zei Keegan. Keegan was een donkere Ier met zwart haar en donkerbruine ogen, een stevige kop die grimmige vastberadenheid uitstraalde. Hij had het lichaam van een straatvechter. 'Wij zijn ingehuurd om u te bewaken en wij nemen onze verantwoordelijkheid serieus.'

Schiffer ging gehoorzaam zitten. 'Kan iemand me alstublieft vertellen wat er aan de hand is?'

Keegan keek hem even aandachtig aan. Toen nam hij zijn besluit en hurkte naast hem neer. Op fluistertoon zei hij: 'Ik wilde niet dat u erachter kwam, maar misschien is het beter dat u het weet.'

'Wat?' Schiffer keek gepijnigd en gekweld. 'Wat is er gebeurd?'

'Alex Conklin is dood.'

'O, nee, mijn god!' Schiffer veegde zijn plotseling zwetende gezicht af met zijn hand.

'En van László Molnar hebben we al twee dagen lang niets gehoord.'

'Godallemachtig!'

'Rustig maar, meneer Schiffer. Het kan heel goed zijn dat Molnar om veiligheidsredenen is ondergedoken.' Keegan ving Schiffers blik op. 'En er is nog iets. Het personeel dat in Iraklion was achtergebleven, is niet komen opdagen.'

'Dat dacht ik al,' zei Schiffer. 'Is hun iets overkomen?'

'Daar moet ik niet aan denken.'

Schiffers gezicht glansde, het zweet was hem uitgebroken. 'Dus het is mogelijk dat Spalko weet waar ik ben; het is mogelijk dat hij hier op Kreta is.'

Keegan keek hem onbewogen aan. 'Daar gaan we nu van uit.'

Schiffers angst maakte hem boos. 'En wat doen jullie daaraan?'

'Bewakers met machinepistolen waken over de kloosterwallen, maar Spalko is waarschijnlijk niet zo dom om ons over open terrein aan te vallen.' Keegan schudde zijn hoofd. 'Nee, als hij hier is, als hij u komt halen, dr. Schiffer, dan heeft hij geen keus.' Hij stond op, slingerde zijn machinepistool over zijn schouder. 'Dan komt hij via het labyrint.'

In het labyrint met zijn kleine gevolg werd Spalko bij elke hoek die ze omsloegen zenuwachtiger. Het was de enige logische plek van waaruit ze het klooster konden aanvallen, wat betekende dat ze misschien wel in een val liepen.

Hij keek naar de vloer en zag dat de kluwen wol al voor tweederde was afgerold. Ze moesten ergens middenin het klooster zijn; aan de woldraad was te zien dat ze geen rondjes liepen. Bij elke splitsing hadden ze volgens hem de juiste beslissing genomen.

Hij keerde zich om naar Zina en fluisterde: 'Ik ruik een hinderlaag. Ik wil dat je hier als reserve blijft.' Hij klopte op haar rugzak. 'Je weet wat je moet doen als er moeilijkheden zijn.'

Zina knikte, en de drie mannen gingen door hun knieën gebogen verder. Ze waren net niet meer te zien toen ze het vuur van een machinepistool hoorde. Snel opende ze haar rugzak, haalde er een traangasgranaat uit, volgde de wollen draad en ging achter hen aan.

Ze kon het cordiet ruiken voordat ze de tweede hoek omsloeg. Ze keek om de hoek en zag een van haar teamleden op de grond liggen in een plas bloed. Spalko en de andere man stonden vlak tegen de muur. Ze kon zien dat het vuur uit twee richtingen kwam.

Ze trok de slagpin uit de granaat en wierp hem over Spalko heen. De granaat viel op de grond, rolde naar links en kwam sissend tot ontploffing. Spalko tikte zijn man op zijn rug en ze stapten uit de gaswolk.

Ze hoorden gehoest en gebraak. Zelf hadden ze inmiddels hun gasmaskers opgedaan. Spalko rolde een traangasgranaat de rechtergang in, vluchtte voor de kogels die werden afgevuurd, al was het te laat voor de man die hem dekte en die drie kogels in zijn borst en hals kreeg. Hij zakte neer. Uit zijn slappe lippen stroomde bloed.

Spalko en Zina gingen ieder een kant uit en schoten beiden met welgemikte schoten hun verzwakte tegenstanders neer. Ze zagen tegelijk de trap en stevenden daar meteen op af.

Sean Keegan trok Felix Schiffer naar zich toe terwijl hij vanaf de kloostermuur zijn mannen het bevel gaf hun posities te verlaten en naar het centrum van het klooster terug te keren, waar hij zijn doodsbange beschermeling nu heen sleepte.

Hij handelde meteen toen hij het traangas rook dat vanuit het labyrint was opgestegen. Even later hoorde hij weer geweerschoten, daarna viel een dodelijke stilte. Toen zijn mannen kwamen aangerend, wees hij naar de stenen trap die naar het labyrint leidde, waar Spalko in een hinderlaag was gelokt.

Keegan had jarenlang voor de IRA gewerkt voordat hij voor zichzelf begon. Situaties waarin hij in mankracht en vuurkracht overtroffen werd, kende hij goed. Hij zag het als een uitdaging.

De rook was inmiddels tot in het klooster doorgedrongen, in grote kolkende wolken, waar plotseling mitrailleurvuur uit kwam. Zijn mannen waren kansloos; nog voordat ze hun moordenaars konden herkennen waren ze al neergemaaid.

Ook Keegan wachtte niet totdat hij hen herkende. Hij sleurde dr. Schiffer mee door het netwerk van kleine, donkere en benauwde kamertjes en zocht een uitweg.

Zoals ze hadden gepland gingen Spalko en Zina uit elkaar op het moment dat ze uit de dikke rookwolken van de rookbom opdoken die ze boven van de trap hadden gegooid die ze hadden beklommen. Spalko doorzocht nauwgezet de kamers, terwijl Zina de uitgang zocht.

Spalko zag Schiffer en Keegan het eerst en schreeuwde naar hen, waarop hij werd verwelkomd met een kogelregen die hem dwong achter een zware houten kist te duiken.

'Je maakt geen kans hier levend uit te komen,' schreeuwde hij naar Schiffers lijfwacht. 'Ik wil niet jou, maar Schiffer hebben.'

'Dat is hetzelfde,' schreeuwde Keegan terug. 'Ik voer alleen mijn opdracht uit.'

'Waarom?' reageerde Spalko. 'Je werkgever, László Molnar, is al dood. En János Vadas ook.'

'Daar geloof ik niks van,' antwoordde Keegan. Schiffer begon te snotteren; Keegan maande hem tot stilte.

'Hoe denk je dat ik je gevonden heb?' ging Spalko verder. 'Ik heb het uit Molnar geperst. Kom op. Je weet dat hij de enige was die wist dat jullie hier waren.'

Het bleef stil.

'Ze zijn nu allemaal de pijp uit,' zei Spalko, voorzichtig verder schuifelend. 'Wie zal je straks betalen? Als je Schiffer uitlevert, betaal ik je honorarium plus een bonus. Wat zeg je daarvan?'

Keegan wilde antwoord geven toen Zina, die vanuit de andere richting aankwam, een kogel door zijn achterhoofd joeg.

De explosie van bloed en smurrie bracht Schiffer aan het janken als een geslagen hond. Toen zijn laatste bewaker vooroverviel, zag hij Stepan Spalko op hem afkomen. Hij draaide zich om en rende rechtstreeks in Zina's armen.

'Je kunt nergens heen, Felix,' zei Spalko. 'Dat zie je toch wel in?'

Schiffer staarde met grote ogen naar Zina. Hij begon te sidderen. Ze legde een hand op zijn hoofd, veegde zijn haar van zijn bezwete voorhoofd, alsof hij een klein kind met koorts was.

'Eens was je van mij,' zei Spalko terwijl hij over het lijk van Keegan stapte. 'En nu ben je dat weer.' Hij haalde twee voorwerpen uit zijn rugzak. Ze waren gemaakt van chirurgisch staal, glas en titanium.

'O mijn god!' Het gekreun van Schiffer was even oprecht als onwillekeurig.

Zina glimlachte naar Schiffer, kuste hem op zijn wangen alsof ze na een lange afwezigheid weer met elkaar herenigd waren. Plotseling barstte Schiffer in tranen uit.

Spalko, die genoot van het effect dat de verstuiver van NX 20 had op zijn uitvinder, zei: 'Zo passen de twee helften op elkaar, of niet, Felix?' De NX 20 was in zijn geheel niet groter dan de pistoolmitrailleur om Spalko's schouder. 'Nu ik eindelijk de juiste munitie heb, mag jij mij leren ermee om te gaan.'

'Nee,' zei Schiffer met trillende stem. 'Nee, nee, nee!'

'Maakt u zich geen zorgen,' fluisterde Zina, toen Spalko Schiffer bij zijn nek pakte, waardoor de wetenschapper van angst over heel zijn lichaam begon te trillen. 'U bent in goede handen.'

Het was maar een korte trap, maar voor Bourne was de afdaling pijnlijker dan hij had verwacht. Bij elke trede die hij nam, voelde hij de pijn van de klap die hij tegen zijn ribben had gekregen, als een speer door heel zijn lijf. Hij verlangde naar een warm bad en een beetje slaap, al kon hij zich dat niet veroorloven.

Weer terug in het appartement van Annaka wees hij naar het pianokrukje. Ze vloekte binnensmonds. Ze verschoven het krukje onder de lamp en hij ging erop staan.

'Snap je?'

Ze schudde nee. 'Ik heb geen idee wat er aan de hand is.'

Hij liep naar het bureau en schreef op een papiertje: *Heb je een trap?*

Ze keek hem ongelovig aan, maar knikte ja.

Ga die halen, schreef hij.

Toen ze terugkwam in de woonkamer klom hij erop zodat hij in de glazen bol van de lamp kon kijken. En daar zag hij het. Voorzichtig hield hij het kleine voorwerp tussen zijn vingers. Hij klom de trap af en liet het haar zien in de palm van zijn hand.

'Wat...?' Ze hield op door zijn nadrukkelijke gebaar.

'Heb jij een buigtang?' vroeg hij.

Alweer keek ze hem verward aan terwijl ze de deur van een smalle kast openmaakte. Ze reikte hem de tang aan. Hij zette het kleine vierkanten voorwerp tussen de geribbelde uiteinden, en kneep het fijn. Het zendertje was verpletterd.

'Een elektronisch zendertje,' zei hij.

'Wat?' Verbazing maakte plaats voor verbijstering.

'Daarom had die man op het dak ingebroken, om dit afluisterapparaat te plaatsen. Hij kéék niet alleen naar ons, maar lúísterde ook.'

Ze keek om zich heen in haar gezellige kamer en huiverde. 'Mijn god, ik zal me hier nooit meer veilig kunnen voelen.' Ze wendde zich tot Bourne. 'Maar wat wil hij? Waarom bespioneert hij ons?' Honend zei ze: 'Het gaat zeker weer om die Schiffer?'

'Misschien,' zei Bourne. 'Ik weet het niet.' Plotseling werd hij duizelig, viel bijna flauw, stond gebogen naast de bank.

Annaka rende naar de badkamer om verband en jodium te halen. Hij legde zijn hoofd op de kussens, dacht na over alles wat er zojuist was gebeurd. Hij moest zijn aandacht erbij houden, zich concentreren op zijn volgende stap.

Annaka kwam terug uit de badkamer met een dienblad waarop zich een kom water, een spons, een paar handdoeken, een ijskompres, ontsmettingsmiddel en een glas water bevonden.

'Jason?'

Hij deed zijn ogen open.
Ze gaf hem het glas water, dat hij leegdronk, en daarna het ijskompres. 'Je wang begint dik te worden.'
Hij hield het kompres tegen zijn gezicht, voelde de pijn langzaam veranderen in gevoelloosheid. Maar toen hij naar adem hapte en zich omdraaide om het lege glas op een tafeltje te zetten, verstijfde zijn lichaam. Langzaam, verkrampt ging hij weer liggen. Hij dacht aan Joshua, die tenminste in zijn herinnering weer tot leven was gekomen, zo niet in de werkelijkheid. Misschien werd hij daarom wel zo door woede verblind, want door Khan was het spook van zijn verschrikkelijke verleden weer opgedoemd, waardoor de schim weer opdook van iemand die David Webb zo dierbaar was, dat die hem in zijn beide persoonlijkheden bleef achtervolgen.
Terwijl hij toekeek hoe Annaka het geronnen bloed van zijn gezicht waste, dacht hij terug aan hun gesprek in het café, toen hij haar vader ter sprake had gebracht, waarna ze was dichtgeklapt. Hij moest het opnieuw ter sprake brengen. Hij was een vader die door geweld zijn familie had verloren. Zij was een dochter die door geweld haar vader had verloren.
'Annaka,' begon hij zacht, 'ik weet dat het een pijnlijk onderwerp voor je is, maar ik zou graag meer over je vader willen weten.' Hij voelde haar afweer, maar ging verder. 'Kun je wat meer over hem vertellen?'
'Wat wil je weten? Hoe hij met Alexsei in aanraking is gekomen?'
Ze concentreerde zich op haar bezigheden, maar hij vermoedde dat ze hem met opzet niet aankeek.
'Ik dacht eerder aan jouw relatie met hem.'
Ze keek bedenkelijk. 'Dat is een onverwachte en intieme vraag.'
'Door mijn verleden, zie je...' Bournes stem zakte weg. Hij kon niet tegen haar liegen, maar haar ook niet de volledige waarheid vertellen.
'Het verleden dat je hooguit in brokstukken kent.' Ze knikte. 'Ik begrijp het.' Toen ze de spons uitwrong, werd het water in de kom roze. 'Weet je, János Vadas was de perfecte vader. Hij verschoonde me toen ik nog een baby was, las me 's avonds voor, zong liedjes als ik ziek was. Hij was er altijd op mijn verjaardag en bij speciale gelegenheden. Ik begrijp niet hoe hij dat voor elkaar kreeg.' Ze kneep de spons weer uit; hij bloedde weer. 'Ik stond altijd bovenaan. En hij werd er nooit moe van te zeggen hoeveel hij van me hield.'
'Wat heb je een geluk gehad.'
'Meer geluk dan al mijn vrienden, meer geluk dan iedereen die ik ken.' Ze leek nu met nog meer zorg het bloeden te willen stoppen.

Bourne zakte bijna in een trance weg, dacht terug aan Joshua, aan de rest van zijn familie, en aan alle dingen die hij nooit met hen had kunnen doen, aan al die korte, markante momenten in het leven van een opgroeiend kind.

Uiteindelijk was de stroom bloed gestelpt en durfde Annaka onder het kompres te kijken. Haar blik verraadde niet wat ze zag. Ze ging bij hem op haar hurken zitten, met haar handen in haar schoot.

'Je moet je jas en overhemd uitdoen.'

Hij keek haar aan.

'Zodat ik je ribben kan bekijken. Ik zag je ineenkrimpen van pijn toen je je glas neerzette.'

Ze stak haar hand uit en hij liet het kompres daarin vallen. Ze jongleerde er wat mee. 'Die moet opnieuw worden gevuld.'

Toen ze terugkwam had hij zijn bovenlijf ontbloot. Een angstwekkend dikke rode bult zwol op aan zijn linkerzij en bleek uiterst pijnlijk toen hij die met zijn vingertoppen betastte.

'Mijn god, je hebt een heel ijsbad nodig,' riep ze uit.

'Ik heb tenminste niks gebroken.'

Ze gaf hem het nieuwe ijskompres aan. Hij hapte naar adem toen hij het tegen de zwelling aan hield. Ze ging weer op haar hurken zitten en bestudeerde zijn wonden. Hij wou dat hij haar gedachten kon lezen.

'Ik neem aan dat je steeds aan je vermoorde zoontje moet terugdenken.'

Hij knarste met zijn tanden. 'Weet je... Die man op het dak, die ons bespioneert, die zit al vanuit de Verenigde Staten achter me aan. Hij zegt dat hij me wil vermoorden, maar ik weet dat hij liegt. Hij wil dat ik hem op het spoor breng van iemand, daarom bespioneert hij ons.'

Annaka keek bezorgd. 'Wie wil hij op het spoor komen?'

'Een zekere Spalko.'

Dat verraste haar. 'Stepan Spalko?'

'Klopt. Weet je wie dat is?'

'Maar natuurlijk,' zei ze. 'Iedereen in Hongarije kent hem. Hij is de directeur van Humanistas, Ltd, een wereldwijde hulporganisatie.' Ze fronste haar wenkbrauwen. 'Jason, nu maak ik me pas echt zorgen. Deze man is gevaarlijk. Als hij achter Spalko aan zit, moeten we de politie waarschuwen.'

Hij schudde zijn hoofd. 'Wat zouden we moeten vertellen? Dat we vermoeden dat een zekere Khan contact zoekt met Stepan Spalko? We weten niet eens waarom. En hoe zullen zij reageren? Waarom belt Khan die man niet gewoon op?'

'We moeten op zijn minst iemand van Humanistas waarschuwen.'

'Annaka, zolang ik niet weet wat er aan de hand is, wil ik met niemand contact opnemen. Dat roept alleen maar nog meer vragen op waar ik geen antwoord op heb.'

Hij liep naar het bureau en ging achter haar laptop zitten. 'Ik zei dat ik een idee had. Mag ik gebruikmaken van je computer?'

'Natuurlijk,' zei ze toen ze opstond.

Terwijl Bourne de computer aanzette, nam zij de kom, spons en andere spullen mee op het dienblad en liep naar de keuken. Hij hoorde het kraanwater stromen toen hij on line ging. Hij surfte naar het netwerk van de Amerikaanse overheid, bezocht verschillende sites en toen Annaka terugkwam had hij gevonden waar hij naar zocht.

De CIA had vele openbare websites die voor iedereen toegankelijk waren, maar de organisatie had ook nog tientallen sites met versleutelde wachtwoordbeveiliging, die deel uitmaakten van het roemruchte intranet van de CIA.

Annaka zag hoe geconcentreerd hij bezig was. 'Wat is er?' Ze kwam bij hem staan. Even later vroeg ze geschrokken: 'Waar ben je in godsnaam mee bezig?'

'Dat zie je toch,' zei Bourne, 'ik probeer in te breken in de hoofddatabase van de CIA.'

'Maar hoe kom je...'

'Dat moet je me niet vragen,' zei Bourne terwijl zijn vingers over het toetsenbord vlogen. 'Echt waar, dat wil je niet weten.'

Alex Conklin wist wel hoe je door de voordeur van het netwerk kon gaan, want die kreeg elke maandagochtend om zes uur de nieuwste code binnen. Van Deron, de meestervervalser, had Bourne de kunst geleerd om in databases van de Amerikaanse overheid in te breken. Dat was in zijn beroep een noodzakelijke vaardigheid.

Het probleem was dat de firewall van de CIA – het programma dat hun gegevens beveiligde – bijzonder lastig was. Niet alleen veranderde elke week het wachtwoord, er zat ook een zwevend algoritme aan gekoppeld. Maar van Deron had Bourne geleerd hoe je het systeem kon laten denken dat je in het bezit was van het wachtwoord, zodat het programma je dat automatisch nog eens gaf.

Alleen door middel van het dynamische algoritme kon je door de firewall komen. Dat was een variant op het basisalgoritme dat de centrale bestanden van de CIA versleutelde. Bourne kende deze formule omdat hij die van Deron uit zijn hoofd had moeten leren.

Hij surfte naar de CIA-site, waar een venster verscheen waarin hij zijn huidige wachtwoord moest opgeven. Hij typte het algoritme in, dat uit veel meer cijfers en letters bestond dan in het veld paste. Na de eerste drie codereeksen echter, herkende het onderliggende programma de code en dreigde ermee op te houden. De truc was, volgens Deron, om het algoritme helemaal in te voeren voordat het programma doorhad wat er aan de hand was en afsloot. Het was een lange reeks formules; Bourne mocht geen foutje maken of even aarzelen, en hij begon te zweten omdat hij bang was dat het programma niet lang kon blijven hangen.

Het lukte echter om de code in te voeren voordat het programma afsloot. Het venster verdween, het scherm veranderde.

'Ik ben binnen,' zei Bourne.

'Pure magie,' fluisterde Annaka gefascineerd.

Bourne navigeerde naar de site van het Directoraat tactische nietdodelijke wapens. Hij zocht op de naam Schiffer, maar was teleurgesteld hoe weinig hij daarop vond. Geen woord over waar Schiffer aan werkte, niets over zijn achtergrond. Als Bourne niet beter wist, zou hij denken dat Schiffer een onbelangrijke wetenschappelijk medewerker was van het DTNDW.

Er was nog een mogelijkheid. Hij toetste een ander wachtwoord in dat hij van Deron had moeten onthouden, dezelfde code die Conklin gebruikte om erachter te komen wat zich achter de schermen van het ministerie van Defensie afspeelde.

Eenmaal binnen het netwerk zocht hij naar het archief. Gelukkig voor hem waren de ambtenaren die deze website beheerden berucht traag in het verwijderen van oude bestanden. Daar vond hij het bestand van Schiffer, met wat achtergronden. Hij had gestudeerd aan het Massachusetts Institute of Technology, een farmaceutisch bedrijf gaf hem na zijn afstuderen een laboratorium tot zijn beschikking. Hij werkte daar nog geen jaar, maar toen hij vertrok nam hij een van hun wetenschappers mee, Peter Sido, met wie hij vijf jaar lang samenwerkte voordat hij bij de overheid ging werken voor DARPA. Zijn overstap van de particuliere sector naar de overheid werd niet uitgelegd, want zo waren sommige wetenschappers nu eenmaal. Ze waren vaak net zo onaangepast als criminelen die, wanneer ze uit de gevangenis kwamen, meteen weer een misdaad pleegden zodat ze terugkonden naar de overzichtelijke wereld van de gevangenis.

Bourne las verder en ontdekte dat Schiffer verbonden was geweest aan het Bureau Defensiewetenschappen, dat veelzeggend genoeg gespecialiseerd was in biologische oorlogsvoering. In zijn jaren bij DARPA had Schiffer gewerkt aan een manier om een door antrax geïnfecteerde ruimte biologisch schoon te maken.

Bourne bladerde verder maar vond niets interessants meer. Het verontruste hem dat deze informatie niet verklaarde waarom Conklin zo in hem was geïnteresseerd.

Annaka keek mee over zijn schouder. 'Heb je nu een idee waar ze Schiffer hebben verstopt?'

'Nee, ik vrees van niet.'

'Dat is dan jammer.' Ze masseerde zijn schouders. 'Maar we moeten wat eten en ik heb niks in huis.'

'Ik denk dat ik liever hier blijf, een beetje uitrust.'

'Je hebt gelijk, blijf jij maar binnen.' Ze lachte naar hem terwijl ze haar jas aantrok. 'Ik ga snel om de hoek wat halen. Kan ik wat voor je meenemen?'

Hij schudde zijn hoofd, zag haar naar de deur lopen. 'Annaka, wees voorzichtig.'

Ze draaide zich om, liet zien dat ze een pistool in haar tasje had gestopt. 'Maak je geen zorgen, ik red me wel.' Ze deed de deur open. 'Ik ben zo terug.'

Hij hoorde haar vertrekken en richtte zijn aandacht weer op het computerscherm. Hij voelde zijn hart sneller kloppen en probeerde zichzelf te kalmeren, maar zonder succes. Hoe doelgericht hij ook bezig was, toch aarzelde hij. Hij wist dat hij verder moest, maar merkte ook dat hij bang was.

Terwijl hij bevreemd naar zijn handen keek, alsof ze van een ander waren, probeerde hij door de firewall van het Amerikaanse leger te breken. Op een gegeven moment haperde het systeem. Het IT-team van het leger had een upgrade van de firewall gemaakt en er een derde laag in gebouwd. Dat had Deron hem niet verteld, waarschijnlijk omdat die het ook nog niet wist. Zijn vingers dansten over het toetsenbord als die van Annaka over het klavier. Hij kon nu nog stoppen, overwoog hij, dan was er niets aan de hand. Jarenlang vond hij dat alles wat met zijn eerste gezin te maken had, verboden terrein was, ook het bestand dat het Amerikaanse leger over zijn gezinsleden bewaarde. Hun dood was al erg genoeg, net als zijn schuldgevoel over het feit dat hij hen niet had kunnen redden, dat hij veilig zat te vergaderen terwijl zij vanuit een neerduikend vliegtuig werden beschoten. Alweer martelde hij zichzelf door zich die laatste paar minuten van hun leven voor te stellen. Dao, een oorlogskind, zou het lage gebrom van de vliegtuigmotoren in de warme zomerlucht gehoord moeten hebben. Ze zou het aanvankelijk door het verblindende zonlicht niet hebben zien aankomen, maar zodra het gebrom dichterbij kwam en de metalen romp het zonlicht versperde, zou ze het vliegtuig hebben herkend. En hoe bang ze ook was, ze zou haar kinderen onmiddellijk bij zich roepen en hen beschermen, ook al prikten de eerste kogels door de oppervlakte van de modderige rivier. 'Joshua! Alyssa! Hier komen!' had ze waarschijnlijk geroepen, alsof ze hen van een wisse dood had kunnen redden.

Achter Annaka's computer voelde Bourne dat hij zat te huilen. Even liet hij na al die jaren zijn tranen de vrije loop. Toen vermande hij zich, veegde met zijn mouw de tranen van zijn wangen en voordat hij zich kon bedenken, ging hij verder met waar hij mee bezig was.

Hij vond een manier om door de firewall te breken en vijf minuten later zat hij na veel pijn en moeite op het netwerk. Hij werd weer zenuwachtig toen hij de archieven van overledenen opende en de namen en geboortedata invoerde van Dao Webb, Alyssa Webb en Joshua Webb. Hij staarde naar de namen en dacht: *dit was mijn gezin, deze mensen van vlees en bloed die lachten en huilden, die me vasthielden en me 'lieverd' of 'pappa' noemden.* Nu zijn het slechts namen op een computerscherm. Statistische gegevens in een databank. Hij voelde weer de pijn en even ook de waanzin die zich kort na hun dood van hem meester had gemaakt. *Ik voel het weer,* dacht hij. *Het maakt me kapot.* Oneindig verdrietig drukte hij op de Enter-toets. Hij had geen keuze; hij kon niet meer terug. Door niet om te zien, wat zijn levensmotto was sinds hij voor Alex Conklin ging werken, was hij langzaam van David Webb veranderd in Jason Bourne. Maar waarom hoorde hij dan nog steeds hun stemmen? *'Lieverd, ik mis je.' 'Pappa, je bent thuis!'*

Deze herinneringen, die door de tijdsbarrière heen braken, hielden hem gevangen, zodat aanvankelijk niet tot hem doordrong wat hij op het scherm zag. Hij staarde er enkele minuten naar zonder dat hij de verschrikkelijke waarheid besefte.

Hij zag de gruwelijke details van wat hij nooit had willen zien, foto's van zijn geliefde vrouw Dao, haar schouders en borst doorzeefd met kogels, door de fatale wonden was haar gezicht grotesk misvormd. Op de tweede pagina zag hij de foto's van Alyssa, haar arme lijfje en haar hoofd leken door hun kinderlijke kwetsbaarheid nog ernstiger misvormd. Deze beelden verlamden hem van verdriet en afschuw. Hij moest verder, naar de volgende pagina met de laatste reeks foto's die de tragedie vervolmaakten.

Hij schoof naar de derde pagina, bereidde zich voor op de foto's van Joshua. Maar die ontbraken.

Verbijsterd zat hij een moment als versteend. Een programmeerfout, dacht hij, hij werd naar een verkeerde pagina binnen het archief gekoppeld. Toch stond daar duidelijk zijn naam: Joshua Webb. Daaronder woorden die als een hete naald door Bournes bewustzijn staken. 'Gevonden: drie kledingstukken, hieronder genoemd; een stuk schoen (zool en hak ontbreken) werd tien meter van de lichamen van Dao en Alyssa Webb aangetroffen. Na een uur zoeken werd Joshua dood verklaard. NBF.'

NBF. Die afkorting uit het Amerikaanse leger kwam hard aan. *No Body Found*. Bourne kreeg het ineens ijskoud. Ze hadden maar een uur naar Joshua gezocht – een uurtje! En waarom hadden ze hem niets verteld? Hij had drie kisten begraven. Hij voelde weer de pijn, de spijt en het schuldgevoel. En ondertussen wisten zij dit allemaal, de klootzakken, ze wisten het! Hij leunde achterover. Hij zag bleek, zijn handen trilden. Vanbinnen voelde hij een woede die hij niet kon onderdrukken.

Hij dacht aan Joshua; hij dacht aan Khan.

Hij was overdonderd, perplex door de verschrikkelijke mogelijkheid die hij ontkende sinds hij dat boeddhabeeldje om Khans hals had zien hangen: dat Khan inderdaad Joshua kon zijn. Als dat zo was, dan was hij uitgegroeid tot een moordmachine, een monster. Bourne wist maar al te goed hoe gemakkelijk het was om in de jungle van Zuidoost-Azië het pad van de waanzin en de moordzucht op te gaan. Maar er was nóg een mogelijkheid, waar zijn verstand eerder naar neigde en waaraan hij zich vasthield: dat het plan om juist Joshua in te zetten veel verder reikte en ingewikkelder was dan hij aanvankelijk dacht. Als dat zo was, als er met deze bestanden was geknoeid, dan ging de samenzwering helemaal tot aan het hoogste niveau van de Amerikaanse overheid. Maar broeden op de bekende samenzweringstheorieën maakte zijn situatie er niet beter op.

Hij zag weer voor zich hoe Khan het stenen boeddhabeeldje voor hem hield en zei: 'Dit heb ik van jou gekregen, van niemand anders. En toen liet je me alleen achter om te sterven...'

Plotseling voelde Bourne zijn slokdarm peristaltisch bewegen en speelde zijn maag op. Hij sprong van de bank, negeerde de pijn en liep door de huiskamer naar de badkamer, waar hij de hele inhoud van zijn maag uitkotste.

In een dienstruimte diep in de krochten van het hoofdkwartier van de CIA pakte de officier van dienst, turend naar het computerscherm, de telefoon en draaide een nummer. Hij wachtte even totdat het antwoordapparaat de opdracht 'spreek uw boodschap in' gaf. De officier vroeg naar de directeur. Zijn stem werd geanalyseerd en afgezet tegen de lijst met officieren van dienst. Hij werd doorgeschakeld; iemand zei: 'Blijf aan de lijn.' Even later klonk de heldere baritonstem van de directeur.

'Ik vond dat u dit moest weten: er is een intern alarm afgegaan. Iemand brak door de firewall van het leger en raadpleegde de bestanden van Dao Webb, Alyssa Webb en Joshua Webb.'

Er volgde een korte, onheilspellende pauze. 'Webb, jongeman? Weet je dat zeker, Webb?'

Door de onverwachte geladenheid in de stem van de directeur, brak de jongeman het zweet uit. 'Ja, absoluut.'

'En waar bevindt deze hacker zich?'

'In Boedapest.'

'Werkte het alarm zoals het moest? Werd het volledige IP-adres erbij gegeven?'

'Jazeker. Fo utca 106-108.'

De directeur grimlachte in zijn kantoor. Toevallig zat hij door het laatste verslag te bladeren van Martin Lindros. Inmiddels moest de Franse politie alle resten van het ongeluk waarbij Jason Bourne zogenaamd was omgekomen, hebben doorzocht zonder een spoor van hem te vinden. Niet eens een kies. Dus ondanks het ooggetuigenverslag van de Quai d'Orsay-agente, was nog niet definitief bevestigd dat Bourne dood was. De directeur balde zijn hand tot een vuist en sloeg woedend op zijn bureau. Bourne was hem weer ontglipt. Maar ondanks zijn woede en frustratie, was hij diep vanbinnen helemaal niet verrast. Bourne was immers opgeleid door de beste spion van de CIA ooit. Alex Conklin zelf had vaak genoeg zijn eigen dood geënsceneerd, maar misschien nooit op zo'n spectaculaire manier.

Natuurlijk was het mogelijk dat iemand anders dan Jason Bourne door de firewall van het Amerikaanse leger was gebroken om te bladeren door de oude bestanden van een vrouw met twee kinderen die niet eens bij militair personeel hoorden en die slechts door een paar nog in leven zijnde personen werden gekend. Maar hoe groot was die kans?

Nee, dacht hij terwijl hij zich steeds meer opvrat, Bourne was niet omgekomen bij die explosie buiten Parijs; hij zat springlevend in Boedapest – waarom daar? – en eindelijk had hij zijn fatale fout gemaakt. Waarom hij nu zo geïnteresseerd was in de gegevens van zijn eerste gezin, wist de directeur nog niet; hij was alleen maar blij dat Bournes nieuwsgierigheid de deur had geopend om opnieuw zijn sanctie uit te voeren.

De directeur greep naar de telefoon. Hij kon dit aan zijn personeel overlaten, maar hij kon zich het genot niet ontzeggen deze specifieke sanctie zelf op te leggen. Hij draaide een buitenlands nummer en dacht: *eindelijk heb ik je, eikel.*

20

Voor een stad die eind negentiende eeuw werd gesticht als Britse spoorwegplaats langs het traject van Mombasa naar Oeganda, had Nairobi een deprimerend lelijke skyline die bepaald werd door gelikte nieuwe hoogbouw. De stad lag midden in vlak grasland dat het thuis was van de Masai voordat de westerse beschaving er kwam. Nairobi was momenteel de snelst groeiende stad in Oost-Afrika en had last van de gebruikelijke groeistuipen. De stad werd gekenmerkt door het verwarrende samenvallen van oude en nieuwe werelden, waarbij grote rijkdom en ontstellende armoede ongemakkelijk tegen elkaar aanschurkten totdat de vlam in de pan sloeg, de gemoederen hoog opliepen en de rust weer moest worden hersteld. Door de hoge werkeloosheid braken er vaak rellen uit en 's nachts werd er veel geroofd, vooral in en rondom het Uhuru Park ten westen van het stadscentrum.

Geen van deze problemen interesseerde het groepje dat vanaf vliegveld Wilson in twee kogelvrije limousines kwam aangereden. De inzittenden keken naar de borden waarop men werd gewaarschuwd tegen het geweld, en naar de vele privé-bewakers die door het centrum patrouilleerden of in het westen van de stad, waar de ministeries en ambassades waren gehuisvest, of over de paden kuierden langs de Latema of River Road. Ze reden voorbij de bazaar, waar allerlei oorlogstuig, van vlammenwerpers, tanks tot schoudermortieren, te koop werd aangeboden, maar ook goedkope katoenen jurken met streep- of ruitdessin en geweven stoffen met kleurrijke stammenpatronen.

Spalko zat in de voorste limousine naast Hassan Arsenov. In de limousine achter hem zat Zina met Magomet en Akhmed, Arsenovs meest trouwe luitenanten. Ze hadden niet de moeite genomen om hun dikke, krullende baarden af te scheren. Ze droegen de traditionele zwarte pakken en keken verbijsterd naar Zina's westerse outfit. Ze glimlachte naar hen, zocht naar een teken van verandering in hun uitdrukkingen.

'Alles is gereed, Sjeik,' zei Arsenov. 'Mijn mensen zijn perfect getraind en voorbereid. Ze spreken vloeiend IJslands; ze kennen de plattegrond van het hotel uit hun hoofd en de door u uitgestippelde procedures. Ze wachten alleen nog tot ik het startsein geef.'

Spalko staarde naar de Nairobische parade van oorspronkelijke bewoners en buitenlanders in het rode licht van de ondergaande zon. Hij grinnikte in zichzelf en zei: 'Bespeur ik enige scepsis in je stem?'

'Misschien,' antwoordde Arsenov snel, 'maar dat komt dan hooguit omdat ik nauwelijks kan wachten. Mijn leven lang wacht ik op de kans mijn volk te bevrijden van het Russische juk. Mijn mensen zijn te lang verworpenen geweest; ze wachten al eeuwen om opgenomen te worden in de islamitische wereld.'

Spalko knikte afwezig. Voor hem was de mening van Arsenov niet meer belangrijk; op het uur U zou hij er niet meer zijn.

Die avond zaten ze met zijn vijven in een privé-eetkamer die Spalko had geboekt op de bovenste verdieping van het 360 Hotel aan de Kenyatta Avenue. Net als vanuit hun eigen kamers hadden ze uitzicht op de stad tot aan het nationale Park Nairobi, waar talloze giraffes, gazellen en neushoorns leefden, evenals leeuwen, luipaarden en waterbuffels. Er werd niet over politiek gepraat tijdens het eten, niemand gaf ook maar een hint over de reden waarom ze daar zaten.

Nadat de tafel was afgeruimd, was dat wel anders. Een team van Humanistas, Ltd. was naar Nairobi vooruitgereisd, en had een audiovisuele computergestuurde installatie klaargezet die de kamer in werd gereden. Er werd een scherm ingeschakeld en Spalko gaf een computerpresentatie, waarin hij de kust van IJsland aanwees en de stad Reykjavik en omgeving en het Oskjuhlid Hotel van bovenaf liet zien. In en rondom het hotel waren foto's genomen. 'Dit hier is het HVAC-systeem, dat zoals u kunt zien op deze plekken wordt beveiligd door de modernste bewegingsdetectoren en infrarode warmtesensoren,' zei hij. 'En dit is het besturingspaneel, dat net als elk ander systeem in het hotel is uitgerust met een beveiligingsvoorziening, verbonden met het elektriciteitsnet, maar met een accumulator voor noodgevallen.' Hij ging verder, nam het hele plan tot in detail door, beginnend bij het moment van aankomst en eindigend met hun vertrek. Overal was aan gedacht; alles stond klaar.

'Morgenochtend bij zonsopgang,' zei hij terwijl hij opstond. De anderen gingen eveneens staan. '*La illaha ill Allah.*'

'*La illaha ill Allah*,' riepen de anderen hem plechtig in koor na.

Spalko lag laat op de avond in bed te roken. Er brandde nog een lampje. Hij keek naar de glinsterende lichten van de stad en naar het donkere woud van het natuurpark daarachter. Hij leek in gedachten verzonken, maar in werkelijkheid had hij alles op een rijtje. Hij wachtte alleen maar.

Akhmed hoorde in de verte het gebrul van dieren en kon niet slapen. Hij zat rechtop in bed, wreef in zijn ogen met de muis van zijn handen. Gewoonlijk sliep hij als een roos en hij wist niet wat hij moest doen. Een tijd lang bleef hij op zijn rug liggen, maar nu was hij wakker en door het hoorbare bonzen van zijn hart kon hij de slaap niet vatten.

Hij dacht aan morgen, aan wat er op til stond. Allah, zorg dat morgen het begin wordt van een nieuw tijdperk, bad hij.

Zuchtend ging hij rechtop zitten, zwaaide zijn benen over de rand van het bed en stond op. Hij trok die rare spijkerbroek met overhemd aan, waar hij nooit aan zou kunnen wennen. Allah, vergeef het me!

Net toen hij de deur van zijn kamer opendeed, zag hij Zina voorbijkomen. Mysterieus en geruisloos liep ze door de gang, provocerend heupwiegend. Vaak moest hij even slikken als ze langs hem liep; dan probeerde hij haar geur zo diep mogelijk op te snuiven.

Hij keek haar na. Ze liep weg van haar kamer; hij was benieuwd waar ze heen ging. Even later wist hij het antwoord. Met grote ogen zag hij hoe zij zachtjes op de deur van de Sjeik klopte; hij deed zelf open. Misschien had hij haar bij zich geroepen voor een of andere fout die Akhmed was ontgaan.

Toen zei ze op een toon waarop hij haar nog nooit gehoord had: 'Hassan slaapt.' Nu begreep hij het.

Toen hij de zachte klop op zijn deur hoorde, draaide Spalko zich om. Hij drukte zijn sigaret uit en liep door de grote kamer naar de deur.

Zina stond in de gang. 'Hassan slaapt,' zei ze, alsof ze haar aanwezigheid moest verklaren.

Zwijgend deed Spalko een stap naar achteren en ze liep naar binnen. Zachtjes deed ze de deur achter zich dicht. Hij greep haar en wierp haar op het bed. Even later kirde ze van genot, haar naakte vlees glansde van hun lichaamssappen. Ze vreeën met een zekere oerkracht, alsof het einde van de wereld naderde. En dat was na de daad nog niet over; ze lag tegen hem aan, streelde en kuste hem, fluisterde haar verlangens in niet mis te verstane woorden, totdat hij haar opgewonden weer besteeg.

Daarna lag ze met hem verstrengeld, rook kringelde op uit haar halfopen mond. Het licht was uit. Alleen dankzij het nachtlicht van Nairobi kon ze hem zien. Vanaf het moment dat hij haar voor het eerst aanraakte, wilde ze hem leren kennen. Ze wist niets van hem – niemand, voorzover haar bekend was. Als hij met haar wilde praten, als hij haar de kleine geheimen van zijn leven wilde vertellen, dan zou hij evenzeer aan haar gebonden zijn als zij aan hem.

Ze streek met haar vingertoppen om zijn oorschelp, over de onnatuurlijk gladde huid van zijn wang. 'Vertel me eens, hoe ben je daaraan gekomen?' fluisterde ze in zijn oor.

Langzaam deed Spalko zijn ogen open. 'Dat is een lang verhaal.'

'Reden te meer om het me te vertellen.'

Hij slaakte een diepe zucht. 'Ik woonde met mijn jongere broer in Moskou. Hij zat altijd in de problemen, al kon hij het niet helpen. Hij had een verslavende persoonlijkheid.'

'Drugs?'

'Dat niet, gelukkig. Hij gokte. Hij kon het niet laten, ook al had hij geen cent. Dan leende hij van mij, en natuurlijk leende ik hem geld, want hij had altijd wel een smoes.'

Hij draaide zich in haar armen om, schudde een sigaret uit het pakje en stak die aan. 'Hoe dan ook, er kwam een tijd dat zijn verhalen minder geloofwaardig werden, of dat ik het me domweg niet meer kon veroorloven. Hoe het ook zij, op een gegeven moment zei ik: "De maat is vol!" Ik geloofde werkelijk dat hij ermee ging kappen, wat aardig naïef van me was.' Hij inhaleerde diep en blies de rook sissend uit. 'Hij stopte niet. Maar wat deed hij dan wél? Hij ging naar de verkeerde mensen, want alleen die wilden nog geld aan hem lenen.'

'De maffia?'

Hij knikte. 'Precies. Hij leende geld van hen en wist dat als hij weer verloor hij hun nooit kon terugbetalen. Hij wist wat ze met hem zouden doen, maar zoals ik zei, hij kon er niet mee ophouden. Hij gokte en zoals bijna altijd verloor hij alles.'

'En?' Ze wachtte in spanning af, smeekte hem om verder te gaan.

'Ze wachtten op hun geld. Toen hij niet kon betalen, rekenden ze met hem af.'

Spalko staarde naar de gloeiende kegel van zijn sigaret. Het raam stond open. Door het gebrom van het verkeer en het ruisen van de palmtakken kwam af en toe het plotselinge gebrul van een beest door of een onheilspellend gehuil.

'Eerst sloegen ze hem in elkaar,' zei hij fluisterend. 'Niet al te hard, want ze gingen er nog van uit dat hij zou terugbetalen. Toen ze inzagen dat er van deze kikker geen veer te plukken viel, gingen ze achter hem aan en maakten ze hem koud op straat.'

Zijn sigaret was op, maar hij liet het peukje tussen zijn vingers opbranden, alsof hij hem vergeten was. Zina zat zwijgend naast hem geconcentreerd te luisteren.

'Zes maanden gingen voorbij,' zei hij, terwijl hij zijn peuk het raam uit gooide. 'Ik had mijn huiswerk gedaan; ik betaalde al zijn schuldeisers en uiteindelijk kreeg ik mijn kans. De man die opdracht had gegeven tot de moord op mijn broer ging elke week naar de kapper bij het hotel Metropole.'

'Laat me raden,' zei Zina, 'je deed je voor als zijn kapper en toen hij in zijn stoel zat, sneed je zijn hals door met het scheermes.'

Hij staarde haar even aan en schoot in de lach. 'Mooi bedacht, net als in de film.' Hij schudde zijn hoofd. 'In werkelijkheid gaat zoiets anders. De man liet zich al vijftien jaar door dezelfde kapper knippen en wilde nooit van een vervanger weten.' Hij sloeg zijn arm om haar heen en trok haar dichter tegen zich aan. In het park brulde een luipaard.

'Nee, ik wachtte tot hij keurig geschoren en geknipt was en door deze aangename handelingen ontspannen was. Ik wachtte hem op in de straat buiten het Metropole. Zo'n drukbezochte locatie zou alleen een krankzinnige moordenaar uitkiezen. Toen hij naar buiten liep, schoot ik hem en zijn lijfwachten neer.'

'En je kwam daarmee weg.'

'In zekere zin, ja,' zei hij. 'Die dag kwam ik ermee weg, maar een halfjaar later, in een ander land, werd er vanuit een auto een molotovcocktail naar me gegooid.'

Ze streelde zachtjes over het gladgetrokken stuk vlees. 'Ik vind het juist mooi, deze imperfectie. De pijn die je hebt doorstaan maakt je... heroïsch.'

Spalko zei niets en even later voelde hij haar zware ademhaling. Ze lag te slapen. Uiteraard was het hele verhaal gelogen. Maar hij vond het zelf niet slecht – als een film! Ach, de waarheid, wat is de waarheid? Dat wist hij zelf maar nauwelijks. Hij had zó lang en zorgvuldig gewerkt aan het optrekken van een façade, dat hij in zijn eigen verzinsels was gaan geloven. Hoe dan ook, hij zou niemand ooit zijn geheimen prijsgeven, want dat maakte hem maar kwetsbaar. Als mensen je kenden, meenden ze bezit van je te kunnen nemen. Ze dachten dat de waarheid die je hun had toevertrouwd op een zwak moment dat men voor intiem hield, je aan hen zou binden.

Zina was hierin niet anders dan de anderen, wat hem hevig teleurstelde. Maar vroeg of laat stelde iedereen hem teleur. Mensen drongen simpelweg niet tot hem door; ze begrepen niet hoe de wereld in elkaar zat, zoals hij.

Hij kon hen hooguit voor even onderhoudend vinden. Met deze gedachte viel hij in een diepe, kalme slaap. Toen hij wakker werd, was Zina teruggekeerd aan de zijde van haar nietsvermoedende Hassan Arsenov.

Vroeg in de ochtend stapten ze met zijn vijven in de twee Range Rovers. Die stonden al klaar en werden bestuurd door medewerkers van Humanistas. Ze reden in zuidelijke richting de stad uit naar de grote, smerige sloppenwijk die buiten Nairobi als onkruid voortwoekerde. Niemand zei iets, ze hadden nauwelijks gegeten, want ze waren allemaal uiterst gespannen, zelfs Spalko.

Hoewel het een heldere ochtend was, hing er laag over de sloppenwijk een giftig waas, een duidelijk bewijs van het gebrek aan hygiëne en het altijd aanwezige spook van de cholera. Het geheel bestond uit wankele constructies, hutten van golfplaten en hardboard, sommige van hout; ook stonden er een paar lage betonnen huisjes die op bunkers leken als er niet kriskras waslijnen tegen aan waren gespannen met wasgoed dat klapperde in de wind. Opvallend ook waren de door bulldozers gemaakte hopen aarde; intrigerend totdat ze er de verbrande en verkoolde resten van voormalige hutten in ontdekten, of een schoen waarvan de zool was weggeschroeid, flarden van een blauw jurkje. De kleine voorwerpen – getuigenissen van kleine geschiedenissen – waaruit deze afvalbergen bestonden, verleenden deze schrijnende en lelijke armoede een aspect van verlatenheid. Als hier een leven mogelijk was, dan was dat ongekend chaotisch, onbestendig en treurig. Het team van Spalko had het gevoel dat de laatste avond was gevallen, terwijl het nog ochtend was. De krioelende mensenmassa had iets fataals over zich, dat hen deed terugdenken aan de bazaar. De zwarte markt waarop de economie van deze stad was gebaseerd, was op een vage manier de oorzaak van het deprimerende landschap waar ze stapvoets doorheen reden, afgeremd door de vele voetgangers die over de gescheurde trottoirs en de hobbelige vuile straten liepen. Verkeerslichten waren er niet; als die er wel waren, zouden ze voortdurend worden aangehouden door stinkende zwervers of door straatkooplui met hun deerniswekkende koopwaar.

Uiteindelijk kwamen ze aan in het centrum van de sloppenwijk, waar ze een leegstaand, uitgerookt gebouwtje met twee verdiepingen binnenliepen. Overal lag as, wit en zacht als aarde. De chauffeurs namen hun spullen mee naar binnen, die in twee grote rechthoekige kisten waren geborgen.

Daarin zaten zilveren HAZMAT-pakken, die ze op bevel van Spalko aantrokken. De pakken hadden een eigen beademingssysteem. Spalko haalde vervolgens de NX 20 uit een van de kisten, en bevestigde de twee delen voorzichtig aan elkaar terwijl de vier Tsjetsjeense rebellen om hem heen waren gaan staan. Heel even vertrouwde hij het voorwerp toe aan Hassan Arsenov, terwijl hij het kleine, zware doosje pakte dat hij van dr. Peter Sido had gekregen. Uiterst voorzichtig maakte hij het open. Iedereen keek naar de glazen injectieflacon – zó klein en zó dodelijk. Men begon trager en luider te ademen, alsof men bang was dat het spul nu al hun adem kon afsnijden.

Arsenov moest van Spalko de NX 20 op armlengte van hem afhouden. Hij opende het klepje van titanium aan de bovenkant en plaatste de flacon in de kamer. De NX 20 kon nog niet worden afgevuurd, legde hij uit. Schiffer had een aantal beveiligingen ingebouwd, zodat het wapen niet onopzettelijk of voortijdig kon afgaan. Hij wees naar het luchtdichte zegel dat, als de kamer was gevuld, zou worden geactiveerd wanneer hij het bovenste klepje had afgesloten. Dat deed hij nu, en vervolgens nam hij de NX 20 van Arsenov over. Hij liep de betonnen trap op, zijn gevolg kwam achter hem aan.

Op de eerste verdieping stond de groep voor een kozijn. De ruit was eruit geslagen, net als bij de andere ramen in het gebouw. Ze stonden te kijken naar de kreupelen en de blinden, het ondervoede en zieke volk. Vliegen zoemden rond, een hond op drie poten deed midden op de markt zijn stinkende behoefte naast een stoffige hoop tweedehands koopwaar. Een kind stak huilend en naakt de straat over. Een oude vrouw liep krom en onverstoorbaar verder, rochelde en produceerde een fluim.

Dit tafereel interesseerde hen maar zijdelings. Wél bestudeerden ze iedere beweging die Spalko maakte, luisterden ze met een haast dwangmatige concentratie naar ieder woord dat hij zei. De mathematische precisie van het wapen werkte als een bezweringsformule tegen de ziekte die in de lucht leek te ontstaan.

Spalko liet hen de twee trekkers van de NX 20 zien – een kleine en een grote. De kleine, legde hij uit, injecteerde de lading van de projectielkamer naar de vuurkamer. Wanneer die ook was verzegeld nadat op de knop was gedrukt aan de linkerzijde van het wapen, was de NX 20 klaar om te worden afgevuurd. Hij haalde de trekker over, drukte de knop in en voelde dat er in het wapen een reactie was ontstaan – de eerste aankondiging van de dood.

De loop van het wapen was bot en plomp, maar die botheid had een reden. Anders dan bij gewone wapens hoefde men met de NX 20 niet te richten, legde hij uit. Hij stak de loop uit het raam. Iedereen hield zijn adem in toen hij zijn vinger om de grote trekker kromde.

Het leven op straat ging zijn eigen willekeurige en chaotische gangetje. Een jongeman hield een schaal maïspap onder zijn kin, schepte de brij met twee vingers naar binnen terwijl een groepje half uitgehongerde schooiers hem met grote ogen aankeek. Een onwaarschijnlijk mager meisje fietste voorbij, twee tandeloze oude mannetjes staarden naar de aangestampte grond van de straat, alsof daarin het trieste verhaal van hun leven stond te lezen.

Ze hoorden een zacht gesis, zo klonk het tenminste voor hen, in hun veilige HAZMAT-pakken. Verder was er niets van het schot te merken, precies zoals Schiffer had voorspeld.

De groep wachtte gespannen af terwijl de seconden tergend traag doortikten. Alle zintuigen leken extra alert. Ze hoorden het zware gebons van hun hart, voelden hun hartslag. Ze hielden hun adem in.

Schiffer had gezegd dat ze na drie minuten konden zien of het wapen werkte. Dat waren ongeveer zijn laatste woorden voordat Spalko en Zina zijn bijna levenloze lichaam in het labyrint hadden achtergelaten.

Spalko, die op zijn horloge om zijn pols bleef kijken totdat er precies drie minuten waren verstreken, keek nu op. Geboeid volgde hij wat er gebeurde. Een tiental mensen was al neergevallen voordat het eerste geschreeuw te horen was. Dat verstomde al snel, maar ook anderen begonnen te jammeren. Bij bosjes viel men kronkelend op straat neer. In stilte werd de chaos groter terwijl de dood verder om zich heen greep. Vluchten was niet mogelijk, schuilen evenmin, niemand kon eraan ontsnappen, ook niet degenen die wegrenden.

Hij gebaarde naar de Tsjetsjenen, die achter hem aanliepen naar de trap. De chauffeurs zaten al klaar en wachtten tot Spalko de NX 20 had ontmanteld. Toen hij de twee onderdelen had opgeborgen, sloten ze de kisten af en brachten die naar hun Range Rovers.

Ze maakten een wandeling door de straat en door de naastgelegen straten. Overal lagen lijken. Triomfantelijk gingen ze terug naar hun voertuigen. De Range Rovers startten toen iedereen erin zat en reden rond binnen een straal van een kilometer. Dat was ongeveer het bereik van de NX 20, had Schiffer Spalko verteld. Spalko constateerde tevreden dat Schiffer niet had gelogen of overdreven.

Hoeveel mensen zouden er zijn omgekomen tegen de tijd dat de lading, na ongeveer een uur, zou zijn uitgewerkt? vroeg hij zich af. Hij was na duizend gestopt met tellen, maar hij vermoedde dat er wel drie, misschien wel vijf keer zoveel slachtoffers waren gevallen.

Voordat ze de stad der doden verlieten, gaf hij zijn bestuurders het bevel om alles met behulp van een licht ontvlambare brandstof in brand te steken. Meteen daarop schoten de eerste vlammen in de lucht, die zich snel verspreidden.

Het beeld van de brand deed hem goed. Die brand zou alles verhullen wat er die ochtend was gebeurd, want niemand mocht het weten, tenminste niet voordat hun missie in Reykjavik was voltooid.

Die is al over twee dagen, dacht Spalko verheugd. Hij kon nergens meer door worden tegengehouden.

Nu is de wereld van mij.

Deel drie

21

'Volgens mij is het een inwendige bloeding,' zei Annaka, die de bonte zwelling in Bournes zij weer eens bekeek. 'Je moet naar het ziekenhuis.'

'Dat meen je niet,' zei hij. De pijn was erger geworden; als hij ademde was het alsof hij een paar ribben brak. Maar naar het ziekenhuis gaan was ondenkbaar; hij werd gezocht.

'Oké dan,' gaf ze toe, 'een dokter.' Ze stak haar hand al uit om zijn bezwaren af te weren. 'Een vriend van mijn vader, Istvan. Hij is te vertrouwen. Mijn vader heeft een paar keer een beroep op hem gedaan.'

Bourne schudde zijn hoofd en zei: 'Ga naar een apotheker als je het niet kunt laten, maar meer niet.'

Voordat hij van gedachten had kunnen veranderen, had Annaka haar jas en tas al gepakt. Ze beloofde snel terug te zijn.

Eigenlijk was hij blij dat ze even wegging; hij had tijd voor zichzelf nodig. Opgekruld op de bank trok hij de donsdeken over hem heen. Zijn gedachten leken niet te stoppen. Hij wist zeker dat Schiffer de sleutel tot het raadsel was. Hij moest hem vinden. Via hem kon hij erachter komen wie de moord op Alex en Mo op zijn geweten had, wie hem in de val had gelokt. Het probleem was, besefte Bourne, dat er niet veel tijd meer was. Schiffer werd al een tijdje vermist. Molnar was nu twee dagen dood. Als hij, zoals Bourne vreesde, tijdens het wrede verhoor had verteld waar Schiffer zich schuilhield, dan was Schiffer hoogstwaarschijnlijk in vijandelijke handen gevallen, wat zou betekenen dat de vijand ook in het bezit was van Schiffers uitvinding, een of ander biologisch wapen, NX 20 geheten, de codenaam waar Leonard Fine, Conklins tussenpersoon, zo geschrokken op reageerde toen hij het ter sprake had gebracht.

Wie wás de vijand eigenlijk? De enige naam die hij had, was Stepan Spalko, een internationaal gerenommeerd filantroop. En toch, volgens Khan was Spalko juist de man die opdracht had gegeven tot de moord op Alex en Mo en die Bourne in de val had laten lopen. Misschien loog Khan, waarom ook niet? Als hij redenen had om Spalko op te sporen, dan zou hij die zeker niet aan Bourne openbaren.

Khan!

Alleen al door de gedachte aan hem raakte Bourne overspoeld met ongewenste emoties. Met moeite concentreerde hij zich op zijn woede tegen de overheid. Ze hadden tegen hem gelogen, samengezworen om de waarheid voor hem verborgen te houden. Waarom? Wat probeerden ze te verbergen? Dachten ze misschien dat Joshua nog in leven kon zijn? En waarom mocht hij dat dan niet weten? Hij wist niet meer wat hij moest denken. Dingen die zo-even nog normaal waren, leken nu absurd. Hij dacht dat hij gek werd. Met een machteloze schreeuw wierp hij het dekbed van zich af en stond op, de pijnscheut in zijn zij negerend toen hij naar zijn keramische pistool zocht in zijn jas. Hij hield het in zijn hand. Anders dan de zware kolf van een normaal pistool, was dit exemplaar vederlicht. Hij staarde er lang naar, alsof hij door pure wilskracht de verantwoordelijke militaire ambtenaren te voorschijn kon toveren die hadden verzwegen dat het lichaam van Joshua niet gevonden was, omdat ze het eenvoudiger vonden te verklaren dat hij dood was, al was dat geen vaststaand feit.

Langzaam kwam de pijn terug, de marteling bij elke ademhaling, waardoor hij weer op de bank moest gaan zitten en een deken om zich heen moest slaan. En in de stilte van het appartement kwam ongevraagd die ene gedachte weer terug: stel dat Khan de waarheid had verteld – stel dat hij Joshua was? En het verschrikkelijke, onveranderlijke antwoord daarop was: dan was hij een gewetenloze huurmoordenaar, een bruut zonder spijt of schuldgevoel en zonder enig menselijk mededogen.

Jason Bourne liet plotseling zijn hoofd zakken, stond op het punt te gaan huilen – voor het eerst sinds Alex Conklin hem tientallen jaren geleden had gecreëerd.

Op het moment dat Kevin McColl de opdracht kreeg Bourne op te pakken, lag hij boven op Ilona, een jong Hongaars kennisje van hem, even ongeremd als atletisch. Ze kon van alles uithalen met haar benen, waar ze net mee bezig was toen het telefoontje kwam.

Toevallig waren hij en Ilona op dat moment in de Turkse baden van Kiraly op Fo utca. Het was zaterdag, vrouwendag, ze had hem binnen moeten smokkelen, wat bijdroeg aan de spanning, moest hij toegeven. Net als bij iedereen in zijn positie wende het snel om boven de wet te staan, om zelf de wet te bepalen.

Kreunend van frustratie maakte hij zich van haar los en beantwoordde zijn mobiele telefoon. Hij moest wel opnemen, want hij zag dat het om een opsporingsbevel ging. Zonder commentaar te geven luisterde hij naar de directeur aan de andere kant van de lijn. Hij moest meteen vertrekken. Het was dringend en de persoon in kwestie bevond zich in de buurt.

En terwijl hij met spijt een verlekkerde blik wierp op het van zweet glanzende lichaam van Ilona in het flonkerende licht dat van de mozaïektegels werd weerkaatst, kleedde hij zich aan. McColl was een stevige kerel, had het lichaam van een footballspeler uit het middenwesten en een pokergezicht. Hij deed fanatiek aan gewichtheffen en dat was te zien. Zijn spieren golfden bij iedere beweging die hij maakte.

'Ik ben nog niet klaar,' zei Ilona, met grote donkere, smachtende ogen.

'Ik ook niet,' zei McColl, terwijl hij haar achterliet.

Er stonden twee vliegtuigen op het asfalt van Nelson Airport in Nairobi. Ze waren allebei van Stepan Spalko; beide toestellen droegen het logo van Humanistas op de romp en staart. In het voorste toestel was Spalko vanuit Hongarije aangekomen. Met het tweede was de ondersteunende staf van Humanistas gearriveerd, die nu weer voltallig in het vliegtuig zat om terug naar Boedapest te vliegen. Het andere toestel zou Arsenov en Zina naar IJsland brengen, waar ze de rest van het terroristenteam zouden ontmoeten dat vanuit Tsjetsjenië via Helsinki in Reykjavik zou aankomen.

Spalko stond tegenover Arsenov, Zina schuin achter Arsenovs linkerschouder. Ongetwijfeld dacht hij dat zij daarmee haar eerbied uitdrukte, maar Spalko wist beter. Haar ogen smolten toen ze naar de Sjeik keek.

'U hebt uw belofte helemaal waargemaakt, Sjeik,' zei Arsenov. 'Het wapen zal ons in Reykjavik ongetwijfeld de overwinning bezorgen.'

Spalko knikte. 'Binnenkort heb je alles wat je toekomt.'

'Ik kan u niet dankbaar genoeg zijn.'

'Vlak jezelf niet uit, Hassan.' Spalko haalde een leren koffer tevoorschijn, maakte hem open. 'Paspoorten, ID-passen, plattegronden, overzichten, de nieuwste foto's; alles wat je nodig hebt.' Hij overhandigde de inhoud. 'Morgen om drie uur vindt de ontmoeting plaats op de boot.' Hij keek naar Arsenov. 'Moge Allah je de kracht en de moed geven. Moge Allah je gepantserde vuist sturen.'

Terwijl Arsenov naar het vliegtuig liep, bezorgd als hij was om de gevaarlijke last, zei Zina: 'Moge onze volgende ontmoeting leiden tot een stralende toekomst, Sjeik.'

Spalko glimlachte. 'Het verleden sterft,' zei hij, terwijl zijn ogen boekdelen spraken, 'en maakt de weg vrij voor die stralende toekomst.'

Zina, genietend van haar binnenpretje, liep achter Hassan Arsenov aan toen hij de trap op liep en instapte.

Spalko zag de deur achter hen dichtgaan en liep naar zijn privévliegtuig, dat geduldig op hem wachtte. Hij pakte zijn mobiele telefoon, draaide een nummer en toen hij de vertrouwde stem aan de andere kant van de lijn hoorde, stak hij meteen van wal. 'Bourne maakt gevaarlijk veel vooruitgang. Ik kan het me niet meer veroorloven dat Khan hem publiekelijk afmaakt – ik weet het, áls hij inderdaad nog van plan is om Bourne uit te schakelen. Khan is onnavolgbaar, een raadsel dat ik nooit heb kunnen oplossen. Maar nu hij zo onvoorspelbaar is, neem ik aan dat hij zijn eigen agenda heeft. Als Bourne nu wordt vermoord, zal Khan in de mist verdwijnen en zelfs ik kan hem dan niet meer vinden. Er mag de komende twee dagen niets onverwachts gebeuren. Is dat duidelijk? Mooi. Luister goed, ze kunnen allebei maar op één manier onschadelijk worden gemaakt.'

McColl had niet alleen naam en adres ontvangen van Annaka Vadas – door een ongelooflijk toeval vier straten voorbij het Turkse bad – maar ook een foto van haar als JPG-bestand naar zijn mobiel gedownload. Hij herkende haar dus moeiteloos toen ze de voordeur van Fo utca 106-108 uit liep. Hij werd meteen getroffen door haar schoonheid en haar vastberaden tred. Hij zag hoe ze haar mobieltje wegstopte, het portier van een blauwe Skoda openmaakte en achter het stuur ging zitten.

Vlak voordat Annaka de sleutel in het contactslot stak, verscheen Khan op de achterbank. 'Ik zou Bourne alles maar vertellen.'

Ze startte en bleef voor zich uit kijken; ze was goed opgeleid. Hem bekijkend in de achteruitkijkspiegel, antwoordde ze kortaf: 'Wat zou ik hem moeten vertellen? Je weet helemaal niets.'

'Ik weet genoeg. Ik weet dat jij de politie naar het appartement van Molnar hebt gelokt. Ik weet ook waarom je dat deed. Bourne kwam te dicht bij de waarheid, of niet? Hij kwam bijna te weten dat Spalko hem in de val had gelokt. Dat heb ik hem al gezegd, maar hij lijkt niets van mij aan te nemen.'

'Waarom zou hij ook? Hij gelooft je niet. Hij is ervan overtuigd dat jij deel uitmaakt van een complot tegen hem.'

Met ijzeren hand hield Khan haar arm tegen, die tijdens het gesprek voorzichtig was verschoven. 'Niet doen.' Hij pakte haar tasje af, maakte het open en haalde het pistool eruit. 'Je hebt me eerder proberen te vermoorden. Geloof me, je krijgt geen tweede kans meer.'

Ze keek hem via de spiegel aan. Vanbinnen streden allerlei emoties in haar. 'Je denkt dat ik over Jason lieg, maar dat is niet zo.'

'Wat ik zou willen weten,' ging hij verder zonder op haar woorden in te gaan, 'is hoe je hem wijs kon maken dat je zo verzot was op je vader, terwijl je die man werkelijk hebt gehaat.'

Ze zat als versteend nu, haalde langzaam adem, probeerde helder te denken. Ze wist dat ze zich in een uitzonderlijk gevaarlijke situatie bevond. De vraag was hoe ze zich hieruit kon redden.

'Wat moet je hebben gejuicht toen hij werd neergeschoten,' ging Khan verder, 'al had je het vast liever zelf gedaan, jou kennende.'

'Als je me wilt neerschieten,' zei ze bits, 'doe het dan nu en bespaar me je onnodige gebabbel.'

Als een cobra flitste hij naar voren en greep haar bij de keel. Nu pas leek ze in paniek, precies waar hij op uit was. 'Ik wil je niets besparen, Annaka. Want wat deed jij toen je mij kon helpen?'

'Ik dacht niet bepaald dat jij toen hulp nodig had.'

'Je dacht zelden toen we samen waren,' zei hij, 'tenminste niet aan mij.'

Ze lachte kil. 'O, ik dacht voortdurend aan jou.'

'En sprak vervolgens al die gedachten uit tegen Stepan Spalko.' Hij klemde zijn hand strakker om haar hals, schudde haar door elkaar. 'Of niet soms?'

'Waarom vraag je me dat als je het antwoord al weet?' zei ze buiten adem.

'Sinds wanneer speelt hij spelletjes met me?'

Annaka deed haar ogen dicht. 'Vanaf het begin.'

Khan knarste woedend met zijn tanden. 'Waar is hij op uit? Wat wil hij van me?'

'Dat weet ik niet.' Ze maakte piepende geluiden toen hij haar luchtpijp dichtkneep. Toen zijn greep voldoende was verslapt zei ze met een zacht stemmetje: 'Doe met me wat je wilt, ik kan je geen ander antwoord geven dan de waarheid.'

'De waarheid!' Hij lachte honend. 'Jij wilt niet weten wat de waarheid is.' Toch geloofde hij haar, en haar nutteloosheid deed hem walgen. 'Wat ben je met Bourne van plan?'

'Hem tegen Stepan beschermen.'

Hij knikte, herinnerde zich zijn gesprek met Spalko. 'Dat klinkt logisch.'

De leugen ging haar gemakkelijk af. Hij had geklonken als de waarheid, niet alleen omdat ze haar leven lang in liegen had geoefend, maar ook omdat het tot haar laatste telefoongesprek met Spalko werkelijk waar was wat ze zei. Maar Spalko had zijn plannen veranderd, en nu ze erover na had kunnen denken, paste het in haar nieuwe plan om Khan daarvan op de hoogte te brengen. Misschien was het juist een geluk dat hij haar zo had verrast, mits ze deze ontmoeting overleefde.

'Waar is Spalko nu?' vroeg hij haar. 'Hier in Boedapest?'

'Nee, hij is onderweg naar Nairobi.'

Dat verraste Khan. 'Wat moet hij daar?'

Ze lachte, maar omdat hij haar nog steeds strak om haar keel vasthield, leek het eerder een droge hoest. 'Denk je echt dat hij me dat zou vertellen? Je weet hoe gesloten hij is.'

Hij fluisterde in haar oor. 'Ik weet hoe gesloten *wíj* waren, Annaka, maar zo gesloten bleek jij achteraf niet te zijn, of wel?'

Haar ogen ontmoetten de zijne in de spiegel. 'Ik heb hem niets verteld.' Het was vreemd om hem niet direct in zijn ogen te kijken. 'Sommige dingen hield ik voor mezelf.'

Khan krulde vol verachting zijn lippen. 'Je denkt toch zeker niet dat ik dat geloof.'

'Geloof maar wat je wilt,' zei ze onverschillig, 'dat heb je altijd gedaan.'

Hij schudde haar weer door elkaar. 'Hoezo?'

Geschrokken beet ze op haar onderlip. 'Ik heb nooit begrepen hoe grondig ik mijn vader haatte, totdat ik jou leerde kennen.' Hij gaf haar wat ademruimte, waarop ze zich verslikte. 'Jouw diepe haat tegenover je vader zag ik als een voorbeeld; je leerde me af te wachten, mijn wraakgedachten te koesteren. En het klopt wat je zonet zei: toen hij werd neergeschoten, vond ik het jammer dat ik het niet zelf had gedaan.'

Khan wilde het niet laten zien, maar hij was geschrokken van deze opmerking. Hij had nooit beseft dat hij zo open tegenover haar was geweest. Hij schaamde zich en was boos dat zij zo diep tot hem was doorgedrongen zonder dat hij daar erg in had gehad.

'We zijn een jaar lang samen geweest,' zei hij, 'een eeuwigheid voor mensen zoals wij.'

'Dertien maanden, eenentwintig dagen en zes uur,' zei ze. 'Ik herinner me nog precies het moment dat ik bij je wegging, want toen besefte ik dat ik je niet onder controle had zoals Spalko dat van me verwachtte.'

'En waarom niet?' Hij klonk ontspannen, maar was gebeten op haar antwoord.

Ze keek hem weer aan, kon zich niet van zijn blik losmaken. 'Omdat,' begon ze, 'toen ik met jou was, ik geen controle meer over mezelf had.'

Vertelde ze de waarheid of speelde ze weer een spelletje? Khan, die zo zeker van zichzelf was totdat Jason Bourne in zijn leven kwam, wist het niet meer. Weer voelde hij woede en schaamte en begon hij zelfs te vrezen dat zijn notoire observatievermogen en zijn intuïtie hem in de steek lieten. Al ging hij het nog zo tegen, er waren emoties aan de oppervlakte verschenen die zijn geest bedwelmden, zijn oordeel vertroebelden en hem onrustig maakten. Hij voelde een verlangen naar haar, sterker dan ooit tevoren. Hij wilde haar zó graag dat hij het niet kon helpen zijn lippen tegen de achterkant van haar nek te drukken.

Hierdoor was hem niet opgevallen dat er plotseling een schaduw over de Skoda viel. Annaka had die wel gezien, en keek op. Ze zag hoe de stevig gebouwde Amerikaanse kerel het achterportier opende en met de botte kolf van zijn pistool Khan een klap tegen zijn achterhoofd gaf.

Khan verslapte; zijn handen gleden langs zijn lichaam toen hij achterover op de achterbank viel, bewusteloos.

'Dag, mevrouw Vadas,' zei de potige Amerikaan in perfect Hongaars. Hij glimlachte terwijl hij haar pistool in zijn grote hand hield. 'McColl is de naam, maar ik heb liever dat u me gewoon Kevin noemt.'

Zina droomde van een oranje lucht, waaronder een moderne horde Tsjetsjenen – een leger met NX 20's bewapende landgenoten – de Kaukasus afdaalde naar de Russische steppen om hun behekste Nemesis te vernietigen. Zoveel indruk had Spalko's experiment op haar gemaakt, dat de tijd erdoor scheen weggevaagd. Ze was weer thuis, als meisje in hun armetierige, kapotgeschoten woning; haar moeder keek haar aan met haar oude gezicht en zei: *'Ik kan niet opstaan. Zelfs niet voor wat water. Ik kan niet meer...'*

Maar iemand moest gaan. Ze was vijftien, de oudste van vier. Haar opa, de vader van haar vader, had alleen maar haar broertje Kanti meegenomen, de stamhouder van de familie. De Russen hadden zijn eigen zoons ofwel vermoord of opgesloten in de gevreesde kampen van Pobedinskoe en Krasnaya Turbina.

Toen had ze het werk van haar moeder overgenomen; ze verzamelde restmateriaal van metaal en haalde water. Maar 's nachts kon ze, hoe uitgeput ze ook was, niet slapen en zag ze het betraande gezicht van Kanti voor zich, zijn angst om zijn familie en alles wat hem vertrouwd was te moeten verlaten.

Drie keer per week glipte ze naar buiten en stak ze een terrein over dat vol met mijnen lag om Kanti te zien, om zijn bleke wangen te kussen en hem te vertellen hoe het thuis was. Op een dag bleek haar grootvader gestorven. Kanti was nergens te bekennen. Speciale troepen van de Russen hadden weer eens huisgehouden. Ze hadden grootvader vermoord en Kanti naar Krasnaya Turbina meegenomen.

Zes maanden lang probeerde ze nieuws over Kanti te achterhalen, maar ze was nog jong en onervaren. Bovendien vond ze zonder geld niemand bereid om te praten. Toen drie jaar later haar moeder was overleden en haar zusjes in het weeshuis zaten, sloot ze zich aan bij de rebellen. Ze had geen makkelijke weg gekozen: ze moest mannelijke intimidaties doorstaan, onderdanig en gedienstig leren zijn, haar zwakke en sterke kanten leren kennen. Maar ze was altijd een intelligent meisje geweest, waardoor ze snel de fysieke vaardigheden onder de knie had. Ook leerde ze bij de rebellen hoe machtsspelletjes werden gespeeld. Anders dan een man, die door intimidaties in rang opklom, moest zij haar uiterlijk gebruiken waarmee ze was geboren. Een jaar na de ontberingen te hebben doorstaan van de ene rebellenleider na de andere, wist ze haar nieuwe commandant zover te krijgen in de nacht Krasnaya Turbina aan te vallen.

Dit was de enige reden waarom ze zich bij de rebellen had aangesloten. Maar ze vonden niets, geen spoor van haar broertje. Het was alsof Kanti van de aardbodem was verdwenen.

Met stokkende adem werd Zina wakker. Ze ging rechtop zitten, keek om zich heen en besefte dat ze in Spalko's vliegtuig naar IJsland vloog. Toch zag ze in half wakkere staat het betraande gezicht van Kanti nog voor zich, rook ze weer de penetrante lucht van het loog dat opsteeg vanuit de massagraven bij Krasnaya Turbina. Ze liet haar hoofd hangen. De onzekerheid vrat aan haar. Als ze zeker wist dat hij dood was, kon ze haar schuldgevoel misschien laten rusten. Maar als hij door een wonder nog in leven was, dan kon ze dat niet weten en hem niet redden van de verschrikkingen waaraan de Russen hem voortdurend zouden blootstellen.

Ze voelde iemand naderen en keek op. Het was Magomet, een van de luitenanten die Hassan naar Nairobi had meegenomen om getuige te zijn van de poort naar hun vrijheid. Akhmed, de andere luitenant, negeerde haar angstvallig sinds hij haar in haar lichtzinnige westerse kleren had gezien. Magomet, een beer van een vent met zwarte ogen en een lange kroesbaard die hij met zijn vingers kamde als hij zenuwachtig was, wendde zich, steunend op de rugleuning, tot haar.

'Is alles in orde, Zina?' vroeg hij.

Haar ogen zochten eerst naar Hassan, die lag te slapen. Toen probeerde ze haar lippen tot een glimlach te krullen. 'Ik droomde van onze aanstaande overwinning.'

'Die zal schitterend zijn, denk je niet? Eindelijk gerechtigheid! Onze dag in de schijnwerpers!'

Ze zag dat hij heel graag naast haar wilde zitten, dus zei ze niks meer; hij moest blij zijn dat ze hem niet wegjoeg. Ze strekte zich uit, priemde haar borsten naar voren en keek geamuseerd naar zijn opengesperde ogen. Alleen zijn tong hangt nog niet buitenboord, dacht ze.

'Wil je soms een kop koffie?' vroeg hij.

'Dat gaat er wel in.' Ze hield haar stem neutraal, want ze wist dat hij naar aanwijzingen zocht. Haar status, die gerezen was door de belangrijke taak die de Sjeik haar had gegeven, het impliciete vertrouwen dat hij haar geschonken had, had duidelijk indruk op hem gemaakt. Dat kon ze van Akhmed niet zeggen, die de vrouw zoals de meeste Tsjetsjeense mannen, als een inferieur wezen zag. Even verloor ze haar moed toen ze bedacht hoe enorm de culturele barrière was die ze moest doorbreken. Maar al snel kon ze dankzij intense concentratie weer helder denken. Het plan dat ze op instigatie van de Sjeik had bedacht was helder; het zou zeker werken – daar was ze vast van overtuigd. Nu Magomet was opgestaan, begon ze het plan ten uitvoer te brengen. 'Als je toch in het keukentje bent,' zei ze, 'schenk dan ook iets voor jezelf in.'

Toen hij terugkwam nam ze de koffie aan en dronk ervan zonder dat ze hem had uitgenodigd bij haar te gaan zitten. Hij stond met zijn ellebogen over de leuning en hield zijn kopje in zijn handen.

'Vertel eens,' vroeg Magomet, 'hoe is hij nou?'

'De Sjeik? Heb je dat nooit aan Hassan gevraagd?'

'Hassan Arsenov laat niets los.'

'Misschien,' zei ze, terwijl ze Magomet over de rand van haar koffiekopje aankeek, 'bewaakt hij zijn hoge status wel.'

'En jij?'

Zina lachte voorzichtig. 'Nee. Ik praat wel.' Ze nam nog een slok van haar koffie. 'De Sjeik is een ziener. Hij ziet de wereld niet zoals hij nu is, maar hoe hij over een jaar, of vijf jaar is! Het is fantastisch om samen te zijn met deze man, die zichzelf helemaal onder controle heeft en zoveel macht heeft over de wereld.'

Magomet slaakte een zucht van verlichting. 'Dan zijn we werkelijk gered.'

'Inderdaad, gered.' Zina zette haar kopje neer en haalde een scheermes en het scheerschuim voor de dag dat ze in het toilet had gevonden. 'Kom bij me zitten, tegenover mij.'

Magomet aarzelde hooguit een moment. Hij zat zo dicht bij haar, dat zijn knieën die van haar raakten.

'Zo kun je in IJsland niet uit het vliegtuig stappen, dat weet je.'

Hij keek haar met zijn donkere ogen aan terwijl hij zijn vingers door zijn baard haalde. Terwijl ze hem strak bleef aankijken, duwde Zina zijn handen van zijn baard weg. Ze opende het scheermes en zeepte zijn rechterwang in. Het mes raspte over zijn huid. Magomet trilde even, en toen ze hem begon te scheren deed hij zijn ogen dicht.

Op een gegeven moment voelde ze dat Akhmed rechtop zat toe te kijken. De helft van Magomets wang was al gladgeschoren. Hij zei niets maar keek verbijsterd toe hoe langzaam maar zeker Magomets hele baard werd afgeschoren en zijn gezicht zichtbaar werd.

Uiteindelijk schraapte hij zijn keel en vroeg met zachte stem: 'Mag ik ook?'

'Je verwacht niet dat iemand als hij zo'n slecht pistool bij zich draagt,' zei Kevin McColl toen hij Annaka uit de Skoda sleurde. Hij snoof minachtend toen hij het wegstopte.

Annaka deed braaf met hem mee, blij dat hij aannam dat haar pistool van Khan was. Ze stond op de stoep onder de grijze middaglucht met gebogen hoofd, haar ogen terneergeslagen, stiekem vanbinnen grinnikend. Zoals zoveel mannen, had hij niet kunnen raden dat ze een pistool bij zich droeg, laat staan dat ze ermee kon omgaan. Wat hij niet wist, zou hem duur komen te staan – daar zou ze zelf voor zorgen.

'Allereerst wil ik je verzekeren dat jou niets zal overkomen. Je hoeft alleen maar eerlijk antwoord te geven op mijn vragen en mijn bevelen stipt op te volgen.' Met zijn duim drukte hij op een kleinere zenuwbundel aan de binnenkant van haar elleboog. Precies genoeg om haar te laten weten dat hij het meende. 'Begrijpen we elkaar?'

Ze knikte en piepte van de pijn toen hij haar nog harder kneep.

'Ik eis dat je antwoord geeft als ik je iets vraag.'

'Ja, dat begrijp ik,' zei ze.

'Goed zo.' Hij duwde haar in de schaduw van de portiek van Fo utca 106-108. 'Ik ben op zoek naar Jason Bourne. Waar is hij?'

'Dat weet ik niet.'

Ze zakte van de pijn door haar knieën toen hij haar weer op dezelfde zenuw drukte aan de binnenkant van haar elleboog.

'Zullen we het nog eens proberen?' vroeg hij. 'Waar is Jason Bourne?'

'Boven,' zei ze, terwijl de tranen over haar wangen rolden. 'In mijn appartement.'

Zijn greep werd aanmerkelijk losser. 'Zo moeilijk was dat toch niet? Doe wat ik zeg, dan overkomt je niets. En dan gaan we nu samen naar boven.'

Ze liepen naar binnen en Annaka deed de deur van het slot. Ze deed het licht aan en ze gingen de brede trap op. Toen ze aankwamen bij de vierde verdieping, duwde McColl haar naar voren. 'Luister goed,' zei hij zacht. 'Jij hoeft je nergens zorgen om te maken, begrijp je?'

Ze knikte halfslachtig, vermande zich en antwoordde: 'Ja.'

Hij trok haar strak tegen zich aan. 'Als je hem één seintje durft te geven, schiet ik je zo lek als een mandje.' Hij duwde haar naar voren. 'Oké, daar gaan we dan.'

Ze liep naar haar deur, stak de sleutel in het slot en maakte hem open. Aan haar rechterkant zag ze Jason op de bank liggen, zijn ogen halfdicht.

Bourne keek op. 'Ik dacht dat je...'

Op dat moment duwde McColl haar weg en hief zijn pistool. 'Pappa is thuis!' riep hij terwijl hij zijn pistool op de liggende man richtte en de trekker overhaalde.

22

Annaka had gewacht totdat McColl zijn eerste zet zou doen en plantte haar puntige, gekromde elleboog tegen zijn arm, waardoor hij miste. De kogel kwam terecht in de muur boven Bournes hoofd, vlak bij het plafond.

McColl vloekte woedend, haalde uit met zijn linkerhand terwijl hij zijn rechterarm naar omlaag zwaaide om weer op zijn liggende doel te richten. Zijn vingers verdwenen in Annaka's haar, grepen haar vast en trokken haar omhoog. Op dat moment pakte Bourne zijn keramische pistool onder de donsdeken. Hij wilde de indringer in zijn borst schieten, maar Annaka stond in de weg. Hij zocht een ander doel en schoot de indringer in het vlees van zijn pistoolarm. Het pistool viel op het tapijt, het bloed spetterde uit zijn wond en Annaka schreeuwde toen de indringer haar tegen zijn borst aan drukte bij wijze van schild.

Bourne zat op één knie, richtte de loop van zijn pistool terwijl de indringer, met Annaka tegen zich aan gedrukt, achteruit naar de open deur schuifelde.

'Denk maar niet dat het hiermee afgelopen is, nog lang niet,' zei hij met zijn blik op Bourne gericht. 'Ik heb nog nooit een opdracht tot een executie verknald en dat zal me ook nu niet overkomen.' Met deze dreigende uitspraak liet hij Annaka los en duwde haar naar Bourne toe.

Bourne, die van de bank was opgestaan, ving Annaka op voordat ze kon vallen. Hij draaide haar om, sprintte toen het appartement uit en zag nog net de deuren van de lift dichtgaan. Licht hinkend nam hij de trap. Het was alsof zijn zij in brand stond, hij wankelde op zijn benen. Hij haalde steeds zwaarder adem en wilde even stoppen om voldoende zuurstof naar binnen te zuigen, maar toch ging hij door, rende met twee, drie treden tegelijk de trap af. Vlak voordat hij aankwam op de eerste verdieping gleed hij met zijn linkervoet over een traptrede uit, en struikelend daalde hij de rest van de trap af. Hij kreunde toen hij opstond en duwde de deur naar de hal open. Hij zag bloedsporen op het marmer, maar de huurmoordenaar was verdwenen. Hij liep de gang in, maar zijn benen konden hem niet meer dragen. Hij ging zitten, half verdoofd, met zijn pistool in zijn ene hand; zijn andere hand lag met de palm naar boven op zijn dijbeen. Zijn ogen stonden glazig van de pijn en het leek alsof hij niet meer wist hoe hij moest ademen.

Ik moet achter die klootzak aan, dacht hij. Maar er klonk een oorverdovend lawaai in zijn hoofd dat hij uiteindelijk herkende als het gebonk van zijn overwerkte hart. Hij kon niet meer bewegen, op dit moment tenminste niet. Hij had nog net genoeg tijd voordat Annaka arriveerde om zich te realiseren dat zijn in scène gezette dood niet meer door de CIA werd geloofd.

Ze werd lijkbleek van bezorgdheid toen ze hem zag. 'Jason!' Ze hurkte naast hem neer, legde een arm om hem heen.

'Help me op te staan,' vroeg hij.

Ze droeg hem schuin op haar heup. 'Waar is hij? Welke kant ging hij op?'

Hij zou haar antwoord moeten kunnen geven. Jezus, dacht hij, misschien had ze gelijk, misschien moest hij echt eens naar de dokter.

Misschien kwam Khan door het gif in zijn hart weer zo snel bij bewustzijn. Hoe dan ook, een paar minuten na de klap was hij de Skoda alweer uit gestapt. Zijn hoofd deed nog steeds pijn, dat wel, maar zijn ego had er nog het meest onder geleden. Hij draaide het zielige tafereeltje nog eens af en met een bijna misselijk gevoel wist hij zeker dat hij door zijn domme en risicovolle gevoelens voor Annaka in gevaar was gebracht. Had hij nog meer bewijs nodig voor zijn stelling dat emotionele betrokkenheid te allen tijde vermeden moest worden? Het was hem duur komen te staan met zijn ouders, en later met Richard Wick, en de laatste keer met Annaka, die al vanaf het begin met Stepan Spalko onder één hoedje had gespeeld.

En Spalko? *'Wij zijn geen vreemden voor elkaar. Wij delen de intiemste geheimen,'* had hij die avond in Grozny gezegd. *'Ik beschouw onze relatie liever als meer dan louter zakelijk.'*

Net als Richard Wick had hij Khan voor zich willen winnen; ook hij beweerde dat hij een vriend wilde zijn, hem wilde opnemen in een verborgen – en intieme – wereld. *'Je hebt je reputatie van onfeilbaarheid grotendeels te danken aan de opdrachten die je van mij hebt gekregen.'* Alsof Spalko, net als Wick, meende dat hij Khans weldoener was. Deze mensen verkeerden in de veronderstelling dat ze op een hoger plan leefden, dat ze tot de elite behoorden. Net als

Wick had Spalko tegen Khan gelogen, zodat hij hem voor zijn eigen doeleinden kon gebruiken.

Wat wilde Spalko nu van hem? Het deed er al bijna niet meer toe; hij was verleden tijd. Van Spalko wilde hij nu alleen nog maar het volle pond, als genoegdoening waarmee alle onrechtvaardigheden uit het verleden werden rechtgezet. Niets minder dan Spalko's dood kon hem die genoegdoening geven. Spalko zou zijn eerste en laatste opdracht van hemzelf zijn.

Op dat moment, terwijl hij zich verborgen hield in de schaduw van een portiek en over zijn achterhoofd wreef waar een bult was ontstaan, hoorde hij weer haar stem. Hij steeg op vanuit de diepte, vanuit de schaduwen waarin hij zat, en zakte weer terug de diepte in, verdween onder de kabbelende golven.

'Lee-Lee,' fluisterde Khan. 'Lee-Lee!'

Het was haar stem die hij naar hem hoorde roepen. Hij wist wat ze wilde; ze wilde dat hij met haar mee de diepte in ging. Hij legde zijn bonzende hoofd in zijn handen; een hartverscheurende snik ontsnapte aan zijn lippen alsof het de laatste luchtbel in zijn longen was. Lee-Lee. Hij had al lang niet meer aan haar gedacht. Of toch wel? Bijna elke nacht had hij over haar gedroomd; het duurde lang voordat hij dat besefte. Waarom? Wat was er veranderd waardoor zij zo scherp tot hem kon doordringen na zo'n lange tijd?

Toen hoorde hij de voordeur dichtvallen en zag hij nog net op tijd een grote kerel uit de ingang van Fo utca 106-108 rennen. Hij hield zijn ene hand met zijn andere vast. Aan het bloedspoor zag hij dat hij tegen Jason Bourne aan was gelopen. Er verscheen een lachje op zijn gezicht, want hij wist dat dit de man was die hem bewusteloos had geslagen.

Khan voelde onmiddellijk de neiging opkomen hem te vermoorden, maar met moeite bedwong hij zichzelf en hij kreeg een beter idee. Hij stapte uit de schaduw en volgde de man die uit het gebouw was gevlucht.

De Dohány Synagoge was de grootste synagoge in Europa. De westzijde van het imposante gebouw kenmerkte zich door het bewerkelijke byzantijnse metselwerk in blauw, rood en geel, de kleuren van het wapen van Boedapest. Als kroon boven de ingang bevond zich een groot glas-in-loodraam. Boven deze indrukwekkende gevel staken twee veelhoekige moorse torens uit, met schitterende koperen en vergulde koepels.

'Ik kom zo met hem terug,' zei Annaka toen ze uit haar Skoda stapten. De doktersassistente had haar naar een vervanger verwezen, maar ze wilde niemand anders dan dokter Ambrus spreken, een oude huisvriend, en uiteindelijk mocht ze hem consulteren. 'Hoe minder mensen je zo zien, hoe beter.'

Bourne was het daarmee eens. 'Annaka, je hebt al ontelbare keren mijn leven gered.'

Ze keek hem glimlachend aan. 'Stop dan maar met tellen.'

'Wie was die indringer?'

'Kevin McColl.'

'Hij werkt als specialist voor de CIA.' Bourne hoefde niet uit te leggen waarin McColl gespecialiseerd was. En er was nog iets wat hem aan haar beviel. 'Je hebt hem uitstekend afgepoeierd.'

'Totdat hij me als schild gebruikte,' zei ze bitter. 'Dat had ik nooit mogen laten gebeuren.'

'We hebben ons eruit gered. Daar gaat het om.'

'Maar hij is ontkomen, en zijn dreigement...'

'De volgende keer kan ik hem aan.'

Ze kon weer een beetje glimlachen. Ze bracht hem naar een binnenplaatsje aan de achterzijde van de synagoge, waar hij volgens haar veilig kon wachten op de dokter.

Istvan Ambrus, de arts uit János Vadas' kennissenkring, zat te bidden, maar bleek meegaand genoeg om Annaka te vergezellen toen ze vertelde dat het om een spoedgeval ging.

'Maar natuurlijk, ik ben blij dat ik iets voor je kan betekenen, Annaka,' zei hij toen hij opstond en met haar meeliep onder de schitterende kroonluchters. Achter hem stond het prachtige orgel met vijfduizend pijpen, hoogst ongebruikelijk in een synagoge, waarop de componisten Franz Liszt en Camille Saint-Saëns nog hadden gespeeld.

'De dood van je vader kwam voor ons allen als een klap.' Hij pakte haar hand en kneep er even in. Hij had de stompe, sterke vingers van een chirurg of een metselaar. 'Hoe gaat het nu met je, meisje?'

'Naar omstandigheden goed,' zei ze zacht, terwijl ze voor hem uit liep.

Bourne zat op de binnenplaats waar in de wrede winter van 1944-1945 de lichamen van vijfduizend joden werden begraven, toen Adolph Eichmann de synagoge had bestemd tot doorvoerpunt vanwaar hij tien keer het genoemde aantal joden naar de vernietigingskampen had gestuurd. Het binnenplaatsje, gevat tussen de bogen van de binnenste loggia, stond boordevol met vale gedenkstenen die door donkergroene klimop waren overwoekerd. De stammen van de bomen die tegelijk waren geplant, waren ook door uitlopers begroeid. Een koude wind deed de bladeren ritselen, een geluid dat op deze plek verward kon worden met verre stemmen.

Het was onmogelijk hier te zijn en niet te denken aan alle doden en aan het verschrikkelijke lijden dat hier in die donkere periode had plaatsgevonden. Hij was bang dat er een nieuw tijdperk ophanden was, waarin de mensheid weer door het kwaad zou worden overweldigd. Hij keek op van zijn gepieker en zag Annaka aankomen in het gezelschap van een verzorgde man met een rond gezicht, een dun snorretje en rode wangen. Hij droeg een driedelig bruin pak. De schoenen aan zijn kleine voeten waren glanzend gepoetst.

'Dus u bent de brekebeen in kwestie,' zei hij nadat Annaka hen aan elkaar had voorgesteld en hem verteld had dat Bourne hun taal sprak. 'Nee, blijf zitten,' zei hij toen hij naast Bourne ging zitten en aan zijn onderzoek begon. 'Ik geloof niet dat Annaka's beschrijving recht deed aan uw verwondingen. Het lijkt wel alsof u door een gehaktmolen bent gehaald.'

'Dat is precies hoe ik me voel, dokter.' Bourne kromp ineen ondanks zichzelf toen dokter Ambrus over een bijzonder pijnlijke plek streek.

'Toen ik deze binnenplaats op liep, zag ik dat u diep in gedachten was verzonken,' zei dokter Ambrus spraakzaam. 'Dit is ook een akelige plek, deze binnenplaats, die ons herinnert aan degenen die we hebben verloren en, ruimer gezien, aan wat de mensheid als geheel tijdens de holocaust verloren heeft.' Zijn vingers waren verrassend licht en behendig toen ze het gevoelige vlees aan Bournes zij betastten. 'Maar die periode was niet alleen maar grimmig, moet u weten. Vlak voordat Eichmann en zijn mannen binnen kwamen marcheren, hadden een paar priesters de rabbi geholpen met het redden van de zevenentwintig rollen van de thora uit de Ark in de synagoge. De priesters namen de rollen mee en begroeven die op een christelijk kerkhofje, waar ze uit handen van de nazi's bleven totdat de oorlog voorbij was.' Hij glimlachte met zijn dunne lippen. 'Wat zegt dit ons? Dat er licht mogelijk is, zelfs in de donkerste duisternis. Soms komt compassie uit onverwachte hoek. En u hebt twee gebroken ribben.'

Hij stond op. 'Kom op. Thuis heb ik alle benodigdheden om u te verbinden. Binnen een week zal de pijn zijn verdwenen en bent u weer ter been.' Hij zwaaide met zijn dikke wijsvinger. 'Maar tot die tijd moet u me beloven rust te houden. Geen zware lichamelijke belasting voor u. In feite mag u zich helemaal niet belasten.'

'Dat kan ik niet beloven, dokter.'

Dokter Ambrus zuchtte en wierp kort een blik op Annaka. 'Waarom verbaast me dat eigenlijk niet eens?'

Bourne ging staan. 'Ik ben zelfs uitermate bang dat ik alles zal moeten doen wat u me zojuist heeft verboden. Ik vraag u dus wat ik het beste kan doen om mijn gebroken ribben te beschermen.'

'Wat denkt u van een harnas?' zei dokter Ambrus, lachend om zijn eigen grapje. Maar toen hij Bournes serieuze gezicht zag, verging het lachen hem. 'Mijn god, beste man, wat bent u de komende dagen van plan?'

'Als ik dat kon zeggen,' zei Bourne grimmig, 'dan zouden we allemaal heel wat beter af zijn.'

Hoewel duidelijk geschrokken, hield dokter Ambrus zich aan zijn woord en bracht hen naar zijn huis in de Boedaheuvels, waar hij een kleine onderzoekskamer had, waar andere mensen een studeerkamer zouden hebben. Voor het raam stonden klimrozen, maar de geraniumpotten waren leeg en wachtten op beter weer. Het huis had crèmekleurige muren met wit lijstwerk. Boven op de kast stonden ingelijste foto's van de vrouw van dokter Ambrus en zijn twee zoons.

Dokter Ambrus liet Bourne aan een tafel zitten en neuriede zacht terwijl hij in zijn kastjes naar de benodigde spullen zocht. Toen hij terug naar zijn patiënt ging, die zich half moest uitkleden, trok hij een lamp naar zich toe, die hij op het slachtoffer richtte. Vervolgens ging hij aan de slag en verbond hij Bournes ribben strak in drie lagen van verschillend materiaal – katoen, spandex en een rubberachtig materiaal dat, zoals hij zei, kevlar bevatte.

'Beter kan het niet,' zei hij toen hij klaar was.

'Ik kan nauwelijks ademen,' hijgde Bourne.

'Mooi zo, dat betekent dat de pijn tot een minimum beperkt blijft.' Hij rammelde met een klein bruin plastic potje. 'Ik wilde je wat pijnstillers meegeven, maar voor een man als u – toch maar niet. Het spul zal uw zintuigen vertroebelen, u zult trager reageren, en dan zie ik u de volgende keer misschien terug op de snijtafel in het mortuarium.'

Bourne probeerde om de grap te lachen. 'Ik zal mijn best doen u dat te besparen.' Hij zocht in zijn zakken. 'Wat ben ik u verschuldigd?'

Dokter Ambrus maakte een afwerend gebaar. 'Alstublieft.'

'Hoe kan ik je bedanken, Istvan?' vroeg Annaka.

'Jullie weerzien, lieverd, is het mooiste honorarium.' Dokter Ambrus nam haar gezicht in zijn handen en kuste haar op beide wangen. 'Beloof me dat je snel bij ons komt eten. Bela mist je net zo erg als ik. Kom weer eens op bezoek, lieve schat. Ze zal dan weer haar goulash maken, waar je als kind zo dol op was.'

'Ik kom snel, Istvan, dat beloof ik.'

Tevredengesteld door deze betalingsbelofte liet dokter Ambrus hen gaan.

23

'Die Randy Driver moet eens de wacht worden aangezegd,' zei Lindros.

De directeur was bezig een stapel papieren te ondertekenen, schoof die toen hij klaar was in de bak Uitgaande Post, en keek toen pas op. 'Ik heb gehoord dat hij je er flink van langs heeft gegeven.'

'Ik begrijp u niet. Vindt u dit grappig of zo?'

'Laat me toch, Martin,' zei hij met een besmuikt gezicht dat hij niet eens verborg. 'Ik heb zo weinig verzetjes tegenwoordig.'

De zon die de hele middag op het standbeeld van de drie soldaten uit de Revolutieoorlog had geschenen, was verdwenen, waardoor de bronzen figuren er saai uitzagen in de schaduwen die hen omhulden. Het voorzichtige lentezonnetje was te snel ondergegaan.

'Ik wil dat hij wordt tegengehouden. Ik wil toegang...'

De directeur werd boos. '"Ik wil, ik wil" – je lijkt wel een peuter.'

'U geeft me de leiding over het onderzoek naar de moorden op Conklin en Panov. Ik doe alleen maar wat u mij opdraagt.'

'Onderzoek?' De ogen van de directeur vonkten van woede. 'Er is geen onderzoek meer. Ik heb je in niet mis te verstane termen duidelijk gemaakt, Martin, dat ik ermee wilde ophouden. Dat gedoe is dodelijk voor ons met dat takkewijf. Ik wil het kunnen vergeten. Het laatste wat ik wil, is dat jij binnen de burelen van de geheime dienst tekeergaat als een olifant in een porseleinkast.' Hij stak zijn hand uit om eventueel gesputter van zijn adjunct te smoren. 'Harris moet hangen, hang hem hoog en in het zicht op zodat de nationale veiligheidsadviseur weet waar wij mee bezig zijn.'

'Als u dat vindt, maar met alle respect, dat zou op dit moment wel het domste zijn wat we kunnen doen.' Terwijl de directeur hem met open mond aangaapte, reikte hij hem over zijn bureau de computeruitdraai aan die hij van Harris had gekregen.

'Wat hebben we hier?' vroeg de directeur. Hij wilde altijd eerst een samenvatting van iets wat hij moest lezen.

'Het gaat om een Russische bende die mensen illegaal aan handwapens helpt. Hetzelfde wapen waarmee Conklin en Panov zijn vermoord. Het werd valselijk op naam van Webb geregistreerd. Dit bewijst dat Webb in een val zat, dat hij zijn twee beste vrienden niet heeft vermoord.'

De directeur was het document al gaan lezen en nu begon hij zijn dikke witte wenkbrauwen te fronsen. 'Martin, dit bewijst helemaal niks.'

'Alweer met alle respect, maar ik begrijp niet hoe u de feiten voor uw neus zomaar kunt negeren.'

De directeur zuchtte en schoof de uitdraai weg terwijl hij achterover in zijn stoel leunde. 'Weet je, Martin, ik heb jou goed opgeleid. Maar toch denk ik nu dat je nog veel moet leren.' Hij wees naar het vel papier voor hem op zijn bureau. 'Dit zegt mij dat het pistool waarmee Jason Bourne Alex en Mo Panov neerschoot elektronisch werd betaald vanuit Boedapest. Bourne heeft ik weet niet hoeveel bankrekeningen in het buitenland, de meeste in Zürich en Genève, dus waarom zou hij er niet ook een in Boedapest hebben?' Hij gromde. 'Het is een slimme truc, een van de vele die Alex hem zelf heeft geleerd.'

Lindros' moed zakte hem in de schoenen. 'Dus u denkt niet...'

'Wil je dat ik met dit zogenaamde bewijs naar de feeks ga?' De directeur schudde zijn hoofd. 'Ze zou het meteen in mijn strot terugduwen.'

Natuurlijk, het eerste wat opkwam bij de Oude Rot was dat Bourne vanuit Boedapest de database van de Amerikaanse overheid had gekraakt, precies de reden waarom hij zelf Kevin McColl op hem had afgestuurd. Nee, dacht de directeur koppig, het geld voor het moordwapen kwam uit Boedapest en daar was Bourne nou net naartoe gevlucht. Eens te meer bewijs voor zijn vervloekte schuld.

Lindros onderbrak zijn overdenkingen. 'Dus u wil me geen toestemming geven om terug te gaan naar Driver...'

'Martin, het is nu bijna halfacht en mijn maag begint te rommelen.' De directeur stond op. 'Om te bewijzen dat ik niet meer boos op je ben, wil ik je mee uit eten nemen.'

De Occidental Grill was een exquis restaurant waar de directeur een eigen tafel had. Gewone burgers en lage ambtenaren moesten in de rij staan, hij niet. In deze arena steeg zijn macht uit de schaduwwereld die hij bewoonde, openbaarde hij die aan heel Washington. Er waren maar heel weinig mensen in de binnenstad die deze status hadden. Na een zware dag was er niets zo heerlijk als er gebruik van maken.

Ze lieten hun auto parkeren en gingen de lange granieten trap op naar het restaurant. Binnen liepen ze door een smalle gang met foto's van presidenten en andere beroemde politieke figuren die in de Grill hadden gegeten. Als altijd bleef de directeur even stilstaan bij de foto van J. Edgar Hoover en zijn altijd aanwezige schaduw, Clyde Tolson. De ogen van de directeur boorden zich in de foto van de twee mannen alsof hij bij machte was dit duo uit het pantheon der groten te jagen.

'Ik weet nog goed hoe we het memootje van Hoover onderschepten waarin hij zijn seniormedewerkers de opdracht gaf de link te zoeken tussen Martin Luther King, de Communistische Partij en de demonstraties tegen de Vietnamoorlog.' Hij schudde zijn hoofd. 'In wat voor een wereld heb ik geleefd.'

'Dat is nu geschiedenis.'

'Een schandelijke geschiedenis, Martin.'

Met deze uitspraak liep hij door de gedeeltelijk glazen deuren het restaurant in. De ruimte was onderverdeeld in houten zithoeken, glazen afscheidingen en een spiegelbar. Zoals gebruikelijk stond er een rij, die de directeur omzeilde zoals de *Queen Mary* langs een vloot motorbootjes vaart. Hij stopte bij een verhoging, waar een charmante zilvergrijsharige kelner het toezicht hield.

Toen de directeur arriveerde, draaide de man zich om terwijl hij de lange menu's aan zijn borst drukte. 'Meneer de directeur!' Zijn ogen gingen wijd openstaan. Zijn doorgaans knalrode huid zag vreemd genoeg bleek. 'We wisten niet dat u vanavond hier kwam dineren.'

'Sinds wanneer moet ik me aankondigen, Jack?' vroeg de directeur.

'Wilt u eerst iets drinken aan de bar, directeur? Ik heb uw favoriete whisky.'

De directeur klopte op zijn buik. 'Ik heb honger, Jack. We slaan de bar over en gaan direct naar mijn tafel.'

De kelner kreeg het nu echt benauwd. 'Een momentje alstublieft,' zei hij, en hij rende weg.

'Wat heeft hij toch?' mompelde de directeur licht geïrriteerd.

Lindros had al een blik geworpen op het hoekje van de directeur, zag dat het bezet was en trok wit weg. De directeur zag zijn gezicht en draaide zich om, keek door de kluwen obers en kelners naar zijn tafel. De voor hem gereserveerde machtszetel werd nu bezet door Roberta Alonzo-Ortiz, de nationale veiligheidsadviseur van de Verenigde Staten. Ze was druk in gesprek met twee senatoren van de commissie Buitenlandse Inlichtingen.

'Ik maak haar af, Martin. Zo waarlijk helpe mij God; ik breek alle botten in het lijf van dat takkewijf.'

Op dat moment kwam de kelner terug, zijn boord was duidelijk bezweet. 'We hebben een mooie tafel voor u vrijgemaakt, meneer, een tafel voor vier, alleen voor u tweeën, heren. En de drank is van het huis.'

De directeur slikte zijn woede in. 'Ja hoor, da's goed,' zei hij, terwijl hij voelde dat hij zijn blos niet kon verbergen. 'We volgen je, Jack.'

De kelner nam een route die niet voorbij zijn oude tafeltje ging, waar de directeur hem dankbaar voor was.

'Ik zei het haar nog,' zei de kelner haast buiten adem. 'Ik heb haar duidelijk gemaakt dat deze tafel van u was, maar ze stond erop. Ze duldde geen tegenspraak. Wat kon ik doen? De drankjes komen eraan.' Jack zei dit allemaal gehaast, en gaf hun het menu en de wijnkaart.

Even later bracht een stevige ober met zware bakkebaarden twee glazen whisky, de fles en een karaf met water.

'Met de complimenten van de kelner,' zei hij erbij.

Als Lindros al de illusie had dat de directeur gekalmeerd was, werd hij uit die droom geholpen toen hij de Oude Rot zag nippen van zijn whisky. Hij trilde en nu zag Lindros ook dat zijn ogen glazig stonden van woede.

Lindros zag zijn kans en de volleerde tacticus in hem greep die aan. 'De nationale veiligheidsadviseur wil af van het gedoe van die dubbele moord en die zo snel mogelijk in de doofpot stoppen. Maar als de vooronderstelling die achter deze handelswijze schuilt – namelijk dat Jason Bourne schuldig is – niet klopt, dan stort alles in, ook de buitengewoon bevoorrechte positie van onze nationale veiligheidsadviseur.'

De directeur keek op. Hij keek zijn adjunct argwanend aan. 'Ik ken je, Martin. Je bent iets van plan, of niet?'

'Ja zeker, en als mijn voorgevoel klopt, staat de veiligheidsadviseur voor schut. Maar daarvoor heb ik wel de volledige medewerking nodig van Randy Driver.'

De ober verscheen met de salade.

De directeur wachtte tot ze weer alleen waren en schonk de glazen nog eens vol. Met een gespannen mond zei hij: 'Dat gedoe met Randy Driver, denk je dat het echt nodig is?'

'Absoluut. Het is cruciaal.'

'Cruciaal, zeg je?' De directeur begon aan zijn salade, bekeek een glanzend stukje tomaat aan zijn vork. 'Morgen onderteken ik meteen de benodigde papieren.'

'Dankuwel.'

De directeur fronste zijn wenkbrauwen, keek zijn adjunct recht in de ogen en zei: 'Je kunt me maar op één manier bedanken, Martin. Door me de munitie te geven waarmee ik de feeks op haar plaats kan zetten.'

Het voordeel om in elke stad een ander schatje te hebben, wist McColl, was dat hij altijd ergens kon schuilen. Er was natuurlijk een toevluchtsoord van de CIA in Boedapest – er waren er zelfs verscheidene – maar hij had geen zin om met zijn gewonde arm op te komen dagen en zijn superieuren te vertellen dat hij er niet in geslaagd was de missie te volbrengen waartoe hij van de directeur persoonlijk opdracht had gekregen. In zijn werk voor de CIA telden alleen maar resultaten.

Ilona was thuis toen hij met zijn gewonde arm bij haar binnenviel. Zoals altijd stond ze gewillig voor hem klaar. Maar hij had er geen zin in, hij moest eerst zijn zaken regelen. Hij liet haar wat te eten halen – iets wat rijk aan proteïnen was, zei hij, want hij moest aansterken. In haar badkamer waste hij met ontbloot bovenlijf het bloed van zijn rechterarm. Toen goot hij wat waterstofperoxide over de wond. De vlammende pijn schoot door zijn hele arm, hij trilde op zijn benen en moest op de wc-klep gaan zitten om bij te komen. Even later was de pijn veranderd in een diep geklop en kon hij de schade opnemen. Het goede nieuws was, dat de wond schoon was: de kogel was dwars door het vlees van zijn arm gegaan. Hij leunde voorover met zijn elleboog op de rand van het fonteintje en goot nog wat waterstofperoxide over de wond. Hij floot door zijn ontblote tanden. Toen stond hij op, zocht in de kastjes vergeefs naar steriel verband. Wél vond hij een rol plakband. Met een nagelschaartje knipte hij er een stuk van af en bond dat strak om de wond.

Toen hij terugkwam had Ilona het eten klaarstaan. Hij schrokte als een wolf zijn eten naar binnen, zonder smaak. Het was warm en voedzaam, daar was het hem om te doen. Ze stond achter hem terwijl hij at, masseerde de spierbundels op zijn schouders.

'Je bent zo gespannen,' zei ze. Ze was klein en slank en had sprankelende ogen, een aantrekkelijke glimlach en welvingen op de juiste plekken. 'Waar moest je naartoe toen je mij in de baden alleen liet? Toen was je nog zo ontspannen.'

'Mijn werk,' zei hij laconiek. Uit ervaring wist hij dat het niet verstandig was haar vragen te negeren, maar hij had weinig zin om te praten. Hij moest zijn gedachten op een rijtje zetten, zijn tweede, en laatste aanval op Jason Bourne voorbereiden. 'Ik zei je dat mijn werk veeleisend was.'

Haar getalenteerde vingers kneedden verder de spanningen uit zijn lijf. 'Dan kun je er misschien beter mee ophouden.'

'Ik doe het graag,' zei hij, terwijl hij zijn lege bord wegschoof. 'Ik hou er nooit mee op.'

'En toch heb je de pest in.' Ze ging voor hem staan en stak haar hand uit. 'Laten we nu naar bed gaan. Ik zal je opvrolijken.'

'Ga maar vast,' zei hij. 'En wacht op me. Ik moet eerst wat zakelijke telefoontjes plegen. Als ik klaar ben, mag je me helemaal hebben.'

De dag begon met luidruchtig geschreeuw dat het anonieme kamertje van het armoedige hotel binnenkwam. De geluiden van het zich roerende Boedapest drongen door de dunne muren die van gaas leken, en wekten Annaka uit een onrustige slaap. Even bleef ze stil liggen in het grijze ochtendlicht, naast Bourne op het tweepersoonsbed. Uiteindelijk draaide ze zich om en staarde naar hem.

Wat was haar leven veranderd sinds ze hem op de trappen van de Matthiaskerk had ontmoet! Haar vader was overleden en nu kon ze niet meer in haar appartement omdat zowel Khan als de CIA die plek in de gaten hield. Maar eigenlijk miste ze haar appartement niet erg, alleen maar de piano. Het pijnlijke verlangen dat in haar brandde, was vergelijkbaar met wat eeneiige tweelingen moesten voelen als ze door een grote afstand van elkaar werden gescheiden.

En Bourne, wat voelde ze eigenlijk voor hem? Dat kon ze niet goed zeggen, want al op jonge leeftijd was er bij haar vanbinnen een knop omgezet waardoor haar emoties leken uitgezet. Hoe dat mechanisme werkte, een vorm van zelfbescherming, was nog een mysterie, ook voor deskundigen die dit soort verschijnselen bestudeerden. Het zat diep in haar verborgen en ze kon er niet bij – als gevolg van haar zelfbeschermende karakter.

Zoals altijd had ze tegen Khan gelogen toen ze hem vertelde dat ze zichzelf bij hem niet onder controle kon houden. Ze had het met hem uitgemaakt omdat dat moest van Stepan. Erg vond ze dat niet; ze genoot zelfs van Khans blik toen ze het hem vertelde. Ze had hem gekwetst, en zich daaraan verlustigd. Tegelijk besefte ze dat hij om haar had gegeven, wat haar nieuwsgierig maakte, omdat ze zoiets niet kende. Natuurlijk had ze heel lang geleden om haar moeder gegeven, maar wat had die emotie haar gebracht? Haar moeder kon haar niet beschermen; erger nog, die ging dood.

Langzaam en voorzichtig schoof ze van Bourne weg totdat ze zich kon omdraaien en opstaan. Ze pakte haar jas toen Bourne, die plotseling ontwaakte uit een diepe slaap, zacht haar naam riep.

Annaka schrok en draaide zich om. 'Ik dacht dat je nog sliep. Heb ik je wakker gemaakt?'

Bourne keek haar zonder te knipperen aan. 'Waar ga je naartoe?'

'Ik... we hebben nieuwe kleren nodig.'

Hij probeerde rechtop te zitten.

'Hoe voel je je?'

'Gaat wel,' zei hij. Hij was niet in de stemming voor medelijden. 'We moeten ons ook nog vermommen.'

'We?'

'McColl wist wie je was, dat betekent dat ze een foto van je naar hem hebben gestuurd.'

'Maar waarom?' Ze schudde haar hoofd. 'Hoe kon de CIA weten dat we samen waren?'

'Dat wisten ze niet – tenminste niet zeker,' zei hij. 'Ik heb erover nagedacht. De enige manier waarop ze jou hebben kunnen vinden is via het IP-adres van je computer. Ik heb waarschijnlijk een intern alarm laten afgaan toen ik inbrak op het intranet van de overheid.'

'Mijn god.' Ze trok haar jas aan. 'Toch is het voor mij een stuk veiliger om de straat op te gaan dan voor jou.'

'Weet je waar je schminkspullen kunt kopen?'

'In de theaterbuurt. Ik vind wel wat.'

Bourne pakte een blocnote en een pen van het bureau en maakte gehaast een lijstje. 'Dit is wat ik voor ons tweeën nodig heb,' zei hij. 'Ik heb ook de maten opgeschreven van mijn overhemd, nek en taille. Heb je genoeg geld? Ik heb voldoende, maar alleen Amerikaanse dollars.'

Ze schudde haar hoofd. 'Te gevaarlijk. Die zou ik bij een bank moeten omwisselen in de Hongaarse forint, dat valt misschien op. Er zijn geldautomaten genoeg in de stad.'

'Wees voorzichtig,' waarschuwde hij.

'Maak je geen zorgen.' Ze keek naar het lijstje dat hij had gemaakt. 'Ik ben over een paar uur terug. Blijf tot die tijd rustig binnen.'

Met de kleine, piepende lift ging ze naar beneden. Behalve de dagreceptionist was er niemand aanwezig in het evenredig kleine halletje. De man keek op vanuit zijn krant, keek haar helemaal na en las weer verder. Ze liep het bruisende Boedapest in. De gedachte aan Kevin McColl, een complicerende factor, maakte haar wat nerveus, maar Stepan stelde haar gerust toen ze hem opbelde om het laatste nieuws te vertellen. Al die tijd had ze hem vanuit haar appartement dagelijks bijgepraat, waarbij ze steeds de kraan in de keuken liet lopen.

Terwijl ze met de stroom voetgangers meeliep, keek ze op haar horloge. Het was net tien uur geweest. Ze nam koffie en een broodje in een café op de hoek en gebruikte ongeveer halverwege op weg naar het winkelcentrum een geldautomaat. Ze stopte haar pasje in de gleuf, haalde het maximale bedrag van haar rekening, stopte het stapeltje biljetten in haar portefeuille en met het lijstje van Bourne in haar hand ging ze winkelen.

Aan de andere kant van de stad liep Kevin McColl het gebouw binnen van de Boedapest Bank waar Annaka Vadas haar rekening had. Hij liet in een flits zijn identiteitsbewijs zien en werd snel toegelaten tot het glazen kantoortje van de bankmanager, een in saai grijs gestoken, verzorgde man. Handenschuddend stelden ze zich aan elkaar voor en de manager wees McColl de chique stoel tegenover hem.

De manager zette zijn vingertoppen tegen elkaar en vroeg: 'Waarmee kan ik u van dienst zijn, meneer McColl?'

'We zijn op zoek naar een internationale huurmoordenaar,' begon McColl.

'Zo, en waarom is Interpol hier niet bij betrokken?'

'Die doen ook mee,' zei McColl, 'net als de Quai d'Orsay in Parijs, waar de man voor het laatst is gezien voordat hij naar Boedapest vluchtte.'

'En om wie gaat het?'

McColl haalde een folder van de CIA tevoorschijn en vouwde die voor de bankmanager uit op het bureaublad.

De manager verschoof zijn bril en bekeek de folder vluchtig. 'Aha, Jason Bourne. Ik kijk CNN.' Hij keek over het goudkleurige montuur van zijn bril. 'En volgens u zit hij in Boedapest?'

'Zijn signalement is bevestigd.'

De manager schoof de folder terzijde. 'En wat kan ik voor u doen?'

'Hij verkeerde in het gezelschap van een van uw cliënten. Annaka Vadas.'

'Nee maar!' De manager keek geschrokken. 'Haar vader is vermoord – werd twee dagen geleden neergeschoten. Denkt u dat hij door de voortvluchtige is vermoord?'

'Dat sluiten we niet uit.' McColl hield zijn ongeduld met moeite in bedwang. 'Ik zou het op prijs stellen als u kon nagaan of mevrouw Vadas de afgelopen vierentwintig uur een geldautomaat heeft gebruikt.'

'Dat begrijp ik.' De manager knikte ernstig. 'De voortvluchtige heeft geld nodig. Misschien dwingt hij haar het te halen.'

'Precies.' Ik doe alles, dacht McColl, om deze man aan het werk te zetten.

De manager draaide zijn bureaustoel om en begon op zijn toetsenbord te typen. 'Eens kijken. Ach, hier heb ik haar. Annaka Vadas.' Hij schudde zijn hoofd. 'Wat een tragedie. En nu dit erbij.'

Hij staarde naar het computerscherm totdat er een piep klonk. 'U lijkt gelijk te hebben, meneer McColl. Nog geen halfuur geleden is de pincode van Annaka Vadas gebruikt bij een geldautomaat.'

'Waar?' vroeg McColl naar voren leunend.

De manager noteerde het adres en gaf dat aan McColl die al was opgestaan en nog net over zijn schouder heen 'dankuwel' zei.

Bourne vroeg de receptionist in de lobby van het hotel naar het dichtstbijzijnde internetcafé. Hij liep twaalf straten verder naar AMI Internet Café op Váci utca nummer 40. Binnen was het rokerig en druk, mensen zaten achter hun computers rokend hun e-mail te lezen, onderzoek te doen of gewoon te surfen. Hij bestelde een dubbele espresso en een croissantje bij een jonge vrouw met punkhaar, die hem een bonnetje gaf waarop een tijd stond en het nummer van zijn computer; ze wees hem naar een vrijstaande computer die al was ingelogd.

Hij ging meteen aan de slag. In het veld 'zoeken' typte hij Peter Sido, de naam van Schiffers voormalige compagnon, maar vond niets. Dat was op zichzelf vreemd en verdacht. Als Sido een beetje een bekende wetenschapper was – wat Bourne aannam omdat hij ooit met Felix had samengewerkt – dan moest hij toch érgens op het net voorkomen. Omdat dit niet zo was, dacht Bourne dat zijn 'afwezigheid' een reden had. Hij moest het over een andere boeg gooien.

De naam Sido deed zijn linguïstische brein ergens aan denken. Was het een Russische naam? Slavisch? Hij zocht op deze talen, maar er rolde niets uit. Intuïtief surfte hij naar een Hongaarse site, en daar vond hij wat.

Het bleek dat Hongaarse familienamen – wat Hongaren bijnamen noemen – bijna altijd iets betekenden. Ze konden bijvoorbeeld verwijzen naar de voornaam van de vader, of naar de plaats waar de familie vandaan kwam. Ook kon de familienaam iets zeggen over het beroep – Bourne merkte op dat 'Vadas' jager betekende. Of wát iemand was. Sido was Hongaars voor jood.

Dus Peter Sido was een Hongaar, net als Vadas. Conklin had Vadas uitgekozen om mee samen te werken. Toeval? Daar geloofde Bourne niet in. Er was een verband; dat kon hij voelen. De volgende gedachte kwam in hem op: alle topziekenhuizen en onderzoekscentra van Hongarije zitten in Boedapest. Zou Sido hier ook zijn?

Bournes handen vlogen over het toetsenbord toen hij het digitale telefoonboek van Boedapest opende. En daar vond hij ene dr. Peter Sido. Hij noteerde adres en telefoonnummer, logde uit, betaalde voor de tijd die hij on line was geweest en nam zijn espresso en croissant mee naar een hoekje in het cafégedeelte, waar hij rustig kon zitten. Hij nam een hap van zijn broodje terwijl hij zijn mobiele telefoon pakte en het nummer van Sido draaide. Hij nam een slok van zijn koffie. Na een paar keer overgaan nam een vrouw op.

'Hallo,' zei Bourne vrolijk. 'Mevrouw Sido?'

'Ja.'

Hij hing zonder iets te zeggen op, verslond de rest van zijn ontbijt terwijl hij wachtte op de taxi die hij had gebeld. Hij hield zijn ogen op de voordeur gericht en bekeek iedereen die binnenkwam, uitkijkend naar McColl of een willekeurige andere CIA-agent die misschien op hem was afgestuurd. Toen hij zeker wist dat hij niet in de gaten werd gehouden, liep hij de straat op naar zijn taxi. Hij gaf de chauffeur het adres van Peter Sido en nog geen twintig minuten later stopte de taxi voor een klein huisje met een stenen voorgevel, een voortuintje en kleine ijzeren balkons op elke verdieping.

Hij liep de trap op en klopte aan. Er werd opengedaan door een nogal gezette vrouw van middelbare leeftijd met lichtbruine ogen en een vriendelijke glimlach. Ze had een knot bruin haar en was elegant gekleed.

'Mevrouw Sido? De vrouw van dr. Peter Sido?'

'Dat klopt.' Ze keek hem onderzoekend aan. 'Kan ik u ergens mee van dienst zijn?'

'Ik ben David Schiffer.'

'Ja, en...?'

Hij lachte innemend. 'Een neef van Felix Schiffer.'

'Het spijt me,' zei de vrouw, 'maar Felix heeft het nooit over zijn neef gehad.'

Bourne was hierop voorbereid. Hij grinnikte. 'Dat verbaast me niets. Ziet u, we zijn elkaar uit het oog verloren. Ik kom net aan uit Australië.'

'Australië! Asjemenou!' Ze deed een stap opzij. 'Maar kom binnen alstublieft. U zult me wel onbeleefd vinden.'

'Helemaal niet,' zei Bourne. 'Hooguit verrast, wat niet zo gek is.'

Ze ging hem voor naar een kleine zitkamer met comfortabel, maar donker meubilair en bood hem een stoel aan. Het rook naar gist en suiker. Toen hij op een overdadig beklede stoel zat, vroeg ze: 'Wilt u koffie of thee. Ik heb nog stol. Vanochtend gebakken.'

'Stol, ja lekker,' zei hij. 'En koffie daarbij is perfect. Dankuwel.'

Ze giechelde en liep naar de keuken. 'Weet u zeker dat u geen Hongaars bloed hebt, meneer Schiffer?'

'Noem me alstublieft David,' zei hij, toen hij opstond en achter haar aan liep. Aangezien hij niets wist over de familie Schiffer, bevond hij zich op glad ijs. 'Kan ik u ergens mee helpen?'

'Dat is aardig van je, David. Dan moet jij me Eszti noemen.' Ze wees naar een overdekte gebakschaal. 'Snij maar een stuk voor ons af.'

Op de koelkastdeur zag hij tussen een paar familiefoto's een foto van een mooie jonge vrouw, alleen. Ze hield haar hand op haar Schotse baret, haar lange zwarte haren wapperden in de wind. Achter haar stond de Londense Tower.

'Uw dochter?' vroeg Bourne.

Eszti Sido keek met een glimlach op. 'Ja, dat is Roza, de jongste. Ze studeert in Londen. Cambridge,' zei ze met begrijpelijke trots. 'Mijn andere dochters – daar zie je ze met hun gezin – zijn allebei gelukkig getrouwd, goddank. Roza is degene met ambities.' Ze lachte verlegen. 'Zal ik je een geheimpje verklappen, David? Ik hou van al mijn kinderen, maar Roza is mijn favoriet. Van Peter ook. Ik denk dat hij iets van hemzelf in haar herkent. Ze is een studiebol.'

Na een paar minuten rommelen in de keuken bracht Bourne een dienblad met een karaf koffie en een schaal stol mee terug naar de zitkamer.

'Dus jij bent een neef van Felix,' zei ze toen ze beiden zaten, hij op de stoel, zij op de bank. Er stond een laag tafeltje tussen hen in waar Bourne het dienblad op had gezet.

'Ja, en ik ben benieuwd hoe het met Felix gaat,' zei Bourne terwijl hij de koffie inschonk. 'Maar ik kan hem niet vinden en ik dacht... Nou ja, ik hoopte dat uw man me zou kunnen helpen.'

'Ik denk niet dat hij weet waar Felix is.' Eszti Sido reikte hem koffie aan met een plakje stol. 'Ik wil je niet laten schrikken, David, maar hij is de laatste tijd nogal gespannen. Ook al werkten ze officieel allang niet meer samen, ze correspondeerden sinds kort weer met elkaar.' Ze roerde de room in haar koffie. 'Ze zijn altijd bevriend met elkaar gebleven.'

'Dus deze recente briefwisseling was persoonlijk,' zei Bourne.

'Daar weet ik niets van.' Eszti dacht na. 'Ik geloof dat het iets met hun werk had te maken.'

'En je weet niet wat, Eszti? Ik heb een lange reis gemaakt om mijn neef te vinden en ik begon me eerlijk gezegd zorgen te maken. Alles wat jij of je man me kunt vertellen, is meegenomen.'

'Natuurlijk, David, dat begrijp ik volkomen.' Ze nam een hapje van haar stol. 'Ik denk dat Peter het leuk zou vinden je te ontmoeten. Hij zit nu op zijn werk.'

'Kan ik hem daar bellen?'

'O nee, dat werkt niet. Peter beantwoordt op zijn werk nooit de telefoon. Je zult zelf naar Eurocenter Bio-I Kliniek moeten gaan op Hattyu utca 75. Je zult dan eerst door een metaaldetector moeten, waarna je bij de receptie moet wachten. Vanwege de aard van het werk zijn de veiligheidsmaatregelen streng. Je hebt speciale ID-passen nodig als je naar binnen wilt; bezoekers krijgen een witte, de eigen onderzoekers een groene en assistenten en ondersteunend personeel een blauwe pas.'

'Bedankt voor deze informatie, Eszti. Mag ik vragen waarin je man is gespecialiseerd?'

'Heeft Felix je dat nooit verteld?'

Bourne nam een slok van de heerlijke koffie. 'Zoals je vast weet, houdt Felix veel voor zich; hij heeft het nog nooit met me over zijn werk gehad.'

'Dat kan ik me voorstellen.' Eszti Sido lachte. 'Peter is net zo, en gezien zijn angstwekkende specialisatie is dat maar goed ook. Ik zou nachtmerries krijgen als ik precies wist wat hij deed. Hij is namelijk epidemioloog.'

Bournes hart begon sneller te kloppen. 'Angstwekkend zei je. Dan werkt hij zeker met gemene bacteriën. Antrax, longpest, Argentijnse hemorragische koorts...'

Eszti Sido's gezicht betrok. 'Hou er alsjeblieft over op!' Ze zwaaide met haar mollige handje. 'Dat is precies waar Peter zich mee bezighoudt en waar ik niets over wil weten.'

'Sorry.' Bourne leunde voorover en schonk nog een kop in, waar ze hem opgelucht voor bedankte.

Ze ging achterover zitten, dronk van haar koffie en dacht na. 'Weet je, David, nu ik erover nadenk, niet lang geleden kwam Peter op een avond ontzettend gespannen thuis. Het was zelfs zo erg dat hij zich niet kon inhouden en mij iets vertelde. Ik stond te koken en hij was ongewoon laat. Ik was met zes dingen tegelijk bezig – braadvlees, weet je, mag niet te gaar worden, dus dat had ik al uit de oven gehaald, en toen Peter binnenliep moest ik het er weer in zetten. Nee, ik was niet blij met Peter die avond.' Ze nam weer een slok. 'Maar waar was ik?'

'Dr. Sido kwam gespannen thuis,' zei Bourne.

'O ja, dat klopt.' Ze nam een stukje stol tussen haar vingers. 'Hij had contact gehad met Felix, zei hij, die een doorbraak had bereikt met het... ding waaraan hij al meer dan twee jaar had gewerkt.'

Bournes mond werd droog. Het bevreemdde hem dat het lot van de wereld mogelijk in handen lag van een huisvrouw met wie hij gezellig koffie zat te leuten. 'Vertelde je man ook wat het was?'

'Natuurlijk!' zei Eszti Sido opgewonden. 'Dat was precies waarom hij zo gespannen was. Het ging om een biochemische verstuiver – wat dat ook moge zijn. Het bijzondere was volgens Peter, dat het ding draagbaar was. Je kon het meenemen in een gitaarkoffer, zei hij.' Haar vriendelijke ogen staarden hem aan. 'Is dat geen interessante beeldspraak voor zo'n wetenschappelijk apparaat?'

'Inderdaad, interessant,' zei Bourne, die snel als een computer de gevonden puzzelstukjes bij elkaar legde waarvoor hij zijn leven in de waagschaal had gesteld.

Hij stond op. 'Eszti, ik moet gaan. Bedankt voor je tijd en gastvrijheid. Ik heb ervan genoten. Het was allemaal ontzettend lekker – vooral de stol.'

Ze bloosde, glimlachte lief naar hem toen ze hem uitliet. 'Kom nog eens terug, David, onder vrolijkere omstandigheden.'

'Zal ik doen,' verzekerde hij haar.

Op straat bleef hij staan. De informatie die hij van Eszti Sido had gekregen bevestigde zijn ergste vermoedens en angsten. De reden waarom iedereen achter Schiffer aanzat, was dat hij inderdaad een draagbaar apparaat had uitgevonden waarmee chemische en biologische pathogenen konden worden verspreid. In een stad als New York of Moskou zouden binnen de straal van de verstuiver wel duizenden mensen ten dode zijn opgeschreven. Een afschrikwekkend scenario, dat werkelijkheid werd als hij Schiffer niet zou vinden. Als iemand iets wist, was dat Peter Sido wel. Het feit dat hij zo gespannen was thuisgekomen, bevestigde zijn theorie.

Hij moest dr. Peter Sido spreken, hoe eerder hoe beter.

'U weet dat daar alleen maar moeilijkheden van komen,' zei Feyd al-Saoud.

'Dat weet ik,' antwoordde Jamie Hull. 'Maar Boris laat me geen keus. U weet net zo goed als ik dat hij een ontzettende eikel is.'

'Om te beginnen,' zei Feyd al-Saoud droogjes, 'als u hem bij zijn voornaam blijft noemen, weet u wat er gebeurt. Dan is er weer ruzie.' Hij stak zijn handen in de lucht. 'Misschien mis ik iets, meneer Hull, maar kunt u mij uitleggen waarom u onze taak hier, die alles wat we in ons hebben van ons vergt, nog ingewikkelder maakt.'

De twee agenten inspecteerden het HVAC-systeem van het Oskjuhlid Hotel en plaatsten her en der een warmtesensor of een bewegingsgevoelige detector. Dit onderzoek stond buiten de dagelijkse inspectie van het HVAC-systeem onder de conferentiezaal van de top, die de drie beveiligingshoofden als team inspecteerden.

Over acht uur zouden de eerste onderhandelende partijen arriveren. Twaalf uur daarna kwamen de leiders zelf aan en kon de top beginnen. Voor iedereen, ook voor Boris Illyich Karpov, was de foutmarge nul komma nul.

'U bedoelt dat u hem geen eikel vindt?' vroeg Hull.

Feyd al-Saoud controleerde een verbindingspunt op basis van een tekening die hij altijd bij zich leek te hebben. 'Eerlijk gezegd heb ik wel wat anders aan mijn hoofd.' Tevreden stelde Feyd al-Saoud vast dat de verbinding klopte en ging verder.

'Oké, laten we elkaar geen mietje noemen.'

Feyd al-Saoud draaide zich om. 'Pardon?'

'Ik dacht zo, dat u en ik goed konden samenwerken. We kunnen met elkaar overweg. Op het gebied van beveiliging zitten we op dezelfde golflengte.'

'U bedoelt dat ik braaf uw eisen inwillig.'

Hull leek gekwetst. 'Heb ik dat gezegd?'

'Meneer Hull, dat hoefde niet. U bent zoals de meeste van uw landgenoten vrij doorzichtig. Als u niet volledig de controle hebt, wordt u boos of gaat u mokken.'

Hull voelde een golf van haat in zich opkomen. 'Wij zijn geen kinderen!' riep hij.

'Integendeel,' zei Feyd al-Saoud rustig, 'soms doet u me denken aan mijn zesjarige zoontje.'

Hull had de neiging de loop van zijn Glock 31 .357 tegen het hoofd van de Arabier te houden. Hoe durfde hij zo tegen iemand van de Amerikaanse overheid tekeer te gaan! Het was alsof hij verdomme spuugde op de Amerikaanse vlag! Maar wat zou machtsvertoon nu voor zin hebben? Niet veel, moest hij met tegenzin toegeven. Hij moest het op een andere manier proberen.

'Dus wat denkt u?' vroeg hij zo kalm mogelijk.

Feyd al-Saoud leek onbewogen. 'In alle eerlijkheid denk ik dat u en meneer Karpov daar samen moeten uitkomen.'

Hull schudde zijn hoofd. 'Dat zal er niet van komen, beste vriend, dat weet u net zo goed als ik.'

Inderdaad besefte Feyd al-Saoud dat ook. Hull en Karpov hadden zich tegen elkaar gekeerd. Het was te hopen dat hun vijandelijkheden beperkt bleven tot een enkele losse opmerking zonder dat het ging escaleren.

'Ik denk dat ik u beiden help door neutraal te blijven,' zei hij nu. 'Wie anders zal u ervan weerhouden elkaar de kop af te bijten?'

Nadat ze alles had gekocht wat Bourne nodig had, liep Annaka de herenkledingzaak uit. Terwijl ze naar de theaterbuurt liep, zag ze in de winkelruit iets achter haar bewegen. Ze aarzelde niet en versnelde ook niet haar pas, maar ging iets langzamer lopen om vast te stellen dat ze inderdaad werd achtervolgd. Zo normaal mogelijk stak ze de straat over en bleef staan voor een etalage. In de ruit herkende ze Kevin McColl, die achter haar de straat overstak, duidelijk in de richting van het café op de hoek. Ze moest hem afschudden voordat ze schmink ging kopen.

Ervoor zorgend dat hij haar niet kon zien belde ze Bourne op haar mobiel.

'Jason,' zei ze zacht, 'McColl heeft me gezien.'

'Waar ben je nu?' vroeg hij.

'Aan het begin van de Váci utca.'

'Ik ben in de buurt.'

'Ik dacht dat je in het hotel zou blijven. Wat heb je gedaan?'

'Ik heb iets ontdekt.'

'Echt waar?' Haar hart klopte. Had hij iets gevonden over Stepan? 'Wat?'

'Eerst moeten we van McColl af zien te komen. Ik wil dat je naar Hattyu utca 75 gaat. Wacht daar op me bij de receptie.' Hij gaf haar nog meer aanwijzingen.

Ze luisterde geconcentreerd en zei: 'Jason, weet je zeker dat je dit aankunt?'

'Doe wat ik zeg,' gebood hij streng, 'dan komt alles goed.'

Ze beëindigde het gesprek en belde een taxi. Toen die aankwam, stapte ze in en gaf ze de chauffeur het adres dat ze van Bourne had moeten herhalen. Toen ze wegreden keek ze om, maar zag McColl nergens, hoewel ze zeker wist dat hij haar had achtervolgd. Even later zigzagde een gedeukte donkergroene Opel door het verkeer en reed achter haar taxi aan. Annaka keek in de zijspiegel van de chauffeur, herkende de forsgebouwde man achter het stuur, en glimlachte geheimzinnig. Kevin McColl zat achter haar aan; als het plan van Bourne nu maar werkte.

Stepan Spalko, net terug op het hoofdkwartier van Humanistas, Ltd. in Boedapest, zat het internationale verkeer van geheime boodschappen af te luisteren in de hoop iets op te vangen over de aanstaande top, toen de telefoon ging.

'Wat is er?' vroeg hij gespannen.

'Ik ontmoet zo meteen Bourne op Hattyu utca 75,' zei Annaka.

Spalko liep weg van zijn programmeurs achter hun werkstations. 'Hij stuurt je naar de Eurocenter Bio-I Kliniek,' zei hij. 'Hij weet dus wie Peter Sido is.'

'Hij zei dat hij een nieuwe aanwijzing had, maar wilde er verder niets over kwijt.'

'De man is onverslaanbaar,' zei Spalko. 'Ik handel Sido wel af. Zorg ervoor dat Bourne niet in de buurt van Sido's werkkamer komt.'

'Dat begrijp ik,' zei Annaka. 'Hoe dan ook, Bourne zal zijn aandacht wel nodig hebben voor de CIA-agent die achter hem aanzit.'

'Ik wil niet dat Bourne wordt omgebracht, Annaka. Hij is levend veel te waardevol voor me – voorlopig nog tenminste.' Spalko ging allerlei mogelijkheden na, verwierp die een voor een en trok snel zijn conclusie.

'Laat alles maar aan mij over.'

Annaka knikte in de voortrazende taxi. 'Je kunt op me rekenen, Stepan.'

'Dat weet ik.'

Annaka staarde naar de stad die achter het autoraam voorbijgleed. 'Ik heb je nog niet bedankt voor het ombrengen van mijn vader.'

'Het heeft een tijd geduurd.'

'Khan denkt dat ik boos op je ben omdat ik het niet zelf heb mogen doen.'

'En klopt dat?'

Annaka had tranen in haar ogen en enigszins geïrriteerd veegde ze die weg. 'Het was mijn vader, Stepan. Ondanks alles... was hij toch mijn vader. Hij heeft me opgevoed.'

'Nauwelijks, Annaka. Hij had geen idee hoe hij een vader voor je moest zijn.'

Ze dacht terug aan haar glasharde leugens tegen Bourne, de geïdealiseerde jeugd die ze zo graag had gewild. Haar vader las haar nooit voor, had haar nooit verschoond; hij verscheen op geen van haar diploma-uitreikingen – hij leek altijd op reis te zijn. Verjaardagen kon hij niet onthouden. Er ontsnapte weer een traan aan haar waakzaamheid, die over haar wang naar haar mondhoek biggelde. Ze proefde het zout, als zat daar de bitterheid in van haar herinneringen.

Ze gooide haar hoofd in haar nek. 'Een kind kan zijn eigen vader nooit totaal veroordelen, lijkt het wel.'

'Ik kon dat wel.'

'Dat was anders,' zei ze. 'En trouwens, ik weet wat je voor mijn moeder voelde.'

'Ik hield van haar, o ja.' Spalko zag Sasa Vadas weer voor zich: haar grote, heldere ogen, haar ivoren huid, de welving van haar lippen wanneer haar trage glimlach hem toegang gaf tot haar hart. 'Ze was volstrekt uniek, een bijzonder mens, een prinses, zoals haar naam al aangeeft.'

'Ze is voor jou net zoveel familie als voor mij,' zei Annaka. 'Ze keek dwars door je heen, Stepan. Ze kon de drama's voelen die jij had meegemaakt zonder daar met je over te praten.'

'Ik heb lang gewacht met mijn wraak op je vader, Annaka, maar ik zou het nooit hebben gedaan als ik niet wist dat jij achter me stond.'

Annaka lachte, nu alleen in zichzelf. Ze walgde van het korte moment van emotionele zwakte. 'Je denkt toch zeker niet dat ik dat geloof, Spalko?'

'Maar, Annaka...'

'Vergeet niet wie je voor je hebt. Ik ken je, je hebt hem vermoord omdat het je zo uitkwam. En je had gelijk, hij zou Bourne alles hebben verteld en Bourne zou meteen achter je aan zijn gegaan met alles wat hij in zich heeft. Dat ik mijn vader dood wenste, was hooguit een bijkomstigheid.'

'Nu onderschat je hoe belangrijk je voor me bent.'

'Of dat wel of niet zo is, Stepan, doet er voor mij niet toe. Ik zou niet eens weten hoe ik een emotionele band zou moeten aangaan, al zou ik het willen.'

Hoogstpersoonlijk duwde Martin Lindros zijn officiële papieren onder de neus van Randy Driver, de directeur van het Directoraat tactische niet-dodelijke wapens. Driver, die Lindros aanstaarde alsof hij hem nog kon intimideren, nam de papieren zonder commentaar aan en legde ze op zijn bureaublad.

Hij stond erbij als een marinier, met rechte rug, ingehouden buik, de spieren strak, alsof hij ieder moment kon aanvallen. Zijn dicht bij elkaar staande blauwe ogen leken scheel te staan, zo hard concentreerde hij zich. Het witmetalen kantoor rook vaag naar schoonmaakmiddel, alsof hij het nodig had gevonden de boel voor Lindros' komst te ontsmetten.

'Je bent lekker druk bezig geweest,' zei hij, niemand in het bijzonder aankijkend. Blijkbaar realiseerde hij zich dat hij Lindros niet met zijn blik alleen kon intimideren. Hij was overgegaan op verbale intimidatie.

'Ik ben altijd bezig,' zei Lindros. 'En jij hebt me extra werk bezorgd.'

'Fijn om te horen.' Drivers gezicht vertrok tot een strakke glimlach.

Lindros verplaatste zijn gewicht naar zijn andere voet. 'Waarom beschouw jij mij als een vijand?'

'Waarschijnlijk omdat je de vijand bent.' Driver ging achter zijn bureau van rookglas en staal zitten. 'Hoe moet ik iemand beschouwen die ongevraagd mijn achtertuin omploegt?'

'Ik doe gewoon mijn onderzoek.'

'Hou op met die nonsens, Lindros!' Driver was kwaad en lijkbleek opgesprongen. 'Dit is vast weer zo'n heksenjacht! Je bent de bloedhond van de Oude Rot. Mij hou je niet voor de gek. Dit gaat niet om de moord op Alex Conklin.'

'Hoezo niet?'

'Omdat dit een onderzoek is naar mij!'

Nu raakte Lindros pas echt geïnteresseerd. Zich ervan bewust dat Driver zich kwetsbaar had opgesteld, greep hij zijn kans. 'Waarom zouden we onderzoek naar jou willen doen, Randy?' Met zorg had hij zijn woorden gekozen, 'we' gezegd om aan te geven dat hij de directeur achter zich had en zijn voornaam gebruikt om hem nerveus te maken.

'Dat weet je best, verdomme!' Driver ging tekeer, liep in de val die Lindros voor hem had gezet. 'Je wist het al toen je hier de vorige keer binnenliep. Ik zag het aan je gezicht toen je naar Felix Schiffer vroeg.'

'Ik wilde je de kans geven om er zelf mee voor de draad te komen, voordat ik naar de directeur zou gaan.' Lindros genoot ervan de weg te bewandelen die Driver zelf aanwees, al wist hij niet waar die toe leidde. Maar hij moest voorzichtig zijn. Eén verkeerde beweging, één fout, en Driver zou zijn onwetendheid doorzien en waarschijnlijk niets meer loslaten zonder ruggespraak met zijn advocaat. 'Daar is het nu nog niet te laat voor.'

Driver keek hem even aan voordat hij de muis van zijn hand tegen zijn vochtige voorhoofd aan drukte. Hij zakte licht door zijn knieën voordat hij op zijn bureaustoel neerplofte.

'Jezus allemachtig, wat een zooi,' mompelde hij. Alsof hij een verwoestende klap had gekregen blies hij alle lucht uit zijn lichaam. Hij keek naar de Rothko-kopieën aan de wand, alsof het deuren waren waar hij door kon vluchten. Toen hij uiteindelijk de situatie accepteerde, keek hij op naar de man die geduldig voor hem stond te wachten.

Hij gebaarde. 'Ga zitten, adjunct.' Hij klonk droevig. Toen Lindros eenmaal zat, stak Driver van wal: 'Het begon allemaal met Alex Conklin. Zoals altijd, of niet?' Hij zuchtte, alsof hij door nostalgie werd overvallen. 'Ongeveer twee jaar geleden kwam Alex bij me met een voorstel. Hij was bevriend geraakt met een wetenschapper bij DARPA; een toeval, hoewel... Alex had zo'n groot netwerk, dat ik me afvraag of het toeval wel in zijn leven bestond. Ik neem aan dat je begrijpt dat Felix Schiffer de bevriende wetenschapper was.'

Hij pauzeerde even. 'Ik moet een sigaar opsteken. Mag ik?'

'Ga je gang,' zei Lindros. Daarom rook het dus zo naar luchtverfrisser. Het gebouw moest net als alle overheidsgebouwen rookvrij zijn.

'Kan ik je er een aanbieden?' vroeg Driver. 'Ik heb ze ooit van Alex gekregen.'

Toen Lindros het aanbod afsloeg, maakte Driver een la open en haalde er een sigaar uit die hij omstandig opstak. Lindros begreep dat hij zijn zenuwen moest kalmeren. Hij snoof de eerste blauwe rookwolk op die door de kamer dreef. Het was een Cubaan.

'Alex kwam me hier bezoeken,' ging Driver verder. 'Nee, dat klopt niet helemaal – hij nam me mee uit eten. Hij vertelde me dat hij die man had ontmoet die voor DARPA werkte. Felix Schiffer. Die haatte de militaire types daar en wilde er weg. Of ik zijn vriend kon helpen.'

'En je zei meteen dat je dat kon?' vroeg Lindros.

'Ja natuurlijk. Generaal Baker, hoofd van DARPA, had het jaar daarvoor een van onze jongens afgepakt.' Driver nam een trek van zijn sigaar. 'Ik wilde wraak nemen en greep meteen mijn kans om Baker terug te pakken.'

Lindros schoof dichterbij. 'Toen Conklin jou benaderde, vertelde hij toen ook waar Schiffer aan werkte voor DARPA?'

'Natuurlijk. Schiffer bestudeerde in de lucht aanwezige deeltjes. Hij werkte aan methoden om afgesloten, besmette ruimtes schoon te maken.'

Lindros ging rechtop zitten. 'Besmet met antrax bijvoorbeeld?'

Driver knikte. 'Precies.'

'En hoe ver was hij?'

'Bij DARPA?' Driver haalde zijn schouders op. 'Ik zou het niet weten.'

'Maar je hebt toch zeker wel een update van zijn werk opgevraagd toen hij voor jullie ging werken?'

Driver keek hem fel aan en typte wat op zijn toetsenbord. Toen draaide hij zijn computerscherm om zodat ze er allebei op konden kijken.

Lindros leunde voorover. 'Voor mij is dat allemaal koeterwaals, maar ik ben geen wetenschapper.'

Driver bleef kijken naar het uiteinde van zijn sigaar alsof hij nu, op het moment van de waarheid, Lindros niet in zijn ogen kon kijken. 'Het ís koeterwaals, min of meer.'

Lindros verstijfde. 'Wat bedoel je?'

Driver keek nog steeds geconcentreerd naar zijn sigaar. 'Dit was niet waar Schiffer aan werkte, want het slaat allemaal nergens op.'

Lindros schudde zijn hoofd. 'Ik begrijp het niet.'

Driver zuchtte. 'Het is mogelijk dat Schiffer helemaal geen bacterioloog is.'

Lindros, die van schrik ijskoud was geworden, zei: 'Er moet nog een mogelijkheid zijn, of niet?'

'Ja zeker, nu je het ter sprake brengt.' Driver streek met zijn tong over zijn lippen. 'Het is mogelijk dat Schiffer aan iets heel anders werkte waar noch DARPA noch wij iets van mochten weten.'

Lindros keek beduusd. 'Waarom heb je dat zelf niet aan Schiffer gevraagd?'

'Dat had ik wel willen doen,' zei Driver. 'Maar het probleem is dat ik niet weet waar Felix Schiffer is.'

'Als jij het niet weet,' riep Lindros verschrikt uit, 'wie in godsnaam dan wel?'

'Alex was de enige die het wist.'

'Jezus christus zeg, Alex Conklin is dood!' Lindros stond op, boog voorover, en trok de sigaar uit Drivers mond. 'Randy, hoe lang wordt dr. Schiffer al vermist?'

Driver sloot zijn ogen. 'Zes weken.'

Nu begreep Lindros het. Dit was de reden waarom Driver zo vijandig deed toen hij voor het eerst bij hem kwam; hij was doodsbenauwd dat de CIA deze kolossale fout in de beveiliging op het spoor zou komen. Hij zei: 'Hoe heb je dit kunnen laten gebeuren?'

Drivers blauwe ogen staarden hem even aan. 'Het kwam door Alex. Ik vertrouwde hem. Waarom ook niet? Ik kende hem al jaren. Hij was legendarisch binnen de CIA, verdomme. En wat doet hij vervolgens? Hij laat Schiffer verdwijnen.'

Driver keek naar de sigaar op de grond alsof het een gevaarlijk object was. 'Hij heeft me gebruikt, Lindros, met me gespeeld. Hij wilde Schiffer niet voor mijn directoraat laten werken, hij wilde niet dat wij, de CIA, hem hadden. Hij wilde hem uit DARPA weg hebben, zodat hij hem kon laten verdwijnen.'

'Waarom?' vroeg Lindros. 'Waarom zou hij zoiets doen?'

'Dat weet ik niet. Ik wou dat ik het wist.'

De spijt in Drivers stem was voelbaar en voor het eerst sinds ze elkaar hadden ontmoet, had Lindros medelijden met hem. Alles wat hij ooit over Alexander Conklin had gehoord, bleek waar te zijn. Hij was een meesterlijk manipulator, kende alle geheimen. Hij was de geheim agent die in niemand vertrouwen had, in niemand behalve Jason Bourne, zijn beschermeling. Ineens vroeg hij zich af wat de directeur van deze informatie zou vinden. Hij en Conklin waren levenslange vrienden; ze groeiden samen op binnen de CIA – dat was hun leven. Ze hadden elkaar gesteund, vertrouwden elkaar, en nu dit. Conklin had ongeveer elk protocol binnen de CIA geschonden om te krijgen wat hij wilde: dr. Felix Schiffer. Hij had niet alleen Randy Driver belazerd, maar de hele CIA. Hoe kon hij de Oude Rot tegen dit nieuws beschermen? vroeg Lindros zich af. Maar terwijl hij zich hier zorgen om maakte, besefte hij dat er nog een urgenter probleem was waar hij iets aan moest doen.

'Kennelijk wist Conklin waar Schiffer werkelijk aan werkte en wilde hij dat hebben,' zei Lindros. 'Maar wat kon dat toch zijn verdomme?'

Driver moest hem het antwoord schuldig blijven.

Stepan Spalko stond midden op het Kapisztránplein, binnen gehoorafstand van zijn limousine. Boven hem rees de Maria Magdalena-toren op, het enige overblijfsel van de dertiende-eeuwse Franciscaanse kerk, waarvan het schip en de kapel in de Tweede Wereldoorlog door bombardementen van de nazi's waren vernietigd. Terwijl hij wachtte, tilde een koude windvlaag de zoom op van zijn zwarte jas en blies verder langs zijn huid.

Spalko keek op zijn horloge. Sido was te laat. Lang geleden had hij zichzelf aangeleerd zich geen zorgen te maken, maar deze afspraak was zo belangrijk dat hij desondanks toch bezorgd was. Boven in de toren gaf het vierentwintigdelige carillon aan dat het kwart over was. Sido was veel te laat.

Spalko zag de menigte komen en gaan en stond op het punt buiten zijn boekje te gaan en Sido op zijn gsm te bellen, toen hij de wetenschapper aan zag komen rennen vanaf de andere kant van de toren. Hij had iets bij zich dat op het koffertje van een juwelier leek.

'Je bent te laat,' zei Spalko kortaf.

'Dat weet ik, maar ik kon er niets aan doen.' Sido veegde zijn voorhoofd af met de mouw van zijn overjas. 'Het kostte moeite om het mee naar buiten te smokkelen. Er waren mensen binnen en ik moest wachten totdat de koelkamer leeg was om geen...'

'Niet hier, Sido!'

Spalko, die hem wel kon slaan omdat hij in het openbaar over hun geheim praatte, greep Sido bij zijn elleboog en liep snel met hem de schaduw in van de grimmige barokke toren.

'Je moet je mond erover houden als er mensen in de buurt zijn, Peter,' zei Spalko. 'Wij behoren tot de elite, jij en ik. Dat heb ik je toch gezegd.'

'Dat weet ik,' antwoordde Peter Sido nerveus, 'maar ik vind het zo moeilijk om te...'

'Je vindt het niet moeilijk om mijn geld aan te nemen, of wel?'

Sido's ogen gleden weg. 'Hier is het product,' zei hij. 'Het is meer dan waar je om gevraagd hebt.' Hij overhandigde een koffertje. 'Laten we dit zo snel mogelijk afhandelen. Ik moet terug naar het lab. Ik werkte net aan een belangrijke berekening toen je belde.'

Spalko duwde Sido's hand weg. 'Houd dat koffertje nog maar even vast, Peter.'

Sido's brillenglazen glansden. 'Maar je zei dat je het nu nodig had, onmiddellijk. Zoals ik al zei, eenmaal in een draagbare container blijft het materiaal nog maar achtenveertig uur in leven.'

'Dat weet ik nog goed.'

'Stepan, ik ben ten einde raad. Ik nam een groot risico toen ik dit spul de kliniek uit smokkelde tijdens kantooruren. Ik moet terug, anders...'

Spalko glimlachte en greep tegelijk Sido steviger vast bij zijn elleboog. 'Je gaat helemaal niet terug, Peter.'

'Wat zeg je?'

'Het spijt me dat ik het niet eerder heb aangegeven, maar voor het bedrag dat ik heb neergeteld wil ik meer dan alleen het product. Ik wil jou.'

Dr. Sido schudde zijn hoofd. 'Maar dat kan niet. Dat weet je!'

'Niets is onmogelijk, Peter, dat moet jij weten.'

'Maar dit kan niet,' zei Sido fel.

Met een charmante glimlach haalde Spalko een foto uit zijn binnenzak tevoorschijn. 'Wat is deze foto je waard?' vroeg hij.

Sido keek ernaar en moest slikken. 'Hoe kom je aan deze foto van mijn dochter?'

Spalko bleef strak naar hem glimlachen. 'Een van mijn mensen heeft hem genomen. Kijk eens naar de datum.'

'Hij is gisteren genomen.' Sido kon zich niet bedwingen en scheurde de foto in stukken. 'Men kan tegenwoordig alles doen met foto's,' zei hij resoluut.

'Scherp opgemerkt,' zei Spalko. 'Maar ik verzeker je dat hier niet mee gerotzooid is.'

'Leugenaar! Ik ga!' riep Sido. 'Laat me gaan!'

Spalko liet hem gaan, maar terwijl Sido wegliep zei hij: 'Zou je niet even met Roza willen praten, Peter?' Hij stak zijn gsm naar hem toe. 'Ik bedoel nu meteen?'

Sido bleef plotseling staan. Toen draaide hij zich naar Spalko om. Hij keek woedend en kon zijn angst nauwelijks onderdrukken. 'Je zei dat je een vriend van Felix was; ik dacht dat je een vriend van mij was.'

Spalko hield nog steeds zijn gsm vast. 'Roza wil even met je praten. Als je nu wegloopt...' Hij haalde zijn schouders op. Zijn zwijgen was een dreigement op zichzelf.

Langzaam, als door mul zand, liep Sido terug. Hij pakte de gsm aan met zijn nog vrije hand en begon te luisteren. Zijn hart klopte zo luid dat hij nauwelijks kon nadenken. 'Roza?'

'Pappa? Pappa! Waar ben ik toch? Wat is er aan de hand?'

De paniek in de stem van zijn dochter ging als een speer van angst door Sido heen. Hij was nog nooit zo bang geweest.

'Lieve schat, wat is er gebeurd?'

'Er kwamen mannen mijn kamer binnen, ze namen me mee, ik weet niet waar naartoe, ze gooiden een kap over me heen, ze...'

'Dat is genoeg,' zei Spalko toen hij de telefoon uit Sido's lusteloze vingers trok. Hij verbrak de verbinding, stopte het telefoontje weg.

'Wat heb je met haar gedaan?' Sido's stem trilde van alle emoties die in hem omgingen.

'Nog niets,' zei Spalko koeltjes. 'En zolang je mij maar gehoorzaamt, Peter, zal haar niets overkomen.'

Sido slikte even nu Spalko hem weer in zijn macht had. 'Waar... waar gaan we naartoe?'

'We gaan een reisje maken,' zei Spalko, terwijl hij dr. Sido naar de wachtende limousine begeleidde. 'Zie het als een vakantie, Peter. Een welverdiende vakantie.'

24

De Eurocenter Bio-I Kliniek was gevestigd in een modern, loodkleurig stenen gebouw. Bourne liep naar binnen met de vastberaden tred van iemand die wist waar hij naartoe ging en waarom.

Vanbinnen ademde de kliniek de sfeer uit van groot geld. De hal was van marmer. Er stonden klassiek lijkende zuilen met bronzen beelden. In de muren zaten nisjes met daarin bustes van de historische grootheden uit de biologie, scheikunde, microbiologie en epidemiologie. De hightech metaaldetector stak lelijk af in de rustige en chique omgeving. Voorbij het geraamte stond een hoge balie waarachter drie druk ogende receptionistes zaten.

Bourne kwam moeiteloos door de metaaldetector heen, zijn keramische pistool werd niet opgemerkt. Hij gedroeg zich zakelijk bij de receptie.

'Ik ben Alexander Conklin en ben op zoek naar dr. Peter Sido,' zei hij, zó bondig dat het haast een opdracht leek.

'Uw identiteitsbewijs alstublieft, meneer Conklin,' zei een van de drie receptionistes terwijl ze afwezig haar hand uitstak.

Bourne gaf zijn valse paspoort, dat de receptioniste vluchtig bekeek – ze controleerde hooguit Bournes gezicht om de visuele gelijkenis te bevestigen voordat ze de pas weer teruggaf. Ze gaf hem een wit pasje. 'U moet deze pas zichtbaar bij u dragen, meneer Conklin.' Bournes toon en gedrag waren zo gedecideerd geweest, dat ze vergat te vragen of Sido hem verwachtte. Ze was ervan uitgegaan dat 'meneer Conklin' een afspraak had. Ze gaf de bezoeker enkele aanwijzingen en Bourne vertrok. *'Je hebt speciale ID-passen nodig als je naar binnen wilt; bezoekers krijgen een witte, de eigen onderzoekers een groene en assistenten en ondersteunend personeel een blauwe,'* had Eszti Sido gezegd, dus hij moest onmiddellijk iemand vinden met een groene pas.

Op weg naar de Epidemiologische Vleugel passeerde hij vier mannen, die geen van allen in aanmerking kwamen. Hij zocht iemand van ongeveer zijn lengte. Onderweg ging hij elke deur binnen die niet gemarkeerd was als kantoor of lab, op zoek naar een opslagruimte of iets dergelijks, plekken die niet zo snel door wetenschappelijk personeel werden bezocht. Hij zocht niet naar mensen van de schoonmaakploeg, want die zouden waarschijnlijk pas 's avonds komen.

Eindelijk zag hij een man van zijn postuur in een witte laboratoriumjas aankomen. Op zijn groene kaartje stond Dr. Lenz Morintz.

'Pardon, dr. Morintz,' begon Bourne met een vriendelijke glimlach, 'ik ben op zoek naar de Microbiologische Vleugel. Ik ben verdwaald.'

'Dat bent u zeker,' zei Morintz. 'U loopt nu rechtstreeks naar de Epidemiologische Vleugel.'

'Ach,' reageerde Bourne. 'Dan zit ik goed verkeerd.'

'Geen probleem,' zei Morintz. 'Ik zal u zeggen hoe u moet lopen.'

Toen hij Bourne de weg wilde wijzen, deelde Bourne een effectieve karateklap uit waarop de bacterioloog flauwviel. Voordat hij op de grond viel, had Bourne hem opgevangen. Hem min of meer staande houdend, droeg hij de wetenschapper half slepend naar de dichtstbijzijnde opbergruimte en vergat daarbij de pijn van zijn gekneusde ribben.

Bourne deed het licht aan, trok zijn jasje uit en propte dat ergens in een hoek. Toen hielp hij dr. Morintz uit zijn labjas en pakte hij zijn pasje af. Met de pleisterband die hij nog overhad, bond hij de polsen van de wetenschapper op zijn rug vast, tapete hij zijn enkels strak tegen elkaar aan en plakte hij het laatste stuk op zijn mond. Toen sleepte hij het lichaam naar een hoek en verborg het onder een paar lege dozen. Hij liep naar de deur, deed het licht uit en ging de gang in.

Annaka bleef nadat ze bij de Eurocenter Bio-I Kliniek was aangekomen nog even in de taxi zitten terwijl de meter liep. Stepan had haar duidelijk gezegd dat ze de laatste fase van hun missie ingingen. Elke beslissing die ze maakten, elke zet die ze deden, was van cruciaal belang. Elke fout kon leiden tot een ramp. Bourne of Khan. Ze wist niet wie het grootste risico vormde, het grootste gevaar. Bourne was de meest stabiele van de twee, maar Khan had geen gewetenswroeging. De ironie van de overeenkomsten tussen hen beiden was haar niet ontgaan.

En toch was het haar kortgeleden opgevallen dat er meer verschillen waren dan ze dacht. Om te beginnen was Khan niet in staat gebleken Bourne te vermoorden, hoe graag hij dat naar eigen zeggen ook wilde. En minstens zo verrassend was zijn zwakke moment in haar Skoda, toen hij haar in haar nek had gekust. Vanaf het moment dat ze bij hem was weggelopen, had ze zich afgevraagd of zijn gevoelens voor haar oprecht waren. Nu wist ze het. Khan had gevoelens. Hij kon, als hij maar gestimuleerd werd, een emotionele band aangaan. Eerlijk gezegd had ze dat nooit van hem kunnen denken gezien zijn achtergrond.

'Mevrouw?' De taxichauffeur onderbrak haar gepeins. 'Wacht u hier op iemand, of moet ik u ergens anders naartoe rijden?'

Annaka boog voorover en duwde een stapeltje biljetten in zijn hand. 'Dat zal wel genoeg zijn.'

Ze bleef echter zitten en keek naar buiten, op zoek naar Kevin McColl. Stepan kon vanuit zijn veilige kantoor bij Humanistas makkelijk zeggen dat ze zich geen zorgen om die CIA-agent hoefde te maken, maar ondertussen zat zij tussen een behendige en gevaarlijke huurmoordenaar en de zwaargewonde man in die hij wilde ombrengen. Als de kogels begonnen te vliegen, stond zij er middenin.

Eindelijk stapte ze uit de taxi. Onrustig liep ze door de straten, op zoek naar de groene gedeukte Opel. Geïrriteerd draaide ze zich om en stevende af op de ingang van de kliniek.

Binnen ging het precies zoals Bourne haar had beschreven. Ze vroeg zich af hoe hij zo snel aan zijn informatie kon komen. Ze moest hem nageven dat hij een opvallend vermogen had om informatie in te winnen.

Nadat ze door de metaaldetector was gegaan, werd ze tegengehouden. Ze moest de inhoud van haar tasje laten zien aan een beveiligingsbeambte. Ze volgde Bournes instructies precies op, liep naar de hoge marmeren receptiebalie en lachte vriendelijk naar een van de drie receptionistes die haar uiteindelijk glimlachend opmerkte.

'Ik ben Annaka Vadas,' zei ze. 'Ik wacht op een vriend.'

De receptioniste knikte en ging weer aan het werk. Haar collega's zaten te bellen en achter hun computer te typen. Toen ging er weer een telefoon en de vrouw die naar Annaka had geglimlacht nam op, voerde een kort gesprek en wenkte haar. 'Mevrouw Vadas, dr. Morintz zit op u te wachten.' Ze keek kort in Annaka's rijbewijs en gaf haar een witte pas. 'Draag dit pasje altijd zichtbaar bij u, mevrouw Vadas. De heer Morintz wacht op u in zijn lab.'

Ze wees de weg en Annaka volgde verbijsterd haar aanwijzingen op. Bij de eerste T-splitsing sloeg ze linksaf en botste ze op tegen een man in een witte jas.

'O, sorry! Hoe...?' Toen ze opkeek zag ze Jason Bournes gezicht. Er zat een groen pasje met de naam dr. Lenz Morintz op zijn jas, en ze begon te lachen. 'Ach u bent het, dr. Morintz, aangenaam.' Ze giechelde. 'Ook al ziet u er op de foto anders uit.'

'Ach, die goedkope cameraatjes van tegenwoordig,' zei Bourne, terwijl hij haar bij haar elleboog terug leidde naar de hoek die ze net was omgeslagen. 'Ze doen je geen recht.' De hoek om kijkend zei hij: 'Daar komt de CIA aan, precies op tijd.'

Annaka zag hoe Kevin McColl zich identificeerde bij de receptie. 'Hoe heeft hij zijn pistool door de metaaldetector gekregen?' vroeg ze.

'Dat heeft hij niet,' zei Bourne. 'Waarom denk je dat ik je hier liet komen?'

Ze kon het niet laten hem bewonderend aan te kijken. 'Een val. McColl is hier onbewapend.' Hij was inderdaad slim en dit besef maakte haar even bang. Ze hoopte maar dat Stepan wist wat hij deed.

'Luister. Ik heb ontdekt dat de voormalige partner van Schiffer, Peter Sido, hier werkt. Als iemand weet waar Schiffer is, is Sido dat. We moeten met hem praten, maar eerst moeten we McColl voorgoed afschudden. Ben je er klaar voor?'

Annaka wierp weer een blik op McColl, huiverde en knikte bevestigend.

Khan had de taxi genomen om de groene gedeukte Opel te achtervolgen; hij liet zijn gehuurde Skoda staan voor het geval die al bekend was. Hij wachtte totdat Kevin McColl de parkeerplaats op reed, daarna moest hij een taxi laten voorgaan en toen de CIA-agent uit zijn Opel stapte, betaalde hij de taxichauffeur en ging hij te voet achter hem aan.

Toen hij de avond daarvoor McColl vanaf Annaka's appartement had achtervolgd, had hij Ethan Hearn opgebeld en hem het kenteken gegeven van de Opel. Binnen een uur had Hearn naam en adres achterhaald van het verhuurbedrijf. Zich voordoend als Interpolagent had hij van de geïntimideerde assistent McColls naam gekregen en zijn Amerikaanse adres. McColl had geen plaatselijk adres achtergelaten, maar wél, zo bleek, met typisch Amerikaanse arrogantie, zijn eigen naam gebruikt. Het was voor Khan vervolgens een fluitje van een cent om een contact in Berlijn te bellen, die McColls naam in een database had opgezocht en er zo achter was gekomen dat hij voor de CIA werkte.

McColl liep voor hem en sloeg de hoek om naar Hattyu utca, waar hij op nummer 75 een modern grijs gebouw in ging, dat opvallend veel weg had van een middeleeuws fort. Gelukkig had Khan even gewacht, wat hij altijd deed, want net op dat moment draaide McColl zich om. Khan bleef nieuwsgierig kijken naar wat hij daar bij die vuilnisemmer stond te doen. McColl keek om zich heen totdat niemand hem kon zien, pakte zijn pistool en legde dat snel en voorzichtig in de afvalemmer.

Khan wachtte totdat McColl weer naar binnen ging, liep toen verder door de ingang van staal en glas de hal binnen. Daar zag hij McColl zich identificeren als CIA-agent. Nu hij de metaaldetector zag, wist Khan waarom McColl van zijn pistool af wilde. Was het toeval of had Bourne hem in een val gelokt? Dat laatste zou Khan zelf hebben gedaan.

Toen McColl een pas kreeg en de gang uit liep, ging Khan zelf door de metaaldetector, waarna hij zijn Parijse Interpol-pas liet zien. De receptioniste schrok hier natuurlijk van, nu ze net iemand van de CIA had toegelaten, en ze vroeg zich hardop af of ze niet de interne beveiliging of de politie moest waarschuwen. Maar Khan verzekerde haar dat beide agenten met dezelfde zaak bezig waren en hier alleen maar een paar mensen wilden ondervragen. Elke onderbreking, waarschuwde hij streng, zou tot onvoorziene complicaties kunnen leiden, en hij wist dat zij die niet wilde. Nog steeds wat nerveus knikte ze en liet ze hem door.

Kevin McColl zag Annaka Vadas staan en wist dat Bourne in de buurt was. Hij was er zeker van dat ze hem nog niet had opgemerkt, maar toch streek hij over het kleine plastic doosje dat aan het bandje van zijn horloge zat bevestigd. Daarin zat een nylon draad opgerold. Het liefst zou hij Bourne elimineren met zijn pistool, dat was wel zo snel en schoon. Het menselijk lichaam, hoe sterk ook, was niet opgewassen tegen een kogel in hart, long of hersens. Andere methoden, die hij door de aanwezigheid van de metaaldetector gedwongen was te gebruiken en waarbij bruut geweld aan te pas kwam, duurden langer en waren bloederiger. Hij begreep ook dat hij nu meer risico liep en misschien ook Annaka Vadas moest uitschakelen. Die gedachte deed hem pijn. Ze was een mooie, sexy vrouw; het druiste tegen de natuur in zo'n schoonheid om te brengen.

Ze had, dat wist hij bijna zeker, een afspraak met Jason Bourne; er kon geen andere reden zijn waarom zij hier was. Hij leunde achterover, tikte op het plastic doosje tegen zijn pols en wachtte zijn kans af.

Vanuit zijn positie in de opslagkamer zag Bourne Annaka voorbijlopen. Ze wist precies waar hij was, maar keek geen moment om toen ze door de gang liep. Zijn scherpe oren onderscheidden McColls passen al voordat hij in beeld kwam. Iedereen liep op zijn eigen manier, een bepaald loopje dat onmiskenbaar is als het niet met opzet is veranderd. McColls gang was zwaar en stevig, dreigend, ongetwijfeld de pas van een professionele moordmachine.

Waar het nu op aan kwam, wist Bourne, was timing. Als hij te snel kwam, zou McColl hem zien en kunnen reageren, waardoor het verrassingselement verloren ging. Wachtte hij te lang, dan moest hij McColl met snelle passen inhalen, waardoor hij hem zou kunnen horen aankomen. Maar Bourne had goed geluisterd naar de passen die McColl maakte en kon zo exact bepalen wanneer de CIA-moordenaar op de juiste plek zou zijn. Hij probeerde niet te denken aan de pijn in zijn lichaam, vooral niet aan zijn gebroken ribben. Hij wist niet hoeveel last hij daar straks van zou hebben, maar hij had vertrouwen in het driedubbele verband dat dokter Ambrus had aangelegd.

Nu zag hij Kevin McColl, groot en gevaarlijk. Net toen de man voorbij de deels geopende deur van de opslagkamer liep, sprong Bourne naar voren en gaf zowel een links- als rechtshandige stomp in zijn rechternier. Het lichaam van de agent klapte voorover naar Bourne, die hem vastgreep en de opslagkamer in sleepte.

Daar draaide McColl zich om en verkrampt van de pijn gaf hij met zijn enorme vuist een stomp tegen Bournes ribbenkast. De pijn was hevig, en terwijl Bourne nog achteroverwankelde, trok McColl zijn nylon draad uit om die om Bournes hals te slaan. Bourne deelde ter verdediging twee harde karateklappen uit, die erg pijnlijk voor McColl moesten zijn. Maar toch ging deze met bloeddoorlopen ogen en grimmige vastberadenheid door. Hij maakte een lus en trok het koord om Bournes nek zo strak aan dat deze even van de vloer werd getild.

Bourne snakte naar adem, waardoor McColl het koord nog strakker aan kon trekken. Bourne besefte zijn fout. Hij dacht niet meer aan zijn ademhaling, maar concentreerde zich op de vraag hoe hij zich hieruit kon redden. Hij gaf McColl een venijnig knietje in zijn kruis. McColl blies alle lucht in zijn lijf uit en liet zijn greep op Bourne kort verslappen, zodat die twee vingers tussen de draad en het vlees van zijn hals kon steken.

Maar de sterke McColl was sneller hersteld dan Bourne had verwacht. Grommend van woede stuwde hij al zijn energie naar zijn armen toe en trok de nylon draad nog strakker aan. Maar Bourne had gebruikgemaakt van zijn voordeel en kromde zijn twee vingers, waardoor de draad nog strakker kwam te staan en uiteindelijk knapte, zoals een sterke vis genoeg kracht kan uitoefenen om de lijn waaraan hij is gevangen te breken.

Met de hand die hij om zijn hals had gehouden, gaf Bourne een vuistslag tegen McColls kaak. McColl sloeg met zijn hoofd achterover tegen de deurstijl, maar toen Bourne op hem afkwam, gebruikte McColl zijn ellebogen, waardoor Bourne terug de opslagruimte in tolde. McColl kwam achter hem aan, pakte een stanleymes, zwaaide ermee en sneed een jaap door Bournes labjas. Hij haalde nog eens uit en hoewel Bourne naar achteren sprong, had het mes zijn shirt geraakt, dat nu openviel en Bournes gewonde ribbenkast onthulde.

McColl begon triomfantelijk te lachen. Nu had hij Bournes zwakke plek ontdekt en dat zou hij zeker uitbuiten. Schijnbewegingen makend met het stanleymes in zijn linkerhand, gaf hij Bourne een harde klap tegen zijn ribben aan. Bourne was hierop voorbereid en ving met zijn onderarm de klap op.

Nu zag McColl zijn kans en hij hield het stanleymes gericht op Bournes onbeschermde hals.

Toen ze de eerste geluiden van het gevecht had gehoord, had Annaka zich omgedraaid. Net op dat moment kwamen er twee wetenschappers aan die in de richting liepen van de ruimte waarachter Bourne en McColl in gevecht waren. Bevallig ging ze tussen de twee heren in staan en begon ze een stortvloed aan vragen te stellen, terwijl ze met hen meeliep totdat ze voorbij het opslagkamertje waren.

Gehaast liep ze daarna weer terug. Ze had al gezien dat Bourne in de problemen zat. Denkend aan Stepans opdracht om Bourne levend en wel te pakken, haastte ze zich naar het einde van de gang. Toen Annaka aankwam, waren Bourne en McColl nog steeds in gevecht. Ze zwaaide de deur open en zag nog net dat McColl een stanleymes in Bournes nek dreigde te steken.

Ze stortte zich op hem, bracht hem uit zijn evenwicht waardoor het mes, flitsend in het licht, Bournes nek miste en een vonk sloeg tegen het metalen hoekje van een kast. McColl, die haar nu in de periferie van zijn blikveld zag, wankelde op zijn benen en ramde met zijn hooggehouden linkerelleboog tegen haar hals.

Annaka kokhalsde, greep in een reflex naar haar hals en zakte door haar knieën. McColl kwam met het mes naar haar toe en haalde uit naar haar hals. Bourne had in zijn hand nog een stuk nylondraad en sloeg dat van achteren om de hals van McColl.

McColl hing achterover, maar in plaats van naar zijn keel te grijpen, gaf hij een stomp tegen Bournes gebroken ribben. Bourne zag sterretjes, maar ging onverzettelijk door en trok McColl langzaam van Annaka weg. Hij hoorde McColls hakken over de vloertegels schrapen terwijl die steeds wanhopiger op zijn ribben beukte.

Het bloed hoopte zich op in het hoofd van McColl, de pezen aan de zijkant van zijn hals zwollen op en even later puilden zijn ogen uit hun kassen. Bloedvaten in zijn neus en wangen barstten open, hij trok zijn lippen strak over zijn bleke tandvlees. Zijn gezwollen tong draaide rond in zijn openstaande mond, en toch lukte het hem om Bourne nog één keer in zijn ribben te rammen. Bourne kromp ineen, zijn greep verslapte even, en McColl herwon zijn evenwicht.

Toen gaf Annaka hem onbesuisd een trap in zijn maag. McColl pakte haar bij haar enkel en draaide die resoluut om, waardoor ze met haar rug tegen hem aan kwam te staan. Hij klemde zijn linkerarm nu om haar nek, de muis van zijn rechterhand drukte haar wang omhoog. Hij stond op het punt haar nek te breken.

Khan, die dit alles vanuit het kleine, donkere kantoortje aan de overkant van de gang iets verderop gadesloeg, zag hoe Bourne een groot risico nam door even de nylon draad los te laten die hij zo deskundig om McColls nek had gebonden. Hij sloeg het hoofd van de moordmachine tegen een kast aan, duwde daarna een duim in zijn oog.

McColl schreeuwde het bijna uit, maar Bourne drukte met zijn onderarm zijn kaak dicht, waarna McColls kreet bleef steken en wegstierf. Hij sloeg en schopte om zich heen, vocht tegen zijn dood, wilde niet neervallen. Bourne pakte zijn pistool, gaf met de kolf een klap tegen een zacht plekje achter McColls oor. Eindelijk viel deze op zijn knieën; hij slingerde zijn hoofd heen en weer, hield zijn handen tegen zijn verwoeste oog aan. Maar dit bleek een act. Plotseling greep hij Annaka vast en trok haar naar zich toe. Zijn moordzuchtige handen hielden haar vast en Bourne, die geen andere mogelijkheid meer zag, zette de loop van zijn pistool tegen McColls lichaam en haalde de trekker over.

Het schot was bijna geluidloos, maar het gat in McColls nek was indrukwekkend. Toch kon McColl zelfs toen hij dood was Annaka niet loslaten. Bourne moest zijn vingers een voor een van haar loswrikken.

Hij boog voorover en trok Annaka rechtop. Khan zag Bournes gepijnigde blik terwijl hij zijn hand tegen zijn zij aan hield. Die ribben. Waren ze gekneusd, gebroken of iets daartussenin? vroeg hij zich af.

Khan dook weer weg in de schaduw van het lege kantoortje. Hij had die wond veroorzaakt. Hij herinnerde zich nog scherp hoe hij zijn kracht had gebruikt; hij kon het contact nog in zijn hand voelen, de bijna elektrische schok die door hem heen was gegaan, alsof die uit Bourne zelf kwam. Maar vreemd genoeg had hem dat geen bevrediging geschonken. Hij had bewondering voor de kracht en vasthoudendheid waarmee Bourne tegen McColl had gevochten, ondanks de klappen op zijn zwakste plek.

Waarom dacht hij dit allemaal? vroeg hij zich boos af. Bourne had hem alleen maar afgewezen. Hoe sterker het bewijs, hoe krachtiger hij weigerde te geloven dat Khan zijn zoon was. Wat hadden ze over hem verteld? Waarom wilde hij zo graag geloven dat zijn zoon dood was? Betekende dat niet, dat hij hem van begin af aan al niet had gewild?

'De ondersteunende staf is een paar uur geleden aangekomen,' zei Jamie Hull tegen de directeur via hun beveiligde videoverbinding. 'We hebben ze alles laten zien. Alleen de hoofdrolspelers ontbreken nog.'

'De president zit al in zijn vliegtuig,' zei de directeur terwijl hij Martin Lindros een stoel aanbood. 'Over ongeveer vijf uur en twintig minuten zal hij voet op IJslandse bodem zetten. Ik hoop in godsnaam dat je er klaar voor bent.'

'Maar natuurlijk, meneer. Wij zijn er klaar voor.'

'Uitstekend.' Toch keek de directeur bezorgd naar de aantekeningen op zijn bureau. 'Vertel eens, hoe gaat het tussen jou en kameraad Karpov?'

'Maakt u zich geen zorgen,' antwoordde Hull. 'Ik heb de situatie met Boris helemaal onder controle.'

'Dat is een hele opluchting. De betrekkingen tussen de president en zijn Russische tegenvoeter zijn al gespannen genoeg. Je hebt geen idee hoeveel bloed, zweet en tranen het heeft gekost om Aleksander Yevtushenko aan de onderhandelingstafel te krijgen. Kun je nagaan wat er gebeurt als hij hoort dat jullie elkaar de strot afbijten!'

'Dat zal niet gebeuren, meneer.'

'Dat is je geraden,' gromde de directeur. 'Hou me vierentwintig uur per dag op de hoogte.'

'Daar kunt u op rekenen,' zei Hull, waarna hij de verbinding verbrak.

De directeur draaide op zijn stoel, haalde zijn hand door zijn dikke witte haar. 'Het einde is in zicht, Martin. Vind je het niet net zo pijnlijk als ik, dat wij hier aan ons bureau geketend zitten terwijl die Hull ter plaatse is?'

'Absoluut.' Lindros, die al die tijd zijn geheim voor zich had gehouden, kreeg het bijna niet over zijn lippen, maar zijn plichtsgevoel won het van zijn medelijden. Hij wilde de Oude Rot niet kwetsen, hoe slecht hij onlangs ook door hem was behandeld.

Hij schraapte zijn keel. 'Ik kom net terug van Randy Driver.'

'En?'

Lindros haalde diep adem en vertelde de Oude Rot wat Driver had opgebiecht, dat Conklin Felix Schiffer van DARPA naar de CIA had gehaald om duistere, onbekende redenen, dat hij vervolgens Schiffer had laten 'verdwijnen' en dat na Conklins overlijden niemand wist waar Schiffer was.

De Oude Rot sloeg met zijn vuist op zijn bureau. 'Jezus christus, een van de wetenschappers van ons directoraat is vermist terwijl de top gaat beginnen – dat is een ramp van de eerste orde. Als de feeks hier lucht van krijgt, dan hang ik, zonder meer.'

Even stond alles in de grote hoekkamer stil. De foto's van wereldleiders uit heden en verleden staarden de twee mannen stil verwijtend aan.

Eindelijk reageerde de directeur. 'Je bedoelt te zeggen dat Alex Conklin een wetenschapper bij Defensie heeft weggekaapt en naar ons heeft doorgesluisd zodat hij hem om onbekende redenen en god weet waar kon wegstoppen?'

Lindros legde zijn handen in zijn schoot, zei niets, maar durfde zijn blik niet af te wenden.

'Maar dat is... Ik bedoel, zoiets doen wij niet bij de CIA, en zeker Alexander Conklin niet. Hij zou daarmee alle ongeschreven regels overtreden.'

Lindros kwam in beweging, dacht terug aan zijn onderzoek in de geheime archieven van de CIA en zei: 'Toch deed hij dat wel vaker. Dat weet u.'

Inderdaad wist de directeur dat al te goed. 'Maar dit is anders,' protesteerde hij. 'Dit is hier gebeurd, aan het thuisfront. Hiermee beledigde hij persoonlijk én de CIA én mij.' De Oude Rot schudde zijn gerimpelde hoofd. 'Daar wil ik niet in geloven, Martin. Verdomme, hier moet een verklaring voor zijn!'

Lindros hield voet bij stuk. 'U weet dat die er niet is. Het spijt me zeer dat ik u dit heb moeten vertellen.'

Op dat moment kwam de secretaresse van de Oude Rot binnen, overhandigde hem een velletje papier en liep weer weg. De directeur vouwde het berichtje open.

'Uw vrouw wil u dringend spreken,' las hij voor. *'Het gaat om iets belangrijks.'*

Hij verfrommelde het en keek op. 'Natuurlijk is er een verklaring. Jason Bourne.'

'Maar...?'

De directeur keek Lindros in zijn ogen en zei somber: 'Bourne heeft hiermee te maken, niet Alex. Dat is de enige logische verklaring.'

'Het spijt me, maar dat ben ik niet met u eens,' zei Lindros, die zich al gereedmaakte voor een zwaar gevecht. 'Met alle respect, ik vrees dat uw vriendschap met Alex Conklin uw oordeel in deze kwestie vertroebelt. Op basis van geheime dossiers denk ik dat er niemand dichter bij Conklin stond dan Jason Bourne, zelfs u niet.'

Er verscheen een mysterieuze glimlach op het gezicht van de directeur. 'Daar heb je gelijk in, Martin. Juist omdat Bourne Alex zo goed kende, kon hij hem chanteren met die Schiffer. Geloof me, Bourne had iets geroken en ging erop af.'

'Daar is geen bewijs voor.'

'Jawel, wel degelijk.' De directeur ging verzitten in zijn bureaustoel. 'Ik weet toevallig waar Bourne nu uithangt.'

'Wat zegt u?' Lindros' ogen puilden uit.

'Fo utca 106-108,' las de directeur voor van een briefje. 'Dat is in Boedapest.' De directeur keek zijn adjunct streng aan. 'Zei jij niet dat voor het wapen waarmee Alex en Mo Panov zijn vermoord, betaald was van een rekening in Boedapest?'

Geschrokken antwoordde Lindros: 'Ja, dat klopt.'

De directeur knikte. 'Daarom heb ik dit adres doorgegeven aan Kevin McColl.'

Lindros trok wit weg. 'O god, dan zou ik graag even met McColl willen praten.'

'Ik voel met je mee, Martin, echt waar.' De directeur knikte naar de telefoon. 'Bel hem maar, maar je weet hoe efficiënt McColl is. De kans is groot dat Bourne allang dood is.'

Bourne trapte de deur van de opslagruimte dicht en trok zijn bloederige labjas uit. Toen hij die over het lichaam van Kevin McColl wilde gooien, zag hij een klein LED-lampje knipperen op McColls heup. Zijn gsm. Neergehurkt haalde hij de telefoon uit het hoesje en klapte die open. Toen hij het nummer zag, wist hij wie er belde. Hij werd woedend.

Bij het opnemen zei hij meteen tegen de directeur: 'Als je zo doorgaat bezorg je de begrafenisondernemers hier overuren.'

'Bourne!' riep Lindros. 'Wacht!'

Maar hij wachtte niet. Zo hard hij kon smeet hij de gsm tegen de muur en als een oester spleet die open.

Geschrokken stond Annaka naar hem te kijken. 'Een oude vijand?'

'Een oude gek,' gromde Bourne, terwijl hij zijn leren jasje opraapte. Hij kreunde plotseling toen de pijn hem als een hamerslag trof.

'Die McColl heeft je er flink van langs gegeven,' zei Annaka.

Bourne trok zijn jack met het witte ID-pasje aan over zijn gescheurde overhemd. Hij dacht alleen nog maar aan dr. Sido, hij móést hem vinden. 'En jij? Hoe erg ben jij eraan toe?'

Ze wilde niet over de rode striem op haar keel wrijven. 'Maak je om mij geen zorgen.'

'Dan maken we ons om elkaar geen zorgen,' zei Bourne toen hij een fles schoonmaakmiddel uit de kast haalde en met een doekje de bloedvlekken van haar jasje probeerde te verwijderen. 'We moeten zo snel mogelijk Sido vinden. Morintz zal vroeg of laat worden vermist.'

'Waar is Sido?'

'In de Epidemiologische Vleugel. Kom, we moeten gaan.'

Hij keek door de deuropening of de kust veilig was. Toen ze de gang op liepen, zag hij schuin aan de overkant een kantoortje, waarvan de deur openstond. Hij liep ernaartoe, maar hoorde stemmen uit die richting komen en draaide zich snel om. Bourne moest zich even opnieuw oriënteren en vervolgens liepen ze samen door de vele klapdeuren naar de Epidemiologische Vleugel.

'Sido zit op kamer 902,' zei hij, terwijl hij naar de nummers keek van de deuren die ze voorbijliepen.

De vleugel bleek een grote, open, vierkante ruimte. Deze ruimte bood toegang tot alle laboratoria en werkkamers. Midden in de muur aan de andere kant zat een metalen deur naar buiten die was afgegrendeld. Kennelijk zat de Epidemiologische Vleugel helemaal aan de achterzijde van de kliniek, want de waarschuwingstekens op de kleine opslagruimtes aan beide zijden van de metalen deur, maakten duidelijk dat het de uitgang was voor gevaarlijk medisch afvalmateriaal.

'Daar is zijn lab,' zei Bourne, die snel doorliep.

Annaka, vlak achter hem, zag het glazen kastje van het brandalarm aan de muur, precies zoals Stepan had aangegeven. Toen ze ervoor stond, tilde ze het klepje op. Bourne klopte op de deur van Sido's lab. Er werd niet geantwoord, maar toch ging hij naar binnen. Op hetzelfde moment trok Annaka de hendel naar beneden en ging het brandalarm af.

Van alle kanten stroomden labmedewerkers de vleugel binnen. Tegelijk verschenen er drie mannen van de beveiliging; het was duidelijk dat die buitengewoon efficiënt te werk gingen. Bourne keek wanhopig rond in Sido's lege werkkamer. Hij zag een halfvolle koffiemok, op het computerscherm golfde een screensaver. Hij drukte op de Escape-toets en boven in het scherm verscheen een ingewikkelde scheikundige berekening. Aan de onderkant van het scherm werd een en ander verklaard. 'Het product moet op -32 graden Celsius worden gehouden, want het is extreem gevoelig. De minste temperatuursverhoging maakt het onbruikbaar.' Ondanks de grote chaos probeerde Bourne zich te concentreren. Dr. Sido was nog maar net vertrokken. Alles wees erop dat hij haast had gehad.

Op dat moment rende Annaka naar binnen en sleurde hem weg. 'Jason, de mannen van de beveiliging beginnen vragen te stellen, iedereen wordt gecontroleerd. We moeten hier weg.' Ze liep vóór hem de deur uit. 'Als we bij de uitgang achter in het gebouw komen, kunnen we misschien ontsnappen.'

In de open ruimte van de vleugel heerste chaos. Het alarm had de sprinklers in werking gezet. Er bevond zich veel brandbaar materiaal in de laboratoria, waaronder zuurstoftanks; uiteraard was iedereen in paniek. De beveiliging, die de massa in toom moest houden, probeerde iedereen gerust te stellen.

Bourne en Annaka renden naar de metalen deur van de uitgang. Ineens zag Bourne Khan door de drukte heen op hem afkomen. Bourne pakte Annaka vast en ging tussen haar en Khan in staan. Wat wilde Khan, vroeg hij zich af. Wilde hij hen uitschakelen of alleen maar tegenhouden? Verwachtte hij dat Bourne hem alles zou vertellen wat hij over Felix Schiffer en de biochemische verstuiver wist? Nee, Khans gezicht drukte iets anders uit, een exacte berekening die ergens niet klopte.

'Je moet naar me luisteren!' schreeuwde Khan, die zich door het lawaai heen verstaanbaar probeerde te maken. 'Bourne, je moet naar me luisteren!'

Maar Bourne stond met Annaka al bij de uitgang, en stormde daar doorheen. Zo kwamen ze terecht in het steegje achter de kliniek, waar een HAZMAT-wagen gereedstond. Er stonden zes mannen met machinepistolen voor. Bourne zag meteen dat hij in een val was gelopen, draaide zich om en schreeuwde instinctief iets naar Khan, die achter hem aan kwam.

Annaka draaide zich ook om, ontdekte Khan en gaf twee van de mannen het bevel om het vuur te openen. Maar Khan, die Bournes waarschuwing had opgevangen, was net op tijd opzij gesprongen voordat het mitrailleurvuur de hele aangesnelde ploeg van beveiligingsagenten had neergemaaid. Nu was de hel binnen de kliniek losgebroken; het personeel rende schreeuwend door de klapdeuren naar de gang in de richting van de hoofdingang.

Twee mannen grepen Bourne vanachter vast. Hij bood weerstand, hield ze bezig.

'Ga achter hem aan!' schreeuwde Annaka. 'Pak Khan en maak hem af!'

'Annaka, wat...'

Bourne keek verbijsterd het duo na dat langs hem heen rende en over de neergeschoten lichamen sprong.

Nu kwam hij zelf ook in actie en sloeg een van zijn tegenstanders met een vuistslag op zijn slaap tegen de vlakte. Er kwam meteen een ander aangelopen.

'Pas op,' waarschuwde Annaka, 'hij heeft een pistool!'

Een van de mannen sloeg Bourne in de boeien, terwijl een ander hem zijn pistool afhandig maakte. Bourne worstelde zich vrij, trapte hard van zich af waarbij zijn tegenstander zijn neus brak. Het bloed spoot alle kanten op en de man viel achterover met zijn handen voor zijn gezicht.

'Waar ben je in godsnaam mee bezig?'

Annaka kwam op hem af met een machinepistool en gaf met de zware kolf een klap tegen zijn ribben. Bourne hapte naar adem, viel voorover en verloor zijn evenwicht. Zijn knieën waren als van rubber, de pijn was ondraaglijk. Hij werd opgepakt. Een van de mannen gaf hem een klap in zijn gezicht. Bourne viel in hun armen.

De twee weggestuurde mannen kwamen terug van hun speurtocht naar Khan. 'Geen spoor van hem,' meldden ze Annaka.

'Maakt niet uit,' zei ze. Ze wees naar de man die op de grond lag te kronkelen. 'Sleep hem de wagen in. Snel!'

Ze wendde zich tot Bourne en zag dat de man met de gebroken neus zijn pistool tegen Bournes slaap aan hield. Hij keek woedend en leek te gaan schieten.

Kalm maar beslist gebood Annaka: 'Weg met dat pistool! We moeten hem levend gevangennemen.' Ze keek hem onbewogen aan. 'Dat is een bevel van Spalko. Dat weet je.' Traag haalde de man zijn pistool weg.

'Goed,' zei ze, 'allemaal de truck in.'

Bourne staarde haar aan; hij was ziedend om haar verraad.

Meesmuilend stak Annaka haar hand uit om van iemand een injectienaald aan te nemen waarin een heldere vloeistof zat. Snel en met vaste hand spoot ze de inhoud in Bournes ader. Langzaam vertroebelde zijn zicht.

25

Hassan Arsenov had Zina de leiding gegeven over het fysieke aspect van het kader, alsof ze een styliste was. Ze had haar taak serieus opgevat, zoals ze altijd deed, maar niet zonder daarbij in zichzelf cynisch te grinniken. Als een planeet en een zon, zo was ze nu met de Sjeik verbonden. Ze had zich mentaal en emotioneel van Hassans invloedssfeer bevrijd. Dat was al begonnen die avond in Boedapest – hoewel het in werkelijkheid al eerder was gaan broeien – en kreeg zijn beslag onder de brandende zon van Kreta. Ze dacht met liefde terug aan die tijd op het eiland in de Middellandse Zee, het was haar persoonlijke legende, die ze alleen met hem deelde. Ze waren als Theseus en Ariadne geweest. De Sjeik had haar de mythe verteld over het tragische leven van de minotauriër en zijn bloedige dood. Ook zij was, samen met de Sjeik, een labyrint ingegaan, maar zij waren eruit ontsnapt. Opgewonden als ze was door deze nieuwe dierbare herinneringen, besefte ze niet dat ze zichzelf een rol had toebedeeld in een westerse mythe, dat ze, door zich te verbinden aan Stepan Spalko, afrekende met de islam, die haar voedingsbodem was geweest, haar als een tweede moeder had opgevoed, haar toevlucht, haar enige troost was geweest in de donkere dagen van de Russische bezetting. Ze besefte niet, dat ze door het ene te omarmen het andere moest laten gaan. En zelfs als ze dat wel deed, had ze met haar cynisme waarschijnlijk dezelfde keuze gemaakt.

Dankzij haar kennis en ijver waren de mannen van het kader dat in de dageraad op Keflavik Airport aankwam, gladgeschoren en op zijn Europees geknipt. Ze droegen zwarte zakenkostuums, zo clichématig dat ze vrijwel anoniem waren. De vrouwen droegen niet de traditionele *khidzhab*, de hoofddoek die hun gezicht bedekte. Ze hadden zich opgemaakt als Europese vrouwen en droegen de laatste Parijse mode. Zonder moeite kwamen ze door de douane met hun valse paspoorten die Spalko onder hen had uitgedeeld.

Nu spraken ze alleen maar IJslands, zoals Arsenov had bevolen, ook als ze samen waren. Arsenov had bij een autoverhuurbedrijf een auto en drie busjes gehuurd voor het kader, dat uit zes mannen en vier vrouwen bestond. Terwijl Arsenov en Zina met de auto Reykjavik in gingen, reed de rest van het kader naar het plaatsje Hafnarfjördur in het zuiden, de oudste handelsnederzetting van IJsland, waar Spalko een groot houten huis had gehuurd op een klif met uitzicht op de haven. Het kleurrijke dorp met kleine, typische houten huisjes, werd op het land omringd door lavasteen waaruit een mist opsteeg: het dorp leek verloren in de tijd. Tussen de felgekleurde vissersbootjes in de haven kon men zich met gemak de lange oorlogsschepen voorstellen van de vikingen, die zich klaarmaakten voor een nieuwe bloederige campagne.

Arsenov en Zina reden in Reykjavik door de straatjes die ze alleen maar van de plattegrond kenden, en maakten zich vertrouwd met het verkeer en het lokale rijgedrag. De stad lag pittoresk op een schiereiland, zodat je overal de witte bergtoppen boven de blauwzwarte Noord-Atlantische Oceaan zag uitsteken. Het eiland zelf was ontstaan door verschuiving van tektonische platen toen Amerikaanse en Euro-Aziatische landmassa's uit elkaar dreven. Omdat het eiland geologisch gesproken nog jong was, was de aardkorst er dunner dan op de naastgelegen continenten, wat de opvallende alomtegenwoordigheid van geothermische activiteit verklaarde, waarmee de IJslandse huizen werden verwarmd. De hele stad was aangesloten op het warmwaternet van Reykjavik Energie.

In het centrum reden ze voorbij de moderne en bevreemdende Hallgrimskirkja, een kerk die op een raket leek uit een sciencefictionfilm. Ze vonden het ziekenhuis en reden vandaar naar het Oskjuhlid Hotel.

'Weet je zeker dat ze deze route zullen nemen?' vroeg Zina.

'Absoluut.' Arsenov knikte. 'Het is de kortste weg en ze willen zo snel mogelijk in het hotel zijn.'

Rondom het hotel wemelde het van de Amerikaanse, Arabische en Russische beveiligingsagenten.

'Ze hebben er een fort van gemaakt,' zei Zina.

'Zoals we op de foto's van de Sjeik al konden zien,' antwoordde Arsenov met een lachje. 'Hoeveel personeel ze ook hebben, dat maakt voor ons niet uit.'

Ze parkeerden de auto en bezochten de winkels, waar ze verschillende aankopen deden. Arsenov voelde zich veel meer op zijn gemak binnen de metalen huls van hun gehuurde auto. Op straat was hij zich scherp bewust van zijn eigen anders-zijn. Wat verschilden deze slanke, witte en blauwogige mensen toch van hem! Met zijn zwarte haar en bruine ogen, zijn zware bouw en getaande huid, voelde hij zich zo lomp als een Neanderthaler onder Cro-Magnonmensen. Zina, viel hem op, had nergens moeite mee. Zij maakte zich nieuwe plekken, nieuwe mensen en nieuwe ideeën beangstigend snel eigen. Hij maakte zich ongerust om haar, vreesde haar invloed op de kinderen die ze ooit zouden krijgen.

Twintig minuten na de overval aan de achterkant van de Eurocenter Bio-I Kliniek, vroeg Khan zich nog steeds af of hij ooit eerder zo sterk de neiging had gevoeld om wraak te nemen op een vijand. Ook al waren ze in de meerderheid, ook al zei zijn verstand – dat meestal elke actie die hij ondernam onder controle had – nog zo dat het gekkenwerk was tegen de mannen in te gaan die Spalko op hem en Jason Bourne had afgestuurd, toch had hij maar al te graag terug willen vechten. Vreemd genoeg had Bourne zelf hem ervan weerhouden om zichzelf als een bezetene in de strijd te gooien en Spalko's mannen af te maken. Dat gevoel kwam helemaal vanuit zijn kern en was zo sterk dat het al zijn redelijkheid en wilskracht had gekost om zich terug te trekken, zich te verbergen voor de mannen die Annaka op hem had afgestuurd. Hij had die twee wel aangekund, maar wat zou hij daarmee zijn opgeschoten? Annaka zou er alleen maar meer op hem hebben afgestuurd.

Hij zat in Café Grendel, ongeveer anderhalve kilometer van de kliniek, die nu waarschijnlijk vol zat met politie- en Interpol-agenten. Hij nam een slok van zijn espresso en dacht terug aan dat gevoel dat hem zo in zijn greep had gehouden. Weer zag hij de bezorgde blik op het gezicht van Jason Bourne voor zich, die hem waarschuwde voor de val waarin hij zelf was gelopen. Alsof hij zich meer zorgen maakte om Khan dan om zijn eigen veiligheid. Maar dat kon toch niet, of wel?

Het was niet Khans gewoonte om recente gebeurtenissen opnieuw de revue te laten passeren, maar toch deed hij dat. Terwijl Bourne en Annaka naar de uitgang liepen, had hij geprobeerd om Bourne voor haar te waarschuwen, maar hij was te laat. Waarom had hij dit willen doen? Hij had dat niet gepland. Het was spontaan in hem opgekomen. Of niet? Pijnlijk scherp herinnerde hij zich zijn gevoel, toen hij het door hem toegebrachte letsel aan Bournes ribben had gezien. Had hij er spijt van? Uitgesloten!

Het was om gek van te worden. De gedachte liet hem niet los sinds Bourne de keuze had gemaakt zich niet veilig te verschuilen achter de dodelijke moordmachine die McColl was geworden, maar zich in gevaar te brengen om Annaka te redden. Tot dan had hij geprobeerd om David Webb, universitair docent, die in werkelijkheid de internationale huurmoordenaar Jason Bourne was, te beschouwen als een collega. Maar geen huurmoordenaar die hij kende zou zichzelf in gevaar brengen om iemand als Annaka te redden.

Wie was deze Jason Bourne dan wel?

Hij schudde uit ergernis om zichzelf zijn hoofd. Deze vraag, hoe intrigerend ook, moest hij voorlopig onbeantwoord laten. Nu pas begreep hij waarom Spalko hem destijds in Parijs had gebeld. Hij werd op de proef gesteld en volgens Spalko's maatstaf had hij gefaald. Spalko zag Khan nu als een bedreiging voor hem, zoals hij ook in Bourne een bedreiging zag. Voor Khan was Spalko nu de vijand. Zijn leven lang ging Khan maar op één manier met zijn vijanden om: hij elimineerde ze. Hij was zich scherp bewust van het risico, maar zag het als een uitdaging. Spalko wist zeker dat hij sterker was dan Khan. Hoe kon Spalko weten dat die arrogantie hem alleen maar kwetsbaarder maakte?

Khan dronk zijn koffie op, klapte zijn gsm open en toetste een nummer in.

'Ik was net van plan je te bellen, maar ik wilde wachten tot ik het gebouw uit was,' zei Ethan Hearn. 'Ik heb iets.'

Khan keek op zijn horloge. Het was nog geen vijf uur. 'Wat dan?'

'Een paar minuten geleden kwam een HAZMAT-wagen aangereden en in de kelder zag ik nog net twee mannen en een vrouw iemand op een stretcher binnendragen.'

'Die vrouw was waarschijnlijk Annaka Vadas,' zei Khan.

'Wat een stuk, dat wijf!'

'Luister, Ethan,' zei Khan dringend, 'wees uiterst voorzichtig als je haar tegen het lijf loopt. Ze is levensgevaarlijk.'

'Da's nou jammer,' mijmerde Hearn.

'Heeft iemand je gezien?' vroeg Khan, die het niet meer over Annaka Vadas wilde hebben.

'Nee,' zei Hearn. 'Daar heb ik goed op gelet.'

'Mooi.' Khan dacht even na. 'Weet je waar ze deze man naartoe hebben gebracht? Ik bedoel, waar precies?'

'Ja, dat weet ik. Ik zag ze met de lift naar boven gaan. Hij is ergens op de vierde verdieping. Dat is Spalko's persoonlijke etage; je kunt er alleen maar met een magnetische sleutel in.'

'Kun je daaraan komen?' vroeg Khan.

'Onmogelijk. Hij draagt die altijd bij zich.'

'Dan moet ik een andere manier zien te vinden,' zei Khan.

'Ik dacht dat magnetische sleutels onfeilbaar waren.'

Khan moest even lachen. 'Dat had je gedacht. Er is altijd een manier om in een afgesloten ruimte te komen, Ethan, zoals er ook altijd weer een uitweg is.'

Khan stond op, legde wat geld op tafel neer en liep naar buiten. Hij was te onrustig om lang op dezelfde plek te blijven. 'Nu we het er toch over hebben, hoe kom ik het gebouw van Humanistas binnen?'

'Er zijn een paar...'

'Ik heb reden om aan te nemen dat Spalko mij verwacht.' Khan stak de straat over, hield daarbij in de gaten of hij niet werd achtervolgd.

'Dat wordt dan een heel ander verhaal,' zei Hearn. Hij moest even over dit vraagstuk nadenken, en zei toen: 'Wacht even, blijf aan de lijn. Ik moet mijn PDA raadplegen. Misschien heb ik iets voor je.'

Even later: 'Hier ben ik weer.' Hearn grinnikte. 'Ik heb inderdaad wat voor je en volgens mij vind je het wel leuk.'

Arsenov en Zina kwamen anderhalf uur later aan in het huis. De kaderleden hadden zich al in jeans en werkshirts gestoken en de bus in de grote garage geparkeerd. Terwijl de vrouwen de tassen met eten aanpakten, wrikten de mannen de kisten open met hun handwapens en maakten ze de spuitbussen gereed.

Arsenov haalde de foto's erbij die Spalko hem had gegeven, en toen begonnen ze het busje over te spuiten in de officiële overheidskleur. Terwijl het busje stond te drogen, werd een andere bus de garage in gereden. Op basis van een stencil spoten ze op beide kanten HAFNARFJÖRDURS VERSE GROENTE EN FRUIT.

Daarna gingen ze naar binnen, waar het al rook naar het eten dat de vrouwen hadden klaargemaakt. Voor ze aan de maaltijd begonnen, deden ze hun gebeden. Zina, bij wie de opwinding als elektrische stroom door haar lijf liep, kon zich nauwelijks concentreren, ze bad geroutineerd tot Allah terwijl ze aan de Sjeik dacht en aan haar aandeel in de overwinning die ze zouden behalen – nog maar één dag.

Er werd geanimeerd gepraat tijdens het eten, vol spanning liep iedereen op de zaken vooruit. Arsenov die normaliter zoveel uitgelatenheid zou afkeuren, stond deze uitlaatklep voor alle spanningen toe, maar niet voor lange duur. Terwijl de vrouwen gingen afwassen, stuurde hij zijn mannen terug naar de garage, waar ze officiële overheidslogo's aan de voor- en zijkanten van het busje aanbrachten. Toen reden ze deze bus naar buiten, en kwamen ze met de derde bus terug, die ze de kleur gaven van Reykjavik Energie.

Daarna was iedereen uitgeput en men wilde naar bed, want morgen was het vroeg dag. Toch wilde Arsenov dat iedereen nog zijn aandeel in het plan met hem doornam, in het IJslands. Hij wilde weten welk effect geestelijke vermoeidheid op hen had. Niet dat hij aan hen twijfelde. Deze negen landgenoten hadden zich lang geleden al voor hem bewezen. Ze waren fysiek sterk, mentaal gehard en boven alles kenden ze geen spijt of gewetenswroeging. Maar geen van hen had ooit deelgenomen aan een project dat zo groot was en dat op mondiale schaal zulke grote gevolgen had; zonder de NX 20 zouden ze er nooit de middelen toe hebben. Het was dus bijzonder bevredigend om te zien hoe ze hun laatste mentale reserves aanspraken en nog eens met feilloze precisie hun rol doornamen.

Hij feliciteerde iedereen en alsof het zijn eigen kinderen waren, sprak hij vol oprechte liefde en genegenheid tot hen. '*La illaha ill Allah.*'

'*La illaha ill Allah,*' antwoordden ze gezamenlijk, vervuld met zoveel liefde in hun ogen dat Arsenov tot tranen toe geroerd was. Terwijl ze elkaar op dit moment in het gezicht keken, beseften ze pas de grootsheid van de taak die op hen wachtte. Arsenov zag nu zijn hele familie bij elkaar zitten, in een vreemd en onheilspellend land, op de vooravond van het mooiste moment dat zijn volk ooit zou beleven. Nooit eerder was dit toekomstbeeld zó stralend geweest, nooit eerder was zijn doelbewustheid en rechtvaardigheidsgevoel zo manifest in hem aanwezig. Hij was dankbaar voor de aanwezigheid van zijn medestrijders.

Toen Zina de trap op liep, pakte hij haar bij haar arm vast, maar toen de anderen hen voorbijliepen en steels aankeken, schudde zij haar hoofd. 'Ik moet hen helpen met de peroxide,' zei ze, en hij liet haar gaan.

'Moge Allah je een vredige nachtrust geven,' zei ze zacht, toen ze verder de trap op liep.

Toen Arsenov later in bed lag kon hij zoals gewoonlijk niet slapen. In het smalle bed tegenover hem lag Akhmed zwaar te ronken. Een briesje beroerde de gordijnen voor het open raam. Als kind was Arsenov gewend geraakt aan de kou; nu hield hij ervan. Hij staarde naar het plafond en dacht als altijd tijdens deze uren terug aan Khalid Murat, aan het verraad aan zijn mentor en vriend. Ondanks de noodzaak van de moord, bleef zijn eigen ontrouw aan hem knagen. En nog steeds had hij die wond in zijn been, een wond die, hoe snel ook genezen, fungeerde als een prikkel. Want hij had Khalid Murat immers in de steek gelaten, en daar kon hij niets meer aan doen.

Hij stond op, liep door de gang en ging zachtjes de trap af. Hij had met kleren aan geslapen, zoals altijd. Hij liep naar buiten de koude nachtlucht in, pakte een sigaret en stak die aan. Laag aan de horizon zweefde een vlekkerige maan door het sterrenrijke heelal. Er waren geen bomen, hij hoorde geen insecten.

Terwijl hij verder van het huis weg liep, werd hij wat rustiger. Misschien dat hij na deze sigaret nog een paar uurtjes kon slapen voordat ze om halfvier bij de boot van Spalko moesten zijn.

Hij had zijn sigaret bijna opgerookt en wilde teruggaan toen hij een gefluister hoorde. Geschrokken trok hij zijn pistool en keek om zich heen. De stemmen, gedragen door de nachtlucht, kwamen vanachter een paar enorme rotsblokken die als de hoorns van een monster uit de klifwand staken.

Hij liet zijn sigaret vallen, trapte de peuk in de grond uit en liep naar de rotsblokken. Hoewel hij voorzichtig te werk ging, was hij bereid zijn wapen af te vuren in het hart van wie hen ook maar bespioneerde.

Maar toen hij om de ronding van de rots keek, zag hij geen spionnen maar Zina. Ze stond zacht met iemand te praten, een grote man, Arsenov zag niet wie. Voorzichtig sloop hij naderbij. Hij hoorde niet wat ze zeiden, maar vlak voordat hij zag dat Zina's hand op de arm van de ander rustte, had hij de stem herkend die ze gebruikte wanneer ze hem verleidde.

Hij drukte zijn vuist tegen zijn slaap om het plotseling opkomende gebons in zijn hoofd te stoppen. Hij wilde het uitschreeuwen toen hij zag hoe Zina met haar hand streelde, als de poten van een spin, vond hij. Hij zag hoe ze haar nagels zette in de onderarm van... wie probeerde ze te verleiden? Zijn jaloezie werd hem te machtig. Op het gevaar af te worden herkend, sloop hij dichterbij. Toen hij al gedeeltelijk in het maanlicht stond, herkende hij het gezicht van Magomet.

Blinde woede overviel hem; hij beefde over heel zijn lichaam. Hij dacht aan zijn mentor. Wat zou Khalid Murat nu doen? vroeg hij zich af. Ongetwijfeld zou hij de confrontatie aangaan met het paar, naar hun afzonderlijke verklaringen luisteren en daarop zijn oordeel baseren.

Arsenov was rechtop gaan staan en terwijl hij op het paar afliep, hield hij zijn rechterarm gestrekt voor zich uit. Toen Magomet, die min of meer naar hem toe stond gekeerd, hem zag, deed hij meteen een stap naar achteren en maakte hij zich los uit Zina's greep. Zijn mond viel open, maar van de schrik en angst kwam er niets uit.

'Is er iets, Magomet?' vroeg Zina. Toen ze zich omdraaide zag ze Arsenov op hen afkomen.

'Hassan, nee!' schreeuwde ze toen Arsenov de trekker overhaalde.

De kogel ging dwars door Magomets mond en kwam er aan de achterzijde van zijn hoofd uit. Hij lag op de grond in een plas van bloed en hersens.

Arsenov richtte zijn pistool op Zina. Khalid Murat zou deze situatie vast en zeker anders hebben afgehandeld, dacht hij, maar Khalid Murat was dood en hij, Hassan Arsenov, de man die Murats moord op zijn geweten had, was nog in leven en hij had de leiding. De wereld was veranderd.

'Nu jij,' zei Arsenov.

In zijn donkere ogen zag ze dat hij wilde dat ze voor hem ging kruipen, dat ze hem op haar knieën om vergiffenis zou smeken. Hij zou niets van een verklaring willen weten. Ze wist dat hij buiten zinnen was; hij was nu niet in staat een onderscheid te maken tussen de waarheid en een handig leugentje. En als ze hem nu gaf wat hij wilde, zou dat een hellend vlak zijn waar ze niet meer van af kwam. Er was maar één manier om hem tegen te houden.

Haar ogen vonkten. 'Stop hiermee!' beval ze. 'Onmiddellijk!' Ze pakte de loop van het pistool vast en duwde die weg zodat die niet meer op haar hoofd was gericht. Ze durfde heel even een blik te werpen op de vermoorde Magomet. Deze fout zou ze niet nog eens maken.

'Waar ben je mee bezig?' vroeg ze. 'We hebben bijna ons doel bereikt; ben je gek geworden?'

Het was slim van haar om hem te herinneren aan de reden van hun verblijf in Reykjavik. Even had hij door zijn blinde liefde voor haar hun uiteindelijke doel uit het oog verloren.

Met een ruw gebaar stopte hij zijn pistool weg.

'En wat moeten we nu?' vroeg ze. 'Wie neemt het van Magomet over?'

'Dit is jouw schuld,' zei hij vol walging. 'Werk je hier zelf maar uit.'

'Hassan.' Ze probeerde hem nu niet aan te raken en zelfs niet dichterbij te komen. 'Jij bent onze leider. Het is jouw beslissing, van jou alleen.'

Hij keek om zich heen, alsof hij uit een trance ontwaakte. 'Onze buren zullen denken dat de knal van het pistoolschot van een vrachtwagen kwam.' Hij staarde naar haar. 'Wat deed je hier met hem?'

'Hij had zo zijn eigen plannen en ik wilde hem daarvan weerhouden,' zei Zina. 'Hij was veranderd sinds ik in het vliegtuig zijn baard had afgeschoren. Hij maakte avances.'

Arsenovs ogen vonkten weer. 'En hoe reageerde jij daarop?'
'Wat denk je, Hassan?' zei ze, haar stem even luid als die van hem. 'Vertrouw je me soms niet?'
'Ik zag je handen op hem, je vingers...' Hij kon niet verdergaan.
'Hassan, kijk mij aan.' Ze stak haar arm uit. 'Alsjeblieft, kijk me aan.'
Langzaam, met tegenzin, keek hij op; trots welde in haar op. Ze had hem nog steeds in haar greep, ondanks haar fout.
Met een onhoorbare zucht van verlichting zei ze: 'Het was een netelige situatie. Dat moet je toegeven. Als ik hem had afgewezen, koel was gebleven, als ik hem boos had gemaakt, zou hij wraak kunnen nemen. Ik was bang dat zijn woede hem voor ons onbruikbaar zou maken.' Ze keek Arsenov aan. 'Hassan, ik dacht aan de reden waarom we hier zijn. Dat is het enige waar ik nu aan denk, en dat zou jij ook moeten doen.'
Hij bleef onbewogen staan, luisterde naar wat ze zei. Het ruisen van de golven die ver beneden tegen de kliffen sloegen, leek onnatuurlijk hard. Toen knikte hij en daarmee was voor hem het incident afgehandeld.
'Dan moeten we nu Magomet opruimen.'
'We wikkelen hem in een deken en nemen hem mee naar de boot. We vragen aan de bemanning of ze hem in diep water willen gooien.'
Arsenov grinnikte. 'Zina, je bent de meest praktische vrouw die ik ken.'

Bourne werd wakker en bleek vastgebonden aan iets wat op een tandartsstoel leek. Hij keek de zwarte betonnen ruimte rond, zag de grote afvoer in het midden van de witte tegelvloer, de opgerolde slang tegen de muur, het karretje naast de stoel waarop in keurige rijtjes glanzende, roestvrijstalen instrumenten lagen, die allemaal vervaardigd leken te zijn om het menselijk lichaam pijnlijk te verminken. Hij voelde zich niet op zijn gemak. Zijn polsen en enkels zaten vast met leren bandjes, zag hij, die dezelfde gespen hadden als een dwangbuis.
'Je kunt niet ontsnappen,' zei Annaka, die achter hem vandaan kwam. 'Je hoeft het niet te proberen.'
Bourne staarde haar even aan, alsof het hem moeite kostte haar scherp te zien. Ze droeg een witte leren broek en een zwarte zijden blouse zonder mouwen en met laag uitgesneden hals, kleren die ze nooit droeg in haar rol van onschuldige klassieke pianiste en toegewijde dochter. Hij vervloekte zichzelf dat hij zich had verkeken op

haar aanvankelijke antipathie tegenover hem. Hij had beter moeten weten. Ze gaf te gemakkelijk toe, had iets te veel kennis over het appartementencomplex van Molnar. Aan wijsheid achteraf had hij niets. Hij slikte zijn teleurstelling weg en concentreerde zich op het lastige parket waarin hij zich bevond.

'Je kunt uitstekend acteren,' zei hij.

Een trage glimlach kwam op haar lippen, die nu iets van elkaar stonden. Hij zag haar witte, gelijkmatige tanden. 'Niet alleen bij jou, ook bij Khan.' Ze trok de enige stoel in het vertrek naar zich toe en ging naast hem zitten. 'Weet je, ik ken hem goed, je zoon. O ja, ik weet alles, Jason. Ik weet meer dan je denkt, en veel meer dan jij.' Ze lachte zacht, een tinkelend, helder geluid van puur plezier terwijl ze Bournes gezichtsuitdrukking in zich opnam.

'Khan heeft lang niet geweten of je nog in leven was. Hij deed zelfs een paar pogingen om je te vinden, maar zonder succes – die CIA van jou heeft je uitstekend weggestopt – totdat Stepan hulp bood. Maar zelfs al voordat hij wist dat je nog in leven was, besteedde hij al zijn vrije tijd aan het bedenken van manieren om wraak op je te nemen.' Ze knikte. 'Ja, Jason, hij haatte je hartgrondig.' Met haar ellebogen op haar knieën boog ze zich naar hem voorover. 'Hoe voelt dat?'

'Ik heb bewondering voor je monologen.' Ondanks de sterke emoties die ze bij hem naar boven haalde, wilde hij daar niets van laten merken.

Annaka trok een pruilmondje. 'Ik ben een vrouw met veel talenten.'

'En evenzoveel loyaliteiten, lijkt het wel.' Hij schudde zijn hoofd. 'We hebben elkaar het leven gered. Doet dat helemaal niets met je?'

Ze ging rechtop zitten, deed nu flink, bijna zakelijk. 'Over dit soort dingen kunnen we het tenminste eens worden. Vaak zijn het leven en de dood de enige dingen die er nog toe doen.'

'Maak me dan los,' zei hij.

'Ja, ik ben verzot op je geraakt, Jason.' Ze lachte. 'Maar zo werkt het niet in het echte leven. Ik heb je maar om één reden gered: Stepan.'

Hij fronste geconcentreerd zijn wenkbrauwen. 'Waarom laat je het zover komen?'

'Waarom niet? Ik heb een verleden met Stepan. Lange tijd was hij de enige vriend die mijn moeder nog had.'

Bourne was verrast. 'Spalko en je moeder kenden elkaar?'

Annaka knikte. Nu hij zat vastgebonden en geen gevaar meer vormde, leek ze te willen praten. Bourne luisterde met argwaan.

'Hij ontmoette haar nadat mijn vader haar had weggestuurd,' ging Annaka verder.

'Weggestuurd?' Bourne kon zijn nieuwsgierigheid niet bedwingen. Met haar charme kon ze zelfs een slang hypnotiseren.

'Naar een inrichting.' Annaka keek nu somber; in een flits toonde ze een spoortje echt gevoel. 'Hij had haar omgepraat. Dat was niet moeilijk. Ze was fysiek zwak, kon niet tegen hem in gaan. In die tijd... ja, toen kon dat nog.'

'Waarom zou hij zoiets doen. Ik geloof je niet,' zei Bourne op vlakke toon.

'Het kan me niet schelen of je me gelooft of niet.' Ze dacht na, als een reptiel dat was verstoord. Toen ging ze verder, waarschijnlijk omdat ze die behoefte voelde. 'Ze was een last geworden. Zijn minnares had het van hem geëist; hij was in dit soort kwesties onvergeeflijk zwak.' Terwijl ze haar pure haat uitspuwde, leek haar gezicht een lelijk masker; Bourne vermoedde dat ze eindelijk de waarheid sprak over haar verleden. 'Hij heeft nooit geweten dat ik het had ontdekt, en ik liet er niets van merken. Niets.' Ze gooide haar hoofd in haar nek. 'Hoe dan ook, Stepan ging regelmatig op bezoek in diezelfde inrichting. Zijn broer zat daar toen... de broer die hem had proberen te vermoorden.'

Bourne keek haar verbouwereerd aan. Hij besefte dat hij geen idee had of ze loog of de waarheid vertelde. Maar één ding wist hij zeker: ze voerde oorlog. Wat ze het beste voor het voetlicht had gebracht, waren haar aanvallen, haar overvallen binnen vijandelijk gebied. Hij keek in haar onverzoenlijke ogen en zag iets monsterlijks in de manier waarop ze mensen manipuleerde die ze naar zich toe had getrokken.

Ze leunde naar voren, met haar kin tussen duim en wijsvinger. 'Je hebt Stepan nog niet ontmoet, of wel? Hij heeft intensieve plastische chirurgie gehad aan de rechterkant van zijn gezicht en hals. Hij geeft verschillende versies van het verhaal, maar de waarheid is, dat zijn broer benzine over hem heeft gegooid en toen een aansteker in zijn gezicht wierp.'

Bourne reageerde geschrokken. 'Mijn god, waarom?'

Ze haalde haar schouders op. 'Dat weet niemand. Die broer was een gevaarlijke gek. Stepan wist dat, net als zijn vader, maar die weigerde dat te erkennen totdat het te laat was. Zelfs daarna bleef hij de jongen verdedigen en hield hij vol dat het een tragisch ongeval was.'

'Dit kan allemaal zo zijn,' zei Bourne, 'maar dat maakt niet goed dat jij je vader hebt verraden.'

Ze lachte. 'Dat uitgerekend jij zoiets moet zeggen, nadat jij en Khan elkaar hebben proberen af te maken. Zoveel woede in twee mannen, mijn god!'

'Hij viel me aan. Ik verdedigde mezelf alleen maar.'

'Maar hij haat je, Jason, met een felheid die ik zelden heb gezien. Hij haat je net zoveel als ik mijn vader haatte. En weet je waarom? Omdat je hem verlaten hebt zoals mijn vader mijn moeder in de steek liet.'

'Je doet alsof hij werkelijk mijn zoon is,' sputterde Bourne tegen.

'O ja, weet je zeker dat dat niet zo is? Dat komt je dan goed uit. Dan hoef je jezelf niet schuldig te voelen dat je hem liet omkomen in de jungle.'

'Maar dat deed ik niet!' Bourne wist dat hij zich niet emotioneel moest laten meeslepen, maar hij kon het niet helpen. 'Ze vertelden me dat hij dood was. Ik kon niet weten dat hij het misschien had overleefd. Dat ontdekte ik pas in de database van Defensie.'

'Ben je lang genoeg gebleven? Heb je het gecontroleerd? Nee, je begroef je familie zonder zelfs maar in de kisten te kijken! Had je dat wél gedaan, dan had je kunnen zien dat je zoon er niet in lag. Maar je vluchtte laf het land uit.'

Bourne probeerde zich uit zijn boeien los te maken. 'En jíj durft mij de les te lezen over familie?'

'Zo is het genoeg.' Stepan Spalko kwam met de perfecte timing van een circusdirecteur binnengelopen. 'Ik heb dingen te bespreken met de heer Bourne die belangrijker zijn dan familieruzies.'

Annaka stond gehoorzaam op. Ze kneep Bourne in zijn wang. 'Niet zo somber kijken, Jason. Je bent niet de eerste man die ik belazerd heb, en zult ook niet de laatste zijn.'

'Nee,' zei hij, 'want dat zal Spalko zijn.'

'Annaka, wil je ons even alleen laten?' vroeg Spalko, terwijl hij zijn slagersschort omdeed en zijn latex handschoenen aantrok. De schort was schoon en gestreken. Er zat geen spatje bloed op.

Toen Annaka was vertrokken richtte Bourne zijn aandacht op de man die volgens Khan de moord op Alex en Mo op zijn geweten had. 'En jij wantrouwt haar niet? Niet eens een beetje?'

'Ja, ze kan uitstekend liegen.' Hij grinnikte. 'En ik weet waar ik het over heb.' Hij liep naar het karretje en keek met het oog van de kenner naar de uitgestalde instrumenten. 'Je denkt dat, omdat ze jou belazerd heeft, ze dat mij ook zal doen.' Hij draaide zich om, het licht weerkaatste van zijn onnatuurlijk gladde huid in zijn gezicht en hals. 'Of probeer je ons soms tegen elkaar op te zetten? Dat zou de standaardmethode zijn van een professional van jouw kaliber.' Hij haalde zijn schouders op, pakte een instrument en liet het tussen zijn vingers draaien. 'Meneer Bourne, wat mij interesseert, is wat u te weten bent gekomen over dr. Schiffer en zijn uitvindinkje.'

'Waar is Felix Schiffer?'

'U kunt hem niet meer helpen, meneer Bourne, zelfs niet als u zich hieruit weet te bevrijden. De man heeft zijn nut overleefd en niemand kan hem tot leven wekken.'

'Je hebt hem vermoord,' zei Bourne, 'zoals je ook Alex Conklin en Mo Panov hebt vermoord.'

Spalko haalde zijn schouders op. 'Conklin heeft dr. Schiffer van me afgepakt, juist toen ik hem nodig had. Ik kreeg Schiffer terug, natuurlijk. Ik krijg altijd mijn zin. Maar Conklin moest boeten, omdat hij dacht dat hij me ongestraft kon tegenwerken.'

'En Panov?'

'Die was op het verkeerde moment op de verkeerde plaats,' zei Spalko. 'Zo gaan die dingen.'

Bourne dacht aan al het goede dat Mo Panov voor hem had gedaan en voelde zich overweldigd door de zinloosheid van zijn dood. 'Hoe kun je zo praten over het beëindigen van twee levens, alsof het niets is?'

'Maar dat is het ook, meneer Bourne,' zei Spalko lachend. 'En morgen zal de dood van twee mannen niets voorstellen bij wat nog moet komen.'

Bourne probeerde niet te kijken naar het glinsterende instrument. In plaats daarvan zag hij nu het beeld voor zich van László Molnars blauwwitte lichaam in zijn eigen koelkast. Hij had met eigen ogen gezien welke wonden je met Spalko's instrumentarium kon aanbrengen.

Nu hij direct geconfronteerd werd met het feit dat Spalko degene was geweest die Molnar had gemarteld en vermoord, wist hij dat alles wat Khan hem over deze man had verteld, inderdaad klopte. En als Khan de waarheid over Spalko had verteld, was het dan niet ook mogelijk dat hij werkelijk Joshua Webb was, Bournes eigen zoon? De feiten waren overstelpend, de waarheid lag voor hem, en Bourne voelde het verpletterende gewicht daarvan op zijn schouders. Hij durfde niet te kijken naar... naar wat eigenlijk?

Het maakte niet meer uit, want Spalko rommelde al tussen zijn martelwerktuigen. 'Ik probeer het nog één keer: wat weet u zoal over de uitvinding van de heer Schiffer?'

Bourne staarde langs Spalko heen. Naar de zwarte betonnen muur.

'U kiest ervoor mij geen antwoord te geven,' zei Spalko. 'Ik bewonder uw moed,' zei hij met een vriendelijke lach. 'En betreur de zinloosheid van uw gebaar.'

Hij drukte het kransvormige uiteinde van het voorwerp in Bournes vlees.

26

Khan liep Houdini binnen, een winkel met magische trucs en denkspelletjes op Vacu utca 87. De muren en vitrines van het kleine winkeltje waren gevuld met trukendozen, hersenkrakers en labyrintjes in allerlei verschillende vormen, oude en nieuwe. Kinderen van alle leeftijden liepen begerig door de winkel, hun ouders achter hen aan sjokkend, en wezen, met grote ogen, starend naar de fantastische spullen.

Khan liep op een van de geteisterde winkelbedienden af en vertelde dat hij Oszkar wilde spreken. Ze vroeg Khan naar zijn naam, pakte de telefoon en draaide een nummer. Na het gesprekje hing ze op en verwees ze Khan naar de achterkant van de winkel.

Hij liep door de deur naar de achterkant van de winkel een halletje binnen dat door een kale peer werd verlicht. De muren hadden een onbestemde kleur; het rook er naar gekookte kool. Hij liep een gietijzeren trap op naar het kantoortje op de tweede verdieping. De muren stonden vol met boeken – veel eerste drukken over goochelarij, biografieën en autobiografieën van bekende goochelaars en boeienkoningen. Boven een antiek houten cilinderbureau hing een foto met handtekening van Harry Houdini. Hetzelfde oude Perzische tapijt lag nog op de vloer en was nog steeds toe aan een grondige schoonmaakbeurt, en nog steeds stond de enorme hoge leunstoel als een troon achter het bureau.

Oszkar zat nog op dezelfde plek waar hij een jaar geleden zat toen Khan hem voor het laatst had bezocht. Het was een peervormige man van middelbare leeftijd met enorme bakkebaarden en een aardappelneus. Toen hij Khan zag, stond hij op en grinnikend kwam hij achter zijn bureau vandaan om hem de hand te schudden.

'Welkom,' zei hij, terwijl hij Khan een stoel aanbood. 'Wat kan ik voor je doen?'

Khan vertelde de man wat hij nodig had. Oszkar schreef alles op en knikte daar af en toe bij.

Toen keek hij op. 'Is dat alles?' Hij leek teleurgesteld; hij hield wel van een uitdaging.

'Nee, nog niet,' zei Khan. 'Er is nog zoiets als een magnetisch slot.'

'Dat begint ergens op te lijken!' Oszkar straalde enthousiast. Hij wreef in zijn handen toen hij opstond. 'Kom maar met me mee, beste vriend.'

Hij ging Khan voor door een behangen gangetje dat door gaslampen werd verlicht. Hij liep op een vreemde manier, waggelend als een pinguïn, maar voor wie wel eens had gezien hoe hij zich binnen anderhalve minuut uit drie handboeien losmaakte, had het begrip 'finesse' een nieuwe betekenis gekregen.

Hij deed een deur open en liep zijn atelier in – een groot vertrek, onderverdeeld in ruimtes met verschillende werkbanken en metalen tafels. Hij wees naar een kast, waar hij vervolgens in begon te rommelen. Even later haalde hij een zwart, chromen vierkant voorwerp tevoorschijn.

'Alle magnetische sloten werken op stroom, dat weet je, of niet?' Toen Khan knikte ging hij verder. 'En ze zijn allemaal wat heet "faalveilig". Dat wil zeggen, dat ze voortdurend stroom nodig hebben. De installateur van dit soort sloten weet, dat als je de stroom afsluit, het slot openspringt, dus er moet een noodvoorziening bij worden geïnstalleerd, of twee als het voor een paranoïde persoon is.'

'Dat is deze man,' verzekerde Khan hem.

'Goed dan.' Oszkar knikte. 'Denk dus niet dat je de stroomtoevoer kunt uitschakelen – dat duurt te lang, en ook al had je die tijd, dan nog is niet zeker of je ook de noodvoorzieningen kunt uitschakelen.' Hij stak zijn wijsvinger op. 'Maar minder bekend is, dat alle elektromagnetische sloten werken op gelijkstroom, dus...' Hij zocht naar iets anders, stak een nieuw voorwerp in de lucht. 'Wat je nodig hebt, is een draagbare wisselstroomtransformator met genoeg vermogen om het slot te forceren.'

Khan pakte het voorwerp vast. Het was zwaarder dan het leek. 'Hoe werkt het?'

'Als een blikseminslag op een elektriciteitscentrale.' Oszkar stak de transformator in het stopcontact. 'Deze jongen verstoort de gelijkstroom meer dan genoeg om de deur open te krijgen. Maar de verstoring is niet permanent. Na een tijdje herstelt de gelijkstroom en valt het slot weer dicht.'

'Hoeveel tijd heb ik?' vroeg Khan.

'Dat hangt af van het merk en model van het slot.' Oszkar haalde zijn smalle schouders op. 'Ik geef je zo'n vijftien minuten, hooguit twintig.'

'En kan ik het niet gewoon opnieuw doen?'

Oszkar schudde zijn hoofd. 'De kans bestaat dat je het slot dan juist verankert, en dan moet je de hele deur eruit slopen als je wilt ontsnappen.' Hij lachte, gaf Khan een schouderklopje. 'Maak je geen zorgen, je kunt het.'

Khan keek hem achterdochtig aan. 'Sinds wanneer heb jij ergens vertrouwen in?'

'Je hebt gelijk.' Oszkar reikte hem een klein leren koffertje aan met een rits. 'Elke goocheltruc valt een keer door de mand.'

Precies om kwart over twee in de ochtend, IJslandse tijd, legden Arsenov en Zina het zorgvuldig omwikkelde lijk van Magomet in een van de busjes en reden ze langs de kust naar het zuiden, naar een afgelegen baai. Arsenov zat achter het stuur. Af en toe gaf Zina, die de kaart bestudeerde, een aanwijzing.

'Ik voel de gespannenheid van de anderen,' zei hij na een poos. 'Het is meer dan alleen de gebruikelijke spanning vooraf.'

'Dit is geen gebruikelijke missie, Hassan.'

Hij keek haar aan. 'Soms denk ik dat er ijswater door je aderen stroomt.'

Ze glimlachte toen ze hem even in zijn been kneep. 'Je weet maar al te goed wat er door mijn aderen stroomt.'

Hij knikte. 'Dat klopt.' Hij moest bekennen dat hij, hoezeer hij ook gedreven was om zijn volk te leiden, hij zich het gelukkigst voelde als hij bij Zina was. Hij verlangde naar een tijd van vrede, als hij zijn hoedanigheid van rebel van zich kon afschudden en een echtgenoot voor haar kon zijn, een vader voor zijn kinderen.

'Zina,' zei hij toen ze de weg af gingen en met horten en stoten over de onverharde weg het klif afdaalden die hen naar hun eindbestemming bracht, 'we hebben het nooit over ons.'

'Wat bedoel je?' Ze wist natuurlijk precies wat hij bedoelde, maar ze wilde het niet over dit verstikkende onderwerp hebben. 'Natuurlijk wel.'

Het pad werd steiler en Hassan moest langzamer gaan rijden. Zina kon de laatste bocht van het pad zien; daarachter lag de rotsachtige baai en de rusteloze Noord-Atlantische Oceaan.

'Niet over onze toekomst, onze trouwplannen, de kinderen die we zullen krijgen. Is dit niet het moment om elkaar trouw te beloven?'

Toen pas begreep ze voor het eerst hoe intuïtief de Sjeik te werk ging. Want met deze woorden had Hassan Arsenov zichzelf veroordeeld. Hij was bang voor de dood. Ze begreep dat uit zijn woordkeus, als ze het niet al aan zijn stem had gehoord.

Ze zag nu dat hij aan haar twijfelde. Als ze iets geleerd had van haar tijd bij de rebellen, was het dat twijfel fnuikend was voor het initiatief, de vastberadenheid en vooral ook voor het ondernemen van acties. Misschien had hij zich door de extreme spanningen en ongerustheid blootgegeven. Net als de Sjeik vond ze zijn slapheid walgelijk. Hassans twijfels over haar zouden zijn gedachten zeker infecteren. Ze had een ernstige fout gemaakt door Magomet zo snel voor zich te winnen, maar ze wilde graag de toekomst van de Sjeik omarmen. Maar gezien Hassans felle reactie, was hij al veel eerder aan haar gaan twijfelen. Vond hij dat ze niet meer te vertrouwen was?

Ze verschenen vijftien minuten te vroeg op het ontmoetingspunt. Ze draaide zich om en hield zijn gezicht vast. Liefdevol zei ze: 'Hassan, lang hebben we hand in hand gewandeld in de schaduw van de dood. We overleefden het omdat Allah het zo wilde, maar ook door onze onwankelbare toewijding aan elkaar.' Ze boog zich voorover en gaf hem een kus. 'Nu verbinden we ons aan elkaar, omdat wij de dood begeren op weg naar Allah, meer dan onze vijanden het leven liefhebben.'

Arsenov sloot even zijn ogen. Dit was precies wat hij van haar had verlangd, en waarvan hij vreesde dat ze het hem nooit zou geven. Daarom had hij, besefte hij, zo snel die lelijke conclusie getrokken toen hij haar met Magomet had gezien.

'In de ogen van Allah, in Allahs handen, in Allahs hart,' zei hij bij wijze van inzegening.

Ze omhelsden elkaar, maar Zina was in haar gedachten aan de andere kant van de oceaan. Ze vroeg zich af wat de Sjeik nu aan het doen was. Ze wilde hem zien, dicht bij hem zijn. Binnenkort, zei ze tegen zichzelf. Binnenkort zal ik alles hebben wat mijn hartje begeert.

Even later stapten ze uit het busje en stonden ze op het strand te wachten, luisterend naar de voortrollende golven die neersloegen op de kiezels. De maan was al verdwenen in de korte nacht van het hoge noorden. Over een halfuur zou het al licht zijn en zou een nieuwe lange dag zijn aangebroken. Ze stonden ongeveer in het midden van de baai, waarvan de armen zich aan beide kanten ver uitstrekten zodat het tij getemperd werd en de golven hun woestheid verloren. Zina huiverde door de koude bries over het zwarte water, maar Arsenov genoot ervan.

Toen zagen ze de lichtstraal, die drie keer aan- en uitging. De boot was aangekomen. Arsenov deed zijn zaklamp aan, beantwoordde het signaal. Vaag zagen ze de vissersboot aankomen, zonder licht. Ze gingen terug naar het busje en droegen samen hun last naar het water.

'Zullen ze niet verrast opkijken als ze jou weer zien?' vroeg Arsenov.

'Het zijn mannen van de Sjeik; niets verrast hen,' antwoordde Zina, zich er scherp van bewust dat volgens het verhaal dat de Sjeik aan Hassan had verteld, ze deze ploeg al eens moest hebben ontmoet. De Sjeik zou hen natuurlijk al op de hoogte hebben gebracht.

Arsenov deed zijn zaklamp weer aan en toen zagen ze een roeiboot naar hen toe roeien. Er zaten twee mannen in en er stond een stapel kisten op; op de vissersboot waren nog meer kratten. Arsenov keek op zijn horloge; hij hoopte dat ze klaar waren voordat de dag echt begon.

De twee mannen kwamen met hun roeiboot tot stilstand op de kiezels en stapten uit. Ze namen niet de tijd zich voor te stellen, maar deden wel, zoals hun was opgedragen, alsof ze Zina kenden.

Uiterst efficiënt laadden ze met zijn vieren de kisten uit, en stapelden die netjes achter in de bus op. Arsenov hoorde iets, draaide zich om en zag dat de tweede roeiboot het kiezelstrand op schoof. Nu wist hij dat ze op tijd waren.

Ze legden het lijk van Magomet in de eerste roeiboot, die nu leeg was, en Zina gaf de bemanning de opdracht het lichaam op volle zee te dumpen. Ze gehoorzaamden zonder vragen te stellen, wat Arsenov wel beviel. Kennelijk had Zina indruk op hen gemaakt toen ze leiding had gegeven aan de aankomst van de lading.

Snel sjouwden ze, met zijn zessen nu, de rest van de kisten naar de bus. Daarna gingen de mannen terug naar hun boten, even snel als ze aan wal waren gekomen, en met een duwtje van Arsenov en Zina begonnen ze aan hun tocht terug naar de vissersboot.

Arsenov en Zina keken elkaar aan. Met de komst van deze lading begon hun missie realistische vormen aan te nemen.

'Voel je het, Zina?' vroeg Arsenov met zijn hand op een van de kisten. 'Voel je de dood die hierin zit?'

Ze legde haar hand op die van hem. 'Ik voel de overwinning.'

Ze reden terug naar de basis waar ze door de andere kaderleden werden opgewacht, die door de vakkundige toepassing van peroxide en gekleurde contactlenzen allemaal onherkenbaar waren geworden. Men zweeg in alle talen over de dood van Magomet. Hij was aan zijn einde gekomen en zo vlak voor de uitvoering van hun missie wilde niemand het erover hebben – ze hadden belangrijkere dingen aan hun hoofd.

Voorzichtig werden de kisten uitgeladen en geopend, waarin compacte machinepistolen, kneedbommen en HAZMAT-pakken zaten. In een kleiner kistje lagen zakjes met uien in ijsblokken. Arsenov gebaarde naar Akhmed, die plastic handschoenen aantrok en het kistje met de uien naar de bus bracht waarop stond HAFNARFJÖRDURS VERSE GROENTE EN FRUIT. Daarna klom de blonde en blauwogige Akhmed het busje in en reed weg.

De laatste kist werd geopend door Arsenov en Zina. Daarin zat de NX 20. Ze keken samen naar de twee helften die onschuldig in een piepschuim verpakking zaten, en dachten terug aan wat ze in Nairobi hadden gezien. Arsenov keek op zijn horloge. 'De Sjeik zal er zo zijn met de lading.'

De laatste voorbereidingen waren begonnen.

Kort na negen uur 's ochtends stopte een busje van warenhuis Fontana voor de dienstingang van de kelder van Humanistas Ltd., waar het was aangehouden door twee wachten. Een van hen keek op zijn werkschema en ook al zag hij dat er een bestelling op stond bij Fontana voor Ethan Hearn, toch wilde hij de laadbon zien. Toen de chauffeur die gaf, moest hij de achterklep openen van zijn bestelbus. De wacht klom naar binnen, controleerde elk voorwerp dat op de lijst stond. Daarna maakte hij samen met zijn collega alle pakketten open en telde twee stoelen, een dressoir, dossierkast en bedbankje. Ook vanbinnen controleerden ze het dressoir en de kast en ze beklopten de kussens van de bank en stoelen. Toen alles in orde bleek te zijn, gaf een van de bewakers de laadbon terug aan de chauffeur en legde hij uit hoe de bestelling bij Hearn moest worden afgeleverd.

De chauffeur parkeerde het busje bij de lift en samen met zijn collega laadde hij de spullen uit. Ze moesten vier keer op en neer om alles naar de zesde verdieping te brengen, waar Hearn op hen wachtte. Verheugd wees hij aan waar alles moest staan en zij namen al even verheugd de ruime fooi aan toen ze hun taak hadden verricht.

Toen ze weg waren, deed Hearn de deur dicht en begon hij de stapels dossiers die op zijn bureau stonden in alfabetische volgorde in de kast te leggen. De werkkamer begon er al meteen netjes uit te zien. Na een tijd stond Hearn op en liep naar de deur. Hij deed open en stond oog in oog met de vrouw die de man op de stretcher mee naar binnen had gedragen.

'Ben jij Ethan Hearn?' Toen hij knikte, stak ze haar hand uit. 'Annaka Vadas.'

Hij gaf haar een hand en merkte dat die droog en stevig was. Hij dacht terug aan Khans waarschuwing en keek onschuldig vragend uit zijn ogen. 'Ben ik al eens aan u voorgesteld?'

'Ik ben een vriendin van Stepan.' Haar glimlach was duizelingwekkend. 'Mag ik binnenkomen, of wilde je net gaan?'

'Ik heb een afspraak over,' hij keek op zijn horloge, 'een poosje.'

'Ik zal je niet lang ophouden.' Ze liep naar het bedbankje en ging erop zitten met haar benen over elkaar. Ze keek Hearn alert en verwachtingsvol aan.

Hij ging op zijn bureaustoel zitten en draaide zich naar haar toe. 'Wat kan ik voor u doen, mevrouw Vadas?'

'Je begrijpt het niet helemaal, hè,' zei ze stralend. 'De vraag is, of ik iets voor jóú kan doen.'

Hij schudde zijn hoofd. 'Ik begrijp u niet, ben ik bang.'

Ze keek het kantoor rond en begon te neuriën. Toen boog ze zich voorover, met haar ellebogen op haar knieën. 'O, je begrijpt me heus wel, Ethan.' Ze glimlachte weer. 'Zie je, ik weet iets over jou wat Stepan nog onbekend is.'

Hij gaf weer die verbaasde blik ten beste, stak hulpeloos zijn handen in de lucht.

'Je doet te goed je best,' zei ze bits. 'Ik weet dat je niet alleen voor Stepan werkt.'

'Ik weet niet waar u...'

Ze legde haar wijsvinger op zijn lippen. 'Ik zag je gisteren in de garage. Daar was je niet voor je lol, en al was dat wél zo, dan was je veel te geïnteresseerd in wat er gebeurde.'

Hij was zo overrompeld dat hij het niet eens kon ontkennen. En waarom zou hij ook? dacht hij. Ze had hem door, ook al was hij nog zo voorzichtig te werk gegaan. Hij staarde in haar ogen. Ze was inderdaad mooi, maar ze was nog gevaarlijker.

Ze keek hem scheef aan. 'Je werkt niet voor Interpol, naar je werkwijze te oordelen. CIA denk ik ook niet. Stepan zou het doorhebben als de Amerikanen zijn organisatie infiltreerden. Wat heb je nog meer...?'

Hearn ging haar dat niet vertellen; dat kon hij niet. Hij was maar al te bang dat ze het al wist, dat ze alles wist.

'Je ziet lijkbleek, Ethan.' Annaka stond op. 'Mij maakt het echt niets uit. Ik wil alleen maar een soort verzekeringspolis als hier de dingen mis gaan lopen. Die polis dat ben jij. Laten we je verraad voorlopig voor ons houden.'

Ze was de kamer uitgelopen voordat Hearn had kunnen reageren. Een tijd lang zat hij stil, onbewogen van de schrik. Toen stond hij eindelijk op en opende de deur, keek naar links en rechts de gang in om zeker te weten dat ze weg was.

Hij deed de deur weer dicht, liep naar het bedbankje en zei: 'De kust is veilig.'
Hij tilde de kussens op en legde ze op de vloer. Toen de triplex platen van het bedmechanisme in beweging kwamen, pakte hij ze aan en klapte het bed verder open.
In plaats van een matras kwam Khan tevoorschijn.
Hearn besefte dat hij zweette. 'Ik weet het, je hebt me gewaarschuwd, maar...'
'Zwijg!' Khan klom uit de bank, die niet groter was dan een doodskist. Hearn deinsde terug, maar Khan had geen tijd voor hem; hij had belangrijkere dingen te doen. 'Zorg ervoor dat je niet weer dezelfde fout maakt.'
Khan liep naar de deur, zette zijn oor ertegen. Hij hoorde alleen maar het achtergrondgeluid van de kantoren op deze verdieping. Hij was helemaal in het zwart gekleed. Hearn zag dat zijn bovenlichaam een stuk breder was dan de laatste keer dat ze elkaar hadden gezien.
'Zet de bedbank weer in elkaar,' beval Khan, 'en ga weer aan je werk alsof er niks is gebeurd. Heb je zo meteen niet een vergadering? Zorg dat je op tijd bent. Alles moet zo normaal mogelijk lijken.'
Hearn knikte, klapte de bank in en legde de kussens terug. 'We zijn nu op de zesde verdieping,' zei hij. 'Je moet op de vierde zijn.'
'Laat me de plattegrond eens zien.'
Hearn ging achter zijn computer zitten en liet een tekening van het gebouw zien.
'Laat me de vierde verdieping zien,' zei Khan, die zich over zijn schouder heen boog.
Khan keek aandachtig mee. 'Wat is dat daar?'
'Geen idee.' Hearn zoemde in. 'Het lijkt wel een groot leeg vlak.'
'Of,' zei Khan, 'het is een ruimte naast Spalko's slaapkamer.'
'Een ruimte zonder ingang,' merkte Hearn op.
'Interessant. Waarschijnlijk heeft Spalko hier en daar wat veranderd waar zijn architecten niets van weten.'
Met de plattegrond in zijn geheugen draaide Khan zich om. Hij had er alles uitgehaald wat erin zat; nu moest hij ter plekke een kijkje nemen. Bij de deur draaide hij zich naar Hearn om. 'Wees op tijd op je afspraak!'
'Wat ga je doen?' vroeg Hearn. 'Je kunt niet naar binnen.'
Khan schudde zijn hoofd. 'Hoe minder je weet, hoe beter.'

De vlaggen wapperden in de eindeloze IJslandse ochtend, die stralend was en geurde naar de mineralen uit de thermische bronnen.

Op ingewikkelde aluminium steigers rustte een groot podium dat ergens aan de achterkant van Keflavik Airport was neergezet – volgens Jamie Hull, Boris Illyich Karpov en Feyd al-Saoud was dat de veiligste plek op het terrein. Geen van hen, zelfs Kameraad Boris niet, was er gelukkig mee dat hun leiders in het openbaar verschenen, maar hierover waren de verschillende staatshoofden het met elkaar eens. Ze moesten niet alleen in het openbaar hun solidariteit tonen, maar ook onverstoorbaarheid. Ze waren zich er allemaal van bewust dat ze wel eens vermoord konden worden toen ze hun ambt aanvaardden, en ze wisten ook dat dat risico exponentieel was toegenomen toen ze hadden besloten mee te doen aan deze top. Maar ze wisten ook dat dit bij hun werk hoorde. Wie de wereld wilde veranderen, stuitte onvermijdelijk op verzet.

En zo wapperden en klapperden in de straffe wind de vlaggen van de Verenigde Staten, Rusland en de vier belangrijkste islamitische staten op de ochtend waarop de top zou beginnen. Boven het podium hing het logo van de top, waarover lang vergaderd was. Rondom het terrein stonden bewapende beveiligingsmensen en op elke mogelijke positie was een scherpschutter ingezet. De pers uit alle landen in de wereld had zich verzameld; men moest al twee uur voor de persconferentie aanwezig zijn. Alle journalisten werden gescreend, hun gegevens werden gecontroleerd en vingerafdrukken werden genomen en gescand door verschillende databases. Fotografen werden gewaarschuwd om fotorolletjes uit camera's te halen, want die werden ter plekke door een röntgenapparaat gehaald, elk filmrolletje werd onderzocht, en daarna moest elke fotograaf onder toezicht zijn camera laden. Gsm's werden ingenomen, van een label voorzien en buiten het terrein bewaard; na de persconferentie konden ze worden opgehaald. Overal was aan gedacht.

Toen de president van de Verenigde Staten verscheen, stond Jamie Hull aan zijn zijde, omringd door zijn agenten van de Geheime Dienst. Via een elektronisch oortje hield Hull contact met zijn mensen. Na de Amerikaanse president kwam Aleksandr Yevtushenko, de president van Rusland, geflankeerd door Boris en een groepje norse FSB-agenten. Na hen kwamen de leiders van de vier islamitische staten het podium op, omringd door hun eigen beveiligingsmensen.

De menigte verdrong zich naar het podium waarop de staatshoofden nu stonden. De microfoons werden getest, de televisiecamera's maakten live-opnamen. De Amerikaanse president nam als eerste het woord. Hij was een lange, knappe man met een prominente neus en de ogen van een waakhond.

'Medeburgers van de wereld,' riep hij met zijn krachtige, declamerende stem die geoefend was door menige campagneronde, was bijgeschaafd op ontelbare persconferenties en mooi was afgewerkt dankzij de vele speeches vanuit de Rozentuin en uit Camp David. 'Dit is een belangrijke dag voor de wereldvrede en de internationale strijd voor rechtvaardigheid en vrijheid, en tegen de krachten van geweld en terreur.

Vandaag staan we op een nieuw kruispunt in de wereldgeschiedenis. Laten we de mensheid leven in angst en eindeloze oorlog, of verenigen we ons om onze vijand in het hart te raken, waar hij zich ook verschuilt?

De terroristische strijdkrachten stellen zich tegen ons op. Laten we er geen misverstand over laten bestaan: het hedendaagse terrorisme is een veelkoppig monster. We maken ons geen illusies over het moeilijke pad dat voor ons ligt, maar zullen ons streven om met vereende krachten vooruitgang te boeken, niet laten frustreren. Alleen gezamenlijk kunnen we de hydra verslaan. Alleen gezamenlijk kunnen we de wereld veiliger maken voor iedere burger.'

De president oogstte een daverend applaus. Na hem besteeg de Russische president het spreekgestoelte, die woorden van gelijke strekking liet horen, waar eveneens luid voor werd geapplaudisseerd. Ook de vier Arabische leiders deden hun zegje, en al formuleerden ze het iets omslachtiger, ook zij beklemtoonden de noodzaak van een verenigd front om het terrorisme voorgoed uit te roeien.

Er volgde een korte gelegenheid om vragen te stellen en daarna poseerden de zes mannen zij aan zij voor de foto. Het was een indrukwekkend plaatje, dat aan betekeniskracht won toen ze hand in hand hun armen in de lucht staken – nooit eerder was zoveel eensgezindheid tussen Oost en West vertoond.

De menigte schuifelde in een feestelijke stemming naar de uitgang. Zelfs de meest doorgewinterde journalisten en fotografen gaven toe dat de top eersteklas van start was gegaan.

'Weet je wel dat dit al mijn derde paar latex handschoenen is?'

Stepan Spalko zat naast het bekraste en met bloed bevlekte tafeltje op de stoel waar Annaka de dag daarvoor had gezeten. Er lag een sandwich met ham, sla en tomaat voor hem, die hij in de Verenigde Staten had leren waarderen, waar hij tussen zijn projecten door vakantie hield. De sandwich lag op een bordje van Chinees porselein. In zijn rechterhand hield hij een kristallen wijnglas waarin een vintage bordeaux fonkelde.

'Het maakt niet uit. De tijd vliegt.' Hij tikte op zijn horloge om zijn pols. 'Het lijkt erop, meneer Bourne, dat mijn speeltijd om is.

U hebt me een fantastische avond bezorgd.' Hij schoot in de lach. 'Dat ik hetzelfde voor u heb gedaan, kun je niet zeggen, vrees ik.'

Zijn sandwich was precies volgens zijn aanwijzingen in twee driehoekjes gesneden. Hij nam een hap en kauwde traag, ervan genietend. 'Weet u, meneer Bourne, een sandwich met ham, sla en tomaat smaakt nergens naar als de ham niet vers en dik gesneden is.'

Hij slikte een hap door, legde het broodje terug en spoelde zijn mond met een flinke slok bordeaux. Toen schoof hij zijn stoel naar achteren, stond op en liep naar Jason Bourne die vastgebonden zat in de tandartsstoel. Zijn hoofd hing slap op zijn borst; er lagen bloedspatten om hem heen in een straal van zestig centimeter.

Met zijn vinger tilde Spalko Bournes hoofd op. Zijn ogen, dof door de mateloze pijn, lagen diep in hun zwarte kassen, zijn gezicht zag lijkbleek. 'Ik wil voor ik vertrek nog kwijt hoe ironisch dit allemaal is. Het uur van mijn triomf nadert. Het maakt niet uit wat u zoal weet. Het maakt niet uit of u wel of niet praat. Het enige wat ertoe doet, is dat u bij me bent, veilig en onschadelijk.' Hij lachte. 'U hebt een zware tol voor uw zwijgzaamheid moeten betalen. En waarom, meneer Bourne? Voor niets!'

Khan zag de bewaker in de gang naast de lift staan en sloop terug naar de deur van de trap. Door het gewapende glas van het trappenhuis zag hij twee bewapende bewakers met elkaar praten en roken. Om de zoveel seconden zou een van hen door de glazen wand kijken om de gang op de zesde verdieping te controleren. Ook de trap was dus zwaarbewaakt.

In een gewoon tempo en ontspannen liep hij door de gang, terwijl hij zijn luchtdrukpistool gereedhield dat hij bij Oszkar had gekocht. Op het moment dat de bewaker hem zag, schoot Khan een pijltje in zijn nek. De man viel meteen neer, bewusteloos door het verdovende middel aan de pijlpunt.

Khan rende op de bewaker af en sleepte hem naar de heren-wc, toen de deur opengíng en een tweede bewaker verscheen, met zijn machinepistool op Khans borst gericht.

'Blijf staan,' zei hij. 'Laat je wapen vallen en steek je lege handen in de lucht.'

Khan deed wat hem werd opgedragen. Terwijl hij zijn handen omhoogstak zodat de bewaker hem kon fouilleren, drukte hij snel op een geladen kokertje aan de binnenkant van zijn pols. De bewaker sloeg met een hand op zijn nek. Het pijlschot voelde als een insectenbeet. Plotseling ontdekte de bewaker dat hij niets meer zag. Dat was zijn laatste gedachte, want ook hij viel bewusteloos neer.

Khan sleepte beide lichamen de heren-wc binnen en drukte op een knop om de lift te laten komen. Even later arriveerde de lift en gingen de deuren open. Hij stapte in en drukte op de knop van de vierde verdieping. De lift zakte naar beneden, maar kwam voorbij de vijfde verdieping tot stilstand en bleef hangen. Tevergeefs drukte hij op verschillende knoppen. De lift zat vast, ongetwijfeld met opzet. Hij wist dat hij maar weinig tijd had om te ontsnappen uit de val die Spalko had gezet.

Hij ging op de handleuning staan en zocht naar het onderhoudsluik. Hij wilde het openmaken totdat hem iets opviel, iets glinsterends. Hij pakte de minizaklantaarn uit het koffertje dat Oszkar hem had meegegeven, en bescheen de schroef in de bovenhoek. Er zat een koperen draad omheen. Een boobytrap! Khan wist dat de bom zou ontploffen als hij het luik boven in de lift probeerde te openen.

Op dat moment viel hij door een plotselinge ruk van de leuning af. Trillend zakte de liftcabine steeds sneller de schacht in.

Spalko's telefoon ging en hij liep zijn martelkamer uit. Het zonlicht viel door de ramen van zijn slaapkamer toen hij naar binnen liep, hij voelde de warmte op zijn gezicht.

'Ja?'

De mededeling aan de andere kant deed zijn hart sneller kloppen. Hij was gekomen! Khan was gekomen! Zijn handen balden zich tot een vuist. Nu had hij ze allebei! Zijn werk was bijna voltooid. Hij stuurde zijn mannen naar de derde verdieping en gaf het hoofd van de beveiliging de opdracht iedereen in het gebouw te evacueren in verband met een brandweeroefening. Na twintig seconden ging het brandalarm af en iedereen in het gebouw, mannen en vrouwen, verliet zijn werkkamer en liep beheerst naar het trappenhuis, waar men naar buiten toe werd begeleid. Toen belde Spalko zijn chauffeur en zijn piloot, die het vliegtuig gereed moest maken dat al in de hangar van Humanistas op Ferihegy Airport klaarstond. Het toestel was van brandstof voorzien en geïnspecteerd, het vluchtplan was al bij de verkeerstoren ingediend.

Hij moest nog één telefoontje plegen voordat hij terug kon gaan naar Jason Bourne.

'Khan is in het gebouw,' zei hij toen Annaka opnam. 'Hij zit vast in de lift en ik heb al mannetjes op hem afgestuurd voor het geval hij probeert te ontsnappen, maar jij kent hem beter dan wie ook.' Hij reageerde grommend op haar antwoord. 'Je reactie verbaast me niets. Handel het maar op je eigen manier af.'

Khan drukte op de noodknop met de muis van zijn hand, maar er gebeurde niets. De lift zakte verder. Met een stuk gereedschap uit Oszkars koffertje trok hij snel het displayplaatje los, waarachter een kluwen draden schuilging. Hij zag meteen dat de draad van de noodrem was ontkoppeld. Handig stak hij de draad terug in het contact, waarop de lift onmiddellijk piepend en vonkend en met een schok tot stilstand kwam. Terwijl de cabine tussen de derde en vierde verdieping hing, werkte Khan met ingehouden adem verder aan de bedrading.

Op de derde verdieping stonden Spalko's gewapende mannen voor de ingang van de lift. Met een speciale sleutel openden ze de deur naar de schacht. Vlak boven hen zagen ze de vloer van de liftcabine. Ze volgden Spalko's bevel op; ze wisten wat ze moesten doen. Met hun machinepistolen openden ze gezamenlijk een spervuur dat bijna een derde van de hele cabinevloer wegvrat. Niemand zou deze kogelregen kunnen overleven.

Khan drukte zich met gestrekte armen en benen tegen de buitenwand van de lift aan en zag hoe de bodem van de cabine wegviel. De liftdeuren en de wanden van de lift hadden hem tegen het mitrailleurvuur beschermd. Hij had een paar draadjes omgewisseld waardoor de liftdeur een beetje open was gaan staan. Met moeite had hij zich naar buiten gewrongen en was hij tegen de wand op geklommen naar het dak van de cabine, toen het mitrailleurvuur begon.

Nu, terwijl de schoten nog nagalmden, hoorde hij een gezoem alsof een zwerm bijen uit hun korf werd verlost. Hij zag van boven twee touwen naar beneden vallen. Even later klommen twee zwaarbewapende mannen in gevechtspakken naar beneden.

Een van hen zag Khan en richtte zijn machinepistool. Khan vuurde zijn luchtdrukpistool af en de bewaker liet zijn wapen uit zijn verdoofde hand vallen. Toen de andere bewaker zijn wapen op Khan richtte, maakte die een sprongetje naar de bewusteloze man, die met zijn harnas nog aan het touw hing. De andere bewaker, anoniem achter het masker van zijn gevechtstenue, schoot op Khan, die de bewusteloze man aan het touw liet slingeren om diens lichaam als schild te gebruiken. Hij trapte naar de bewaker en trok zijn machinepistool uit zijn handen.

Ze landden beiden tegelijk op het dak van de liftcabine. De kleine, witte en dodelijke kneedbom zat met tape vast aan het onderhoudsluik, waar hij met een ijzerdraad haastig als valstrikbom was geprepareerd. Khan kon zien dat de schroefjes loszaten; als een van hen het luik zou raken, het maar een klein beetje verschoof, zou de hele cabine worden opgeblazen.

Khan haalde de trekker van zijn luchtdrukpistool over, maar de bewaker, die had gezien hoe zijn partner werd uitgeschakeld, dook weg, rolde naar voren en gaf Khan een trap, waardoor die zijn wapen liet vallen. Tegelijk greep hij naar het machinepistool van zijn partner. Khan zette zijn voet op zijn hand, draaide met zijn hak in de hoop dat de bewaker het machinepistool zou loslaten. Maar ondertussen hadden de bewakers op de derde verdieping hun mitrailleurvuur weer door de schacht geopend.

De bewaker, die gebruikmaakte van Khans verwarring, sloeg Khans been weg en trok het machinepistool naar zich toe. Toen hij vuurde, sprong Khan van de cabine af, gleed langs de zijwand van de schacht naar het punt waar de noodrem zich had vastgeklonken. Terugdeinzend voor de kogelregen, bewerkte hij het mechanisme van de rem. De bewaker op het dak had hem gevolgd en lag nu op zijn buik met zijn machinepistool op Khan gericht. Op het moment dat hij begon te schieten, had Khan het mechanisme van de noodrem losgekregen. De lift viel de schacht in en nam de verbijsterde bewaker mee.

Khan sprong naar een van de twee klimtouwen en klom naar boven. Hij kwam aan bij de vierde verdieping en paste de wisselstroom toe op het magnetische slot terwijl de liftcabine in de kelder van de schacht neerstortte. Door de val kwam de kneedbom tot ontploffing. De explosie knalde door de schacht terwijl het elektromagnetische slot werd verstoord en Khan naar binnen struikelde.

De hal van de vierde verdieping was geheel in okerkleurig marmer uitgevoerd. Muurlampjes achter glas in lood gaven indirect licht. Terwijl Khan opstond, zag hij nog geen vijf meter van hem vandaan Annaka de hal uit vluchten. Ze was duidelijk verrast en zo te zien doodsbang. Kennelijk had zij noch Spalko erop gerekend dat hij de vierde verdieping zou halen. Hij lachte in zichzelf terwijl hij zijn missie voortzette. Hij kon het hun niet kwalijk nemen: hij had inderdaad een hele prestatie geleverd.

Achter in de gang ging Annaka een deur binnen. Toen ze die achter zich dichtgooide, hoorde Khan het slot dichtvallen. Hij wist dat hij naar Bourne en Spalko moest, maar Annaka was een iets te lastige factor geworden. Hij pakte een set lopers terwijl hij naar de gesloten deur liep. Hij stak er een in het slot en wrikte even. Het kostte hem nog geen vijftien seconden om de deur te openen; Annaka had maar net de deur aan de andere kant van de kamer bereikt. Met een angstige blik over haar schouder gooide ze ook die achter zich dicht.

Achteraf gezien had hij gewaarschuwd moeten zijn door haar angstige blik. Annaka liet nooit haar angst zien. Hij werd pas gealarmeerd toen hij de kleine, vierkante, dreigend uitziende kamer zag. Er stond niets in, er waren geen ramen. Hij leek nog niet af, was pas geschilderd in steriel wit, ook de plinten. Maar zijn alarm was te laat afgegaan, want het zachte gesis was al begonnen. Naar boven kijkend zag hij de openingen in de hoge muren, waaruit een gas kwam. Met ingehouden adem liep hij naar de deur. Hij opende het slot, maar toch ging de deur niet open. Waarschijnlijk was hij aan de buitenkant afgegrendeld, dacht hij, toen hij terugrende naar de deur waardoor hij naar binnen was gekomen. Hij draaide de knop om en merkte dat ook deze deur was afgegrendeld.

Het gas verspreidde zich door de afgesloten ruimte. Hij zat gevangen.

Naast het porseleinen schaaltje met kruimels en het wijnglas met het bodempje bordeaux, had Stepan Spalko de voorwerpen uitgestald die hij van Bourne had afgenomen: het keramische pistool, Conklins gsm, een stapel bankbiljetten en het zakmes.

Bourne, toegetakeld en bloedend, zat al uren in een diepe deltameditatie, allereerst om de pijngolven te overwinnen die door zijn lijf gingen wanneer Spalko weer met een van zijn instrumenten in hem porde of wroette, ten tweede om zijn geestelijke energie te bewaren en ten derde om het effect van uitputting door marteling teniet te doen en krachten te verzamelen.

Gedachten aan Marie, Alison en Jamie flakkerden als onbestendige vlammetjes op in zijn geest, maar het meest van alles kwamen zijn jaren terug in het hete Phnom Penh. In zijn geest, die helemaal tot rust was gekomen, verschenen Dao, Alyssa en Joshua. Hij gooide een honkbal naar Joshua, leerde hem hoe hij de handschoen moest gebruiken die hij uit de Verenigde Staten had meegenomen, toen Joshua vroeg: '*Waarom heb je geprobeerd ons te kopiëren? Waarom heb je ons niet gered?*' Hij was even in verwarring, totdat hij het gezicht van Khan voor zich zag, als een volle maan aan een sterrenloze hemel. Khan zei: '*Je probeerde Joshua en Alyssa te kopiëren. Je gebruikte zelfs dezelfde eerste letters van hun namen.*'

Hij wilde ontwaken uit deze opgelegde meditatie, door de muur heen breken die hij zelf had opgetrokken om zich te beschermen tegen de ergste mishandelingen van Spalko. Hij deed alles om weg te komen van dat beschuldigende gezicht, van dat verpletterende schuldgevoel.

Schuldgevoel.

Al die tijd was hij voor dat schuldgevoel op de vlucht. Sinds Khan hem had verteld wie hij was, vluchtte Bourne voor de waarheid, zoals hij destijds zo snel mogelijk uit Phnom Penh was gevlucht. Hij maakte zichzelf wijs dat hij op de vlucht was voor de tragedie die hem was overkomen, maar in werkelijkheid vluchtte hij voor het ondraaglijke schuldgevoel waaronder hij gebukt ging. Hij had de deur naar de waarheid achter zich dichtgesmeten en was gevlucht.

Dat maakte hem, zoals Annaka had gezegd, tot een lafaard.

Door zijn bloeddoorlopen ogen zag Bourne dat Spalko het geld in zijn zak stopte en het pistool pakte. 'Ik heb je gebruikt om de speurhonden van de internationale inlichtingendiensten op het verkeerde spoor te zetten. Je bent me goed van pas gekomen.' Hij richtte het pistool tussen Bournes ogen. 'Maar helaas heb ik je niet meer nodig.' Hij kromde zijn vinger strakker om de trekker.

Op dat moment kwam Annaka binnen. 'Khan heeft deze verdieping bereikt,' zei ze.

Opmerkelijk genoeg was Spalko verrast. 'Ik hoorde een ontploffing. Is hij daarbij niet omgekomen?'

'Hij heeft de liftdeuren open kunnen krijgen. De cabine is in de kelder ontploft.'

'Gelukkig was de laatste wapenlevering net weg.' Eindelijk draaide hij zich naar haar om. 'Waar is hij nu?'

'Hij zit opgesloten in de gaskamer. We moeten gaan.'

Spalko knikte. Ze werd zenuwachtig als het om Khan ging. Het was een goede beslissing geweest om haar relatie met deze halfbloed aan te moedigen, dacht Spalko. De verraderlijke adder die ze was, had Khan beter leren kennen dan hij had durven hopen. Toch moest er nog een karwei worden afgemaakt, dacht hij terwijl hij naar Bourne staarde.

'Stepan.' Annaka legde haar hand op zijn arm. 'Het vliegtuig staat te wachten. We hebben tijd nodig om ongezien het gebouw uit te komen. Het brandalarm is geactiveerd, de liftschacht is al vacuüm gezogen zodat er niet nog meer schade kan ontstaan. Maar in de hal moet een brand zijn ontstaan, zodat de brandweer onderweg of al aanwezig is.'

Ze had overal aan gedacht. Spalko keek haar bewonderend aan. Toen sloeg hij plotseling met de kolf van Bournes pistool tegen diens slaap.

'Ter herinnering aan onze eerste en laatste ontmoeting.'

Daarna liep hij met Annaka de martelkamer uit.

Khan lag op zijn buik en probeerde zwoegend met een kleine koevoet uit het koffertje van Oszkar een plint los te wrikken. Zijn ogen brandden en traanden van het gas, zijn longen barstten bijna door het zuurstofgebrek. Over een paar seconden zou hij zijn bewustzijn verliezen en kon het gas zijn lichaam binnendringen.

Eindelijk had hij een stuk van de plint losgekregen. Hij voelde al meteen lucht vanuit de andere kant naar binnen komen. Hij stak zijn neus in het luchtgat en zoog de zuurstof in zich op. Toen maakte hij snel een kleine kneedbom klaar. Door dit voorwerp op Khans verlanglijstje wist Oszkar dat het een gevaarlijke missie ging worden, vandaar dat hij Khan een koffertje had meegegeven, voor noodgevallen.

Khan stak zijn neus nogmaals in het luchtgat en haalde weer diep adem. Toen plaatste hij het c4-pakketje op een goede plek en ging er zo ver mogelijk van af staan. Aan de andere kant van de ruimte drukte hij op de afstandsbediening.

De explosie veroorzaakte een gat in de muur. Khan wachtte niet tot al het puin was neergevallen, maar sprong dwars door de muur naar de slaapkamer van Stepan Spalko.

Het zonlicht viel door de ramen, buiten schitterde de Donau. Khan gooide alle ramen open zodat het gas naar buiten kon. Plotseling hoorde hij sirenes en toen hij naar beneden keek, zag hij de brandweer en politie aankomen. Er stond een opgewonden menigte op straat. Hij deed een stap achteruit, keek om zich heen en dacht terug aan de plattegronden uit Hearns computer.

Hij ging staan voor wat op de plattegrond een lege ruimte was en tuurde naar de glanzende houten muurpanelen. Geconcentreerd luisterend beklopte hij elk paneel. Zo ontdekte hij dat het derde paneel een deur moest zijn. Hij drukte tegen de linkerkant van het paneel aan, dat toen naar binnen zwaaide.

Khan liep de betonnen zwarte ruimte met de witte vloertegels in. Het stonk naar zweet en bloed. Hij trof een bebloede, gehavende Jason Bourne aan. Hij keek naar Bourne, vastgebonden in de tandartsstoel, een cirkel bloedspatten om hem heen. Hij was naakt tot aan zijn middel. Zijn armen, schouders, borst en rug zaten onder de zwellingen, wonden en blaren. De twee buitenste lagen verband om zijn ribben waren weggetrokken, maar het verband daaronder was nog intact.

Bourne wierp zijn hoofd omhoog en keek Khan aan met de blik van een gewonde stier, bloedend maar nog niet verslagen.

'Ik hoorde de tweede explosie,' zei Bourne met een kraakstem. 'Ik dacht dat je dood was.'

'Teleurgesteld?' Khan lachte zijn tanden bloot. 'Waar is hij? Waar is Spalko?'

'Ik ben bang dat je te laat bent,' zei Bourne. 'Spalko is vertrokken, met Annaka Vadas.'

'Ze werkte de hele tijd al voor hem,' zei Khan. 'Ik wilde je waarschuwen in de kliniek, maar je weigerde naar me te luisteren.'

Bourne zuchtte, wilde dit verwijt niet horen. 'Ik had geen tijd.'

'Je lijkt nooit tijd te hebben om te luisteren.'

Khan stapte op Bourne af. Het was alsof zijn keel werd dichtgeknepen. Hij wist dat hij achter Spalko aan moest, maar hij wilde niet weggaan. Hij nam de schade op die Spalko Bourne had toegebracht.

'Je gaat me nu zeker afmaken,' zei Bourne. Het was meer een constatering dan een vraag.

Khan wist dat hij nooit meer zo'n kans zou krijgen. Het zwarte spook in hem dat hij had grootgebracht, dat zijn enige metgezel was geweest, dat dagelijks teerde op zijn haat en dagelijks zijn gif afscheidde, was nog niet dood. Hij voelde een impuls vanuit zijn onderbuik naar zijn arm kruipen. Maar diezelfde impuls was ook langs zijn hart gegaan, en daardoor kon hij niet in actie komen.

Plotseling draaide hij zich om. Hij liep terug naar Spalko's luxe slaapkamer. Even later kwam hij terug met een glas water en een handvol spullen die hij uit de badkamer had meegenomen. Hij hield het glas tegen Bournes lippen, maakte de gespen los zodat Bournes polsen en enkels vrijkwamen.

Bourne keek toe hoe Khan zijn wonden schoonmaakte en desinfecteerde. Bournes armen kwamen niet los van de stoelleuning. Hij voelde zich nu meer verlamd dan toen hij werkelijk zat vastgebonden. Hij volgde Khan met zijn ogen, bestudeerde elke welving en beweging, elke gelaatstrek. Had hij de mond van Dao en zijn neus? Of dacht hij dat maar? Als hij zijn zoon was, moest hij dat weten; hij moest weten wat er precies gebeurd was. Maar nog steeds knaagde in hem de onzekerheid; en hij was bang. Het idee dat hij na al die jaren dat hij zijn zoontje had doodgewaand, hem nu ontmoette, nee, dat kon hij niet aan. Anderzijds was de stilte om hen heen misschien nog onverdraaglijker. En dus begon hij over het neutrale onderwerp dat voor hen beiden zo belangrijk was.

'Je wilde weten waar Spalko mee bezig was,' zei hij, traag ademend terwijl elke druppel desinfecterend middel een pijnscheut veroorzaakte. 'Hij heeft een wapen gestolen dat Felix Schiffer heeft uitgevonden – een draagbare bioverstuiver. Spalko had Peter Sido – een epidemioloog die in de kliniek werkte – gedwongen om hem de lading van het wapen te geven.'

Khan liet het met bloed doordrenkte verbandgaas vallen, pakte een nieuw doekje. 'En wat houdt die lading in?'

'Antrax, een gekweekte longpestbacterie, weet ik veel. We moeten ervan uitgaan dat het behoorlijk dodelijk is.'

Khan bleef nauwgezet Bournes wonden schoonmaken. De vloer lag nu bezaaid met stukjes verbandgaas. 'Waarom vertel je me dit nu allemaal?' vroeg hij met onverholen argwaan.

'Omdat ik weet wat Spalko met dit wapen gaat doen.'

Khan staakte zijn bezigheden.

Bourne durfde niet rechtstreeks in Khans ogen te kijken. Hij haalde diep adem en ging verder. 'Spalko heeft nog maar weinig tijd. Hij moest snel vertrekken.'

'De antiterrorismetop in Reykjavik.'

Bourne knikte. 'Ik kan niets anders bedenken.'

Khan stond op en waste zijn handen bij de slang. Hij zag het roze water door de grote afvoer kolken. 'Als ik je tenminste kan vertrouwen.'

'Ik ga achter hen aan,' zei Bourne. 'Nu ik alles op een rijtje heb gezet, begrijp ik eindelijk waarom Conklin Schiffer heeft ontvoerd en bij Vadas en Molnar heeft ondergebracht – hij wist wat Spalko van plan was. Ik vond de codenaam van deze bioverstuiver – NX 20 – op een blocnote in Conklins huis.'

'En dus werd Conklin vermoord.' Khan knikte. 'Waarom ging hij niet met deze informatie naar de CIA? Die had toch gemakkelijk kunnen nagaan door wie dr. Schiffer werd bedreigd?'

'Daar kunnen veel redenen voor zijn,' zei Bourne. 'Conklin dacht waarschijnlijk dat ze hem niet zouden geloven – Spalko heeft een reputatie als filantroop. Conklin had wellicht niet genoeg tijd. Zijn gegevens waren nog niet concreet genoeg waardoor de CIA niet adequaat zou kunnen reageren. En verder was Alex nu eenmaal zo. Hij hield graag een geheim voor zich.'

Bourne stond langzaam en met pijn op, steunde met zijn hand op de rugleuning van de stoel. Hij zwalkte op zijn benen na zo lang in dezelfde positie te hebben gezeten. 'Spalko heeft Schiffer vermoord en ik neem aan dat hij dr. Sido gegijzeld houdt of al heeft omgebracht. Hij wil nu alle aanwezigen op de top vermoorden; ik moet hem tegenhouden.'

Khan draaide zich om en gaf Bourne zijn gsm. 'Hier, bel de CIA maar.'

'Denk je dat ze mij zullen geloven? Volgens de CIA was ik degene die Conklin en Panov in Manassas heeft vermoord.'

'Dan doe ik het. Zelfs de bureaucratische CIA moet in actie komen als een anonieme tipgever beweert dat het leven van de president in gevaar is.'

Bourne schudde zijn hoofd. 'Het hoofd van de Amerikaanse beveiliging is een zekere Jamie Hull. We mogen ervan uitgaan dat hij deze tip zal verwaarlozen.' Zijn ogen glansden. Ze hadden hun matheid grotendeels verloren. 'Waardoor maar één ding overblijft... Maar ik weet niet of ik het alleen kan.'

'Zo te zien kun je helemaal niks meer,' zei Khan.

Bourne dwong zichzelf Khan aan te kijken. 'Reden te meer dat je met me meegaat.'

'Je bent gek!'

Bourne maakte zich op voor een twistgesprek. 'Jij wilt Spalko toch net zo graag uitschakelen als ik? Wat is het bezwaar?'

'Ik zie het bezwaar recht voor me!' sneerde Khan. 'Kijk naar jezelf! Je bent een wrak.'

Bourne liet zijn stoel los en liep door het vertrek. Hij strekte zijn spieren en won aan sterkte en zelfvertrouwen bij elke stap die hij zette. Khan keek ernaar en was ronduit verbluft.

Bourne draaide zich om en zei: 'Ik beloof je, je hoeft niet al het zware werk te doen.'

Khan wees het aanbod niet meteen af. Met tegenzin mompelde hij een toezegging, al begreep hij zelf niet waarom. 'Eerst moeten we hier veilig zien weg te komen.'

'Dat is nog een hele klus,' zei Bourne. 'Omdat jij een vuurtje hebt gestookt zit het gebouw vol met brandweerlui en politie.'

'Zonder dat vuurtje zou ik hier niet staan.'

Bourne merkte dat hij met zijn plaagstootjes de spanning niet verminderde. Eerder het tegendeel. Ze wisten niet wat ze tegen elkaar moesten zeggen. Hij vroeg zich af of dat ooit wel het geval zou zijn. 'Bedankt dat je me gered hebt,' zei hij.

Khan meed zijn blik. 'Maak jezelf niets wijs. Ik kwam hier om Spalko te vermoorden.'

'Dan heb ik eindelijk iets om Spalko voor te bedanken,' zei Bourne.

Khan schudde zijn hoofd. 'Dit werkt niet. Ik vertrouw jou niet, en ik weet dat jij mij niet vertrouwt.'

'Ik zal mijn best doen,' zei Bourne. 'Wat er ook tussen ons speelt, dit is veel belangrijker.'

'Vertel me niet wat ik moet denken,' zei Khan nijdig. 'Daar heb ik jou niet bij nodig; nooit gehad.' Aarzelend keek hij Bourne aan. 'Maar goed dan. Ik zal je helpen onder één voorwaarde. Dat je ons ook uit de nesten haalt.'

'Afgesproken.' Bourne bracht met zijn glimlach Khan van zijn stuk. 'Anders dan jij heb ik uren kunnen nadenken hoe ik uit deze ruimte zou kunnen ontsnappen. Ik nam aan dat ik, gesteld dat ik mezelf uit de stoel kon bevrijden, op de conventionele manier niet ver zou komen. Ik was op dat moment niet in staat om tegen een overmacht van Spalko's mensen te vechten. Dus ik bedacht iets anders.'

Khan raakte geïrriteerd. Hij kon het niet uitstaan dat deze man meer wist dan hij. 'En dat is?'

Bourne knikte in de richting van het rooster.

'De afvoer?' vroeg Khan ongelovig.

'Waarom niet?' Bourne knielde bij het rooster neer. 'De diameter is groot genoeg voor ons.' Hij opende zijn stiletto en stak het tussen het rooster en de afvoer in. 'Waarom help je me niet?'

Khan knielde neer aan de andere kant van het rooster, Bourne tilde het met zijn mes een stukje omhoog. Khan trok het rooster verder omhoog, Bourne hielp hem en samen sleepten ze het rooster weg.

Khan zag dat Bourne pijn leed. Hij voelde een vreemde sensatie door zijn lijf gaan, zowel vreemd als vertrouwd, een soort trots die hij pas op het laatst en met veel moeite durfde te erkennen. Die emotie had hij ooit als jongetje gevoeld, voordat hij in shocktoestand, verloren en verlaten buiten Phnom Penh ronddwaalde. Vanaf toen had hij zich met zoveel succes voor dat gevoel afgeschermd, dat hij er geen last meer van had. Tot nu.

Ze zetten het rooster tegen de muur. Bourne pakte een stuk van het bebloede verband dat Spalko van hem had afgerukt en wikkelde daarin zijn gsm. Hij stopte de ingeklapte stiletto en de gsm in zijn zak. 'Wie eerst?' vroeg hij.

Khan haalde zijn schouders op, liet niet merken dat hij ergens van onder de indruk was. Hij wist ongeveer waar de afvoer naartoe leidde, en Bourne waarschijnlijk ook. 'Het is jouw idee.'

Bourne hees zichzelf in het ronde gat. 'Wacht tien seconden en kom me dan achterna,' zei hij vlak voordat hij in het gat verdween.

Annaka was verheugd. Terwijl ze naar het vliegveld reden in Spalko's gepantserde limousine, wist ze dat niets of niemand hen kon tegenhouden. Haar laatste polisplannetje met Ethan Hearn bleek achteraf onnodig, maar ze had er geen spijt van. Men kon niet voorzichtig genoeg zijn, dacht ze, en toen ze Hearn confronteerde met zijn spionageactiviteiten was het lot van Spalko nog onzeker. Nu ze naar Spalko keek, besefte ze dat ze nooit aan hem hoefde te twijfelen. Hij kreeg met zijn moed, kunde en wereldwijde contacten alles voor elkaar, zelfs deze gedurfde machtsovername. Ze moest toegeven dat toen hij haar over dit plan vertelde, ze sceptisch was. Dat was ze gebleven totdat hij haar zijn nooduitgang liet zien, die hij had aangelegd naar de overkant van de Donau via een oude anti-luchtaanvaltunnel die hij had ontdekt nadat hij het gebouw had gekocht. Toen hij met de renovatiewerkzaamheden was begonnen, had hij zorgvuldig alle verwijzingen ernaar uit de architectonische bouwtekeningen verwijderd waardoor het, tot het moment waarop hij het haar liet zien, zijn persoonlijke geheim was.

De limousine met chauffeur stond al aan de andere kant te wachten in de broeierige hitte van de late middag, en nu raceten ze over de snelweg naar Ferihegy Airport. Annaka ging dichter bij Stepan zitten en toen hij haar met zijn charismatische gezicht aankeek, hield ze even zijn hand vast. Rennend door de tunnel had hij zijn bloederige slagersschort en latex handschoenen uitgetrokken. Hij droeg een spijkerbroek, een kraakhelder wit overhemd en mocassins. Het was niet aan hem te zien dat hij de hele nacht was opgebleven.

Hij glimlachte. 'We hebben wel een glaasje champagne verdiend, of niet?'

Ze lachte. 'Stepan, je denkt ook aan alles.'

Hij wees naar de glazen die in een paneel van het portier lagen. Het waren glazen flûtes, niet van plastic. Toen ze vooroverboog om ze te pakken haalde hij een fles champagne uit een koelkastje. Buiten raasden de hoogbouwflats langs de snelweg voorbij; ze weerspiegelden de ondergaande zon.

Spalko trok het folie weg, plopte de fles open en schonk de schuimende champagne in. Hij zette de fles neer en toastte zwijgend met zijn glas. Ze namen een slok en Annaka keek in zijn ogen. Ze waren als broer en zus, nee, closer zelfs, want ze hadden geen last van familiaire rivaliteit. Van alle mannen die ze kende, peinsde ze, kwam Stepan het dichtst bij haar verlangens. Niet dat ze ooit naar een partner verlangde. Als meisje leek een vader haar wel wat, maar die had ze nauwelijks gehad. Daarom had ze al vroeg gekozen voor Stepan, die sterk, competent en onoverwinnelijk was. Hij was alles wat een dochter van een vader verlangde.

De flats werden minder talrijk toen ze voorbij de laatste stadsring waren. Het licht werd zachter in de ondergaande zon. De lucht was helder en rood en er stond weinig wind – gunstige omstandigheden voor een perfecte vlucht.

'Zal ik wat muziek opzetten bij deze lekkere champagne?' vroeg Spalko. Zijn hand reikte naar een multi-cd-speler ergens boven zijn hoofd. 'Waar heb je zin in? Bach? Beethoven? Ach nee, Chopin natuurlijk.'

Hij koos de desbetreffende cd en drukte met zijn wijsvinger op de knop. Maar in plaats van een lyrische melodie van haar lievelingscomponist, hoorde zij haar eigen stem:

'Je werkt niet voor Interpol, naar je werkwijze te oordelen. Voor de CIA denk ik ook niet. Stepan zou het doorhebben als de Amerikanen zijn organisatie infiltreerden. Wat heb je nog meer...?'

Annaka, met haar champagneglas tegen haar lippen, verstijfde van schrik.

'Je ziet lijkbleek, Ethan.'

Ze zag Stepan over de rand van zijn glas naar haar grinniken.

'Mij maakt het echt niets uit. Ik wil alleen maar een soort verzekeringspolis als hier de dingen mis gaan lopen. Die polis dat ben jij.'

Spalko's vinger drukte op de knop 'stop'. Ze hoorden nu alleen het snorren van de krachtige limousinemotor.

'Je zult je misschien afvragen hoe ik achter je verraad ben gekomen?'

Annaka had tijdelijk haar spraakvermogen verloren. Haar verstand stond stil precies op het moment dat Stepan haar vriendelijk vroeg welke muziek ze het liefst wilde horen. Ze verlangde nu terug naar dat moment. In haar gedachten zag ze alleen nog maar de scheur in de werkelijkheid die als een duizelingwekkende kloof voor haar voeten was verschenen. Haar leven was perfect voordat Spalko de opname afspeelde, een ramp nadat hij dat gedaan had.

Had Stepan nog steeds die huichelachtige grijns op zijn gezicht? Ze merkte dat ze zich niet meer kon concentreren. Spontaan begon ze in haar ogen te wrijven.

'Mijn god, Annaka, zijn dat echte tranen?' Spalko schudde quasimedelijdend zijn hoofd. 'Je hebt me teleurgesteld, Annaka, maar om eerlijk te zijn, vroeg ik me af wanneer je me zou verraden. Hierin had jouw meneer Bourne gelijk.'

'Stepan, ik...' Ze gaf het op. Ze herkende niet eens haar eigen stem, en het laatste wat ze wilde was hem smeken. Haar leven was al miserabel genoeg.

Hij hield iets tussen duim en wijsvinger, een schijfje, kleiner dan een horlogebatterijtje. 'Hearns werkkamer werd met dit zendertje afgeluisterd.' Hij grinnikte. 'De ironie is dat ik hem nergens van verdacht. Ik luister al mijn nieuwe werknemers af, minstens de eerste zes maanden.' Met de grijns van een goochelaar stopte hij het schijfje terug in zijn zak. 'Jammer voor jou, Annaka. Heel jammer.'

Hij nam een laatste slok van zijn champagne en zette zijn glas neer. Ze verroerde nog steeds geen vin; haar rug was kaarsrecht, haar rechterelleboog was gebogen. Ze hield het glas vast bij zijn breed uitlopende voet.

Hij keek haar lieflijk aan. 'Weet je, Annaka, iemand anders had ik allang afgemaakt. Maar wij hebben een verleden, dezelfde moeder zelfs, als je de definitie tot het uiterste oprekt.' Hij hield zijn hoofd schuin in het laatste licht van de middag. De zijkant van zijn gezicht was zo glad als plastic. Er was nauwelijks nog bebouwing langs de wegen, alleen de luchthaven die ze naderden.

'Ik hou van je, Annaka.' Hij legde zijn arm om haar middel. 'Ik hou van je zoals ik van niemand anders kan houden.' De kogel uit Bournes pistool maakte verrassend weinig lawaai. Annaka's bovenlichaam viel in zijn open armen, haar hoofd was plotseling opgericht. Hij voelde een trilling door haar lichaam gaan en wist dat hij haar bij haar hart geraakt had. Hij bleef naar haar kijken. 'Dit is echt heel erg jammer, vind je niet?'

Hij voelde haar warmte op zijn hand, tot aan de leren zitting, terwijl haar bloed een plas vormde. Haar ogen leken te glimlachen, maar verder was haar gezicht volmaakt uitdrukkingsloos. Zelfs terwijl ze stierf, kende ze geen angst, peinsde hij. Nou goed, dat was tenminste iets, toch?

'Is alles naar wens, meneer Spalko?' vroeg de chauffeur.

'Nu wel,' antwoordde Stepan Spalko.

27

De Donau was koud en zwart. De zwaargewonde Bourne plonsde als eerste in de rivier, waar de afvoer op uitkwam, maar Khan kreeg problemen. Het extreem koude water deerde hem niet, maar de duisternis om hem heen bracht zijn nachtmerrie weer tot leven.

De schok van het water, het verre wateroppervlak boven hem, gaven hem weer het gevoel alsof zijn enkel zat vastgebonden aan een wit, halfvergaan lijk, dat traag onder hem bungelde. Lee-Lee riep hem, Lee-Lee wilde dat hij bij haar kwam...

Hij voelde zichzelf de duistere diepte in tuimelen. Totdat, vrij plotseling en beangstigend, aan hem werd getrokken. Door Lee-Lee? vroeg hij zich panisch af.

Plotseling voelde hij de warmte van een lichaam dat groot en ondanks alle wonden sterk was. Hij voelde Bournes armen om zijn middel, de kracht van Bournes benen toen die hem uit de snelle stroom trok waar Khan in terecht was gekomen. Bourne trok hem het water uit.

Khan leek te huilen, of althans te schreeuwen, maar toen ze aan de oppervlakte kwamen en de oever bereikten, haalde Khan uit, alsof hij Bourne wilde straffen, hem helemaal in elkaar wilde slaan. Maar hij kon nog net de arm om hem heen van zich afduwen en Bourne woedend aankijken toen ze zichzelf naar de stenen oever sleepten.

'Waar was je in godsnaam mee bezig!' vroeg Khan. 'Je liet me bijna verdrinken!'

Bourne opende zijn mond en wilde reageren, maar hij bedacht zich. Hij wees in de verte naar een ijzeren staaf die uit de rivier stak. Aan de overkant van de zwarte Donau reden brandweerwagens, ambulances en politieauto's rondom het gebouw van Humanistas. Er stonden honderden mensen te kijken naar de geëvacueerde werknemers, in drommen stonden ze op de stoep en liepen ze over straat, of ze hingen uit ramen om het spektakel beter te kunnen zien. Boten kwamen vanaf de rivier aangevaren, en al probeerde de politie iedereen van de plek te weren, alle passagiers renden naar de reling om te kijken naar wat leek op het begin van een ramp. Maar men was te laat. Het leek erop dat de brand die de explosie in de liftschacht had veroorzaakt, inmiddels was geblust.

Bourne en Khan, die in de schaduw van de oever bleven, liepen naar een ladder, die ze snel beklommen. Gelukkig keek iedereen naar het gebouw van Humanistas. Er waren werkzaamheden aan de oever en in de schaduwen van de stellages waar het beton was ondergraven en door zware houten palen werd gestut, konden ze onder het straatniveau, maar boven het waterpeil verder sluipen.

'Geef me je gsm,' zei Khan. 'De mijne is niet waterbestendig.'

Bourne pakte Conklins telefoontje en gaf het aan.

Khan belde Oszkar en toen die opnam, deed hij zijn bestelling. Hij luisterde en zei daarna tegen Bourne: 'Dat was Oszkar, mijn contact in Boedapest. Hij regelt een vlucht voor ons. En hij zorgt voor antibiotica voor jou.'

Bourne knikte. 'Laten we eens kijken hoe goed hij werkelijk is. Vraag hem naar de bouwtekeningen van het Oskjuhlid Hotel in Reykjavik.'

Khan keek hem zo woedend aan dat Bourne vreesde dat hij het gesprek uit nijd wilde beëindigen. Hij beet op zijn lip. Hij moest nog leren om minder bruut met Khan om te gaan.

Khan vertelde Oszkar wat ze nodig hadden. 'Dat kost me een uurtje,' zei hij.

'Hij zei niet dat het niet kon?' vroeg Bourne.

'Dat zegt Oszkar nooit.'

'Mijn contacten hadden het niet beter kunnen doen.'

Er stond een koude, straffe wind, die hen dwong verder hun geïmproviseerde grot in te lopen. Bourne maakte van de gelegenheid gebruik om de wonden te bekijken die Spalko had toegebracht. Khan had de vele prikwonden in zijn armen, borst en benen goed verzorgd. Nog steeds had Khan zijn jasje aan, maar nu trok hij dat uit om het uit te kloppen. Terwijl hij dat deed, zag Bourne dat er allerlei zakjes in de voering zaten, die allemaal gevuld leken.

'Wat zit daarin?' vroeg hij.

'Een paar handigheidjes,' zei Khan weinig mededeelzaam, voordat hij zich weer in zijn eigen wereld terugtrok met behulp van Bournes gsm.

'Ethan, ik ben het,' zei hij. 'Gaat alles goed?'

'Min of meer,' zei Hearn. 'Midden in de consternatie ontdekte ik dat ik werd afgeluisterd.'

'Weet Spalko voor wie je werkt?'

'Ik heb je naam nooit laten vallen. En ik belde je bijna nooit vanuit kantoor.'

'Toch kun je maar het beste je biezen pakken.'

'Dat dacht ik ook,' zei Hearn. 'Ik ben blij je stem te horen. Na al die ontploffingen wist ik niet wat ik moest denken.'

'Je moet meer vertrouwen hebben,' zei Khan. 'Wat ben je te weten gekomen?'

'Genoeg.'

'Neem je spullen mee en maak dat je daar wegkomt. Ik zal me op hem wreken, wat er ook gebeurt.'

Hij hoorde Hearn diep zuchten. 'Wat bedoel je daarmee?' vroeg hij Khan.

'Ik bedoel dat ik extra zekerheid wil. Als je om wat voor reden ook het materiaal niet aan mij kunt geven, wil ik dat je contact opneemt met – wacht even.' Hij draaide zich om naar Bourne en vroeg: 'Werkt er iemand bij de CIA aan wie ik het dossier over Spalko kan toevertrouwen?'

Bourne schudde zijn hoofd, maar bedacht zich onmiddellijk. Hij herinnerde zich wat Conklin hem ooit had verteld over de adjunct-directeur, dat die niet alleen eerlijk was, maar ook onafhankelijk. 'Martin Lindros,' antwoordde hij.

Khan knikte en herhaalde voor Hearn de naam. Toen verbrak hij de verbinding en gaf de gsm terug.

Bourne voelde zich ongemakkelijk. Hij probeerde contact te krijgen met Khan, maar wist niet hoe. Uiteindelijk vroeg hij hoe Khan Spalko's martelkamer had weten te bereiken. Hij was blij dat Khan daarop inging. Khan vertelde dat hij zich in de bank had verstopt, hoe de cabine in de liftschacht was geëxplodeerd en hoe hij uit de gaskamer was ontsnapt. Maar over het verraad van Annaka zei hij niets.

Bourne luisterde met stijgende verbazing, maar toch bleef een deel van hem onthecht, alsof dit gesprek door een ander werd gevoerd. Hij meed oogcontact; de psychische wonden waren nog te vers. Hij besefte ook dat hij in zijn huidige verzwakte staat mentaal niet sterk genoeg was voor alle vragen en twijfels die hem overvielen. En dus verliep het gesprek tussen de twee stroef en meden ze het vraagstuk dat als een onneembaar fort tussen hen in stond.

Een uur later arriveerde Oszkar in zijn bedrijfsbusje, met handdoeken, dekens, schone kleren en antibiotica voor Bourne. Uit een thermoskan schonk hij warme koffie. Ze gingen op de achterbank zitten, en terwijl ze zich omkleedden, pakte Oszkar de gescheurde en doorweekte kleren bij elkaar, behalve Khans bijzondere jasje. Toen zette hij hun water en voedsel voor, dat ze verslonden.

Als Bournes wonden hem verrasten, liet Oszkar daar niets van merken. Khan nam aan dat Oszkar wel begreep dat de operatie was gelukt. Hij liet Bourne zijn laptop zien.

'De tekeningen van alle systemen in het hotel staan op de harde schijf,' zei hij, 'net als de kaart van Reykjavik en omgeving en verder nog wat praktische informatie.'

'Ik ben onder de indruk.' Bourne zei dit tegen Oszkar, maar hij bedoelde het ook voor Khan.

Martin Lindros werd net na elf uur 's ochtends *Eastern Daylight Time* gebeld. Hij sprong in zijn auto, en binnen acht minuten stond hij voor het George Washington Hospital, een autorit die gewoonlijk een kwartier duurde. Rechercheur Harry Harris lag in de polikliniek. Lindros gebruikte zijn functie om ambtelijke wachttijden te vermijden, zodat een van de geschokte artsen hem naar de patiënt bracht. Lindros schoof het gordijn open dat aan drie zijden van het bed hing, en trok het achter zich dicht.

'Wat is er in godsnaam aan de hand?' vroeg hij.

Harris keek hem zo goed mogelijk aan, rechtop tegen de kussens van het bed zittend. Zijn gezicht was gezwollen en verkleurd. Zijn bovenlip was gespleten en er zat een jaap onder zijn oog die was gehecht.

'Ik ben ontslagen – dat is er aan de hand.'

Lindros schudde zijn hoofd. 'Daar begrijp ik niets van.'

'De nationale veiligheidsadviseur belde mijn baas op. Hoogstpersoonlijk. Ze eiste dat ik werd ontslagen. Ontslagen zonder compensatie of pensioen. Dat vertelde hij me toen hij me gisteren op zijn kamer liet komen.'

Lindros kneep zijn handen tot vuisten. 'En toen?'

'Wat bedoel je? Hij stuurde me de laan uit. Maakte me te schande na een uitmuntende loopbaan.'

'Ik bedoel,' zei Lindros, 'hoe ben je hier terechtgekomen?'

'O, dat.' Harris draaide zijn hoofd een kant op, staarde in het niets. 'Ik zal wel te veel gedronken hebben.'

'Weet je niet meer wat er is gebeurd?'

Harris keek hem weer aan, woedend deze keer. 'Ja, ik was straalbezopen. Dat was wel het minste wat ik had verdiend.'

'Maar je kreeg meer.'

'Ach ja. Ik kreeg het aan de stok met een paar motorrijders, als ik het me goed herinner, en dat escaleerde.'

'En nu denk je vast dat je dit ook had verdiend.'

Harris zweeg.

Lindros streek zijn hand over zijn gezicht. 'Ik weet dat ik je heb beloofd dat ik voor je zou zorgen, Harris. Ik dacht dat ik het voor elkaar had; zelfs de directeur had ik min of meer achter me. Ik had niet verwacht dat onze nationale veiligheidsadviseur zelf een verrassingsaanval zou uitvoeren.'

'Laat haar oprotten,' zei Harris. 'Iedereen mag oprotten.' Hij lachte zuur. 'Mijn moeder zei het al: geen goede daad blijft ongestraft.'

'Beste Harry, ik had het raadsel Schiffer nooit zonder jou opgelost. Ik laat je niet in de steek. Ik zorg ervoor dat dit wordt rechtgezet.'

'O ja? Hoe dan?'

'Zoals mijn favoriete generaal Hannibal ooit eens zei: "Als we geen weg vinden, leggen we er een aan".'

Toen ze klaar waren, bracht Oszkar hen naar het vliegveld. Bourne, die verging van de pijn, was blij dat iemand anders reed. Toch bleef hij alert. Tevreden constateerde hij dat Oszkar de zijspiegels goed in de gaten hield. Ze werden niet gevolgd.

Verderop zag hij de verkeerstoren van het vliegveld en even later ging Oszkar van de snelweg af. Er was geen politie op de weg. Alles leek normaal. Toch voelde hij spanningen in hem opkomen.

Niemand hield hen tegen toen ze over de wegen van het vliegveld reden naar de landingsbaan van de charterdiensten. Er stond een vliegtuig op hen te wachten, dat was gereedgemaakt en voorzien van brandstof. Ze stapten uit het busje. Bourne gaf Oszkar een hand en zei: 'Nogmaals bedankt.'

'Niets te danken,' zei Oszkar glimlachend. 'Het komt allemaal op de rekening.'

Hij reed weg en zij stapten in het vliegtuig.

De piloot verwelkomde hen, haalde de trap omhoog en sloot de deur af. Bourne vertelde waar ze naartoe moesten en vijf minuten later taxieden ze over de baan en stegen ze op voor een vlucht van twee uur en tien minuten naar Reykjavik.

'Over drie minuten zijn we bij de vissersboot,' zei de piloot.

Spalko stopte zijn elektronische zendertje in zijn oor, pakte Sido's vrieskoffer, liep naar de achterkant van het toestel en hees zich in het harnas. Terwijl hij de schouderbanden aantrok, draaide hij zich om naar Peter Sido, die met handboeien aan zijn stoel vastzat, met een van Spalko's gewapende mannen naast hem.

'Je weet waar hij naartoe moet,' fluisterde hij tegen de piloot.

'Jazeker, meneer. Een heel eind uit de buurt van Groenland.'

Spalko liep naar de achterdeur, gaf een teken aan zijn assistent, die opstond en door het smalle pad naar hem toe liep.

'Is er genoeg brandstof?'

'Genoeg,' antwoordde de piloot. 'Precies genoeg.'

Spalko tuurde door het kleine ronde raam in de deur. Ze vlogen laag, de blauwzwarte oceaan en de schuimkoppen van de golven wezen op een woeste zee.

'Nog dertig seconden, meneer,' zei de piloot. 'Er staat een behoorlijk sterke noordnoordoostelijke wind. Zestien knopen.'

'Begrepen.' Spalko voelde de vertraging van de luchtsnelheid. Hij droeg een zeven millimeter dun isolatiepak onder zijn kleren. Anders dan een wetsuit, dat een dun laagje water tussen het lichaam en het neopreen toelaat om de lichaamstemperatuur op peil te houden, was dit pak vanaf de voeten tot aan de polsen waterdicht. Onder deze laag van trilaminaat droeg hij een thermisch isolerend beschermingssysteem, dat hem warm hield. Maar toch: als hij zijn landing niet perfect timede, kon de val in het ijskoude water hem verlammen en hem ondanks alle bescherming fataal worden. Maar er zou niets misgaan. Hij ketende het koffertje vast aan zijn linkerpols met een handboei en trok zijn waterdichte handschoenen aan.

'Nog vijftien seconden,' zei de piloot. 'De wind is constant.'

Mooi zo, geen vlagen, dacht Spalko. Hij knikte naar zijn assistent, die aan een zware hendel trok, waarop de deur openzwaaide. De wind gierde door het vliegtuig. Hij bevond zich nu dertienduizend voet boven de oceaan, die zo hard was als beton wanneer hij een vrije val zou maken.

'Nu!' zei de piloot.

Spalko sprong. Het suisde in zijn oren, de wind blies in zijn gezicht. Hij kromde zijn lichaam. Binnen elf seconden maakte hij een val van meer dan honderdzeventig kilometer per uur, eindsnelheid. En toch voelde het niet als vallen. Het was meer alsof er iets of iemand zacht tegen hem aan drukte.

Hij keek naar beneden en zag de vissersboot. Gebruikmakend van de luchtdruk ging hij horizontaal zweven ter compensatie van de noordnoordoostelijke wind van zestien knopen. Ondertussen keek hij op de hoogtemeter om zijn pols. Op een hoogte van tweeënhalfduizend voet trok hij aan een koordje, voelde een ruk aan zijn schouders en hoorde het zachte geruis van nylon terwijl de parachute openklapte. Plotseling was de luchtweerstand van zijn lichaamsoppervlak van ongeveer één vierkante meter, veranderd in de weerstand van de bijna vijfentwintig vierkante meter van de parachute. Hij daalde nu relatief rustig neer met een snelheid van bijna vijf meter per seconde.

Boven hem zag hij de transparante kom van het luchtruim, onder hem de uitgestrektheid van de Noord-Atlantische Oceaan, rusteloos golvend, glinsterend als bladkoper in het late zonlicht. Hij zag de vissersboot dobberen en in de verte de uitstekende arm van het IJslandse schiereiland waarop Reykjavik was gebouwd. De wind bleef aan hem trekken en hij moest herhaaldelijk zijn parachute bijstellen. Hij haalde diep adem, maakte zich op voor de zachte val in het water.

Hij leek stil te hangen in een eindeloos blauw omhulsel en dacht terug aan de nauwkeurige planning, de jaren van noeste arbeid, de manoeuvres en manipulaties die hem gebracht hadden tot wat hij als het hoogtepunt van zijn leven beschouwde. Hij dacht terug aan zijn jaar in Amerika, in het tropische Miami, aan de pijnlijke operaties om zijn verruïneerde gezicht te genezen en opnieuw te vormen. Hij moest toegeven dat hij had genoten van het verhaal dat hij tegenover Annaka had opgehangen over zijn verzonnen broer. Maar hoe had hij anders zijn aanwezigheid in die psychiatrische inrichting kunnen verklaren? Hij kon haar toch niet vertellen dat hij een gepassioneerde verhouding had met haar moeder? Om even met de patiënt alleen te kunnen zijn had hij alleen maar een paar artsen en verpleegsters hoeven om te kopen. De mens is tot op het bot corrupt, dacht hij. Veel van zijn succes had hij aan dit principe te danken.

Wat een geweldige vrouw was Sasa voor hem geweest! Hij zou nooit meer zo iemand ontmoeten. Vanzelfsprekend ging hij ervan uit dat Annaka net zo was als haar moeder. Hij was in die tijd nog een stuk jonger, dus die vergissing was vergeeflijk.

Hoe zou Annaka gereageerd hebben, dacht hij nu, als hij haar de waarheid had verteld? Ooit was hij de slippendrager van een wraakzuchtige, sadistische criminele baas, een monster dat hem had ingeschakeld bij een afrekening, terwijl hij volledig besefte dat het een valstrik kon zijn. Dat was het ook inderdaad, en Spalko's gezicht was het resultaat ervan. Hij nam wraak op Vladimir, maar niet op de heroïsche manier die hij Zina had wijsgemaakt. Het was op een laffe manier gegaan, maar in die tijd had hij nog niet de macht om zelfstandig te werk te gaan. Nu wel.

Hij hing nog zo'n honderdvijftig meter hoog in de lucht toen de wind abrupt draaide. Hij zweefde van de boot af, en probeerde zijn parachute bij te sturen. Toch kon hij zijn koers niet wijzigen. Onder hem zag hij de lichtreflectie vanaf de vissersboot, waardoor hij wist dat de bemanning nauwlettend zijn afdaling in de gaten hield. De boot voer zijn kant op.

De horizon stond hoger, de oceaan kwam steeds sneller op hem af en vulde nu zijn hele blikveld. Plotseling ging de wind liggen en daalde hij verder terwijl hij zijn parachute in precies de juiste hoek bijstelde om zo zacht mogelijk te landen.

Zijn benen schoten als eerste door het water, vervolgens de rest. Hoewel hij er geestelijk op was voorbereid, kwam het ijskoude water aan als een hamerslag die hem de adem benam. Het zware koffertje trok hem snel naar beneden, maar hij compenseerde dat met een krachtige, geoefende beenslag. Zijn hoofd in zijn nek gooiend kwam hij aan de oppervlakte, en hij haalde diep adem terwijl hij het harnas van zich afschudde.

Hij hoorde de motoren van de vissersboot in de verte stampen, en zonder te kijken zwom hij die richting op. De golven waren zo hoog en de stroom was zo sterk dat hij het zwemmen snel moest opgeven. Toen de boot aankwam, was hij vrijwel uitgeput. Zonder de bescherming van zijn pak zou hij nu al onderkoeld zijn.

Een bemanningslid gooide een lijn naar hem toe en een touwladder werd van boord gerold. Hij pakte de lijn en hield zich er uit alle macht aan vast toen hij naar de ladder werd getrokken. Terwijl de oceaan tot het laatste moment aan hem trok, beklom hij de ladder.

Iemand stak een sterke hand uit en hielp hem aan dek. Hij keek op en zag helderblauwe ogen en dik blond haar.

'*La illaha ill Allah,*' zei Hassan Arsenov. 'Welkom aan boord, Sjeik.' Spalko liet zich door enkele bemanningsleden in een warme deken wikkelen. '*La illaha ill Allah,*' antwoordde hij. 'Ik herkende je nauwelijks.'

'Dat deed ik ook niet toen ik mezelf voor het eerst met mijn blonde haar in de spiegel zag,' zei Arsenov.

Spalko keek de terroristenleider in zijn ogen. 'Heb je geen last van die contactlenzen?'

'Helemaal niet.' Arsenov kon zijn ogen niet van het metalen koffertje houden dat Spalko bij zich droeg. 'Daar zit het in?'

Spalko knikte. Hij keek over Arsenovs schouder naar Zina, die in het laatste zonlicht stond. Haar gouden lokken golfden om haar heen, haar kobaltblauwe ogen keken hem begerig aan.

'Dan kunnen we nu naar de kust,' zei Spalko. 'Ik ga iets droogs aantrekken.'

Hij liep de voorste hut in en in een kooi lagen zijn kleren netjes op een stapeltje. Op de vloer stond een paar stevige zwarte schoenen. Hij deed de koffer van het slot en legde die op de kooi. Terwijl hij zijn doorweekte kleren en zijn isolatiepak uittrok, keek hij naar zijn pols om te zien hoe ernstig die door de handboei was beschadigd. Hij wreef in zijn handen totdat er weer bloed door circuleerde.

Terwijl hij met zijn rug naar de deur stond, ging die open en weer dicht. Hij draaide zich niet om, hoefde niet te kijken wie er binnen was gekomen.

'Laat me je opwarmen,' zei Zina met haar zwoele stem.

Even later voelde hij haar borsten tegen zich aan; hij voelde de warmte van haar lendenen tegen zijn rug en billen. De opwinding van de hoge sprong zat nog in zijn lijf. Hij raakte nog meer opgewonden toen hij terugdacht aan de beëindiging van zijn langdurige relatie met Annaka Vadas. Zina's avances waren onweerstaanbaar.

Hij draaide zich om, ging op de rand van de kooi zitten en liet haar op hem zitten. Ze was hitsig als een beest. Hij zag de gloed in haar ogen, hoorde haar diepe gekreun. Zij ging helemaal in hem op, en hij voelde zich een moment tevreden.

Ongeveer negentig minuten later bevond Jamie Hull zich onder het straatniveau. Hij controleerde de beveiliging bij de magazijningang van het Oskjuhlid Hotel, waar hij zijn collega Boris zag. Het hoofd van de Russische beveiliging deed of hij verrast was toen hij Hull zag, maar deze liet zich niet voor de gek houden. Hij had de laatste tijd het gevoel dat Boris hem bespioneerde, maar misschien was hij te achterdochtig. Wat niet misplaatst was. Alle wereldleiders waren nu in het hotel. Morgenvroeg om acht uur begon de top, dan zou van hem het uiterste worden gevergd. Hij was bang dat Boris lucht had gekregen van wat Feyd al-Saoud had ontdekt, van wat hij en de Arabische veiligheidschef hadden bekokstoofd.

Om Kameraad Boris niets van zijn angst te laten merken, probeerde hij te glimlachen en bereidde hij zich voor op het slikken van een paar anti-Amerikaanse opmerkingen, zolang Boris maar in het ongewisse bleef.

'Lekker vroeg begonnen vandaag, meneer Hull,' zei Karpov met zijn pompeuze nieuwslezerstem. 'Geen tijd om uit te rusten?'

'Daar heb ik genoeg tijd voor ná de top, als ons werk erop zit.'

'Ons werk zit er nooit op.' Karpov droeg een van zijn zeer lelijke wollen pakken, zag Hull. Het was meer een maliënkolder dan een modern herenkostuum. 'Wat we ook bereiken, er valt altijd weer wat te doen. Dat is een van de charmes van ons werk, toch?'

Hull had de neiging om tegen hem in te gaan, maar hield zijn mond.

'En hoe is de beveiliging hier?' Karpov keek om zich heen met zijn donkere kraalogen. 'Voldoet alles aan de hoge Amerikaanse eisen?'

'Ik ben net begonnen.'

'Dan kun je misschien wat hulp gebruiken. Twee weten meer dan één, vier ogen zien meer dan twee.'

Hull werd plotseling doodmoe. Hij wist niet meer hoe lang hij al in dit godvergeten land was of wanneer hij een fatsoenlijke nachtrust had genoten. Je kon aan de bomen niet eens zien welk jaargetijde het was! Hij was licht gedesoriënteerd, op een manier die wel eens voorkwam bij marinemensen die voor het eerst op onderzeeërs voeren.

Hull zag dat de bewakers een bestelbusje met groenten staande hielden. Ze stelden vragen aan de chauffeur, de lading werd gecontroleerd. Hij zag geen fouten in de procedure noch in de gevolgde methode.

'Vind je dit geen deprimerend oord?' vroeg hij aan Boris.

'Deprimerend? Voor mij is dit een sprookjesland, beste vriend,' baste Karpov. 'Als je wilt weten wat deprimerend is, moet je eens een winter in Siberië doorbrengen.'

Hull fronste zijn wenkbrauwen. 'Ze hebben je naar Siberië gestuurd?'

Karpov lachte. 'Ja, maar niet waarom je denkt. Ik werkte daar een paar jaar geleden toen de spanningen met China op zijn hoogst waren. Je weet wel, geheime militaire manoeuvres, ongeoorloofde spionageactiviteiten, dit alles op de donkerste en koudste plek op de aardbol die je je maar kunt voorstellen.' Karpov gromde. 'Ach, als Amerikaan kun je je zoiets waarschijnlijk helemaal niet voorstellen.'

Hull bleef glimlachen, al was hij gekrenkt en moest hij zijn woede onderdrukken. Gelukkig kwam er weer een busje aan, nadat het andere busje was doorgelaten. Dit busje was van Reykjavik Energie. Het trok om onbekende redenen Boris' aandacht, en Hull liep met hem mee tot aan de ingang. Er zaten twee geüniformeerde mannen in.

Karpov bekeek de bevestiging van de afspraak die de chauffeur aan een bewaker had gegeven en bestudeerde het document. 'Wat is precies de bedoeling?' vroeg hij op zijn snauwerige manier.

'Driemaandelijkse geothermische controle,' antwoordde de chauffeur laconiek.

'En dat moet nu gebeuren?' Karpov keek de blonde bestuurder onvriendelijk aan.

‘Ja, meneer. Ons systeem is aangesloten op het netwerk van de hele stad. Als we het niet periodiek controleren, komt het hele netwerk in gevaar.’

‘En dat kunnen we nu niet gebruiken,’ zei Hull. Hij knikte naar een van de bewakers. ‘Controleer de lading en laat ze door als er niks aan de hand is.’

Hij liep weg van het busje, Karpov volgde hem.

‘Jij houdt niet van je werk, hè, of wel?’ vroeg de Rus.

Even verloor hij zijn beheersing. Hij draaide zich om en zei: ‘Ik doe het graag.’ Toen vermande hij zich en grijnsde jongensachtig. ‘Ach, eigenlijk heb je gelijk. Ik zou veel liever gebruikmaken van mijn, hoe zal ik het zeggen, lichamelijke vaardigheden.’

Karpov knikte, duidelijk vermurwd. ‘Dat begrijp ik. Er gaat niets boven een goede moord.’

‘Precies,’ zei Hull, die op dreef kwam. ‘Neem nu dat laatste opsporingsbevel. Wat zou ik die Bourne toch graag een kogel door zijn hersens jagen.’

Karpov trok een wenkbrauw op. ‘Dat opsporingsbevel ligt nogal gevoelig bij jou. Pas op voor emoties, beste vriend. Ze beïnvloeden je beoordelingsvermogen.’

‘Rot op,’ zei Hull. ‘Bourne kreeg alles wat ik wilde, waar ik recht op had.’

Karpov dacht even na. ‘Ik heb de indruk dat ik je verkeerd heb ingeschat. Je bent meer een echte vechter dan ik had gedacht.’ Hij klopte de Amerikaan op zijn schouders. ‘Wat denk je ervan als we elkaar eens bij een fles wodka onze oorlogsverhalen vertellen?’

‘Dat klinkt niet slecht,’ zei Hull, terwijl het busje van Reykjavik Energie het hotel binnenreed.

Stepan Spalko droeg een uniform van Reykjavik Energie en gekleurde contactlenzen, en een stuk vervormd latex maakte zijn neus breed en lelijk. Hij stapte uit het busje en liet de chauffeur wachten. Met een orderbriefje aan een klemblok in zijn ene, en een kleine gereedschapskist in zijn andere hand, stapte hij het labyrint in van de onderbuik van het hotel. De plattegrond van het hotel zat in zijn hoofd als een driedimensionale presentatie. Hij wist beter de weg in het complex dan de meeste werknemers, die door hun werk meestal maar één gedeelte kenden.

Het kostte hem twaalf minuten om aan te komen bij dat deel van het hotel waar de top werd gehouden. Binnen die tijd was hij al vier keer aangehouden door beveiligingsagenten, ook al droeg hij een ID-pasje op zijn uniform. Hij liep de trap af, drie verdiepingen naar beneden, waar hij weer werd tegengehouden. Hij was nu vlak bij een koppeling van het verwarmingssysteem, wat zijn aanwezigheid plausibel maakte. Maar ook was hij vlak bij een tussenstation van het HVAC-systeem, waardoor een bewaker per se met hem mee wilde lopen.

Spalko stopte bij een zekeringenkast en maakte die open. Hij voelde de ogen van de bewaker in zijn rug prikken.

'Hoe lang bent u hier al?' vroeg hij in het IJslands terwijl hij zijn gereedschapskistje opende.

'Spreekt u misschien Russisch?' vroeg de bewaker.

'Ja hoor, geen probleem.' Spalko rommelde in zijn kist. 'Hoe lang bent u hier al, een week of twee?'

'Drie,' antwoordde de bewaker.

'En in al die tijd hebt u niets van ons mooie IJsland gezien?' Hij vond wat hij zocht tussen alle rommel en stopte het weg. 'Weet u iets van het eiland?'

De Rus schudde zijn hoofd, waarop Spalko van wal stak. 'Ik kan u er wel wat over vertellen. IJsland is een eiland van 103.000 vierkante kilometer groot en ligt gemiddeld vijfhonderd meter boven de zeespiegel. De hoogste piek, Hvannadalshnúkur, is 2.119 meter hoog. Meer dan elf procent van het land ligt bedekt onder gletsjers. Vatnajökull is de grootste gletsjer in Europa. Ons parlement, de Althing, telt drieënzestig leden die om de vier jaar...'

Zijn stem stierf weg toen de bewaker zich duidelijk verveeld had omgedraaid en was weggelopen. Hij ging meteen aan de slag, pakte het kleine schijfje en bevestigde dat tussen twee strengen van elektriciteitsdraden totdat hij zeker wist dat het op vier punten door de isolatie drong.

'Deze klus zit erop,' zei hij toen hij de deur dichtsloeg.

'Waar moet je nu zijn? In de thermokelder?' vroeg de bewaker, die zichtbaar hoopte dat dit snel voorbij was.

'Nee,' zei Spalko. 'Ik moet eerst terug naar mijn baas. Ik ga weer naar mijn busje.' Hij zwaaide toen hij wegging, maar de bewaker had zich al omgedraaid.

Spalko liep terug naar de bus, klom erin en ging naast de chauffeur zitten toen een beveiligingsagent naar hen toeliep.

'Zo, heren, alles goed?'

'We zijn voorlopig klaar.' Spalko glimlachte vriendelijk toen hij een paar betekenisloze krassen zette op zijn namaakorder. Hij keek op zijn horloge. 'Kom, we zijn hier al te lang. Bedankt voor de controle.'

'Daar ben ik voor aangenomen.'

Toen de chauffeur de motor van de bus startte en wegreed, zei Spalko: 'Dit is nou het belang van een generale repetitie: we hebben precies dertig minuten voordat ze ons gaan zoeken.'

Het gecharterde vliegtuig vloog door de lucht. Naast Bourne, aan de andere kant van het gangpad, zat Khan wazig voor zich uit te staren. Bourne sloot zijn ogen. Het licht was uit. Alleen leeslampjes wierpen hun kegelvormig licht in het duister. Over een uur zouden ze op Keflavik Airport landen.

Bourne zat doodstil. Hij wilde zijn hoofd in zijn handen leggen en bittere tranen huilen om zijn zonden uit het verleden, maar met Khan naast zich wilde hij niets laten zien dat op zwakheid wees. De voorzichtige manier van met elkaar omgaan die ze hadden bereikt, was breekbaar als een eierschaal. Er waren zoveel dingen waardoor die kon breken. Emoties woelden in zijn borst, hij stikte er bijna van. De pijn die hij voelde door zijn gemartelde lijf, was niets vergeleken bij de zorgen waaronder zijn hart het dreigde te begeven. Hij greep zich zo stevig vast aan de leuningen, dat zijn knokkels kraakten. Hij moest zichzelf beheersen, maar kon niet meer blijven zitten.

Hij stond op en als een slaapwandelaar liep hij door het gangpad en ging gehurkt naast Khan zitten. De jonge man leek Bournes aanwezigheid niet op te merken. Misschien zat hij te mediteren, al ademde hij daarvoor te snel.

Terwijl zijn hart tegen zijn pijnlijke ribben bonsde, zei Bourne zacht: 'Als jij mijn zoon bent, wil ik dat weten. Als jij echt Joshua bent, móét ik dat weten.'

'Met andere woorden, je gelooft me niet.'

'Ik wil je geloven,' zei Bourne, die zich niet probeerde te storen aan de inmiddels vertrouwde contramine in Khans stem. 'Dat weet je toch zeker wel.'

'Over jou weet ik helemaal niets.' Khan keerde zich naar hem toe en keek hem woedend aan. 'Herinner je je helemaal niets van mij?'

'Joshua was zes, een kind nog.' Bourne voelde zijn emoties weer opkomen. 'Bovendien leed ik een paar jaar geleden aan geheugenverlies.'

'Geheugenverlies?' Deze onthulling verraste Khan.

Bourne vertelde wat er was gebeurd. 'Ik herinner me weinig van mijn leven als Jason Bourne voor die tijd,' zei hij, 'en vrijwel niets meer van mijn leven als David Webb, behalve wanneer soms een geur of stemgeluid een flard van een herinnering terugbrengt. Maar dat is alles, brokstukken uit een geheel waar ik nooit meer bij kan.'

Bourne zocht naar Khans donkere ogen in het zachte licht, op zoek naar een uitdrukking, een hint van waar Khan aan dacht of wat hij voelde. 'Wij zijn inderdaad complete vreemden voor elkaar. Dus voor we verdergaan...' Hij zweeg, kon even niet doorgaan. Toen vermande hij zich, dwong zichzelf om verder te gaan, want de stilte die zo snel tussen hen viel, was nog erger dan de ruzie die vast zou ontstaan. 'Begrijp me toch. Ik heb een bewijs nodig, iets onweerlegbaars.'

'Donder op!'

Khan stond op, wilde op Bourne afstappen in het gangpad, maar iets weerhield hem weer, net als toen in Spalko's martelkamer. Hij moest terugdenken aan Bournes woorden op het dak in Boedapest: '*Die zieke suggestie dat jij Joshua bent... Ik leid je niet naar Spalko toe of naar wie je ook zoekt. Ik laat me door niemand gebruiken.*'

Khan greep naar zijn stenen boeddhabeeldje om zijn nek en ging weer zitten. Ze waren allebei door Spalko gebruikt. Spalko had hen bij elkaar gebracht en ironisch genoeg hield hun gedeelde vijandelijkheid hen bij elkaar, tenminste voorlopig.

'Misschien heb ik iets voor je,' zei hij met een nauwelijks herkenbare stem. 'Een nachtmerrie die steeds terugkomt. Ik lig in het water. Ik verdrink, word naar beneden getrokken omdat ik aan een lijk zit geketend. Ze roept mij, ik hoor haar naar me roepen, of anders roep ik naar haar.'

Bourne zag weer voor zich hoe Khan in de Donau om zich heen sloeg, de paniek die hem dieper meezoog met de stroom mee. 'Wat zegt die stem?'

'Het is míjn stem. Ik zeg: "Lee-Lee, Lee-Lee..."'

Bourne voelde zijn hart een slag overslaan, want diep vanuit zijn eigen beschadigde geheugen zwom Lee-Lee naar hem toe. Heel even kon hij haar lieve ovale gezicht zien dat zijn ogen had en Dao's steile zwarte haar. 'O god,' fluisterde Bourne. 'Lee-Lee, zo noemde Joshua Alyssa altijd. Niemand anders deed dat. Niemand anders dan Dao wist dat.'

Lee-Lee.

'Een van de meest sterke herinneringen die ik aan die tijd heb, en die ik met veel hulp naar boven heb kunnen halen, is hoe je zusje tegen je opkeek,' ging Bourne verder. 'Ze wilde altijd bij jou zijn. Op een avond had ze een nare droom en jij was de enige die haar kon kalmeren. Je noemde haar Lee-Lee en zij noemde je Joshy.'

Mijn zusje, ja, Lee-Lee. Khan deed zijn ogen dicht en zonk onmiddellijk weg in de donkere rivier van Phnom Penh. Half verdronken, half in shocktoestand had hij het aan flarden geschoten lichaam van zijn zusje in het water zien drijven. Lee-Lee. Vier jaar oud. Dood. Haar lichte ogen, pappa's ogen, staarden hem wezenloos aan, beschuldigend. *Waarom jij?* leek ze te vragen. Maar hij wist dat zijn eigen schuldgevoel aan het woord was. Als Lee-Lee had kunnen praten, zou ze hebben gezegd: *Ik ben blij dat je het overleefd hebt, Joshy. Ik ben zo blij dat een van ons bij pappa kan blijven.*

Khan bracht zijn hand naar zijn gezicht, draaide zich om van het perspex raam. Hij wou dat hij dood was, hij wou dat hij wás omgekomen in die rivier, en dat Lee-Lee het had overleefd. Hij kon het leven geen seconde meer verdragen. In de dood zou hij tenminste bij haar zijn...

'Khan.'

Het was de stem van Bourne. Maar hij kon niet naar hem kijken, kon hem niet aanzien. Hij haatte hem en hield van hem. Hij begreep niet dat dit kon; hij was niet goed bestand tegen deze emotionele tegenstrijdigheid. Kreunend stond hij op en liep langs hem heen tot aan de cockpit van het vliegtuig waar hij niet naar Bourne hoefde te kijken.

Onuitsprekelijk verdrietig zag Bourne zijn zoon gaan. Het kostte veel moeite om hem niet tegen te houden, zijn armen om hem heen te slaan, hem tegen zijn borst aan te drukken. Maar dat zou nu wel het ergste zijn wat hij kon doen; gezien Khans verleden kon dat misschien tot slaande ruzie leiden.

Hij maakte zich geen illusies. Ze hadden allebei nog een lange weg te gaan voordat ze elkaar als bloedverwanten konden accepteren. Misschien was dat zelfs onmogelijk. Maar omdat Bourne gewoonlijk zelden iets onmogelijk vond, schoof hij die beangstigende gedachte weg.

In een vlaag van woede besefte hij eindelijk waarom hij zo lang bleef ontkennen dat Khan misschien zijn zoon kon zijn. Die vervloekte Annaka had dat mooi voor elkaar gekregen.

Hij keek op. Khan stond boven hem en hield zich vast aan de rugleuning voor hem, alsof zijn leven ervan afhing.

'Je vertelde dat je erachter was gekomen dat ik werd vermist.'

Bourne knikte.

'Hoe lang hebben ze naar me gezocht?' vroeg Khan.

'Je weet dat ik daar geen antwoord op heb. Zoals niemand.' Bourne loog instinctief. Er zou niets bij zijn gewonnen als hij vertelde dat de autoriteiten maar een uurtje hadden gezocht. Hij wilde zijn zoon bewust tegen deze waarheid beschermen.

Khan bleef dreigend stil, alsof hij zich voorbereidde op een daad die verschrikkelijke gevolgen zou hebben. 'Waarom ging jíj niet zoeken?'

Bourne ving de beschuldigende toon op en zat als versteend. Hij kreeg het ijskoud. Sinds duidelijk begon te worden dat Khan Joshua zou kunnen zijn, had hij zichzelf dezelfde vraag gesteld.

'Ik was krankzinnig van verdriet,' antwoordde hij, 'maar dat is nu, ben ik bang, geen goed excuus. Ik kon de gedachte niet aan, dat ik geen goede vader voor jullie zou zijn geweest.'

Er veranderde iets in het gezicht van Khan, iets wat duidde op pijn; er leek een onverdraaglijke gedachte in hem op te komen. 'Het moet... niet gemakkelijk zijn geweest voor jou en mijn moeder om samen te zijn in Phnom Penh.'

'Wat bedoel je?' vroeg Bourne, die van Khans gezichtsuitdrukking was geschrokken, op een toon die misschien barser klonk dan hij bedoelde.

'Je weet wel. Kreeg je het niet te horen van je collega's dat je getrouwd was met een Thaise?'

'Ik hield zielsveel van Dao.'

'Marie is niet Thais, of wel?'

'Khan, verliefd worden is geen keuze.'

Ze zwegen kort en in de geladen stilte die tussen hen ontstond, zei Khan, achteloos alsof het een bijzaak betrof: 'Je had twee halfbloedjes als kinderen.'

'Zo heb ik dat nooit gezien,' zei Bourne gedecideerd. Zijn hart verscheurde, want hij hoorde de stille pijn die achter deze opmerking school. 'Ik hield van Dao, ik hield van jou en Alyssa. Mijn god, jullie waren alles voor me. In de weken en maanden daarna, was ik bijna gek geworden. Ik was er kapot van, wist niet of ik verder wilde. Als ik Alex Conklin niet had ontmoet, was ik er misschien uitgestapt. Hoe dan ook, ik heb er jarenlang pijnlijk hard voor moeten werken om voldoende te herstellen.'

Hij viel even stil, luisterde naar hun beider ademhaling. Toen slaakte hij een zucht en zei: 'Ik heb altijd geworsteld met de gedachte dat ik erbij had moeten zijn om jullie te beschermen.'

Khan keek hem langdurig aan, maar de spanning was verbroken, de teerling was geworpen. 'Als je erbij was geweest, was je waarschijnlijk ook omgekomen.'

Hij draaide zich zwijgend om, en toen hij dat deed, zag Bourne Dao in zijn ogen. Ergens diep vanbinnen voelde hij dat zijn wereld was veranderd.

28

Reykjavik was net als alle andere grote steden in de wereld rijkelijk voorzien van fastfoodrestaurants. Dagelijks ontvingen deze ketens, net als de duurdere restaurants, ladingen vers vlees, vis, groente en fruit.

Hafnarfjördurs Verse Groente en Fruit was een van Reykjaviks grootste leveranciers aan fastfoodketens. Het bedrijfsbusje dat die ochtend vroeg stopte bij de Kebab Höllin in het stadscentrum, was een van de vele die door de stad reden op hun dagelijkse ronde. Het verschil was, dat dit busje niet van Hafnarfjördurs Verse Groente en Fruit was.

Vroeg in de avond werden alle drie de gebouwen van Academisch Ziekenhuis Landspitali door een toenemend aantal ziek geworden mensen overspoeld. De artsen namen deze ongekende aantallen op in het ziekenhuis, terwijl ze ook hun eigen bloed lieten testen. Rond etenstijd bevestigden de gegevens dat er sprake was van een hevige uitbraak van het virus hepatitis A.

Ambtenaren van de gezondheidszorg probeerden naarstig de crisis de kop in te drukken. Ze werden gehinderd door een paar factoren: de snelheid en hevigheid waarmee deze bijzonder agressieve variant van het virus had toegeslagen, en de moeilijkheden bij het achterhalen van de mogelijk besmette etenswaren en de bron van de besmetting. Wat niet werd uitgesproken, maar wat wel door ieders hoofd speelde, was de wereldwijde aandacht die op Reykjavik was gericht vanwege de internationale top. Hoog op de lijst van verdachte etenswaren stond de veldui, die schuld had aan recente uitbarstingen van hepatitis A in de Verenigde Staten. Maar uien werden in praktisch alle lokale fastfoodketens gebruikt, en uiteraard mochten ze ook vlees en vis niet uitsluiten.

Ze werkten tot diep in de nacht door, spraken met eigenaren van alle groentebedrijven, stuurden er personeel op uit om veilingen, opslagruimtes en transportbusjes van elk bedrijf te inspecteren, waaronder Hafnarfjördurs Verse Groente en Fruit. Helaas vonden ze tot hun verbazing helemaal niets, en terwijl de tijd doortikte, moest men toegeven dat ze geen stap dichter bij de besmettingshaard waren gekomen.

Aldus maakten woordvoerders van het ministerie kort na negen uur 's avonds de gegevens bekend. Er dreigde een hepatitis A-epidemie in Reykjavik. Aangezien de besmettingsbron nog niet ontdekt was, werd de stad in quarantaine gehouden. Iedereen vreesde een totale epidemische uitbarsting, iets wat men niet kon gebruiken met de antiterrorismetop voor de deur en alle media-aandacht van de wereld. In interviews op radio en televisie probeerden woordvoerders het bezorgde publiek te verzekeren dat ze alles deden wat ze konden om het virus onder controle te krijgen. Herhaaldelijk zeiden ze dat de regering iedereen aan het werk had gezet omwille van de veiligheid van het hele volk.

Het was bijna tien uur 's avonds toen Jamie Hull in opgewonden staat door een gang van het hotel liep naar de suite van de president. Allereerst was er die plotselinge en zorgwekkende uitbarsting van hepatitis A. Vervolgens moest hij bij de president verschijnen voor een onverwacht overleg.

Hij keek om zich heen en zag de lijfwachten van de Geheime Dienst die de president bewaakten. Verderop in de gang stonden lijfwachten van de Russische FSB en de Arabische landen rondom hun leiders, die omwille van de veiligheid en voor het logistieke gemak allemaal in dezelfde vleugel van het hotel zaten. De president liep rusteloos op en neer, dicteerde enkele speechschrijvers terwijl zijn persvoorlichter toekeek en notities maakte op zijn laptop. Er stonden nog eens drie mannen van de Geheime Dienst bij. Ze zorgden dat de president niet bij het raam ging staan.

Hij wachtte geduldig totdat de president het schrijvend volkje wegstuurde, dat zich snel naar een andere kamer repte.

'Jamie,' zei de president met een brede glimlach en uitgestrekte hand. 'Wat goed dat je er bent.' Hij kneep in Hulls hand, wees hem een stoel en ging tegenover hem zitten.

'Jamie, ik reken erop dat jij deze top tot een goed einde brengt,' zei hij.

'Meneer de president, ik verzeker u dat ik alles onder controle heb.'

'Ook Kameraad Karpov?'

'Maar...?'

De president glimlachte. 'Ik hoorde dat jij en meneer Karpov nogal tegen elkaar tekeer zijn gaan.'

Hull slikte en vreesde dat hij nu werd ontslagen. 'Er was wat wrijving,' zei hij aarzelend, 'maar dat is verleden tijd.'

'Daar ben ik blij om,' zei de president. 'Ik heb al genoeg problemen met Aleksandr Yevtushenko. Ik wil niet dat hij kwaad op me wordt over een belediging van het hoofd van zijn beveiligingsdienst.' Hij sloeg op zijn dijbeen en stond op. 'Mooi, om acht uur morgenvroeg begint de show. We hebben nog genoeg te doen.' Hij gaf Hull bij het opstaan een hand. 'Jamie, niemand weet beter dan ik hoe gevaarlijk het hier kan worden. Maar volgens mij zijn we het erover eens dat we niet meer terug kunnen.'

Buiten in de gang ging Hulls gsm af.

'Jamie, waar ben je nu?' snauwde de directeur.

'Ik kom net terug van een bespreking met de president. Hij was blij om te horen dat ik alles onder controle had, inclusief Kameraad Karpov.'

In plaats van tevreden te zijn, ging de directeur gespannen verder met zijn verhaal. 'Jamie, luister goed. De situatie is een klein beetje veranderd; wat ik je vertel is strikt geheim, maar je moet het weten.'

Hull keek om zich heen en liep weg zodat de lijfwachten van de Geheime Dienst hem niet konden horen. 'Ik waardeer uw vertrouwen.'

'Het gaat om Jason Bourne,' zei de directeur. 'Die is helemaal niet omgekomen in Parijs.'

'Wat?' Even verloor Hull zijn zelfbeheersing. 'Bourne leeft nog?'

'Springlevend. Jamie, voor alle zekerheid, dit telefoontje, dit gesprek heeft nooit plaatsgevonden. Je mag er met niemand over praten. Ik zal het in alle toonaarden ontkennen en jij zult hangen, is dat duidelijk?'

'Helemaal, meneer.'

'Ik heb geen idee wat Bourne van plan is, maar ik heb altijd al vermoed dat hij richting Reykjavik zou gaan. Misschien heeft hij Alex Conklin en Mo Panov vermoord, misschien ook niet, maar het is zeker dat hij Kevin McColl heeft omgebracht.'

'Jezus. Die heb ik gekend.'

'Wij allemaal, Jamie.' De Oude Rot schraapte zijn keel. 'We kunnen dit niet ongestraft laten.'

Plotseling maakte Hulls woede plaats voor een gevoel van intense blijheid. 'Laat dat maar aan mij over.'

'Wees voorzichtig, Jamie. Je belangrijkste taak is om de president te beschermen.'

'Dat begrijp ik, absoluut. Maar als Jason Bourne in het hotel opduikt, komt hij daar niet meer uit.'

'Jawel,' zei de Oude Rot, 'horizontaal en met zijn voeten naar voren.'

Twee leden van het Tsjetsjeense kader stonden voor het busje van Reykjavik Energie te wachten toen het voertuig van de gezondheidsdienst dat op weg was naar het Oskjuhlid Hotel de hoek om kwam. Het gemeentelijke energiebusje stond dwars over de straat en ze hadden oranje kegels eromheen gezet. Ze leken hard aan het werk.

Het voertuig van de gezondheidsdienst kwam plotseling tot stilstand.

'Waar zijn jullie mee bezig?' schreeuwde een van de gezondheidsmedewerkers. 'Dit is een noodgeval.'

'Donder op, klein opneukertje!' antwoordde een van de Tsjetsjenen in het IJslands.

'Pardon?!' Een woedende gezondheidsmedewerker stapte de bus uit.

'Ben je soms blind? We doen hier belangrijk werk,' zei de Tsjetsjeen. 'Neem maar een andere route.'

De andere gezondheidsmedewerker, die het gevoel had dat de situatie kon escaleren, stapte ook het voertuig uit. Arsenov en Zina stapten bewapend en alert uit de achterdeur van het busje van Reykjavik Energie en dreven de geschrokken gezondheidsmedewerkers het busje in.

Arsenov en Zina en nog een ander kaderlid kwamen in het gestolen voertuig aan bij de magazijningang van het Oskjuhlid Hotel. De andere Tsjetsjenen haalden ondertussen met het busje van Reykjavik Energie Spalko en de rest van het kader op.

Ze waren gekleed als overheidsdienaren en lieten hun pasjes zien van het ministerie van Gezondheidszorg die Spalko voor een aardig bedrag had kunnen krijgen bij een dienstdoend lid van de beveiliging. Arsenov antwoordde in het IJslands en schakelde over op gebroken Engels toen de Amerikaanse en Arabische beveiligingsagenten hem niet begrepen. Hij zei dat hij was gestuurd om te controleren of de keuken vrij was van hepatitis A. Niemand – en zeker niet de leden van de verschillende veiligheidsteams – wilde besmet raken met het gevreesde virus. Na de vereiste procedures werden ze toegelaten en naar de keuken geleid. Daar ging het derde kaderlid naartoe, maar Arsenov en Zina hadden een andere bestemming in gedachten.

Bourne en Khan bestudeerden de schema's van de verschillende leidingsystemen van het Oskjuhlid Hotel toen de piloot aankondigde dat ze gingen landen op Keflavik Airport. Bourne, die door het gangpad ijsbeerde terwijl Khan achter de laptop zat, ging met tegenzin zitten. Zijn lichaam deed verschrikkelijk veel pijn, de krappe vliegtuigstoel maakte het nog erger. Hij had geprobeerd zijn gevoelens die waren opgekomen nadat hij Khan als zijn zoon had erkend, te bedwingen. Hun gesprekken verliepen ongemakkelijk en hij had duidelijk de indruk dat Khan instinctief wegkeek van elke mogelijke emotie die hij toonde.

Het werken naar een verzoening was voor beiden buitengewoon zwaar. Toch, vermoedde hij, was het voor Khan nog moeilijker. Wat een zoon nodig heeft van zijn vader was veel complexer dan wat een vader van zijn zoon verlangde om onvoorwaardelijk van hem te kunnen houden.

Bourne moest toegeven dat hij bang was voor Khan, niet alleen om wat hij hem had aangedaan, of om wat hij was geworden, maar ook om zijn behendigheid, zijn intelligentie en vindingrijkheid. Zijn ontsnapping uit Spalko's gaskamer was een wonder.

En er stond nog iets in de weg van hun acceptatie en mogelijke verzoening, dat groter was dan alle andere struikelblokken. Om Bourne te accepteren moest Khan zijn hele vorige leven opgeven.

Daar had Bourne gelijk in. Sinds het moment dat Bourne naast hem had gezeten op het bankje in Old Town Alexandria, was Khan in oorlog met zichzelf. Dat was hij nog steeds, alleen voerde hij de strijd nu openlijk. Alsof hij in een achteruitkijkspiegel keek, zag Khan alle kansen weer terug die hij had gehad om Bourne te vermoorden, maar pas nu begreep hij waarom hij dat niet gedaan had. Hij kon Bourne geen kwaad doen, maar tegelijk lukte het hem niet zich voor hem open te stellen. Hij dacht terug aan hoe hij zijn neiging moest onderdrukken zich op een van Spalko's mannen te storten, in die kliniek in Boedapest. Het enige wat hem had tegengehouden was Bournes waarschuwing. Toen schreef hij die neiging toe aan zijn verlangen zich te wreken op Spalko. Maar nu wist hij dat het aan een andere emotie was ontsproten: de toewijding van familieleden onder elkaar.

En toch besefte hij tot zijn schaamte dat hij bang was voor Bourne. Hij wekte ontzag door zijn kracht, uithoudingsvermogen en intelligentie. Khan voelde zich klein in zijn buurt, alsof alles wat hij ooit in zijn leven had bereikt, tot stof verging.

Bonkend en met piepende banden landde het vliegtuig en taxiede verder naar het andere eind van de luchthaven, waar alle privé-vliegtuigen naartoe werden geleid. Khan stond op en liep door het gangpad naar de deur voordat ze stilstonden.

'Laten we gaan,' zei hij. 'Spalko heeft een voorsprong van drie uur.'

Maar Bourne was ook opgestaan en wilde hem in het gangpad tegenhouden.

'We weten niet wat ons te wachten staat. Laat mij als eerste gaan.'

Onmiddellijk stak Khans onderhuidse woede weer op. 'Ik zei je toch – vertel me niet wat ik moet doen! Dat maak ik zelf wel uit; dat heb ik altijd gedaan, en dat zal altijd zo blijven.'

'Je hebt gelijk. Ik probeer niets van je af te pakken,' zei Bourne met spijt in zijn hart. Deze vreemdeling was zijn zoon. Op alles wat hij zei of deed, werd overdreven gereageerd, voorlopig nog wel tenminste. 'Maar bedenk wel, dat je tot nu altijd alleen bent geweest.'

'Ja, en wiens schuld is dat?'

Bourne voelde zich beledigd, maar deed zijn best om de beschuldiging niet zwaar op te nemen. 'Aan beschuldigingen hebben we niets,' zei hij mat. 'We moeten samenwerken.'

'Dus moet ik jou maar de controle geven?' zei Khan aangebrand. 'Waarom? Heb je dat soms verdiend?'

Ze waren bijna bij de terminal. Hij begreep hoe kwetsbaar hun samenwerking was.

'Het zou stom zijn om aan te nemen dat ik ook maar iets heb verdiend.' Hij keek uit het raampje naar de felle lichten van de terminal. 'Ik dacht alleen maar, als er iets gebeurt – als we in een of andere val lopen – ik liever heb dat ik en niet jij...'

'Heb je dan helemaal niet naar mij geluisterd?' riep Khan terwijl hij Bourne opzij duwde. 'Heb je me dan geen moment serieus genomen?'

Op dat moment arriveerde de piloot. 'Open de deur,' beval Khan abrupt. 'En blijf aan boord.'

De piloot maakte gehoorzaam de deur open en liet de trap naar het asfalt zakken.

Bourne zette een stap in het gangpad. 'Khan...'

Door de woedende blik van zijn zoon bleef hij stilstaan. Hij keek uit het perspex raam toen Khan de trap afging en werd begroet door iemand van de paspoortcontrole. Khan liet zijn paspoort zien en wees naar het vliegtuig. De beambte zette een stempel in Khans paspoort en knikte.

Khan liep de trap van het vliegtuig weer op. In het gangpad haalde hij een paar handboeien uit zijn jasje en ketende zichzelf vast aan Bournes pols.

'Mijn naam is Khan LeMarc, ik ben adjunct-hoofd Recherche bij Interpol.' Khan nam zijn laptop onder zijn arm en ging Bourne voor door het gangpad. 'Je bent mijn gevangene.'

'En wat is mijn naam?' vroeg Bourne.

'Jij?' Khan duwde hem voor zich uit door de deur en bleef vlak achter hem. 'Jouw naam is Jason Bourne, je wordt wegens moord gezocht door de CIA, de Quai d'Orsay en Interpol. Het is de enige manier waarop je zonder paspoort op dit eiland kunt komen. Hoe dan ook, hij heeft net als iedereen van paspoortcontrole op deze planeet het opsporingsbevel van de CIA gelezen.'

De beambte deed een stap achteruit en gaf hun alle ruimte om langs hem heen te gaan. Zodra ze de terminal uit waren gelopen, maakte Khan de handboeien los. Buiten namen ze een taxi en gaven de chauffeur een adres dat nog geen kilometer van het Oskjuhlid Hotel vandaan was.

Spalko zat met zijn vrieskoffertje tussen zijn benen naast de bestuurder van het busje van Reykjavik Energie terwijl de Tsjetsjeense rebel door het centrum van de stad naar het Oskjuhlid Hotel reed. Zijn gsm ging af en hij klapte het toestel open. Slecht nieuws.

'Het is ons gelukt om de gaskamer af te sluiten voordat de politie en brandweer er waren,' meldde het hoofd beveiliging vanuit Boedapest. 'Maar we hebben net het hele gebouw uitgekamd en geen spoor van Bourne of Khan gevonden.'

'Hoe is dat mogelijk!' riep Spalko. 'De een zat vastgebonden, de ander in een kamer die gevuld was met gas.'

'Er was een explosie,' zei zijn veiligheidschef, en hij beschreef in detail wat ze hadden aangetroffen.

'Verdomme!' In een zeldzaam vertoon van woede sloeg Spalko zijn vuisten op het dashboard.

'We breiden onze zoektocht verder uit.'

'Laat maar zitten,' zei Spalko kortaf. 'Ik weet al waar ze zijn.'

Bourne en Khan liepen naar het hotel.

'Hoe gaat het?' vroeg Khan.

'Niks aan de hand,' antwoordde Bourne iets te gretig.

Khan wierp een blik op hem. 'Geen stijfheid, geen pijn?'

'Nu ja, een beetje stijf en stroef,' gaf Bourne toe.

'Die antibiotica van Oszkar zijn ijzersterk.'

'Maak je geen zorgen,' zei Bourne. 'Die gebruik ik wel.'

'Waarom denk je dat ik me zorgen maak?' begon Khan. 'Kijk eens voor je.'

Er stond een heel kordon van politieagenten om het hotel. Twee controleposten die zowel door de politie als beveiligingspersoneel van verschillende nationaliteiten werden bemand, waren de enige ingangen. Ze keken toe en zagen een busje van Reykjavik Energie stoppen bij de controlepost aan de achteringang.

'Dat is de enige manier waarop we binnenkomen,' zei Khan.

'Het is een manier,' zei Bourne. Toen het busje werd doorgelaten zag hij twee hotelmedewerkers naar buiten lopen.

Bourne keek Khan aan, die knikte. Hij had ze ook gezien. 'Wat denk je?' vroeg Bourne.

'Hun werkdag zit erop,' antwoordde Khan.

'Dat dacht ik ook.'

De hotelmedewerkers voerden een geanimeerd gesprek en hielden daar even mee op om hun pasjes te laten zien toen ze door de controle gingen. Normaliter zouden ze met hun auto het hotel in- en uitgaan via de ondergrondse parkeerplaats, maar sinds de beveiligingsdiensten er waren, mocht het hotelpersoneel niet meer in het hotel parkeren.

Ze schaduwden de twee mannen toen die een zijstraat in liepen, voorbij het waakzame oog van de politie. Ze wachtten tot ze bij hun auto's waren en vielen hen toen geruisloos en snel van achter aan. Ze maakten de achterbakken open en legden de bewusteloze lichamen daarin, namen de ID-pasjes in en gooiden de achterklep dicht.

Vijf minuten later verschenen ze bij de andere controlepost aan de voorkant van het hotel, om het contact te vermijden met de agenten en beveiligingswachten die zojuist de twee medewerkers hadden uitgecheckt.

Ze kwamen zonder problemen door de beveiliging. Eindelijk waren ze in het Oskjuhlid Hotel.

De tijd was aangebroken om zich van Arsenov te ontdoen, dacht Stepan Spalko. Hij had hier lang naar uitgezien, sinds hij merkte dat hij niet meer tegen Arsenovs zwakheid kon. Arsenov had eens tegen hem gezegd: 'Ik ben geen terrorist. Ik wil alleen maar dat mijn volk krijgt waar het recht op heeft.' Deze kinderlijke gedachtegang was een gebrek dat hem fataal zou worden. Arsenov kon zichzelf dan wel voor de gek houden, de waarheid was dat, of hij nu om geld vroeg, om de vrijlating van gevangenen of om zijn land, zijn daden hem tot een terrorist maakten, niet zijn doelen. Hij vermoordde mensen als hij niet kreeg wat hij wilde. Hij bracht vijanden om, maar ook burgers – mannen, vrouwen en kinderen – het maakte voor hem geen verschil. Hij zaaide angst en oogstte lijken.

En dus stuurde Spalko hem samen met Akhmed, Karim en een van de vrouwelijke leden naar het ondergrondse knooppunt van het HVAC-systeem, dat zorgde voor de airconditioning van de conferentiezaal. Er was een kleine wijziging in het plan. Oorspronkelijk zou Magomet dit doen. Maar Magomet was dood en aangezien Arsenov hem had omgebracht, accepteerde hij deze taak zonder meer. Hoe dan ook, ze hadden weinig tijd.

'We hebben precies dertig minuten sinds de aankomst met ons busje,' zei hij. 'Daarna gaat, zoals we nu weten, de beveiliging naar ons zoeken.' Hij keek op zijn horloge. 'Dat betekent dat we nu nog vierentwintig minuten hebben om onze missie te voltooien.'

Terwijl Arsenov met Akhmed en de anderen vertrok, trok Spalko Zina naar zich toe. 'Je beseft dat dit de laatste keer is dat je hem ziet.'

Ze knikte met haar blonde hoofd.

'Heb je geen twijfels?'

'Integendeel, het is een opluchting,' antwoordde ze.

Spalko knikte. 'Kom op.' Ze haastten zich door de gang.

'We hebben geen tijd te verliezen.'

Hassan Arsenov nam onmiddellijk de leiding over de kleine groep. Ze vervulden een belangrijke taak en hij zorgde ervoor dat ze die uitvoerden. Ze gingen de hoek om en zagen de bewaker op zijn post naast het grote rooster van een luchtafvoerbuis staan.

Zonder aarzeling liepen ze op hem af.

'Halt!' riep hij, terwijl hij zijn machinepistool al richtte.

Ze stopten voor hem. 'We zijn van Reykjavik Energie,' zei Arsenov in het IJslands, en als antwoord op de onnozele blik van de bewaker, zei hij het nog eens in het Engels.

De bewaker fronste. 'Er zijn hier geen verwarmingsroosters.'

'Dat weet ik,' zei Akhmed, die met zijn ene hand het machinepistool afpakte en met zijn andere hand de bewaker tegen de muur aan sloeg.

De bewaker viel op zijn knieën en Akhmed sloeg hem weer, deze keer met de kolf van zijn eigen machinepistool.

'Kom me helpen,' zei Arsenov, terwijl hij zijn vingers door het luchtrooster stak. Karim en de vrouw schoten te hulp, maar Akhmed bleef met de kolf van zijn wapen op de bewaker in slaan, ook al bleef die duidelijk nog wel een poos bewusteloos.

'Akhmed, geef me je wapen!'

Akhmed gooide zijn machinepistool naar Arsenov en begon de gevallen bewaker in zijn gezicht te trappen. Er stroomde bloed, de geur van de dood hing in de lucht.

Arsenov trok Akhmed van de bewaker weg. 'Als ik je een bevel geef, moet je dat opvolgen, anders breek ik je nek!'

Akhmed hijgde en keek Arsenov woedend aan.

'We moeten ons aan de tijd houden,' riep Arsenov woest. 'We hebben geen tijd voor spelletjes.'

Akhmed lachte zijn tanden bloot. Hij schudde Arsenovs hand van zich af en hielp Karim met het rooster. Ze duwden de bewaker in het luchtgat en kropen een voor een naar binnen. Akhmed trok als laatste het rooster achter zich dicht.

Ze moesten over de geslagen bewaker heen kruipen. Arsenov drukten zijn vingers tegen de halsslagader van de man. 'Dood,' zei hij.

'En wat dan nog?' reageerde Akhmed uitdagend. 'Tegen de ochtend zijn ze allemaal dood.'

Op handen en voeten kropen ze door de afvoer totdat ze bij een splitsing kwamen. Vlak voor hen ging de afvoer naar beneden. Ze haalden hun klimgerei tevoorschijn. Ze legden een aluminium buis over de opening, sjorden het touw vast en lieten dat naar beneden rollen. Als eerste bond Arsenov het touw om zijn linkerdij. Hand over hand daalde hij gestaag af in de schacht. Aan het trillen van het touw kon hij voelen wanneer een nieuw kaderlid achter hem aan kwam.

Vlak boven de eerste kast met verbindingen kwam Arsenov tot stilstand. Hij deed een minizaklamp aan, scheen over de lijnen, schachtkabels en de elektrische bedrading. Midden in de kluwen zag hij iets glinsteren.

'Een warmtesensor,' riep hij naar boven.

Karim, de elektrotechnicus, hing vlak boven hem. Terwijl Arsenov met zijn zaklamp de wanden bescheen, haalde Karim een nijptang en een stuk draad voor de dag met aan beide zijden een krokodillenklem. Hij klom voorzichtig over Arsenov heen en nog een stukje verder tot aan het bereik van de sensor. Hij gooide een been in de lucht en zwaaide zo naar de wand, waar hij zich vasthield aan een kabel. Hij stak zijn vingers in een dradenkluwen, knipte er een los en zette daar een klemmetje op. Toen verwijderde hij de isolatie van een andere draad en zette daar het andere klemmetje op.

'De kust is veilig,' fluisterde hij.

Hij kwam binnen het bereik van de sensor, maar er ging geen alarm af. Hij had het circuit met succes afgesloten. Volgens deze sensor was er niets aan de hand.

Karim liet Arsenov voorgaan naar het einde van de schacht. Daar stonden ze midden voor het hart van het HVAC-systeem van de conferentiezaal.

'Ons doel is het HVAC-knooppunt onder de conferentiezaal,' zei Bourne toen hij zich met Khan door de hal haastte. Khan droeg de laptop van Oszkar onder zijn arm. 'Dat is de meest logische plek om de verstuiver te activeren.'

Op dit tijdstip van de avond was de grote, hoge en kille lobby verlaten; er liepen alleen nog wat beveiligingsmensen en personeelsleden rond. De regeringsfunctionarissen hadden zich in hun kamers teruggetrokken, lagen te slapen of bereidden zich voor op de top, die over een paar uur zou beginnen.

'De veiligheidsdienst heeft ongetwijfeld dezelfde conclusie getrokken,' zei Khan, 'wat betekent dat we niet in de buurt van het knooppunt kunnen komen zonder dat ze vragen wat wij daar te zoeken hebben.'

'Daar heb ik aan gedacht,' zei Bourne. 'Het wordt tijd dat we mijn fysieke toestand in ons voordeel gaan gebruiken.'

Ze liepen zonder problemen door het hoofdgebouw van het hotel en wandelden over een binnenplein, dat fraai versierd was met kaarsrechte kiezelpaden, geknipte hagen en futuristisch ogende stenen bankjes. Aan de overkant lag de conferentiezaal. Ze gingen drie trappen af. Khan opende zijn laptop en ze bekeken de schematische weergaven nog eens goed. Ze waren op de juiste verdieping.

'Deze kant op,' zei Khan, die de computer afsloot terwijl ze doorliepen.

Maar nog geen tien meter van het trappenhuis hoorden ze een barse stem: 'Nog één stap verder en jullie zijn dood.'

Onder in de verticale luchtschacht wachtten de Tsjetsjeense rebellen gehurkt, ongeduldig en uiterst gespannen af. Maandenlang hadden ze naar dit moment uitgezien. Ze waren er klaar voor, popelden om verder te gaan. Ze huiverden zowel van het ondraaglijk geworden ongeduld als van de frisse lucht, die kouder werd naarmate ze dieper onder het hotel kwamen. Ze hoefden nog maar een klein horizontaal stuk te kruipen naar de relais van het HVAC-systeem, maar moesten wachten totdat de beveiligingsagenten in de gang aan de andere kant van het luchtrooster weg waren. Tot dan hielden ze afstand.

Akhmed keek op zijn horloge en zag dat ze nog veertien minuten hadden om hun missie te voltooien en terug te keren naar de bus. Zweetpareltjes stonden op zijn voorhoofd en rolden van zijn oksels langs zijn zij, kietelend over zijn huid. Zijn mond was droog, hij hijgde. Dat had hij altijd op het toppunt van een operatie. Zijn hart bonsde en hij trilde over heel zijn lichaam. Hij was nog steeds woedend om Arsenovs berisping waar alle anderen bij stonden. Hij luisterde met gespitste oren en staarde vol minachting naar Arsenov. Na die nacht in Nairobi had hij zijn respect voor hem verloren, niet alleen omdat hij door Zina werd bedrogen, maar vooral omdat hij dat niet doorhad. Akhmeds volle lippen krulden zich in een glimlach. Het voelde goed om macht over Arsenov te hebben.

Eindelijk stierven de mannenstemmen op de gang weg. Akhmed sprong naar voren, nieuwsgierig naar het einddoel, maar hij werd door Arsenovs sterke arm pijnlijk tegengehouden.

'Nog niet.' Arsenov keek hem dreigend aan.

'Ze zijn weg,' zei Akhmed. 'We verspillen tijd.'

'We gaan pas als ik daartoe het bevel geef.'

Deze nieuwe berisping werd Akhmed te veel. Hij spuugde, met weerzin op zijn gezicht. 'Waarom zou ik jouw bevelen opvolgen? Waarom zouden wij dat doen? Je kunt niet eens op je vrouw letten.'

Arsenov dook op Akhmed af en ze grepen elkaar vast, zonder precies te weten wat ze moesten doen. De anderen stonden ernaar te kijken, durfden niet in te grijpen.

'Ik heb genoeg van je beledigingen,' zei Arsenov. 'Je doet wat ik zeg, anders ga je eraan.'

'Maak me dan af,' zei Akhmed. 'Maar weet wel, dat op de avond voor de demonstratie in Nairobi, Zina naar de kamer van de Sjeik sloop terwijl jij sliep.'

'Leugenaar!' riep Arsenov, terwijl hij terugdacht aan de belofte die hij en Zina elkaar hadden gedaan aan de baai. 'Zina bedriegt me niet.'

'Weet je nog waar mijn kamer was, Arsenov? Jij wees ieder een kamer aan. Ik zag haar met mijn eigen ogen.'

Arsenov keek woedend, maar liet Akhmed gaan. 'Ik zou je ter plekke afmaken als je op deze belangrijke missie kon worden gemist.' Hij richtte zich tot de rest van de groep. 'Laten we verdergaan.'

Karim, de elektrotechnicus, ging als eerste, gevolgd door de vrouw en Akhmed; Arsenov sloot de rij. Even later stak Karim zijn hand op, waarna iedereen stopte.

Arsenov hoorde zijn zachte stem: 'Bewegingsdetector.'

Hij zag Karim verder kruipen en zijn gereedschap pakken. Hij was blij met deze man. Hoeveel bommen had Karim al die jaren niet gemaakt? Ze werkten allemaal feilloos; hij had nog nooit een fout gemaakt.

Ook nu weer pakte Karim een draad met krokodillenklemmen aan de uiteinden. Met een nijptang in zijn ene hand, zocht hij naar de juiste elektriciteitsdraden en trok die uit; hij knipte een draad door en zette een klem op het losse koperen uiteinde. Toen verwijderde hij bij een andere draad de isolatie en zette op het kale stuk de andere krokodillenklem, om zo een parallelketen te maken.

'De kust is veilig,' zei Karim, waarna ze binnen het bereik van de bewegingsdetector schuifelden.

Het alarm ging af, loeide door de gang. Beveiligingsmensen renden door de gang met hun machinepistolen op scherp.

'Karim!' riep Arsenov.

'Een valstrik!' jammerde Karim. 'Iemand heeft de draden omgewisseld.'

Een paar minuten daarvoor draaiden Bourne en Khan zich langzaam om naar de Amerikaanse beveiligingsbeambte. Hij droeg een werktenue van het leger met gevechtsuitrusting. Hij deed een stap dichterbij en tuurde naar hun ID-pasjes. Hij ontspande zich een beetje, stak zijn machinepistool in de lucht, maar bleef fronsen.

'Wat moeten jullie hier?'

'Onderhoudscontrole,' antwoordde Bourne. Hij dacht terug aan het busje van Reykjavik Energie dat hij het hotel in had zien rijden en aan de informatie die hij van Oszkar had gekregen. 'Het thermale verwarmingssysteem is ontkoppeld. We moeten de mensen van het energiebedrijf een handje helpen.'

'Dan zitten jullie helemaal verkeerd,' zei de bewaker, wijzend. 'Je moet helemaal terug zoals je bent gekomen, en dan twee keer naar links.'

'Dankjewel,' zei Khan. 'We waren verdwaald. We komen meestal nooit in dit gedeelte.'

Toen ze zich omdraaiden, liet Bourne zich op de grond vallen. Hij kreunde hard.

'Mijn god,' riep de bewaker.

Khan knielde naast Bourne neer en maakte zijn hemd open.

'Jezus christus!' riep de bewaker, die zich vooroverboog en Bournes gewonde torso zag. 'Wat is er met hem gebeurd?'

Khan greep de bewaker bij zijn kraag, trok hem naar zich toe en sloeg zijn hoofd zijdelings tegen de betonnen vloer. Toen Bourne opstond, trok Khan de kleren van de bewaker uit.

'Hij heeft meer jouw maat,' zei Khan, toen hij Bourne het legeruniform aangaf.

Bourne trok het uniform aan terwijl Khan de bewusteloze bewaker wegsleepte.

Op dat moment ging het alarm af van de bewegingsdetector en renden ze naar het knooppunt.

De mensen van de beveiliging waren goedgetraind en de dienstdoende Amerikaanse en Arabische bewakers werkten wonderlijk genoeg perfect samen. Elk type detector had een eigen alarm, dus men wist meteen dat er een bewegingsdetector afging, en ook precies waar. Ze stonden onder hoogspanning en zo vlak voor de top hadden ze de opdracht gekregen eerst te schieten en pas dan vragen te stellen.

Al rennend schoten ze dwars door het rooster met hun automatische pistolen. De helft van hen schoot de magazijnen helemaal leeg op het verdachte gebied. De andere helft stond in afwachting toe te kijken terwijl anderen met een koevoet het rooster loswrikten. Ze vonden drie lijken, twee mannen en een vrouw. Een van de Amerikanen waarschuwde Hull; een Arabische bewaker nam contact op met Feyd al-Saoud.

Ondertussen waren er meer bewakers aangekomen uit andere delen van de verdieping om hulp te bieden.

Twee bewakers klommen de luchtschacht in en toen werd vastgesteld dat er niet nog meer terroristen waren, zetten ze het gebied af. Anderen sleepten de drie doorzeefde lijken de schacht uit. Ook de spullen die Karim had gebruikt, en nog iets wat op een tijdbom leek, werden naar buiten gesleept.

Jamie Hull en Feyd al-Saoud kwamen bijna tegelijk aan. Hull bekeek de situatie en belde zijn stafchef via het draadloze netwerk.

'Vanaf nu hebben we alarmfase rood. Er is een poging tot sabotage gedaan van het beveiligingssysteem. We hebben drie vijanden, ik herhaal, drie vijandelijke elementen uitgeschakeld. Sluit het hele hotel voor honderd procent af, niemand mag erin of eruit.' Zijn orders blaffend, zorgde hij ervoor dat zijn mannen hun alarmposities overal in het hotel innamen. Toen nam hij contact op met de Geheime Dienst, die bij de president en zijn staf was in de vleugel met overheidsdienaren.

Feyd al-Saoud bestudeerde op zijn hurken de lijken. Ze waren helemaal doorzeefd, maar hun bebloede gezichten waren nog intact. Hij scheen met een minuscule zaklamp in een van de gezichten. Toen strekte hij zijn arm en stak zijn wijsvinger in het oog van een van de mannen. Zijn vingertop kwam blauw terug: de man had bruine ogen.

Een van de FSB-mannen had blijkbaar Karpov gewaarschuwd, want het hoofd van de Alfa-eenheid kwam lomp aangelopen. Hij was buiten adem en Feyd al-Saoud vermoedde dat hij de hele weg gerend had.

Samen met Hull lichtte Feyd al-Saoud de Rus in over het gebeurde. Hij stak zijn vingertop naar hem toe. 'Ze droegen gekleurde contactlenzen, en kijk, ze hebben hun haren geverfd zodat ze IJslanders leken.'

Karpov keek ernstig toe. 'Deze ken ik,' zei hij terwijl hij een trap gaf tegen een van de dode mannen. 'Dit is Akhmed, een van de belangrijkste luitenanten van Hassan Arsenov.'

'De Tsjetsjeense terroristenleider?' zei Hull. 'Neem dan maar snel contact op met je president, Boris.'

Karpov stond op, hield zijn vuisten op zijn heupen. 'Ik wil weten waar Arsenov is.'

'Het ziet ernaar uit dat we te laat zijn,' zei Khan vanachter een stalen zuil toen hij de twee hoofden van de veiligheidsdienst zag toesnellen, 'alleen zie ik Spalko nog nergens.'

'Misschien wil hijzelf geen risico nemen en blijft hij buiten het hotel,' opperde Bourne.

Khan schudde zijn hoofd. 'Ik ken hem. Hij is een egotripper en een perfectionist. Nee, hij moet ergens in het hotel zijn.'

'Maar niet hier, kennelijk,' zei Bourne peinzend. Hij zag de Rus die naar Jamie Hull en de Arabische veiligheidschef rende. Het vlakke, grove gezicht, die borstelige, gefronste wenkbrauwen. Toen hij zijn stem hoorde, zei hij: 'Ik ken hem ergens van. Die Rus.'

'Dat verbaast me niet. Ik ken hem ook,' zei Khan. 'Boris Illyich Karpov, hoofd van de elite-eenheid Alpha van de FSB.'

'Ik bedoel, ik ken hem persoonlijk.'

'Hoezo, waarvan?'

'Dat weet ik niet,' zei Bourne. 'Als vriend of vijand?' Hij sloeg met zijn vuisten op zijn voorhoofd. 'Ik kan het me niet herinneren.'

Khan ging bij hem staan en zag Bournes gekweldheid. Hij voelde een gevaarlijke neiging zijn arm om zijn schouders te leggen. Gevaarlijk, omdat hij niet wist waar dit gebaar toe leiden kon of wat het zou kunnen betekenen. Hij voelde zijn leven verder uit elkaar vallen, een proces dat was begonnen sinds Bourne naast hem was gaan zitten in het park en had gevraagd: '*Wie ben je?*' Toen had Khan nog een antwoord op die vraag; nu wist hij het niet meer. Was alles waarin hij had geloofd of dacht te geloven, een leugen geweest?

Khan vluchtte voor deze verontrustende gedachten door vast te houden aan wat hij en Bourne wél wisten. 'Ik maak me zorgen over dat wapen,' zei hij. 'De neergeschoten terroristen wilden een tijdbom plaatsen. Jij zei dat Spalko iets wilde doen met de bioverstuiver van dr. Schiffer.'

Bourne knikte. 'Het lijkt mij een klassieke afleidingsmanoeuvre, alleen is het nog zo vroeg, net na middernacht. De top begint pas over acht uur.'

'Daarom gebruiken ze nu juist een tijdbom.'

'Ja, maar waarom wilden ze die nú plaatsen, zo vroeg al?' vroeg Bourne.

'Minder beveiliging,' legde Khan uit.

'Dat klopt, maar ook meer kans om te worden ontdekt op routinecontroles van de beveiligingsdienst.' Bourne schudde zijn hoofd. 'We zien iets over het hoofd, ik voel het. Spalko voert iets anders in zijn schild. Maar wat?'

Spalko, Zina en de rest van het kader waren op hun bestemming aangekomen. Hier, ver van het gedeelte van het hotel waar de conferentie zou worden gehouden, zaten gaten in de voor het overige strenge beveiliging, waar Spalko zijn voordeel mee deed. Er liepen weliswaar veel veiligheidsagenten rond, maar die konden niet overal tegelijk zijn, en door twee bewakers uit te schakelen waren Spalko en zijn team snel waar ze moesten zijn.

Er waren drie verdiepingen onder straatniveau in een enorme betonnen raamloze ruimte, geheel afgesloten op één deur na. Talloze enorme zwarte buizen liepen langs de betonnen muur aan de andere kant van de ruimte, elk gelabeld met het deel van het hotel waar de buis naartoe liep.

Het kader pakte hun HAZMAT-pakken uit en trok die aan, ze nauwkeurig afsluitend. Twee van de Tsjetsjeense vrouwen liepen door de gang en hielden de wacht buiten bij de deur, een mannelijke rebel gaf hen van binnenuit dekking.

Spalko opende de grootste van de twee kisten die hij bij zich had. Daarin zat de NX 20. Voorzichtig zette hij de twee stukken op elkaar en controleerde hij of ze goed vastzaten. Hij overhandigde het wapen aan Zina terwijl hij Peter Sido's vrieskoffertje opende. De flacon die daarin zat was piepklein. Ook al hadden ze in Nairobi het effect ervan gezien, het was nauwelijks te geloven dat zo'n kleine hoeveelheid van het virus zoveel mensen kon doden.

Net zoals hij in Nairobi had gedaan, opende hij de projectielkamer van de verstuiver en stopte daar de flacon in. Vervolgens sloot hij die kamer af, pakte de NX 20 van Zina over en kromde zijn vinger om de kleine trekker. Als hij die overhaalde zou het virus, nog steeds verpakt in de glazen flacon, in de vuurkamer worden geïnjecteerd. Daarna hoefde hij alleen maar op de veiligheidsknop aan de zijkant van de geweerlade te drukken, die de vuurkamer blokkeerde, correct te richten en de grote trekker over te halen.

Hij wiegde de bioverstuiver in zijn armen zoals Zina had gedaan. Dit wapen verdiende respect, zelfs van hem.

Hij keek Zina in haar ogen, die straalden van liefde voor hem en haar vaderland. 'Dan wachten we nu tot het sensoralarm afgaat,' zei hij.

Ze hoorden het afgaan, een zwak, maar onmiskenbaar geluid dat door de kale betonnen gangen werd versterkt. De Sjeik en Zina keken elkaar glimlachend aan. Hij voelde de spanning in de ruimte oplopen, die nog eens werd verhoogd door gerechtvaardigde woede en het vooruitzicht op de verlossing die hun zo lang onthouden was.

'Het moment is aangebroken,' zei hij. Ze luisterden naar hem en reageerden allen. Hij hoorde hen al bijna juichen.

Terwijl de niet tegen te houden kracht van het lot hem verder dreef, haalde de Sjeik de kleine trekker over en met een onheilspellend geruis werd de lading vastgeklikt in de vuurkamer, in afwachting van het moment van afvuren.

29

'Het zijn allemaal Tsjetsjenen, of niet, Boris?' vroeg Hull.

Karpov knikte. 'Volgens onze gegevens zijn het leden van de terroristische groepering rondom Hassan Arsenov.'

'Een overwinning voor de goede zaak,' jubelde Hull.

Feyd al-Saoud, die stond te huiveren in de kou, zei: 'Met de hoeveelheid C4 in de tijdbom hadden ze praktisch de hele dragende constructie kunnen opblazen. De conferentiezaal zou onder zijn eigen gewicht bezwijken; alle aanwezigen zouden omkomen.'

'Gelukkig maar dat onze bewegingsdetector afging,' zei Hull.

Na een paar minuten werd Karpovs aangeboren frons nog dieper, toen hij zich dezelfde vraag stelde als Bourne. 'Waarom plaatsten ze die bom zo vroeg? De kans was groot dat we hem op tijd hadden ontdekt.'

Feyd al-Saoud wendde zich tot een van zijn mannen. 'Kan de verwarming niet wat hoger? We zijn hier nog wel even en ik heb het nu al koud.'

'Nu weet ik het!' zei Bourne, die zich tot Khan wendde. Hij pakte zijn laptop, zette die aan en zocht naar een van de schematische weergaven. Toen hij die had gevonden, stippelde hij een route uit vanwaar ze waren tot aan het hoofdgebouw van het hotel. Hij klapte de computer weer in en zei: 'Kom, laten we gaan.'

'Waar gaan we naartoe?' vroeg Khan toen ze door de doolhof van de kelderverdieping liepen.

'Denk eens na. We zagen een busje van Reykjavik Energie het hotel in rijden; het hotel wordt verwarmd door het thermale systeem waar de hele stad op is aangesloten.'

'Dus daarom stuurde Spalko die Tsjetsjenen naar die ondergrondse HVAC-centrale,' zei Khan terwijl ze de hoek omgingen. 'Het was de bedoeling dat het plaatsen van die bom zou mislukken. We hadden gelijk, het was een afleidingsmanoeuvre, maar het leidde niet af van morgen, als de top gaat beginnen, maar van dit moment. Hij gaat de bioverstuiver nu activeren!'

'Precies,' zei Bourne. 'En niet via de ondergrondse HVAC-centrale. Zijn doel is het knooppunt van het thermale verwarmingssysteem. Op dit tijdstip bevinden alle regeringsfunctionarissen zich op hun kamer, precies waar hij het virus gaat verspreiden.'

'Er komt iemand aan,' siste een van de vrouwelijke kaderleden.

'Maak hem af,' beval de Sjeik.

'Maar het is Hassan Arsenov!' riep de andere vrouwelijke bewaker.

Spalko en Zina keken elkaar geschrokken aan. Wat was er misgegaan? Het sensoralarm was afgegaan, en kort daarna hoorden ze de geruststellende schoten van de bewaking. Hoe had Arsenov kunnen ontsnappen?

'Ik zei: maak hem af!' riep Spalko.

Wat Arsenov plaagde, wat hem deed omdraaien op het moment dat hij de valstrik rook, wat hem redde van de plotselinge dood die zijn landgenoten had getroffen, was de angst die in hem loerde, die hem in die week nachtmerries had bezorgd. Hij dacht dat het zijn schuldgevoel was om het verraad van Khalid Murat – het schuldgevoel van een held die ten behoeve van zijn volk een moeilijke keuze had gemaakt. Maar de waarheid was dat zijn angst te maken had met Zina. Hij was niet in staat geweest om te zien hoe ze zich terugtrok, zag niet haar geleidelijke, maar onverbiddelijke emotionele afstand die haar, achteraf gezien, ijskoud had gemaakt. Al een tijdje ontglipte zij hem, maar tot voor kort weigerde hij dat onder ogen te zien. Akhmeds onthulling had alles duidelijk gemaakt. Ze leefde achter een glazen muur, hield altijd een deel van haarzelf verborgen. Dat deel kon hij niet raken, en het leek hem dat hoe meer hij het probeerde, hoe verder ze van hem afdreef.

Zina hield niet van hem – hij vroeg zich af of ze dat ooit had gedaan. Zelfs als hun missie een succes zou worden, zouden ze geen toekomst samen hebben, geen kinderen krijgen. Wat een farce was hun laatste intieme gesprek geweest!

Plotseling schaamde hij zich dood. Hij was een lafaard – hij hield meer van haar dan van zijn vrijheid, want zonder haar zou hij geen vrijheid hebben. In het licht van haar verraad zou de overwinning de smaak hebben van as.

Terwijl hij door de koude gang liep naar de centrale van de thermale verwarming zag hij een van zijn eigen mensen haar machinepistool op hem gericht houden, alsof ze hem ging neerschieten. Misschien zag ze in haar HAZMAT-pak niet wie eraan kwam.

'Stop! Niet schieten!' riep hij. 'Ik ben het, Hassan!'

Eén kogel uit haar openingssalvo raakte zijn linkerarm. Hevig geschrokken tolde hij rond en dook de hoek om, veilig beschermd tegen de dodelijke kogelregen.

In de plotselinge waanzin van het moment was er geen tijd om vragen te stellen of te speculeren. Hij hoorde opnieuw mitrailleurvuur, maar niet in zijn richting. De hoek om kijkend zag hij dat de twee vrouwen die zich tegen hem gekeerd hadden, gehurkt door de gang sluipend op twee andere personen schoten.

Arsenov stond op, maakte gebruik van de algehele verwarring en liep naar de deur van de thermale verwarmingscentrale.

Spalko hoorde het mitrailleurvuur en zei: 'Zina, dat kan niet alleen Arsenov zijn.'

Zina slingerde haar machinepistool van haar schouder, knikte naar de bewaker, die haar een tweede wapen gaf.

Achter hen liep Spalko naar de muur waartegen de verwarmingsbuizen liepen. In elke buis zat een ventiel en daarnaast was een meter die de druk aangaf. Hij vond de buis die naar de vleugel liep van de regeringsfunctionarissen en schroefde het ventiel los.

Hassan Arsenov besefte dat het de bedoeling was, dat hij met de anderen bij de ondergrondse HVAC-centrale was omgekomen. *'Een valstrik! Iemand heeft de draden omgewisseld!'* had Karim nog geroepen vlak voor zijn dood. Spalko had dat gedaan; het ging hem niet alleen om de afleidingsmanoeuvre, zoals hij hun had verteld, hij had ook een zondebok nodig – mensen wier dood belangrijk genoeg was om de veiligheidsdienst nog een tijdje bezig te houden, zodat Spalko zijn werkelijke doel kon bereiken en het virus kon verspreiden. Spalko had hem belazerd, dat wist Arsenov nu wel zeker, en Zina spande met hem samen.

Wat kan liefde snel omslaan; de overgang naar haat geschiedt in minder dan een seconde. Nu hadden ze zich allemaal tegen hem gekeerd, al zijn landgenoten, de mannen en vrouwen met wie hij samen had gevochten, met wie hij had gelachen en gehuild, tot Allah had gebeden, die hetzelfde doel voor ogen hadden als hij. Tsjetsjenen! Allemaal gecorrumpeerd door de macht en giftige charme van Stepan Spalko.

Zo kreeg Khalid Murat achteraf dan toch gelijk. Hij had Spalko niet vertrouwd, hij zou nooit zo ver zijn meegegaan in diens waanzinnige plan. Arsenov had hem ooit ouderwets genoemd, te voorzichtig, iemand die de nieuwe wereld niet begreep. Maar nu besefte hij wat Khalid Murat zeker wist: dat die nieuwe wereld niet meer was dan de illusie van een egotripper die zichzelf de Sjeik noemde. Arsenov geloofde in zijn droombeeld omdat hij wilde dat het waar was. Spalko had van die zwakte gebruikgemaakt. Maar dat was nu afgelopen, zwoer Arsenov. Afgelopen! Als hij vandaag moest sterven, dan zou dat zijn onder zijn eigen voorwaarden, en niet als een schaap in Stepan Spalko's slachthuis.

Hij sloop langs de muur naar het einde van de gang, haalde diep adem, en toen hij die uitblies, dook hij langs de open deur. Het mitrailleurvuur dat daarop ontstond, vertelde hem alles wat hij moest weten. Hij rolde verder over de betonnen vloer en kroop over zijn buik door de deuropening. Hij zag de bewaker, richtte zijn machinepistool en schoot hem vier keer in de borst.

Toen Bourne de twee terroristen in hun HAZMAT-pakken achter een betonnen zuil zag, om de beurt schietend met hun machinepistolen, werd hij vanbinnen ijskoud. Hij en Khan sloegen de hoek om van een T-splitsing en schoten terug.

'Spalko is in die ruimte met het biowapen,' zei Bourne. 'We moeten daar nu binnen zien te komen.'

'Maar dan moet eerst hun munitie op zijn.' Khan keek achterom. 'Herinner je je die bouwtekeningen nog? Weet je nog wat er in het plafond zat?'

Bourne knikte terwijl hij bleef schieten.

'Een toegangsluik van ongeveer zestig centimeter breed. Ik heb extra dekking nodig.'

Bourne loste nog een salvo voordat hij zich met Khan terugtrok.

'Kun je vandaar iets zien?' vroeg hij.

Khan knikte naar zijn wonderjasje. 'Ik heb hier onder andere een penlampje in zitten, in mijn mouw.'

Met het machinepistool onder zijn arm maakte Bourne een opstapje met zijn handen waar Khan zijn voet in zette. Zijn botten leken onder het gewicht te kraken en de gespannen spieren van zijn schouder leken in brand te staan.

Toen schoof Khan het plafondelement weg en hees hij zichzelf door het luik.

'Tijd?' vroeg Bourne.

'Vijftien seconden,' antwoordde Khan terwijl hij verdween.

Bourne draaide zich om. Hij telde tot tien, en ging toen de hoek om met ratelend machinepistool. Maar vrijwel onmiddellijk hield hij daarmee op. Hij voelde zijn hart pijnlijk tegen zijn ribben aan kloppen. De twee Tsjetsjenen hadden hun HAZMAT-pakken uitgedaan. Ze waren vanachter de zuil tevoorschijn gekomen en stonden voor hem. Het waren twee vrouwen, en om hun middel zat een gordel met pakketjes van C4-explosieven.

'Jezus christus!' riep Bourne. 'Khan, ze dragen zelfmoordgordels!'

Op dat moment viel het licht uit. Khan had in de leiding boven hem de elektriciteitsdraden doorgeknipt.

Arsenov stond op en sprintte meteen nadat hij had geschoten naar voren. Hij rende naar de centrale, ving de bewaker in zijn val op. Er waren nog twee personen in dezelfde ruimte: Spalko en Zina. Hij gebruikte de dode bewaker als zijn schild en schoot naar de persoon die in beide handen een machinepistool vasthield. Zina! Maar ze had de trekkers al overgehaald en raakte hem terwijl hij achteroverwankelde. Het geconcentreerde mitrailleurvuur ging dwars door het lijk van de bewaker.

Arsenovs ogen stonden wijd open; hij voelde een stekende pijn in zijn borst, daarna een vreemd gevoel van stijfheid. Het licht ging knipperend uit en hij lag op de grond, zijn adem reutelde uit zijn met bloed gevulde longen. Als in een droom hoorde hij Zina schreeuwen en hij huilde om al zijn dromen, om een toekomst die hij niet meer had. Met een laatste zucht eindigde zijn leven zoals hij het geleefd had: in tegenspoed, met veel geweld en pijn.

Er viel een onheilspellende, dodelijke stilte in de hal. De tijd leek stil te staan. Bourne richtte zijn wapen in de duisternis en luisterde naar de zachte, hijgende ademhaling van de menselijke bommen. Hun angst en vastberadenheid waren haast tastbaar. Als ze ook maar dachten dat hij een stap in hun richting zou doen of als ze Khan boven het plafond ontdekten, dan zouden ze meteen de explosieven om hun middel laten ontploffen.

Hij luisterde geconcentreerd en hoorde twee heel zachte tikjes boven zijn hoofd. Het geluid stierf snel weg. Het was Khan boven bij de elektriciteitsleiding. Hij wist dat er vlak bij de deur naar de thermale verwarmingscentrale nog een luik zat, en vermoedde wat Khan van plan was. Het zou van hen beiden stalen zenuwen en een zeer vaste hand vereisen. De AR-15 die hij bij zich had, had een korte loop, maar het nadeel van een lichte onnauwkeurigheid werd ruimschoots goedgemaakt door de enorme vuurkracht. Er ging een kogel in van het kaliber .223, die uit de loop gespuugd werd met een snelheid van meer dan zevenhonderd meter per seconde. Tijgerend kwam hij geluidloos dichterbij en bevroor toen hij een lichte verplaatsing in de duisternis waarnam. Zijn hart klopte in zijn keel. Hij hoorde iets, een gesis, gefluister, voetstappen? Het werd weer helemaal stil. Hij hield zijn adem in en concentreerde zich op het gericht houden van zijn AR-15.

Waar was Spalko? Had hij het biowapen al geladen? Zou hij blijven om zijn missie af te maken, of zou hij ermee ophouden en vluchten? Hij wist het niet en schoof deze beangstigende vragen daarom maar terzijde. Hij moest zich concentreren en tegen zichzelf zeggen: *Ontspan je, adem diep en gelijkmatig terwijl je in je alfaritme komt, terwijl je één wordt met je wapen.*

Toen zag hij het. Khans zaklampje. Het bescheen het gezicht van een vrouw, verblindde haar. Hij had geen tijd om na te denken. Zijn vinger zat gekromd om de trekker en zijn instinct kwam natuurlijk en adequaat in actie. Het schot verlichtte in een flits de gang. Hij zag het gezicht van de vrouw, uiteengespat in een poel van bloed, stukjes bot en hersens.

Hij stond op, rende naar voren op zoek naar de andere vrouw. Toen de lichten aan knipperden zag hij de tweede menselijke bom naast de andere liggen, haar keel doorgesneden. Even later sprong Khan uit het onderhoudsluik en liepen ze samen naar de verwarmingscentrale.

Even daarvoor, in de duisternis die naar bloed en kruit rook, viel Spalko op zijn knieën en zocht hij tastend naar Zina. De duisternis had hem verslagen. Zonder licht kon hij de loop van de NX 20 niet exact aansluiten op het ventiel van het verwarmingssysteem.

Met zijn uitgestrekte hand tastte hij over de vloer. Hij had geen aandacht aan haar besteed, wist niet precies meer wat haar positie was, en bovendien had ze zich verplaatst toen Arsenov de deur had ingetrapt. Het was slim van hem geweest om het menselijke schild te gebruiken, maar Zina was slimmer en had hem neergelegd. Maar zij leefde nog, hij had haar geschreeuw gehoord.

Hij wachtte in het besef dat de menselijke bommen die hij had ingezet hem zouden beschermen tegen welke indringer ook. Bourne? Khan? Hij schaamde zich dat hij bang was voor de onbekende in de gang. Wie het ook was, hij had zijn afleidingsmanoeuvre doorzien, en zijn gedachtegang geraden over de kwetsbaarheid van het thermale verwarmingssysteem. Hij begon steeds meer in paniek te raken en was blij toen hij Zina ergens reutelend hoorde ademen. Hij kroop snel naar haar toe door de plas van kleverig bloed waarin ze lag.

Haar haren waren nat en sliertig toen hij haar wang kuste. 'Mooie Zina,' fluisterde hij in haar oor. 'Mooie, sterke Zina.'

Hij voelde hoe haar lichaam sidderde en ineens werd hij doodsbang. 'Zina, niet doodgaan. Je mag niet doodgaan.' Toen proefde hij haar zilte tranen op haar wangen en wist hij dat ze huilde. Haar borst rees en daalde in het ritme van haar onregelmatige snikken.

'Zina' – hij kuste haar tranen weg – 'je moet sterk zijn, sterker dan ooit.' Hij nam haar teder in zijn armen en voelde hoe ze langzaam haar armen om hem heen sloeg.

'Dit is het moment van onze grootste triomf.' Hij maakte zich van haar los en duwde de NX 20 in haar armen. 'Kijk eens, ik heb jou uitgekozen om het wapen af te vuren, om de toekomst in te luiden.'

Ze kon niets zeggen. Alleen op die manier kon ze blijven ademen. Alweer vervloekte hij de duisternis, want hij kon haar ogen niet zien, wist niet zeker of hij haar had overtuigd. Hij moest het er maar op wagen. Hij pakte haar handen en zette haar linkerhand tegen de loop van de bioverstuiver aan en haar rechterhand bij de veiligheidsknop tegen de geweerlade. Toen zette hij haar wijsvinger tegen de grote trekker aan.

'Je hoeft hem alleen maar over te halen,' fluisterde hij. 'Maar nu nog niet. Ik heb tijd nodig.'

Ja, tijd had hij nodig om te ontsnappen. Hij zat gevangen in het donker, een omstandigheid waar hij geen rekening mee had gehouden. En nu kon hij niet eens de NX 20 meenemen. Hij zou zo hard als hij kon moeten rennen, en daar kon het wapen, dat had Schiffer duidelijk uitgelegd, niet tegen wanneer het was geladen. De lading en de flacon waren veel te kwetsbaar.

'Zina, dat wil je toch wel doen, of niet?' Hij kuste haar wangen. 'Je hebt zoveel kracht in je, ik ken je.' Ze probeerde iets te zeggen, maar hij hield een hand voor haar mond, bang dat zijn onbekende achtervolgers haar verstikte gekerm konden horen. 'Ik blijf bij je, Zina. Onthoud dat.'

Toen glipte hij weg, zo langzaam en zachtjes dat het haar verstoorde zintuigen ontging. Hij draaide zich van haar af en struikelde daarbij over het lijk van Arsenov, waarbij hij zijn HAZMAT-pak scheurde. Even kwam een nieuwe angst in hem op, dat hij hier vastzat terwijl Zina de trekker overhaalde, zodat het virus hem door de scheur in zijn pak infecteerde. Hij zag de ramp weer voor zich die hij in Nairobi had aangericht, scherp en in detail.

Toen beheerste hij zich weer en besloot hij het lastige pak maar helemaal uit te trekken. Stil als een kat sloop hij naar de deur en liep de gang in. De menselijke bommen zagen hem meteen en gingen gespannen rechtop staan.

'La illaha ill Allah,' fluisterde hij.

'La illaha ill Allah,' fluisterden zij terug.
Toen maakte hij zich in de duisternis uit de voeten.

Ze zagen het allebei meteen: de botte, lelijke loop van de bioverstuiver van dr. Felix Schiffer was op hen gericht. Bourne en Khan stonden als verstijfd.

'Spalko is gevlucht. Dit is zijn HAZMAT-pak,' zei Bourne. 'Deze centrale heeft maar één ingang.' Hij dacht aan het geruis dat hij had opgevangen, het gefluister, de steelse voetstappen die hij dacht te horen. 'Hij moet hem in het donker zijn gesmeerd.'

'Ik weet wie dit is,' zei Khan. 'Hassan Arsenov, maar die vrouw met die mitrailleur ken ik niet.'

De vrouwelijke terrorist lag half rechtop tegen het lijk van de andere terrorist. Hoe ze zich in deze positie had kunnen slepen konden ze geen van beiden zeggen. Ze was zwaar, misschien wel dodelijk gewond, dat was zo op het oog niet helemaal duidelijk. Ze keek naar hen vanuit een wereld vol pijn, en Bourne kon zien dat dat meer was dan alleen fysieke pijn.

Khan had een kalisnikov van een van de menselijke bommen gepakt en richtte die op de vrouw. 'Je kunt niet ontsnappen,' zei hij.

Bourne, die alleen maar naar haar ogen had gekeken, deed een stap naar voren en duwde de kalisnikov omlaag. 'Er is altijd een manier om te ontsnappen,' zei hij.

Hij hurkte bij haar neer zodat hij haar op gelijke hoogte kon aankijken. Zonder zijn blik van haar af te wenden zei hij: 'Kun je iets zeggen? Kun je me vertellen hoe je heet?'

Even bleef het stil, en Bourne dwong zich om in haar ogen te blijven kijken, en niet naar haar vinger die strak om de trekker was gekromd.

Eindelijk deed ze met trillende lippen haar mond open. Haar tanden klapperden, er ontsnapte een traan die van haar vuile wang rolde.

'Wat maakt het uit hoe ze heet?' Khans stem klonk vol verachting. 'Dit is geen mens; ze hebben een moordmachine van haar gemaakt.'

'Khan, dat kan men ook van jou zeggen.' Bournes stem klonk zo zacht dat dit duidelijk geen verwijt was, maar meer een constatering waar zijn zoon nog nooit bij had stilgestaan.

Hij richtte zijn aandacht weer op de terroriste. 'Het is belangrijk dat je me zegt hoe je heet.'

Met veel moeite kreeg ze haar mond open en rochelend en reutelend bracht ze 'Zina' uit.

'Welaan, Zina, het spel is bijna afgelopen,' zei Bourne. 'Er valt niets meer te winnen, alleen leven en dood. Zo te zien heb jij al gekozen voor de dood. Als je de trekker overhaalt, ga je in alle glorie naar de hemel en word je een *houri*. Maar ik betwijfel of dat ook gebeurt. Want wat laat je achter? Dode landgenoten, van wie je er minstens één zelf hebt neergeschoten. En dan is er nog Stepan Spalko. Waar is die toch gebleven? vraag ik me af. Doet er nu niet toe. Het punt is, dat hij je op een cruciaal moment heeft laten zitten.

Hij liet je achter om te sterven, Zina, terwijl hij zelf gevlucht is. Dus volgens mij moet je je afvragen als je die trekker overhaalt, of je naar de hemel gaat of naar beneden wordt gestuurd, omdat Mounkir en Nekir, de Vragenstellers, vinden dat je ongeschikt bent. Als je nadenkt over je leven, Zina, en ze vragen je: "Wie is jouw schepper? Wie is jouw Profeet?" kun je dan antwoord geven? Alleen de deugdzamen kennen het antwoord, zoals je weet.'

Zina huilde nu openlijk en haar borstkas ging hortend en stotend op en neer. Bourne was bang dat ze door een verkeerde beweging per ongeluk de trekker zou overhalen. Als hij haar wilde vastpakken, moest hij dat nu doen.

'Als je die trekker overhaalt, als je kiest voor de dood, kun je hen niet antwoorden. Dat weet je. Je bent verlaten en verraden, Zina, door je naasten. En jij hebt hén verraden. Maar het is niet te laat. Er bestaat zoiets als verlossing; je kunt altijd ontsnappen.'

Op dat moment besefte Khan dat Bourne niet alleen tegen Zina, maar ook tegen hem sprak. Het gevoel dat hem dat gaf, leek op een elektrische schok. Het ging door heel zijn lijf totdat het vonkte in zijn ledematen en zijn hoofd. Hij voelde zich uitgekleed, eindelijk onthuld, en was nu alleen maar bang voor zichzelf. Zijn eigen authentieke persoonlijkheid die hij zoveel jaren geleden in de jungle van Zuidoost-Azië had begraven. Het was zo lang geleden dat hij niet meer precies wist waar of wanneer hij dat gedaan had. De waarheid was, dat hij een vreemde was voor zichzelf. Hij haatte zijn vader omdat die hem die waarheid had geopenbaard, maar hij kon niet langer ontkennen dat hij ook van hem hield.

Hij knielde neer, naast de man die hij erkende als zijn vader en legde de kalisnikov neer waar Zina hem kon zien, en reikte haar zijn hand.

'Hij heeft gelijk,' zei Khan met een geheel andere stem dan waarmee hij gewoonlijk sprak. 'Je kunt je zonden uit je verleden altijd weer goedmaken, de moorden die je hebt gepleegd, het verraad dat je hebt gepleegd aan mensen die jou liefhadden zonder dat je dat misschien wist.'

Uiterst traag stak hij zijn hand uit totdat die op de hare lag. Langzaam en voorzichtig wrikte hij haar wijsvinger los van de trekker. Ze ontspande en stond toe dat ze het wapen uit haar zinloze greep trokken.

'Dankjewel, Zina,' zei Bourne. 'Khan zorgt nu verder voor je.' Hij stond op, gaf zijn zoon een kneepje in zijn schouders, draaide zich om en ging snel en geruisloos Spalko achterna.

30

Stepan Spalko rende door de kale betonnen gang met Bournes keramische pistool in zijn hand. Hij wist dat alle veiligheidsagenten naar het hoofdgebouw van het hotel zouden rennen wanneer ze schoten hoorden. Vóór hem zag hij de Saoedische veiligheidschef Feyd al-Saoud met twee van zijn mannen. Hij dook weg. Ze hadden hem nog niet gezien en hij wilde hen verrassen, hij wachtte tot ze dichterbij waren, en schoot ze neer voordat ze hadden kunnen reageren.

Ademloos stond hij een moment naar de neergeschoten mannen te kijken. Feyd al-Saoud kreunde en Spalko schoot hem van dichtbij nog eens door zijn hoofd. De Arabische veiligheidschef stuiptrekte en bleef daarna stil liggen. Snel pakte Spalko het ID-pasje van een van zijn mannen, trok het uniform aan van de man en deed zijn gekleurde contactlenzen uit. Terwijl hij hiermee bezig was keerden zijn gedachten onherroepelijk terug naar Zina. Ze was onverschrokken, dat zeker, maar haar fanatieke loyaliteit aan hem was tegelijk haar zwakke plek. Ze had hem tegen iedereen beschermd – vooral tegen Arsenov. Ze had ervan genoten, dat zag hij. Maar hij zag ook dat haar ware passie naar hém uitging. Het was door deze liefde, deze verachtelijke opofferingsgezindheid, dat hij haar uiteindelijk verliet.

Haastige voetstappen achter hem brachten hem terug naar het heden en hij rende door. Zijn succesrijke ontmoeting met de Arabieren had een keerzijde, want ook al was hij nu uitstekend vermomd, hij had ook vertraging opgelopen, en nu hij een blik over zijn schouder wierp, zag hij iemand in een legeruniform en hij begon stevig te vloeken. Hij voelde zich als Ahab, die zijn wraakgodin achtervolgde, totdat, geheel onverwacht, zijn wraakgodin achter hem aanging. De man in het legerpak was Jason Bourne.

Bourne zag Spalko, nu gekleed in een uniform van de Arabische beveiligingsdienst, een trappenhuis in lopen. Hij sprong over de mannen die Spalko zojuist had neergeschoten en ging achter hem aan. Hij kwam aan in de chaos van de lobby. Eerder op die avond, toen hij en Khan het hotel binnengingen, heerste er in deze grote, glazen ruimte, die vrijwel leeg was, een ingehouden spanning. Nu krioelde het van de beveiligingsagenten die heen en weer renden. Het hotelpersoneel werd bij elkaar gedreven en onderverdeeld in groepen, afhankelijk van hun functie en waar ze voor het laatst in het hotel waren geweest. Beveiligingsbeambten waren al begonnen met hun tijdrovende ondervragingen. Ieder personeelslid moest al zijn handelingen van de afgelopen twee dagen verantwoorden. Een groep agenten liep naar de benedenverdieping of werd naar andere delen van het hotel gestuurd. Iedereen was druk in de weer; niemand had tijd om de twee mannen aan te houden die dwars door de menigte heen naar de uitgang liepen.

Het was ironisch hoe Spalko door de menigte liep, erin opging, er deel van uitmaakte. Even overwoog Bourne de beveiliging te waarschuwen, maar hij bedacht zich snel. Spalko zou ongetwijfeld gaan bluffen – Bourne was immers de internationaal door de CIA gezochte moordenaar. Spalko wist dit uiteraard, slimme architect die hij was van het gevaarlijke parket waarin Bourne zich bevond. *Nu staan we gelijk*, dacht hij, *twee kameleons in dezelfde vermomming waarmee ze hun ware identiteit verbergen voor de mensen om hen heen.* Het was vreemd en verontrustend om te beseffen dat op dit moment de internationale beveiligingsmacht een even grote vijand voor hem was als Spalko.

Toen hij buiten was zag Bourne meteen dat het hotel helemaal was afgesloten. Hij keek gefascineerd en geschrokken toe hoe Spalko naar de parkeergelegenheid liep van de verschillende veiligheidsdiensten. Hoewel die binnen de afzetting van het kordon was, lag het terrein er verlaten bij, want zelfs beveiligingspersoneel mocht niet naar binnen of naar buiten.

Bourne rende achter hem aan, maar verloor hem bijna meteen uit het oog tussen de vele voertuigen. Hij zette het op een rennen. Achter hem werd geschreeuwd. Hij trok het portier open van de eerste wagen die hij tegenkwam – een Amerikaanse Jeep. Hij trok het plastic kapje weg onder het stuur en rukte de bedrading daaronder los. Op dat moment werd een automotor gestart en zag hij Spalko in een gestolen wagen de parkeerplaats afrijden.

Er werd nu nog meer geschreeuwd en er stampten laarzen over het plaveisel. Er werd een paar keer geschoten. Bourne concentreerde zich op wat er gedaan moest worden, stripte twee draadjes en vlocht die aan elkaar. De motor van de Jeep kwam kuchend op gang.

Met piepende banden scheurde Bourne de parkeerplaats af en op hoge snelheid reed hij door de beveiligingspost.

Het was een maanloze nacht, maar eigenlijk was het ook geen echte nacht. Een zwakke duisternis hing boven Reykjavik; de zon, die laag aan de horizon stond, gaf de lucht de kleur van een oesterschelp. Bourne volgde Spalko's bochtige route door de stad en besefte dat ze naar het zuiden gingen.

Dat verbaasde hem, want hij had verwacht dat Spalko naar het vliegveld zou gaan. Uiteraard had hij een ontsnappingsplan, en daar kwam vast een vliegtuig in voor. Maar hij begon zijn tegenstander een beetje te kennen. Hij had al begrepen dat Spalko nooit de voor de hand liggende manier koos. Hij had een unieke geest, hoe logisch die ook dacht. Hij was een man van schijnbewegingen en onverwachte wendingen, iemand die zijn tegenstander liever in de val lokte dan meteen uitschakelde.

Welnu. Keflavik was dus uitgesloten. Te voor de hand liggend, moest Spalko hebben gedacht, te goed bewaakt om vandaar te kunnen ontsnappen. Bourne dacht terug aan de plattegrond op Oszkars laptop. Wat lag er ten zuiden van de stad? Hafnarfjördur, een vissersdorp dat te klein was om er te landen met het soort vliegtuig dat Spalko zou gebruiken. De kust! Ze waren immers op een eiland. Spalko ontsnapte per boot.

Op dit tijdstip was er nauwelijks verkeer, vooral niet toen ze eenmaal de stad uit waren. De wegen werden smaller en bochtiger door de heuvels die tegen de kliffen lagen. Toen Spalko een heel scherpe bocht nam, nam Bourne gas terug. Hij deed zijn koplampen uit, en scheurde al gas gevend door de bocht. Hij zag Spalko's wagen voor hem rijden, maar hoopte dat Spalko hem niet zag als hij in zijn achteruitkijkspiegel keek. Het was een risico om geen zicht te hebben wanneer hij een bocht omging, maar Bourne zag geen alternatief. Hij moest Spalko in de waan laten dat hij niet meer achtervolgd werd.

De afwezigheid van bomen gaf het landschap een zekere somberheid; de ijsblauwe bergen op de achtergrond gaven het idee dat het er eeuwig winter was en de tussenliggende felgroene vlakken maakten het landschap nog spookachtiger. De lucht was immens uitgestrekt en gevuld met de zwarte schaduwen van kustvogels, die zweefden of neerdoken in de lange valse dageraad. Terwijl hij naar ze keek voelde Bourne zich bevrijd uit de tombe van het hotel met al zijn doden. Ondanks de kou schoof hij het raampje open en ademde diep de frisse, zilte lucht in. Hij snoof een zoete geur op toen hij voorbij een golvend bloementapijt van een weiland reed.

De weg werd steeds smaller en liep af naar de zee. Bourne daalde af door een weelderig begroeide nauwe vallei en nam weer een bocht. De weg werd steiler en bochtiger in de afdaling van de klifwand. Hij zag Spalko, maar verloor hem weer uit het oog bij de volgende bocht. Hij maakte nu dezelfde bocht en zag de Noord-Atlantische Oceaan laag en dof in de loodgrijze dageraad glinsteren.

Spalko maakte weer een bocht en Bourne volgde hem. De volgende bocht kwam zo snel dat hij Spalko weer uit het oog verloor, en ondanks het extra risico gaf Bourne gas.

Hij maakte zich al op voor de volgende bocht toen hij het geluid hoorde. Het klonk zacht en vertrouwd boven het geruis van de wind uit, een schot uit zijn keramische pistool. Zijn linkervoorband klapte, de wagen begon te slingeren. Hij kon Spalko nog net zien. Met zijn pistool in zijn hand rende hij naar zijn auto. Toen veranderde zijn uitzicht en probeerde hij zijn Jeep onder controle te krijgen terwijl die gevaarlijk langs de rand van de weg slipte.

Hij schakelde terug, maar dat was niet voldoende. Hij moest de motor afzetten, maar dat kon niet zonder contactsleutel. De achterbanden slipten van de weg. Bourne maakte zijn riemen los en bleef zitten terwijl de Jeep naar de afgrond tolde. Hij leek te drijven, sloeg twee keer over de kop. Hij rook de zure, onmiskenbare lucht van oververhit metaal, vermengd met de penetrante geur van brandend plastic of rubber.

Hij sprong eruit en rolde weg vlak voordat de Jeep een uitstekend stuk rots ramde en ontplofte. Vlammen schoten de lucht in, en in het licht zag hij in de baai beneden hem een vissersboot het strand naderen.

Spalko reed als een bezetene de weg af naar het doodlopende eind van de baai. Hij keek om naar de brandende Jeep en zei tegen zichzelf: *Van Jason Bourne zijn we eindelijk af. Die is dood.* Maar nog niet vergeten, helaas. Bourne had zijn plan verijdeld en nu had hij geen NX 20 of Tsjetsjenen meer die hij kon gebruiken. Al die maanden van zorgvuldige voorbereiding waren voor niets geweest!

Hij stapte uit de auto en liep tussen de wrakstukken op het kiezelstrand. Er kwam een roeiboot aan, ook al was het vloed en lag de vissersboot dicht bij het strand. Hij had de kapitein gebeld nadat hij door de beveiligingspost van het hotel was gekomen. Alleen de kapitein en een stuurman waren aan boord. Toen de kapitein de roeiboot het strand op stuurde, klom hij erin. Vervolgens roeide de stuurman terug.

Spalko zat te roken en zei geen woord op deze korte, onplezierige tocht naar de vissersboot. Eenmaal aan boord zei hij: 'We vertrekken meteen, kapitein.'

'Maar hoezo, meneer Spalko?' vroeg de kapitein. 'Waar is de rest van de bemanning?'

Spalko greep de kapitein bij zijn kraag. 'Ik gaf een bevel, kapitein. Ik ga ervan uit dat je dat opvolgt.'

'Tot uw orders,' mompelde de kapitein met een woedende blik. 'Maar het duurt wel iets langer met deze minimale bemanning.'

'Schiet dan maar op, verdomme,' riep Spalko terwijl hij de kajuit in liep.

Het water was ijskoud en donker als de kelderverdieping van het hotel. Bourne wist dat hij zo snel mogelijk aan boord van de vissersboot moest komen. Dertig seconden nadat hij vanaf de kiezels in het water was gedoken, begonnen zijn vingers en tenen verdoofd te raken; dertig seconden daarna kon hij ze niet meer voelen.

De twee minuten die het hem kostte om aan boord te komen, waren de langste in zijn leven. Hij reikte naar een vettig stuk kabeltouw en hees zichzelf daaraan op uit de zee. Hij rilde in de wind, trok zich hand over hand aan het touw op.

Hij had een akelig gevoel van déjà vu. Met de geur van de zee in zijn neusgaten en het zeeschuim op zijn huid, leek het even dat hij niet in IJsland was, maar in de haven van Marseille; dat hij niet in een vissersboot klauterde en achter Stepan Spalko aan zat, maar stiekem aan boord ging van een plezierjacht om de internationale huurmoordenaar Carlos te executeren. Want in Marseille was zijn nachtmerrie begonnen, waar het gevecht tegen Carlos was geëindigd toen hij overboord werd geslingerd en door de combinatie van een schotwond en een bijna-verdrinkingsdood zijn herinnering aan zijn eigen leven had verloren.

Terwijl hij zich over de reling aan boord hees, werd hij overvallen door een bijna verlammend gevoel van angst. In exact dezelfde situatie als deze had hij gefaald. Hij voelde zich te kijk gezet, alsof die mislukking van hem was af te lezen. Bijna viel hij om, maar toen zag hij Khan voor zich en herinnerde hij zich wat hij hem ooit onder hoogspanning had gevraagd: '*Wie ben je?*' Want het scheen hem nu toe dat Khan dat niet wist, en als Bourne er niet zou zijn om hem te helpen bij het vinden van zijn identiteit, kon niemand dat. Hij dacht terug aan Khan, aan hoe hij op zijn knieën in de thermale verwarmingscentrale zat, en hij begreep dat hij niet alleen zijn kalisnikov had neergelegd, maar ook zijn innerlijke woede.

Bourne haalde diep adem, richtte zijn aandacht op wat hem te doen stond en kroop over het dek. De kapitein en zijn stuurman waren druk bezig in de stuurhut, en het kostte hem weinig moeite hen bewusteloos te slaan. Er was genoeg touw aanwezig om hen met hun ruggen tegen elkaar vast te binden. Toen hoorde hij Spalko achter zich zeggen: 'En zoek ook voor jezelf een stuk touw uit.'

Bourne zat gehurkt. De twee zeelui lagen op hun zij met hun ruggen tegen elkaar. Zonder dat Spalko het kon zien haalde Bourne zijn stiletto tevoorschijn. Onmiddellijk besefte hij dat hij een fatale fout had gemaakt. De stuurman lag met zijn rug naar hem toe, maar de kapitein niet, en deze zag duidelijk dat hij was bewapend. Hij keek Bourne aan, maar gaf vreemd genoeg geen enkel teken om Spalko te waarschuwen. Integendeel, hij deed alsof hij sliep.

'Ga staan en draai je om,' beval Spalko.

Bourne deed wat hem werd opgedragen en hield zijn rechterhand verborgen achter zijn dijbeen. Spalko stond wijdbeens op het dek in een pas gestreken spijkerbroek en zwarte coltrui, en hield Bournes keramische pistool op hem gericht. En weer kreeg Bourne dat vreemde, desoriënterende gevoel. Net als Carlos jaren geleden, had nu Spalko het overwicht. Hij hoefde alleen maar de trekker over te halen om Bourne het water in te schieten. Deze keer zou hij in de ijskoude Noord-Atlantische Oceaan terechtkomen en kon niemand hem redden zoals destijds op de milde Middellandse Zee. Hij zou snel onderkoeld raken en verdrinken.

'U wilt maar niet doodgaan, hè, meneer Bourne?'

Bourne dook op Spalko en knipte de stiletto open. Spalko, verrast, reageerde iets te traag. De kogel floot over het water, terwijl Bourne de stiletto in Spalko's zij stak. Hij kreunde en sloeg met de kolf van het pistool tegen Bournes wang. Het bloed spatte van hen af. Spalko zakte door zijn linkerknie, maar Bourne viel voorover op het dek.

Spalko – zich Bournes verwonding herinnerend – gaf hem een gemene trap tegen zijn gebroken ribben, die Bourne bijna bewusteloos maakte. Hij trok de stiletto uit zijn zij en gooide hem in het water. Toen bukte hij zich naar Bourne en sleepte hem naar de reling. Terwijl Bourne tegenspartelde, sloeg Spalko hem met de muis van zijn hand. Hij hees hem min of meer rechtop en probeerde hem over de rand van de boot te duwen.

Bourne bleef met moeite bij bewustzijn, maar de scherpe lucht van het ijskoude zwarte zeewater maakte hem wakker genoeg om te beseffen dat hij op het punt stond te worden vermoord. Het was precies zoals jaren geleden. Hij leed zoveel pijn dat hij nauwelijks kon ademen, maar hij moest aan het leven denken, zijn eigen leven nu, niet het leven dat ze van hem hadden afgenomen. Hij zou zich niet nog eens laten beroven.

Terwijl Spalko hem uit alle macht het water in probeerde te duwen, gaf Bourne hem met al zijn kracht een trap. De zool van zijn schoen raakte Spalko's kaak met een misselijkmakende klap. Spalko greep achteroverwankelend naar zijn gebroken kaak, en Bourne stapte op hem af. Spalko had geen tijd om het pistool te richten; Bourne stond al tegen hem aan. Spalko gaf met de kolf een klap tegen een van Bournes schouders, en Bourne wankelde achterover door de nieuwe pijn die door zijn lijf schoot.

Toen strekte hij zijn arm en gaf een dreun tegen Spalko's gebroken kaak. Spalko schreeuwde en Bourne trok het pistool uit zijn hand. Hij zette de loop tegen Spalko's kin en haalde de trekker over.

Het geluid was nauwelijks hoorbaar, maar de kracht van het schot tilde Spalko van het dek waardoor hij van boord sloeg. Met zijn hoofd vooruit plonsde hij in het water.

Bourne keek toe hoe Spalko op zijn buik op het water dreef en heen en weer schommelde op de rusteloze golven. Even later ging hij kopje-onder, alsof een grote en duistere macht hem naar de bodem van de zee trok.

31

Martin Lindros zat zo'n twintig minuten met Ethan Hearn aan de telefoon. Hearn had veel informatie over de beroemde Stepan Spalko en het was allemaal zo schokkend dat Lindros tijd nodig had om het te verwerken en te accepteren. Eén detail trok zijn bijzondere aandacht: een elektronische afschrijving van een van Spalko's lege vennootschappen in Boedapest teneinde een pistool aan te schaffen bij een illegaal, door een Rus gerund bedrijfje in de staat Virginia dat door rechercheur Harris was opgerold.

Een uur later had hij twee uitdraaien gemaakt van de bestanden die Hearn had gemaild. Hij stapte in zijn wagen en reed naar het buitenhuis van de directeur. De Oude Rot had plotseling griep gekregen. Dat moest dan wel een stevige zijn, dacht Lindros, als hij zelfs niet midden in de crisis van de top op kantoor kon verschijnen.

Zijn chauffeur remde bij de hoge gietijzeren poort, leunde uit het raampje en drukte de intercom in. In de lange stilte die daarop volgde, begon Lindros te denken dat de Oude Rot misschien zonder enige kennisgeving toch naar kantoor was gegaan.

Toen kraakte de bekende chagrijnige stem door de intercom en noemde de chauffeur Lindros' naam, waarna de poort geruisloos openging. De chauffeur remde en Lindros stapte uit. Hij tikte met de koperen klopper tegen de deur, en toen die werd geopend zag hij de directeur staan met een gerimpeld gezicht en haar dat in de war zat, omdat hij net uit bed kwam. Hij droeg een gestreepte pyjama en daarover een dikke badjas. Zijn knokige voeten waren in sloffen gestoken.

'Kom binnen, Martin, kom erin.' Hij draaide zich om en liet de deur open zonder te wachten tot Lindros over de drempel was. Lindros kwam binnen, deed de deur achter zich dicht. De directeur liep naar zijn studeerkamer, links de gang in. Er brandde geen licht; er leek verder niemand in huis te zijn.

Hij liep de kamer binnen, een mannelijke ruimte met jagersgroene muren, een crèmekleurig plafond en grote leren stoelen en een bank. De televisie, die in een muur van ingebouwde boekenkasten stond, was uit. Altijd als Lindros in deze kamer kwam, stond de tv aan, op CNN, met of zonder geluid.

De Oude Rot zat diep in zijn favoriete stoel. Het bijzettafeltje naast hem stond vol met een grote doos tissues en allerlei middeltjes: Tylenol Cold & Sinus, NyQuil, Vicks VapoRub, Coricidin, DayQuil en hoestsiroop.

'Wat is hier aan de hand?' vroeg Lindros, wijzend naar de kleine apotheek.

'Ik wist niet wat ik nodig had,' antwoordde de directeur, 'dus heb ik alles uit het medicijnenkastje gehaald.'

Toen zag Lindros een fles whisky staan naast een ouderwets glas. Hij fronste zijn wenkbrauwen. 'Kunt u me zeggen wat er aan de hand is?' Hij stak zijn hoofd om de deur van de studeerkamer. 'Waar is Madeleine?'

'Ach, Madeleine.' De Oude Rot pakte zijn whiskyglas en nam een flinke slok. 'Madeleine logeert bij haar zus in Phoenix.'

'En laat u alleen achter?' Lindros deed een staande schemerlamp aan; de directeur knipperde met zijn ogen. 'Wanneer komt ze terug?'

'Hmmm,' mompelde de directeur alsof hij na moest denken over de woorden van zijn adjunct. 'Het punt is, Martin, ik weet niet wanneer ze terugkomt.'

'Maar...?' Lindros was geschokt.

'Ze heeft me verlaten. Dat neem ik tenminste aan.' De directeur staarde wezenloos voor zich uit terwijl hij nog een slok nam. Hij tuitte zijn vochtige lippen, oogde als een gebroken man. 'Hoe kun je zoiets zeker weten?'

'Hebt u niet met haar gepraat?'

'Gepraat?' De directeur was er weer met zijn aandacht bij. Even keek hij Lindros in zijn ogen. 'Nee, we hebben helemaal niet gepraat.'

'Hoe kunt u dat dan weten?'

'Jij denkt dat ik dit verzin, dat het een storm in een glas water is?' De directeur keek fel uit zijn ogen en plotseling zat zijn stem boordevol met onderdrukte emoties. 'Maar er zijn dingen van haar verdwenen, begrijp je, persoonlijke, intieme dingen. En het huis is nu verdomd leeg.'

Lindros ging zitten. 'Meneer, het spijt me zeer, maar ik moet u...'

'Misschien heeft ze nooit van me gehouden, Martin.' De Oude Rot greep naar de fles. 'Maar hoe kun je zoiets mysterieus nou weten?'

Lindros boog zich voorover en trok voorzichtig het glas uit de hand van zijn baas. De directeur leek niet verrast. 'Ik zal voor u bemiddelen, als u wilt.'

De directeur knikte afwezig. 'Oké.'

Lindros zette de fles opzij. 'Maar we hebben nog iets dringends te bespreken.' Hij legde het dossier van Ethan Hearn op het tafeltje.

'Wat heb je daar? Ik kan in deze toestand niet lezen, Martin.'

'Dan vertel ik u wat erin staat,' zei Lindros. Toen hij het verhaal had verteld, viel er een stilte die door het hele huis drong.

Na een tijd keek de Oude Rot met zijn waterige ogen zijn adjunct aan. 'Waarom zou hij zoiets doen, Martin? Waarom zou Alex alle regels overtreden en iemand van zijn eigen mensen laten verdwijnen?'

'Ik denk dat hij begreep wat er aan de hand was. Hij was bang voor Spalko. En terecht, bleek achteraf.'

De Oude Rot zuchtte en leunde achterover. 'Dus het was achteraf gezien geen verraad?'

'Nee.'

'Wat ben ik blij...'

Lindros schraapte zijn keel. 'U moet dus de sanctie tegen Bourne onmiddellijk intrekken, en iemand moet met hem gaan praten.'

'Ja, natuurlijk. Ik denk dat jij dat het beste kunt doen, Martin.'

'Dat is goed.' Lindros stond op.

'Waar ga je naartoe?' De vechtlust was weer teruggekeerd in de stem van de Oude Rot.

'Naar de hoofdcommissaris van politie van Virginia. Ik heb nog een exemplaar van het dossier, voor hem. Ik sta erop dat rechercheur Harris van alle blaam gezuiverd wordt, en van ons een aanbeveling krijgt. En wat betreft de nationale veiligheidsadviseur...'

De directeur pakte het dossier en streek zijn hand eroverheen. Door zijn enthousiasme had zijn gezicht weer wat kleur gekregen. 'Geef me nog een nachtje, Martin.' Langzaam begonnen zijn ogen weer te glinsteren. 'Ik bedenk wel iets dat perfect geschikt zal zijn.' Hij lachte, zo te zien sinds eeuwen. '"Dat de straf overeenkomt met de misdaad," zo ging het toch?'

Khan bleef tot het eind bij Zina. Hij had de NX 20 met zijn gruwelijke, dodelijke lading verstopt. Voor alle beveiligingsmensen die door het hele hotel liepen was hij een held. Ze wisten niets over het biowapen. Ze wisten niets over hem.

Het waren vreemde uren voor Khan. Hij hield de hand vast van een stervende, jonge vrouw die niet kon praten, die nauwelijks kon ademen, maar die hem duidelijk niet wilde laten gaan. Misschien wilde ze uiteindelijk toch niet dood.

Nadat Hull en Karpov beseften dat ze op het punt stond te sterven en geen informatie kon verschaffen, verloren ze hun interesse en lieten ze haar alleen met Khan. Aldus, zo belast met de dood, ervoer hij iets nieuws. Elke ademhaling, die moeizaam en pijnlijk verliep, leek een heel mensenleven. Hij zag dit in haar ogen die zich, net zomin als haar hand, niet van hem konden losmaken. Ze verdronk in de stilte, zakte weg in de duisternis. Hij kon dat niet laten gebeuren.

Onverwacht kwam door haar pijn zijn eigen leed naar boven, en hij begon haar over zijn leven te vertellen; over zijn verlatenheid, zijn gevangenschap bij de Vietnamese wapensmokkelaar, zijn door de zendeling gedwongen religieuze bekering, de politieke hersenspoeling door de Rode Khmer.

En tot slot perste hij het pijnlijkste eruit, zijn gevoelens over Lee-Lee. 'Ik had een zusje,' zei hij met zachte, schrille stem. 'Ze zou nu ongeveer net zo oud zijn als jij, als ze nog leefde. Ze was twee jaar jonger dan ik, zag tegen me op en ik – ik beschermde haar. Ik beschermde haar niet alleen omdat ik dat van mijn ouders moest, maar omdat ik dat zelf wilde. Mijn vader was vaak weg. Als we buiten speelden, was ik de enige die haar kon beschermen.' Plotseling werden zijn ogen branderig, zag hij alles vaag. Hij schaamde zich, wilde zich omdraaien, maar hij zag iets in Zina's ogen, een intens medelijden dat als een reddingsboei voor hem was. Hij overwon zijn schaamte en ging verder, op intiemere voet. 'Maar toch ben ik tekortgeschoten. Mijn zusje werd samen met mijn moeder vermoord. Ook ik had dood moeten zijn, maar overleefde het.' Hij greep naar het stenen boeddhabeeldje om zijn hals, putte er zoals gewoonlijk kracht uit. 'Ik heb me zo vaak afgevraagd waarom ik het overleefd had. Ik was tekortgeschoten.'

Toen Zina haar mond opende, zag hij haar bebloede tanden. Haar hand, die hij zo strak vasthield, kneep in de zijne, ze wilde dat hij verderging. Hij verloste niet alleen haar van de pijn, maar ook zichzelf. En het vreemde was, dat het werkte. Hoewel ze niet kon praten, hoewel ze langzaam doodging, werkten haar hersens nog steeds. Ze kon hem horen, en hij zag aan haar dat het iets voor haar betekende – hij wist dat ze werd meegevoerd en dat ze hem begreep.

'Zina,' zei hij, 'in zekere zin zijn we aan elkaar verwant. Ik herken mezelf in jou – vervreemd, verlaten, helemaal alleen. Dat zegt je misschien niets, maar door mijn eigen schuldgevoel tegenover mijn zusje ben ik mijn vader redeloos gaan haten. Ik zag alleen maar dat hij ons had verlaten – mij.' Op dat moment kreeg hij een plotseling inzicht; hij besefte dat hij door een donker glas keek, dat hij zichzelf in haar kon herkennen, omdat hij was veranderd. Zij was zoals hij vroeger was. Het was veel eenvoudiger om zich op zijn vader te wreken dan om zijn eigen schuldgevoel onder ogen te zien. Uit dit besef was zijn verlangen ontstaan om haar te helpen. Hij wenste vurig dat hij haar kon redden van de dood.

Maar als geen ander voelde hij met een grimmige vertrouwdheid de dood naderen. Diens voetstap kon niet worden tegengehouden, ook niet door hem. En toen de tijd kwam, toen hij die voetstap hoorde en de dood in haar ogen zag, boog hij zich over haar heen, en zonder zich ervan bewust te zijn, glimlachte hij bemoedigend naar haar.

Voortbordurend op het verhaal van Bourne, zijn vader, zei hij: 'Vergeet niet wat je de Vragenstellers moet antwoorden, Zina. "Mijn God is Allah, mijn profeet Mohammed, mijn godsdienst de islam en mijn kibla de Heilige Kaaba."' Ze leek hem nog zoveel dingen te willen zeggen, maar kon dat niet. 'Je bent deugdzaam, Zina. Ze zullen je in hun zaligheid opnemen.'

Haar ogen knipperden en toen werd het leven dat ze glans gaf, als een kaars gedoofd.

Jamie Hull wachtte op Bourne toen deze terugkeerde naar het Oskjuhlid Hotel. Het had Bourne nogal wat tijd gekost om daar te komen. Twee keer had hij bijna zijn bewustzijn verloren en moest hij onderweg stoppen om zijn hoofd op het stuur te laten rusten. Hij leed verschrikkelijk veel pijn, was uitgeput, maar zijn wil om Khan te zien hield hem gaande. Hij maalde niet om de beveiliging; hij wilde alleen maar bij zijn zoon zijn.

In het hotel, waar Bourne kort uitlegde wat Spalko's aandeel in de aanslag op het hotel was geweest, wilde Hull hem naar een dokter brengen die zijn nieuwe wonden kon verzorgen.

'Spalko's wereldwijde reputatie is zo groot dat zelfs nadat we het lichaam hebben gevonden en het bewijs prijsgeven, er altijd mensen zullen blijven die het niet willen geloven,' zei Hull.

De geïmproviseerde polikliniek lag vol met patiënten. Zwaargewonde slachtoffers werden per ambulance naar het ziekenhuis gebracht. En dan waren er nog de dodelijke slachtoffers, over wie niemand nog durfde te praten.

'We weten wat je voor ons hebt gedaan en zijn je allemaal heel dankbaar,' zei Hull toen hij naast Bourne ging zitten. 'De president wil je uiteraard spreken, maar dat komt later wel.'

De arts kwam eraan en begon Bournes gehavende wang te hechten.

'Dit wordt geen fraai litteken,' zei ze. 'Misschien wilt u later een plastisch chirurg raadplegen.'

'Het is niet mijn eerste litteken,' zei Bourne.

'Dat zie ik,' merkte ze droog op.

'Een van de dingen die we verontrustend vonden, waren de HAZMAT-pakken,' ging Hull verder. 'We vonden geen spoor van een biologisch of chemisch middel. Jij wel?'

Bourne moest snel nadenken. Hij had Khan achtergelaten met Zina en het biowapen. Plotseling werd hij bang. 'Nee. Wij waren net zo verrast als jullie. Maar er was niemand meer over om ernaar te vragen.'

Hull knikte, en toen de arts klaar was, hielp hij Bourne met opstaan en naar de gang lopen. 'Je bent vast toe aan een warme douche en schone kleren, maar het is belangrijk dat ik je eerst ondervraag.' Hij glimlachte bemoedigend. 'Een kwestie van nationale veiligheid. Ik kan niet anders. Maar we kunnen het tenminste op een beschaafde manier doen bij een warme maaltijd, oké?'

Zonder iets te zeggen gaf hij plotseling een korte felle stoot in Bournes maag waardoor die op zijn knieën viel. Terwijl Bourne naar adem hapte, trok Hull zijn andere hand terug. Daarin hield hij een dolk vast, het korte, boombladvormige lemmet dat tussen zijn wijs- en middelvinger stak, zag zwart van een vloeistof die ongetwijfeld dodelijk giftig was.

Toen hij de dolk in Bournes nek wilde steken, klonk er vanuit de gang een schot. Bourne maakte zich los uit Hulls greep en botste tegen de muur. Hij keek op en nam alles in zich op: Hull lag dood op de donkerbruine vloerbedekking met de gifdolk in zijn hand, en terwijl hij op zijn nog trillende benen wilde staan, zag hij Boris Illyich Karpov, de directeur van de Alpha-eenheid van de FSB, met zijn tot zwijgen gebrachte pistool in zijn hand.

'Ik moet toegeven,' zei Karpov in het Russisch terwijl hij Bourne optrok, 'dat ik altijd al graag een geheim agent van de CIA heb willen doodschieten.'

'Jezus, bedankt,' antwoordde Bourne hijgend in dezelfde taal.

'Het was me een waar genoegen, geloof me.' Karpov staarde naar Hull. 'Het wereldwijde opsporingsbevel van de CIA tegen jou is ingetrokken, maar daar stoorde Hull zich niet aan. Het lijkt dat je nog steeds vijanden hebt binnen de eigen gelederen.'

Bourne haalde een paar keer diep adem, op zichzelf een pijnlijke exercitie. Hij wachtte tot hij weer helder zag. 'Karpov, waar ken ik je van?'

De Rus begon bulderend te lachen. '*Gospadin* Bourne, de geruchten over jou kloppen dus.' Hij gooide zijn arm om hem heen, ondersteunde hem half. 'Weet je het niet meer...? Ach, natuurlijk niet. Maar weet je, we hebben elkaar verschillende keren ontmoet. De laatste keer heb je zelfs mijn leven gered.' Hij lachte om Bournes verbaasde gezicht. 'Een heel verhaal. Uitstekend geschikt voor bij een fles wodka. Of misschien twee. Na een avond als deze, wie weet.'

'Een glaasje wodka zou er wel ingaan,' erkende Bourne, 'maar ik moet eerst nog iemand zoeken.'

'Kom op,' zei Karpov, 'dan laat ik mijn mannen deze rotzooi opruimen en dan help ik jou met wat je nog moet doen.' Hij grinnikte ruimhartig, waardoor de grofheid van zijn gelaatstrekken verdween. 'Je stinkt als een dooie vis over de datum, wist je dat? Maar ach, ik ben wel aan een beetje stank gewend!' Hij lachte weer. 'Het doet me goed je weer te zien! Een mens raakt niet zomaar bevriend, heb ik gemerkt, vooral niet in onze kringen. We moeten onze hereniging dus vieren, of niet?'

'Natuurlijk.'

'En naar wie ben je op zoek, beste Jason Bourne? Waarom heb je geen tijd voor een douche en een beetje welverdiende rust?'

'Een jongeman die Khan heet. Je hebt hem misschien al ergens gezien.'

'Inderdaad. Een opmerkelijke jongeman. Wist je dat hij de stervende Tsjetsjeense geen moment in de steek heeft gelaten? En zij hield tot op het laatst zijn hand vast.' Hij schudde zijn hoofd. 'Hoogst eigenaardig.'

Hij tuitte zijn rode lippen. 'Niet dat ze al die aandacht had verdiend. Want wat was zij nou, een moordenares, een dienares van de dood? Je hoeft alleen maar te kijken naar wat ze hier hebben proberen aan te richten om te beseffen hoe monsterlijk ze was.'

'En toch,' zei Bourne, 'bleef ze zijn hand vasthouden.'

'Hoe hij dat kon verdragen zal ik nooit begrijpen.'

'Misschien werd hij door haar getroost, net als zij door hem?' Bourne keek hem in zijn ogen. 'Vind je haar nog steeds zo monsterlijk?'

'Eh, ja,' zei Karpov, 'maar de Tsjetsjenen hebben me geleerd om zo te denken.'

'Er verandert ook niets,' zei Bourne.

'Niet voordat we ze hebben weggevaagd.' Karpov wierp een steelse blik op hem. 'Luister, idealistische vriend, ze zeggen over ons wat andere terroristen over de Amerikanen zeggen: "God heeft jullie de oorlog verklaard." Uit bittere ervaring hebben wij geleerd zulke uitspraken serieus te nemen.'

Toevallig wist Karpov precies waar Khan was: in het restaurant, dat stilaan weer in gebruik was genomen en een beperkt menu had.

'Spalko is dood,' zei Bourne om de golf van emoties te verbergen toen hij Khan zag.

Khan liet zijn hamburger met rust en bestudeerde de hechtingen in Bournes gezwollen wang. 'Doet het pijn?'

'Niet meer pijn dan ik al heb,' antwoordde Bourne en zijn gezicht vertrok toen hij ging zitten. 'Het stelt niet veel voor.'

Khan knikte maar hield zijn ogen niet van Bourne af.

Karpov ging naast Bourne zitten en vroeg een voorbijlopende ober om een fles wodka. 'Russische,' zei hij er nadrukkelijk bij, 'niet dat Poolse bocht. En met grote glazen. Wij zijn echte mannen, een Rus en twee helden die Russen zouden kunnen zijn.' Daarna richtte hij zijn aandacht weer op zijn gezelschap. 'Goed, mis ik iets?' vroeg hij voorzichtig.

'Nee, niets,' zeiden Bourne en Khan tegelijk.

'Echt niet?' De Rus fronste zijn borstelige wenkbrauwen. 'Nou, dan kunnen we nu gaan drinken. *In vino veritas*. In de wijn is waarheid, zeiden de Romeinen al. En waarom zouden we hen niet geloven? Het waren goede soldaten, de Romeinen, ze hadden geweldige generaals, maar zouden nog beter zijn geweest als ze in plaats van wijn wodka hadden gedronken!' Hij lachte zijn bulderende lach totdat zijn gezelschap wel mee moest lachen.

De ober kwam met de wodka en de glazen. Karpov wuifde de man weg.

'De eerste fles moet je altijd zelf openen,' zei hij. 'Traditie.'

'Onzin,' zei Bourne tot Khan. 'Die gewoonte stamt uit de tijd dat de Russische wodka zo slecht gedistilleerd werd, dat hij met terpentine werd aangevuld.'

'Je moet niet naar hem luisteren.' Karpov tuitte zijn lippen, maar zijn ogen glansden. Hij vulde de glazen en schoof ze met eerbied naar hen toe. 'Samen een fles Russische wodka delen is mijn idee van vriendschap, al of niet met terpentine. Want bij een goed glas Russische wodka is het prettig praten over het verleden, de vriendschap, voorbije vijandschap.'

Hij tilde zijn glas op en de rest volgde.

'Na Sdarovye!' riep hij, en hij nam een flinke slok.

'Na Sdarovye!' riepen Bourne en Khan, hem navolgend.

Bournes ogen prikten. De wodka brandde in zijn slokdarm, verspreidde vervolgens vanuit zijn maag een warmte die tot aan zijn vingers reikte en verzachtte alle pijn in hem.

Karpov wilde van geen wijken weten en zijn gezicht was rozig van de drank en het genot van vrienden om zich heen. 'Laten we ons bezatten en elkaar geheimen vertellen. Dan weten we dat we vrienden zijn.'

Hij nam weer een flinke slok en stak van wal. 'Ik zal beginnen. Dit is mijn geheim. Ik ken jou, Khan. Hoewel er nog nooit een foto van je is genomen, weet ik wie je bent.' Hij hield zijn vinger tegen zijn neus aan. 'Zonder mijn zesde zintuig zat ik niet al twintig jaar in dit vak. En om die reden heb ik je bij Hull vandaan gehouden, want als die er lucht van had gekregen, zou hij je gearresteerd hebben, heldenstatus of niet.'

Khan ging een beetje verzitten. 'Waarom heb je dat gedaan?'

'Oho, zou jij mij vermoorden? Hier aan deze tafel onder vrienden? Denk je dat ik je apart heb gezet voor mezelf? Zei ik niet dat we vrienden waren?' Hij schudde zijn hoofd. 'Je moet nog veel leren over vriendschap, jonge vriend.' Hij leunde naar voren. 'Ik heb je gered omdat Jason Bourne gewoonlijk alleen werkt. Jij werkte met hem samen, en zo begreep ik dat jij belangrijk voor hem was.'

Hij nam een forse slok en wees naar Bourne. 'Nu ben jij aan de beurt, beste vriend.'

Bourne staarde in zijn glas. Hij voelde Khans ogen op hem gericht. Hij wist welk geheim hij wilde onthullen, maar was bang dat Khan zou opstaan en weglopen. Maar toch moest hij iets zeggen. Uiteindelijk keek hij op.

'Toen ik op het eind alleen was met Spalko, liet ik bijna de moed zakken. Spalko had me bijna vermoord, maar de waarheid is...'

'Zeg het maar,' drong Karpov aan.

Bourne zette het glas tegen zijn lippen, dronk zich moed in en keek zijn zoon aan. 'Ik dacht aan jou. Ik dacht, als ik je nu in de steek laat, me door Spalko laat afmaken, ik nooit terug zou komen. Maar ik kon je niet achterlaten; dat mocht ik niet laten gebeuren.'

'Mooi!' Karpov sloeg met zijn glas op tafel. Hij wees naar Khan. 'En nu jij, jonge vriend.'

In de daaropvolgende stilte was Bourne bang dat zijn hart het zou begeven. Het bloed steeg naar zijn hoofd en alle pijn van zijn wonden, die zonet nog was verdoofd, leek terug te komen.

'Nou,' zei Karpov, 'ben je je tong verloren? Je vrienden zijn open naar je geweest, nu ben jij aan de beurt.'

Khan keek de Rus recht in zijn ogen en zei: 'Boris Illyich Karpov, ik wil me graag officieel aan je voorstellen. Mijn naam is Joshua. Ik ben de zoon van Jason Bourne.'

Vele uren en glazen wodka later stonden Bourne en Khan samen in de kelder van het Oskjuhlid Hotel. Het was er bedompt en koud, maar ze roken alleen maar wodka. Overal waren bloedvlekken.

'Je vraagt je natuurlijk af wat er met de nx 20 is gebeurd?' vroeg Khan.

Bourne knikte. 'Hull vertrouwde die HAZMAT-pakken niet. Hij zei dat ze geen spoor van een biologisch of chemisch wapen hadden gevonden.'

'Ik heb het verstopt,' zei Khan. 'Ik wachtte tot je terug zou komen, zodat we het samen konden vernietigen.'

Bourne kreeg een brok in zijn keel. 'Je vertrouwde erop dat ik terugkwam?'

Khan keek zijn vader in zijn ogen. 'Het lijkt erop dat ik vertrouwen heb gekregen.'

'Of dat je vertrouwen is hersteld.'

'Vertel me niet...'

'Ik weet het, ik mag je niet zeggen wat je moet denken.' Bourne liet zijn hoofd hangen. 'Sommige lessen hebben meer tijd nodig dan andere.'

Khan liep naar de plek waar hij de nx 20 had verstopt, een afgebrokkelde nis in een stuk gebarsten beton die door een van de enorme pijpen van het thermale verwarmingssysteem aan het oog was onttrokken. 'Ik moest er Zina even voor loslaten,' zei hij, 'dat was onoverkomelijk.' Voorzichtig gaf hij Bourne het wapen aan. Vervolgens pakte hij een klein metalen koffertje uit de nis. 'De flacon met de lading zit hierin.'

'We moeten het opwarmen,' zei Bourne, die zich herinnerde wat hij had gelezen op de computer van dr. Sido. 'Door verwarming wordt de werking tenietgedaan.'

De enorme keuken was brandschoon. De glanzende roestvrijstalen oppervlakken leken nog koeler zonder personeel. Bourne had de paar overgebleven personeelsleden naar buiten gestuurd, terwijl hij met Khan naar een van de manshoge ovens liep. Ze werkten op gas en Bourne zette de stand op de hoogste temperatuur. De vlammen sprongen tegen de bakstenen binnenwand omhoog. Binnen een minuut kon je nauwelijks nog bij de oven staan.

Ze trokken hun HAZMAT-pakken aan, braken het wapen in twee stukken en gooiden ieder een helft in het vuur. Daarna volgde de flacon.

'Het is net een begrafenisvuur van de vikingen,' zei Bourne toen hij zag hoe de nx 20 ineenkromp. Hij sloot de oven af, en daarna trokken ze hun pakken uit.

Hij draaide zich om naar zijn zoon en zei: 'Ik heb Marie gebeld, maar haar nog niets over jou verteld. Ik wachtte...'

'Ik ga niet met je mee terug,' zei Khan.

Bourne koos zijn volgende woorden met zorg uit. 'Dat zou niet mijn keuze zijn.'

'Dat weet ik,' zei Khan. 'Maar ik denk dat je een goede reden hebt gehad om je vrouw niets over mij te vertellen.'

In de stilte die hen plotseling overviel werd Bourne overweldigd door intens verdriet. Hij wilde omkijken, zijn geëmotioneerde gezicht verbergen, maar dat lukte niet. Hij had er genoeg van zijn emoties voor zijn zoon te verbergen.

'Je hebt Marie, twee kleine kinderen,' zei Khan. 'Dat is het nieuwe leven dat David Webb was begonnen, en daar maak ik geen deel van uit.'

Bourne had heel wat dingen geleerd de afgelopen dagen sinds de eerste kogel op de campus van de universiteit hem waarschuwde, onder andere wanneer hij beter kon zwijgen als zijn zoon bij hem was. Die had zijn beslissing genomen en daar kon hij niets aan doen. Hem proberen om te praten was zinloos. Het zou zelfs zijn latent aanwezige woede in hem kunnen opwekken. Die emotie was zo sterk, zat zo diep in hem geworteld, dat het nog dagen, weken, zelfs maanden zou duren voor hij daarvan verlost was.

Bourne begreep dat Khan een verstandige beslissing had genomen. Er was nog te veel pijn, de wond was nog te vers, hoewel het bloeden eindelijk was gestopt. En zoals Khan duidelijk had gemaakt, wist hij diep vanbinnen dat het zinloos was om Khan op te nemen in het leven dat David Webb voor zichzelf had gecreëerd. Khan paste daar niet in.

'Misschien niet nu, misschien nooit. Maar hoe je ook over me denkt, ik wil dat je weet dat je een broertje en een zusje hebt die het verdienen hun oudere broer te leren kennen. Ik hoop dat die tijd eens komt.'

Ze liepen samen de deur uit en Bourne was zich er scherp van bewust dat ze elkaar maanden niet meer zouden zien. Maar niet voor altijd, dat niet. Dat was het minste wat hij aan zijn zoon moest duidelijk maken.

Hij liep naar Khan en omhelsde hem. Ze stonden zwijgend tegenover elkaar. Bourne hoorde het sissen van de gasvlammen. Het vuur in de oven brandde hevig en nam zo de verschrikkelijke bedreiging voor de wereld weg.

Met tegenzin liet hij Khan gaan en heel even keek hij zijn zoon in zijn ogen en zag hij hem zoals hij als jongetje in Phnom Penh was geweest, met de felle Aziatische zon in zijn gezicht; in de schaduwvlekken van de palmbomen vlak achter hem stond Dao. Samen keken ze hem lachend aan.

'Ik ben ook Jason Bourne,' zei hij. 'Dat mag je nooit vergeten.'

EPILOOG

Toen de president van de Verenigde Staten persoonlijk de notenhouten deur opende van zijn studeerkamer in de Westvleugel, kreeg de directeur het gevoel dat hij opnieuw tot de hemel werd toegelaten, nadat hij met zijn voeten in de koude zevende buitenring van de hel had gestaan.

De directeur ging nog steeds onder zijn vervloekte griep gebukt, maar na het telefoontje kon hij zich met moeite uit zijn leren fauteuil hijsen, een douche nemen, zich scheren en aankleden. Hij had het telefoontje verwacht. Nadat hij het 'strikt geheime' dossier naar de president had gestuurd, inclusief de uitgebreide bewijsvoering van Martin Lindros en rechercheur Harris, zat hij zich geestelijk op het telefoontje voor te bereiden. En toch zat hij nog in zijn pyjama en badjas, uitgezakt in zijn fauteuil, te luisteren naar de drukkende stilte in het huis, alsof hij ieder moment de stem van zijn vrouw kon horen.

Nu de president hem binnenriep in zijn in blauwe en gouden tinten uitgevoerde werkkamer, voelde hij de verlatenheid van zijn huis nog sterker. Dit was zijn leven, het leven dat hij na tientallen jaren trouwe dienst en ondoorzichtig gekonkel voor zichzelf had opgebouwd, waarvan hij de regels kende en kon toepassen, hier en nergens anders.

'Fijn dat je gekomen bent,' zei de president met zijn mediamieke glimlach. 'Het is veel te lang geleden.'

'Dankuwel, meneer de president,' antwoordde de directeur. 'Dat vind ik ook.'

'Ga zitten.' De president wees naar een pluchen sofa. Hij droeg een onberispelijk, donkerblauw maatkostuum, een wit overhemd en een rode das met blauwe stippen. Hij had rode wangen, alsof hij zojuist een rondje had gejogd. 'Koffie?'

'Ja graag, alstublieft.'

Op dat moment kwam als bij toverslag een medewerker van de

president binnen met een zilveren dienblad waarop een chique koffiepot stond en porseleinen kopjes op delicate schoteltjes. Met een lichte huivering van genot merkte de directeur op dat er maar twee kopjes op stonden.

'De nationale veiligheidsadviseur komt zo meteen,' legde de president uit, die tegenover de directeur plaatsnam. De blos op zijn wangen, zag hij nu, was niet het gevolg van een rondje joggen, maar van de rijpheid van zijn macht. 'Allereerst wil ik je persoonlijk bedanken voor je goede werk van de afgelopen dagen.'

De medewerker reikte de koffie aan en vertrok, de zware deur zacht achter zich sluitend.

'Ik huiver als ik denk aan de verschrikkelijke gevolgen voor de beschaafde wereld, als Bourne niet had ingegrepen.'

'Dankuwel. We hebben nooit helemaal kunnen geloven dat hij Alex Conklin en dr. Panov had vermoord,' zei de directeur met een ernst en een hypocriete onbevangenheid, 'maar we moesten de feiten onder ogen zien – die gemanipuleerd waren, bleek achteraf – en daarnaar handelen.'

'Natuurlijk, dat begrijp ik.' De president deed twee suikerklontjes in zijn koffie en roerde aandachtig. 'Afijn, eind goed, al goed, al heeft in onze wereld – in tegenstelling tot die van Shakespeare – elke handeling zijn gevolgen.' Hij nam een slok. 'Maar toch, ondanks het bloedbad, kon de top ongehinderd doorgaan, zoals je weet. En het was een groot succes. De aanslag heeft ons nog dichter tot elkaar gebracht. Alle staatshoofden, zelfs ook goddank Aleksandr Yevtushenko, zagen duidelijk wat het lot zou zijn van de wereld als we niet onze vooroordelen vergaten en de handen ineen zouden slaan. We hebben een heel werkbaar verdrag ondertekend, een raamwerk voor een gezamenlijke strijd tegen het terrorisme. Onze minister van Buitenlandse Zaken is al onderweg naar het Midden-Oosten om met de eerste onderhandelingsronden te beginnen. Een behoorlijk sterke zet tegen onze vijanden.'

En u bent verzekerd van uw herverkiezing, dacht de directeur. *En van uw presidentiële erfenis.*

Na het discrete gezoem van de intercom verontschuldigde de president zich. Hij luisterde even en keek toen op. Hij keek de directeur indringend aan. 'Ik heb mezelf verlost van iemand die mij van afgewogen en waardevolle adviezen had moeten voorzien. Maakt u zich geen zorgen, dat zal niet meer gebeuren.'

De president wachtte niet op een reactie en sprak in de intercom: 'Laat haar maar binnen.'

De directeur, emotioneel kwetsbaarder dan ooit, moest even bijkomen. Hij keek om zich heen in de hoge, ruime kamer met zijn crèmekleurige wanden, helderblauwe tapijt, sierlijstwerk en stevige, comfortabele meubilair. Er hingen grote olieverfportretten van Republikeinse presidenten boven de kersenhouten chippendale-wandtafels. In de hoek stond de Amerikaanse vlag, half ontplooid. Buiten lag onder een donzige witte mist een uitgestrekt en keurig gemaaid gazon, waarboven een kersenboom zijn takken uitspreidde. Plukjes roze bloesem trilden als belletjes in de lentebries.

De deur ging open en Roberta Alonzo-Ortiz kwam binnen. De directeur merkte verheugd op dat de president niet opstond vanachter zijn bureau. Hij keek de nationale veiligheidsadviseur onbewogen aan en vroeg haar niet eens of ze wilde zitten. Ze droeg een strak gesneden zwart pakje, een grijze zijden blouse en praktische schoenen met lage hakken. Het leek of ze naar een begrafenis moest. Wel passend, stelde de directeur tevreden vast.

Heel even was ze verrast door de aanwezigheid van de directeur. Een laatste sprankje woede gloeide in haar ogen, voordat ze haar blik naarbinnen richtte en haar gezicht veranderde in een stijf masker. Er zaten vreemde vlekken op haar huid, ze leek haar emoties in bedwang te moeten houden. Ze groette hem niet, deed alsof hij er niet was.

'Mevrouw Alonzo-Ortiz, ik wil u een aantal dingen duidelijk maken zodat u de gebeurtenissen van de laatste dagen in perspectief kunt zien,' begon de president met zijn sonore stemgeluid dat geen onderbreking verdroeg. 'Ik heb op uw advies het opsporingsbevel naar Bourne ondertekend. Ook heb ik uw verzoek ingewilligd om de moord op Alex Conklin en Morris Panov snel af te ronden, en heb ik de fout gemaakt uw veroordeling over te nemen van rechercheur Harry Harris wegens het debacle bij Washington Circle.

Ik kan alleen maar zeggen dat ik zeer verheugd ben dat de sanctie uiteindelijk niet is uitgevoerd, maar ik ben ontzet over de beschadigde reputatie van een goede rechercheur. IJver is een goede eigenschap, maar niet wanneer de waarheid wordt ontkend die u hebt gezworen te dienen toen u uw ambt aannam.'

Gedurende zijn toespraak hield hij geen moment zijn ogen van haar af. Hij keek er voorzichtig neutraal bij, maar zijn woorden hadden een scherpte die de directeur, die hem tenslotte het beste kende, zowel de diepte als de breedte van zijn woede onthulde. Deze man kon je niet voor de gek houden; dit was geen president van vergeven en vergeten. Hier had de directeur op gerekend toen hij zijn vernietigende rapport schreef.

'Mevrouw Alonzo-Ortiz, in mijn regering is geen plaats voor politieke opportunisten – en zeker niet voor mensen die de waarheid opofferen aan hun eigenbelang. De waarheid is, dat u had moeten meewerken aan het onderzoek naar de moorden, in plaats van zo snel mogelijk de mensen te begraven die valselijk werden beschuldigd. Als u dat had gedaan, hadden we de terrorist Stepan Spalko misschien al gevangen voordat het bloedbad was aangericht. Nu zijn wij de directeur al onze dank verschuldigd, u vooral.'

Bij die laatste woorden knipperde Roberta Alonzo-Ortiz met haar ogen, alsof ze een zware klap van de president had gekregen. In zekere zin was dat ook zo.

Hij pakte een brief van zijn bureau. 'Vandaar dat ik uw ontslagbrief accepteer en uw verzoek inwillig terug te keren naar de particuliere sector, vanaf heden.'

De voormalige veiligheidsadviseur wilde nog iets zeggen, maar de strakke en strenge blik van de president weerhield haar ervan.

'Zeg maar niets,' zei hij kortaf.

Ze verbleekte, knikte licht onderdanig en draaide zich om.

Het moment dat de deur achter haar dichtging, slaakte de directeur een zucht. Heel even ontmoette zijn blik de ogen van de president, en alles leek opgehelderd. Hij begreep waarom zijn opperbevelhebber hem de vernedering van de veiligheidsadviseur had laten bijwonen. Zo bood hij zijn verontschuldigingen aan. In al die jaren dat hij zwoegde voor zijn vaderland, had de president hem nog nooit zijn verontschuldigingen aangeboden. Hij was er zo beduusd van dat hij niet wist wat hij moest doen.

Licht euforisch stond hij op. De president zat al aan de telefoon met zijn gedachten ergens anders. De directeur bleef nog even staan en genoot van zijn triomf. Toen verliet ook hij het heiligdom der heiligdommen, en liep hij weg door de stille gangen van de macht waar hij zijn thuis van had gemaakt.

David Webb had het veelkleurige bordje met HAPPY BIRTHDAY erop aan de muur gehangen. Marie was in de keuken waar ze de chocoladetaart afmaakte die ze ter gelegenheid van Jamies elfde verjaardag had gebakken. De heerlijke geur van pizza en chocolade trok door het hele huis. Hij keek om zich heen, vroeg zich af of er genoeg ballonnen waren. Hij telde er dertig – dat leek hem wel genoeg.

Hoewel hij was teruggekeerd naar zijn leven als David Webb, deden zijn ribben pijn bij elke ademhaling en ook de rest van zijn lichaam herinnerde hem er pijnlijk aan dat hij óók Jason Bourne was en dat altijd zou blijven. Vroeger was hij altijd bang dat die kant van zijn persoonlijkheid naar boven kwam, maar sinds de terugkeer van Joshua was alles veranderd. Er bestond nu een dwingende reden om soms weer Jason Bourne te worden.

Maar niet voor de CIA. Na de dood van Alex had hij er genoeg van, ook al had de directeur hem persoonlijk gevraagd om te blijven, ook al mocht en respecteerde hij Martin Lindros, de man die ervoor had gezorgd dat de sanctie tegen hem werd opgeheven. Het was Lindros geweest die ervoor gezorgd had dat hij in het Bethesda-marinehospitaal werd opgenomen. Tussen de onderzoeken van medisch specialisten van de CIA door, had Lindros hem ondervraagd. De adjunct had een moeilijke taak haast eenvoudig gemaakt, waardoor Webb de benodigde tijd kreeg om te slapen en bij te komen van zijn zware beproevingen.

Maar na drie dagen wilde Webb niets liever dan terugkeren naar zijn studenten, en hij wilde bij zijn gezin zijn, ook al voelde hij pijn in zijn hart, een leegte die de vorm had van Joshua. Hij had er met Marie over willen praten, had haar voor het overige alles verteld wat er was gebeurd in de dagen dat ze van elkaar gescheiden waren. En telkens als hij het over zijn zoon wilde hebben, stond zijn verstand stil. Hij was niet bang voor haar reactie, want hij had genoeg vertrouwen in haar. Hij wist niet hoe hij zelf zou reageren. Al na een week voelde hij zich van Jamie en Alison vervreemd. Hij zou zelfs Jamies verjaardag hebben vergeten als Marie hem er niet subtiel aan had herinnerd. Hij voelde een duidelijke scheidslijn in zijn leven: vóór en ná Joshua's plotselinge verschijning. Eerst was er de duisternis van de rouw, en nu was er het licht van de opstanding. Eerst was er de dood, en nu was er wonderbaarlijk genoeg weer leven. Hij moest begrijpen wat dit met hem deed. Hoe kon hij zoiets groots delen met Marie voordat hij het zelf kon plaatsen?

En zo keerden op de verjaardag van zijn zoontje zijn gedachten telkens terug naar zijn oudere zoon. Waar was Joshua nu? Kort nadat hij van Oszkar had gehoord dat het lichaam van Annaka Vadas langs de snelweg naar vliegveld Ferihegy was gevonden, was Joshua even snel verdwenen als hij was gekomen. Was hij naar Boedapest teruggegaan om Annaka nog één keer te zien? Webb hoopte van niet.

Hoe dan ook, Karpov had beloofd zijn geheim te bewaren, en Webb vertrouwde hem. Hij besefte dat hij geen idee had waar zijn zoon woonde, of hij wel een thuis had. Het was onmogelijk te bedenken waar Joshua was of wat hij aan het doen was, en dat deed Webb nog het meeste pijn. Hij miste hem, alsof hij een van zijn ledematen had verloren. Hij wilde Joshua nog zoveel zeggen, nog zoveel goedmaken. Het was moeilijk om geduldig te zijn, en de onzekerheid of Joshua hem ooit weer wilde zien, was pijnlijk.

Het feestje was begonnen, de ongeveer twintig kinderen speelden en schreeuwden het uit. Jamie zat in het midden, een geboren leider, een jongetje tegen wie werd opgezien. Zijn open gezicht, dat zoveel van Marie weg had, straalde van geluk. Webb vroeg zich af of hij zoveel onversneden geluk ooit op het gezicht van Joshua had gezien. Plotseling, alsof ze telepathisch met elkaar waren verbonden, stond Jamie voor zijn neus, en toen hij zijn vader naar hem zag kijken, lachte hij blij.

Webb, die de taak had de voordeur te openen, hoorde weer de bel. Hij deed open en zag een bode staan van FedEx met een pakketje voor hem. Hij ondertekende het en liep er meteen mee naar de kelder, waar hij een kamer binnenging waar maar één sleutel van was. Daar stond een draagbare scanner die hij ooit van Conklin had gekregen. Alle pakketjes voor de familie Webb werden door deze machine gehaald, zonder dat de kinderen het wisten.

Toen het pakje schoon bleek te zijn, maakte Webb het open. Er zat een honkbal in met twee handschoenen, een voor hem en een in een kindermaat. Hij maakte het begeleidende briefje open, waar slechts op stond:

Voor Jamies verjaardag
– Joshua

David Webb keek naar het cadeau, dat meer voor hem betekende dan wat ook. Hij hoorde boven de muziek en het gelach van de kinderen. Hij dacht aan Dao en Alyssa en Joshua zoals ze in zijn versplinterde geheugen bestonden. Dit kaleidoscopische beeld, dat werd opgeroepen door de opvallende, aardse geur van het vettige leer, stond hem levend voor ogen. Hij voelde aan het soepele leer, streelde over de ruwe stiksels. Wat riep dit veel herinneringen op! Hij lachte een bitterzoete glimlach. Toen trok hij de grote handschoen aan en wierp de bal in het midden van de handschoen. Hij ving hem op en hield hem stevig vast alsof het een hersenschim was.

Hij hoorde lichte voetstappen op de trap en daarna de stem van Marie, die hem riep.

'Ik kom eraan, schat,' antwoordde hij.

Hij bleef nog even roerloos zitten, liet de recente gebeurtenissen nog eenmaal de revue passeren. Toen zuchtte hij diep en liet hij het verleden rusten. Met het cadeau voor Jamie in zijn hand liep hij de keldertrap op en verenigde hij zich met zijn gezin.